HEYNE <

JEFFREY ARCHER

IM SCHATTEN UNSERER WÜNSCHE

DIE CLIFTON-SAGA 4

ROMAN

Aus dem Englischen
von Martin Ruf

WILHELM HEYNE VERLAG
MÜNCHEN

Die Originalausgabe BE CAREFUL WHAT YOU WISH FOR
erschien 2014 bei Macmillan, London

Dieses Buch ist auch als E-Book erhältlich.

Verlagsgruppe Random House FSC® N001967

4. Auflage
Vollständige deutsche Erstausgabe 10/2016

Redaktion: Thomas Brill
Printed in Germany
Umschlagillustration: Johannes Wiebel, punchdesign, München,
unter Verwendung von Motiven von photocase.de(chival),
shutterstock.com (Thananun Leungchaiya, GreenBelka) und
Richard Jenkins Photography
Satz: KompetenzCenter, Mönchengladbach
Druck und Bindung: GGP Media GmbH, Pößneck
ISBN: 978-3-453-41991-9

www.heyne.de

FÜR GWYNETH

PROLOG

Sebastian umklammerte das Steuer fester. Der Lastwagen hinter ihm berührte seine Heckstoßstange und schob den kleinen MG nach vorn, wodurch das Nummernschild abgerissen und hoch in die Luft gewirbelt wurde. Sebastian versuchte, noch ein paar Meter Abstand herzustellen, doch wenn er zu sehr beschleunigte, würde er auf den Lastwagen vor sich auffahren und zwischen den beiden Fahrzeugen wie eine Ziehharmonika zusammengeschoben werden.

Wenige Sekunden später wurden sie ein zweites Mal nach vorn geschoben, als der Lastwagen hinter ihnen mit deutlich größerer Wucht als zuvor auf das Heck des MG auffuhr und ihn bis auf weniger als einen halben Meter Entfernung auf den vorderen Lastwagen zuschob. Erst als der hintere Lastwagen zum dritten Mal auffuhr, schossen Sebastian die Worte durch den Kopf, die Bruno vor einigen Wochen zu ihm gesagt hatte: *Bist du sicher, dass du die richtige Entscheidung getroffen hast?* Er sah hinüber zu seinem Freund, der aschfahl vor Angst war und sich mit beiden Händen am Armaturenbrett festhielt.

»Die versuchen, uns umzubringen«, schrie Bruno. »Um Himmels willen, Seb, tu etwas!«

Sebastian sah hilflos auf die beiden nach Süden führenden Fahrbahnen, auf denen sich ein ununterbrochener Strom von Autos in die entgegengesetzte Richtung schob.

Als der Lastwagen vor ihm die Geschwindigkeit drosselte, wusste er, dass es, wenn überhaupt, nur eine Möglichkeit gab, wie sie das hier vielleicht überleben würden: Er musste eine Entscheidung treffen, und zwar schnell. Er sah hinüber auf die andere Straßenseite und suchte verzweifelt nach einer Lücke im Gegenverkehr. Als der Lastwagen hinter ihm ein viertes Mal auffuhr, wusste er, dass ihm keine andere Wahl mehr blieb.

Sebastian riss das Lenkrad energisch nach rechts und schoss über den grasbepflanzten Mittelstreifen hinweg direkt in den Gegenverkehr. Er trat das Gaspedal durch und betete, dass sie die Sicherheit der weiten, offenen Felder erreichen würden, die sich vor ihnen erstreckten, bevor ein anderes Auto mit ihnen kollidierte.

Der Fahrer eines Transporters und eines Pkws bremsten hektisch, um dem kleinen MG auszuweichen, der vor ihnen über die Straße raste. Für einen kurzen Augenblick glaubte Sebastian, er könne es schaffen, als plötzlich ein Baum vor ihm auftauchte. Er trat auf die Bremse und riss das Steuer nach links, doch es war zu spät. Sebastian hörte, wie Bruno einen Schrei ausstieß. Dann hörte er nichts mehr.

HARRY UND EMMA

1957 – 1958

1

Harry Clifton erwachte, weil das Telefon klingelte.

Er hatte gerade geträumt, konnte sich aber nicht mehr erinnern, worum es dabei gegangen war. Vielleicht gehörte das nicht enden wollende metallische Geräusch ja noch zu seinem Traum. Widerwillig drehte er sich um und warf blinzelnd einen Blick auf die kleinen, grün schimmernden Zeiger seines Weckers. 6:43 Uhr. Er lächelte. Es gab nur einen Menschen auf der Welt, der auf die Idee kommen konnte, ihn so früh am Morgen anzurufen. Er nahm den Hörer ab und murmelte mit übertrieben schläfriger Stimme: »Guten Morgen, Liebling.« Zunächst kam keinerlei Reaktion, und Harry fragte sich einen Moment lang, ob die Hotelangestellte, die das Gespräch durchgestellt hatte, sich im Zimmer geirrt hatte. Er wollte gerade wieder auflegen, als er ein Schluchzen hörte. »Bist du das, Emma?«

»Ja«, kam die Antwort.

»Was ist passiert?«, fragte er in beruhigendem Ton.

»Sebastian ist tot.«

Harry antwortete nicht sofort, denn jetzt wollte er unbedingt glauben, dass er noch träumte. »Wie ist das möglich?«, fragte er schließlich. »Ich habe doch erst gestern mit ihm gesprochen.«

»Er ist heute Morgen gestorben«, sagte Emma. Es war offensichtlich, dass sie jeweils nur wenige Worte am Stück sprechen konnte.

Harry setzte sich auf. Plötzlich war er hellwach.

»Bei einem Autounfall«, fuhr Emma schluchzend fort.

Harry versuchte, ruhig zu bleiben, während er darauf wartete, dass sie ihm berichten würde, was genau geschehen war.

»Sie sind zusammen nach Cambridge gefahren.«

»Sie?«, fragte Harry.

»Sebastian und Bruno.«

»Ist Bruno noch am Leben?«

»Ja, aber er ist in einer Klinik in Harlow, und die Ärzte sind nicht sicher, ob er die Nacht überstehen wird.«

Harry warf die Decke von sich und stellte die Füße auf den Boden. Er fror, und ihm war übel. »Ich werde sofort ein Taxi zum Flughafen nehmen und dann mit der ersten Maschine nach London zurückkommen.«

»Ich werde zur Klinik fahren«, sagte Emma. Weil sie nicht weitersprach, dachte Harry, die Verbindung sei unterbrochen worden. Doch dann hörte er sie flüstern: »Sie brauchen jemanden, der die Leiche identifiziert.«

Emma legte den Hörer auf, doch es dauerte eine Weile, bis sie die Kraft fand, um aufzustehen. Schließlich ging sie mit unsicheren Schritten durch das Zimmer, wobei sie sich wie ein Seemann im Sturm immer wieder an den Möbeln festhielt. Sie öffnete die Tür des Salons und sah, dass Marsden mit gesenktem Kopf in der Eingangshalle stand. Sie hatte noch nie erlebt, dass ihr alter Hausangestellter vor irgendeinem Mitglied der Familie Gefühle gezeigt hatte, weshalb sie die zusammengesunkene Gestalt, die sich am Kaminsims festhielt, jetzt kaum wiedererkannte. Die grausame Realität des Todes hatte die ruhige Gefasstheit, die seine Miene üblicherweise ausstrahlte, zunichtegemacht.

»Mabel hat Ihnen ein paar Dinge für die Nacht eingepackt, Madam«, stammelte er. »Und wenn Sie gestatten, werde ich Sie zur Klinik fahren.«

»Danke, Marsden, das ist überaus aufmerksam von Ihnen«, sagte Emma, als er die Haustür für sie öffnete.

Marsden nahm ihren Arm und führte sie die Stufen hinab zum Wagen. Es war das erste Mal überhaupt, dass er die Herrin des Hauses berührte. Er öffnete die Autotür, und sie stieg ein und sank wie eine alte Frau auf das Sitzleder. Marsden startete den Motor, legte den ersten Gang ein und begann die lange Fahrt vom Manor House zum Princess Alexandra Hospital in Harlow.

Plötzlich fiel Emma ein, dass sie weder ihren Bruder noch ihre Schwester darüber informiert hatte, was geschehen war. Sie würde Grace und Giles heute Abend anrufen, wenn beide am ehesten alleine waren. Über ein solches Ereignis wollte sie nicht in Gegenwart Fremder sprechen. Plötzlich empfand sie einen heftigen Schmerz in ihrem Magen, als hätte jemand auf sie eingestochen. Wer sollte Jessica sagen, dass sie ihren Bruder nie wieder sehen würde? Konnte sie jemals wieder dasselbe fröhliche kleine Mädchen sein, das stets wie ein gehorsamer, schwanzwedelnder Welpe voll uneingeschränkter Bewunderung auf seinen Bruder zugestürmt war? Jessica durfte die Nachricht von niemand anderem hören, und das bedeutete, dass Emma so rasch wie möglich zum Manor House zurückkehren musste.

Marsden fuhr die Auffahrt zur örtlichen Tankstelle hinauf, wo er üblicherweise am Freitagnachmittag tankte. Als der Tankwart Mrs. Clifton auf der Rückbank des grünen Austin A30 sitzen sah, grüßte er, indem er den Schild seiner Mütze berührte. Sie erwiderte seinen Gruß nicht, und der junge

Mann fragte sich, ob er irgendetwas falsch gemacht hatte. Er füllte den Tank und öffnete die Motorhaube, um den Ölstand zu kontrollieren. Als er fertig war, schlug er die Motorhaube zu und berührte wieder den Schild seiner Mütze, doch Marsden fuhr wortlos davon und gab ihm auch nicht wie sonst immer einen Sixpence Trinkgeld.

»Was haben die nur?«, murmelte der junge Mann, als der Wagen verschwand.

Sobald sie wieder auf der Straße waren, versuchte Emma, sich daran zu erinnern, welches die genauen Worte gewesen waren, die der für die Zulassungen zuständige Tutor am Peterhouse College benutzt hatte, als er ihr stockend die Nachricht mitgeteilt hatte. *Es tut mir leid, Ihnen mitteilen zu müssen, Mrs. Clifton, dass Ihr Sohn bei einem Autounfall ums Leben gekommen ist.* Über diese entscheidende Information hinaus schien Mr. Padgett nur sehr wenig zu wissen, doch schließlich war er, wie er erklärte, auch nur der Überbringer der Nachricht.

In Emmas Kopf überschlugen sich die Fragen geradezu. Warum war ihr Sohn mit dem Auto nach Cambridge gefahren, obwohl sie ihm einige Tage zuvor eine Zugfahrkarte gekauft hatte? Wer war gefahren, Sebastian oder Bruno? Waren sie zu schnell unterwegs gewesen? War ihnen ein Reifen geplatzt? War ein weiteres Fahrzeug in den Unfall verwickelt? Es gab so viele Fragen, doch sie zweifelte daran, dass irgendjemand alle Antworten wusste.

Wenige Minuten nach dem Anruf des Tutors meldete sich die Polizei und fragte, ob Mr. Clifton in die Klinik kommen könne, um die Leiche zu identifizieren. Emma teilte den Beamten mit, dass ihr Mann wegen einer Lesetour in New York war. Sie hätte sich nicht einverstanden erklärt, seinen Platz einzunehmen, wenn sie hätte sicher sein können, dass er bereits am folgenden Tag wieder in England wäre. Gott sei Dank kam er mit dem Flugzeug und musste nicht fünf Tage einsam trauernd mit einer Schifffahrt über den Atlantik verbringen.

Während Marsden durch die ihr unvertrauten Städte Chippenham, Newbury und Slouth fuhr, unterbrach der Gedanke an Don Pedro Martinez Emmas bisherige Überlegungen. Bestand die Möglichkeit, dass er sich für das hatte rächen wollen, was wenige Wochen zuvor in Southampton geschehen war? Aber wenn es sich bei der anderen Person im Auto um Martinez' Sohn Bruno handelte, ergab das überhaupt keinen Sinn. Emmas Gedanken kehrten zu Sebastian zurück, als Marsden die Great Western Road verließ und nach Norden in Richtung der A1 fuhr; es war jene Straße, die Sebastian wenige Stunden zuvor ebenfalls benutzt hatte. Emma hatte einmal gelesen, dass in Zeiten einer persönlichen Tragödie sich jeder einzig und allein wünschte, die Uhr zurückdrehen zu können. Sie war da nicht anders.

Die Fahrt verging rasch, denn sie dachte kaum an etwas anderes als an Sebastian. Sie erinnerte sich an seine Geburt, als Harry auf der anderen Seite der Welt im Gefängnis war; an seine ersten Schritte im Alter von acht Monaten und vier Tagen; an sein erstes Wort, »mehr«; an seinen ersten Tag in der Schule, als er bereits nach draußen gesprungen war, bevor Harry noch die Gelegenheit gehabt hatte, den Wagen vollständig zum Stehen zu bringen; und dann später an Beechcroft Abbey, als der Rektor ihn der Schule verweisen wollte, ihm aber noch eine zweite Chance gegeben hatte, nachdem Sebastian ein Stipendium für Cambridge gewonnen hatte. Es gab so vieles, worauf man sich freuen konnte, so vieles, das noch zu erreichen war. Und einen Augenblick später war alles nur noch Vergangenheit. Schließlich dachte sie an ihren schrecklichen

Fehler, der darin bestanden hatte, sich vom Kabinettssekretär überreden zu lassen, dass Sebastian in die Pläne der Regierung, Don Pedro Martinez seiner gerechten Strafe zuzuführen, einbezogen werden sollte. Wenn sie Sir Alans Bitte abgelehnt hätte, wäre ihr einziger Sohn noch am Leben. Wenn, wenn, wenn …

Als sie die Außenbezirke von Harlow erreichten, warf Emma einen Blick aus dem Seitenfenster und sah ein Schild, das ihnen den Weg zum Princess Alexandra Hospital wies. Sie versuchte, sich auf das zu konzentrieren, was von ihr erwartet wurde. Wenige Minuten später passierte Marsden zwei gusseiserne Tore, die sich niemals schlossen, und hielt vor dem Haupteingang der Klinik. Emma stieg aus und ging auf die Eingangstür zu, während Marsden sich auf die Suche nach einem Parkplatz machte.

Sie nannte der jungen Frau am Empfang ihren Namen, und das fröhliche Lächeln ihres Gegenübers wich einem Blick voller Mitleid. »Würden Sie bitte einen Augenblick warten, Mrs. Clifton«, sagte die junge Frau und nahm den Hörer ihres Telefons ab. »Ich werde Mr. Owen mitteilen, dass Sie hier sind.«

»Mr. Owen?«

»Er war der diensthabende Arzt, als Ihr Sohn heute Morgen eingeliefert wurde.«

Emma nickte und ging unruhig im Flur auf und ab. Ungeordnete Gedanken waren in ihrem Kopf an die Stelle ungeordneter Erinnerungen getreten. *Wer, wann, warum …*

Sie blieb erst stehen, als eine Krankenschwester mit gestärktem Kragen in makelloser Uniform fragte: »Sind Sie Mrs. Clifton?« Emma nickte. »Bitte kommen Sie mit mir.«

Die Schwester führte Emma durch einen Korridor mit grünen Wänden. Beide sprachen kein Wort, aber was hätten sie auch sagen sollen? Sie blieben vor einer Tür stehen, auf der der Name »Mr. William Owen, FRCS« angebracht war.

Die Schwester klopfte an, öffnete die Tür und trat beiseite, damit Emma eintreten konnte.

Ein dünner Mann mit Halbglatze und der tieftraurigen Miene eines Beerdigungsunternehmers erhob sich hinter dem Schreibtisch. Emma fragte sich, ob dieses Gesicht jemals lächelte. »Guten Tag, Mrs. Clifton«, sagte der Mann und deutete auf den einzigen bequemen Stuhl im Zimmer. »Es tut mir leid, dass wir uns unter so unglücklichen Umständen begegnen«, fügte er hinzu.

Emma hatte Mitleid mit ihm. Wie oft am Tag musste er wohl genau diese Worte sagen? Seinem Gesichtsausdruck nach zu urteilen schien diese Aufgabe niemals leichter zu werden.

»Bedauerlicherweise ist noch jede Menge Papierkram zu erledigen, aber ich fürchte, der Leichenbeschauer verlangt eine förmliche Identifikation, bevor wir uns damit beschäftigen können.«

Emma senkte den Kopf und brach in Tränen aus. Sie wünschte sich, sie hätte zugestimmt, als Harry ihr vorgeschlagen hatte, diese unerträgliche Aufgabe zu übernehmen. Mr. Owen sprang auf, kam hinter seinem Schreibtisch hervor, ging neben ihr in die Hocke und sagte: »Es tut mir so leid, Mrs. Clifton.«

Harold Guinzburg hätte gar nicht umsichtiger und hilfsbereiter sein können.

Harrys Verleger hatte ihm einen Platz erster Klasse in der ersten verfügbaren Maschine nach London gebucht. Sein Autor sollte es wenigstens bequem haben, dachte Harold, obwohl er sich nicht vorstellen konnte, dass der arme Mann

Schlaf finden würde. Es schien ihm nicht der richtige Zeitpunkt, um Harry eine gute Nachricht mitzuteilen, weshalb er ihn einfach nur bat, Emma sein tief empfundenes Beileid auszusprechen.

Als Harry vierzig Minuten später aus dem Hotel Pierre auscheckte, stand Harolds Chauffeur auf dem Bürgersteig, um ihn zum Flughafen Idlewild zu bringen. Harry setzte sich in den Fond der Limousine, denn er hatte kein Interesse daran, sich mit irgendjemandem zu unterhalten. Unwillkürlich dachte er daran, was Emma durchmachen musste. Die Vorstellung, dass sie die Leiche ihres Sohnes identifizieren musste, gefiel ihm gar nicht. Vielleicht würde ihr die Klinik anbieten zu warten, bis er zurück wäre.

Harry blieb völlig unbeeindruckt von der Tatsache, dass er einer der ersten Passagiere war, die den Atlantik ohne Zwischenstopp überquerten, denn er konnte nur an seinen Sohn denken und daran, wie sehr Sebastian sich darauf gefreut hatte, nach Cambridge zu gehen und sein erstes Studienjahr an der Universität zu beginnen. Und danach … angesichts von Sebastians angeborener Begabung für Fremdsprachen nahm Harry an, dass sein Sohn für das Außenministerium hätte arbeiten wollen; vielleicht wäre er auch Übersetzer geworden oder möglicherweise Dozent oder …

Nachdem die Comet abgehoben hatte, verzichtete Harry auf das Glas Champagner, das ihm eine lächelnde Stewardess anbot. Sie konnte ja nicht wissen, warum es nichts gab, worüber er seinerseits hätte lächeln können. Er erklärte ihr auch nicht, warum er nichts essen und nicht schlafen wollte. Während des Krieges hatte Harry gelernt, sechsunddreißig Stunden am Stück wach zu bleiben und nur durch das Adrenalin der Angst zu überleben. Er wusste, er würde nicht eher schlafen können, bis er seinen Sohn ein letztes Mal gesehen hatte, und er nahm an, dass er auch danach noch eine ganze Weile wach bleiben würde, angetrieben vom Adrenalin der Verzweiflung.

Der Arzt führte Emma schweigend durch einen düsteren Flur bis zu einer hermetisch verschlossenen Tür aus dickem Glas, auf der in angemessenen schwarzen Buchstaben das Wort *Leichenhalle* angebracht war. Mr. Owen schob die Tür auf und machte einen Schritt beiseite, damit Emma eintreten konnte. Die Tür schloss sich mit einer Art dumpfem Seufzen hinter ihr. Die plötzliche Kühle ließ Emma erschauern, und ihr Blick richtete sich auf die Rollbahre in der Mitte des Raums. Unter dem Tuch zeichneten sich schwach die Umrisse der Leiche ihres Sohnes ab.

Am Kopfende der Rollbahre stand ein Mitarbeiter der Pathologie in einem weißen Kittel, der jedoch nichts sagte.

»Sind Sie bereit, Mrs. Clifton?«, fragte Mr. Owen in sanftem Ton.

»Ja«, antwortete Emma mit fester Stimme, und ihre Fingernägel gruben sich in ihre Handflächen.

Owen nickte, und der Mitarbeiter der Pathologie schlug das Tuch zurück, woraufhin ein von Verletzungen übersätes Gesicht freigelegt wurde, das Emma sofort erkannte. Sie schrie auf, sank auf die Knie und begann, unkontrolliert zu schluchzen.

Mr. Owen und der Mitarbeiter der Pathologie waren von dieser Reaktion nicht überrascht, schließlich handelte es sich um eine Mutter, die zum ersten Mal ihren toten Sohn sah. Schockiert waren sie jedoch, als Emma leise sagte: »Das ist nicht Sebastian.«

2

Als das Taxi vor der Klinik hielt, sah Harry überrascht, dass Emma neben der Tür stand, wo sie offensichtlich auf ihn wartete. Er war sogar noch überraschter, als sie auf ihn zueilte und ihre Miene nichts als Erleichterung ausdrückte.

»Seb lebt!«, rief sie, schon lange bevor sie Harry erreicht hatte.

»Aber du hast mir doch gesagt …«, begann Harry und schlang die Arme um sie.

»Die Polizei hat sich geirrt. Sie haben angenommen, dass der Besitzer des Wagens gefahren und Seb auf dem Beifahrersitz gesessen hat.«

»Wo in Wirklichkeit Bruno saß?«, sagte Harry leise.

»Ja«, antwortete Emma, die sich ein wenig schuldig fühlte.

»Dir ist klar, was das bedeutet?«, fragte Harry und ließ sie los.

»Nein. Worauf willst du hinaus?«

»Die Polizei muss Martinez gesagt haben, dass *sein* Sohn überlebt hat, doch inzwischen muss er herausgefunden haben, dass Bruno umgekommen ist und nicht Sebastian.«

Emma senkte den Kopf. »Der arme Mann«, sagte Emma, als die beiden die Klinik betraten.

»Es sei denn …«, sagte Harry, brachte seinen Satz aber nicht zu Ende. »Wie geht es Seb?«, fragte er stattdessen leise. »Wie ist sein Zustand?«

»Ziemlich schlecht, fürchte ich. Mr. Owen hat mir gesagt, dass nur wenige Knochen in seinem Körper heil geblieben sind. Er wird wohl mehrere Monate in der Klinik bleiben, und es könnte sein, dass er für den Rest seines Lebens im Rollstuhl sitzen wird.«

»Wir sollten einfach dankbar dafür sein, dass er noch am Leben ist«, sagte Harry und legte seiner Frau einen Arm um die Schulter. »Werde ich ihn sehen können?«

»Ja, aber nur ein paar Minuten. Und ich muss dich warnen, Liebling, er ist so sehr unter Gips und Binden verschwunden, dass du ihn vielleicht nicht einmal erkennst.« Emma nahm seine Hand und führte ihn in den ersten Stock, wo die beiden auf eine geschäftige Frau in einer dunkelblauen Uniform stießen, die die Patienten im Auge behielt und ihren Mitarbeitern gelegentlich Anweisungen gab.

»Ich bin Miss Puddicombe«, sagte sie und hielt Harry die Hand hin.

»Nenn sie einfach *Schwester*«, flüsterte Emma. Harry schüttelte der Frau die Hand und sagte: »Guten Morgen, Schwester.«

Ohne ein weiteres Wort führte die kleine Gestalt die beiden durch die Station Bevan. Die Betten des Krankensaals standen in zwei langen Reihen, von denen jedes einzelne belegt war. Miss Puddicombe ging rasch voraus, bis sie einen Patienten am anderen Ende des Saals erreicht hatte. Sie schloss einen Vorhang um Sebastian Arthur Clifton und zog sich dann zurück. Harry starrte auf seinen Sohn herab. Eines seiner Beine wurde von einem Flaschenzug angehoben, während das andere, das wie das erste eingegipst war, flach auf dem Bett lag. Der ganze Kopf war so dicht von Binden umhüllt, dass er nur ein Auge auf seine Eltern richten konnte, doch seine Lippen bewegten sich nicht.

Als Harry sich herabbeugte, um ihn auf die Stirn zu küssen, waren Sebastians erste Worte: »Wie geht es Bruno?«

»Es tut mir leid, dass ich Ihnen beiden nach allem, was Sie durchgemacht haben, noch einige Fragen stellen muss«, sagte Chief Inspector Miles. »Ich würde das nicht machen, wenn es nicht absolut notwendig wäre.«

»Und warum ist es notwendig?«, fragte Harry, dem Ermittler und ihre Methoden, an Informationen zu gelangen, vertraut waren.

»Bisher bin ich noch nicht davon überzeugt, dass das, was auf der A1 passiert ist, ein Unfall war.«

»Was wollen Sie damit andeuten?«, fragte Harry.

»Ich möchte überhaupt nichts andeuten, Sir, aber unsere Jungs von der technischen Abteilung haben das Fahrzeug gründlich untersucht, und sie sind der Ansicht, dass ein, zwei Dinge einfach nicht zusammenpassen.«

»Welche zum Beispiel?«, fragte Emma.

»Zunächst einmal, Mrs. Clifton«, sagte Miles, »finden wir einfach keinen Grund, warum Ihr Sohn den Mittelstreifen überquert hat, wo ihm doch klar sein musste, dass er dort möglicherweise mit einem der Wagen zusammenstoßen würde, die aus der Gegenrichtung kamen.«

»Vielleicht hatte das Auto einen technischen Defekt?«, sagte Harry in fragendem Ton.

»Das war auch unser erster Gedanke«, erwiderte Miles. »Aber obwohl das Fahrzeug stark beschädigt wurde, ist nicht ein einziger Reifen geplatzt, und die Lenkradsäule war intakt, was bei Unfällen dieser Art so gut wie nie vorkommt.«

»Das ist wohl kaum ein Beweis dafür, dass ein Verbrechen begangen wurde«, sagte Harry.

»Nein, Sir«, sagte Miles. »Und wenn es nur das gewesen wäre, hätte ich den Leichenbeschauer auch nicht gebeten, den Fall an den Oberstaatsanwalt zu überweisen. Doch es hat sich jemand bei uns gemeldet und eine wahrhaft beunruhigende Aussage zu Protokoll gegeben.«

»Und was hatte dieser Zeuge zu sagen?«

»Die Zeugin«, erwiderte Miles und warf einen Blick in sein Notizbuch. »Eine gewisse Mrs. Challis hat uns berichtet, dass sie von einem MG-Coupé überholt wurde, das unmittelbar danach auch noch einen Konvoi von drei Lkws, die auf der inneren Spur unterwegs waren, überholen wollte, als der erste Lastwagen plötzlich auf die äußere Spur wechselte, obwohl sich kein anderes Fahrzeug vor ihm befand. Deshalb musste der Fahrer des MG plötzlich bremsen. Dann fuhr der dritte Lastwagen ebenfalls auf die äußere Spur, und auch dies geschah wiederum ohne ersichtlichen Grund, während der mittlere seine Geschwindigkeit beibehielt. Dadurch hatte der MG keine Möglichkeit mehr, den ersten Lastwagen zu überholen oder zurück auf die sichere innere Spur zu wechseln. Mrs. Chalis hat uns weiterhin berichtet, dass die drei Lkws den MG eine längere Zeit in dieser Position eingeschlossen hielten«, fuhr der Chief Inspector fort. »Bis der Fahrer des MG anscheinend vollkommen grundlos über den Mittelstreifen und damit direkt in den Gegenverkehr raste.«

»Konnten Sie irgendeinen der drei Lastwagenfahrer befragen?«, wollte Emma wissen.

»Nein. Wir konnten keinen einzigen von ihnen ausfindig machen, Mrs. Clifton. Und glauben Sie bloß nicht, wir hätten es nicht versucht.«

»Aber was Sie andeuten, ist unvorstellbar«, sagte Harry. »Wer würde zwei unschuldige Jungen umbringen wollen?«

»Da stimme ich Ihnen zu, Mr. Clifton, hätten wir nicht eben erst herausgefunden, dass Bruno Martinez ursprünglich gar nicht die Absicht gehabt hatte, Ihren Sohn nach Cambridge zu begleiten.«

»Woher wollen Sie das wissen?«

»Seine Freundin, eine gewisse Miss Thornton, hat sich bei uns gemeldet und uns darüber informiert, dass sie an jenem Tag mit Bruno ins Kino gehen wollte. Sie musste jedoch im letzten Augenblick wegen einer Erkältung absagen.« Der Chief Inspector nahm einen Füllfederhalter aus seiner Tasche, schlug eine Seite in seinem Notizbuch um und sah Sebastians Eltern direkt ins Gesicht, bevor er fragte: »Hat einer von Ihnen Grund zu der Annahme, dass irgendjemand Ihrem Sohn schaden wollte?«

»Nein«, sagte Harry.

»Ja«, sagte Emma.

3

»Sorg dafür, dass die Aufgabe diesmal erledigt wird.« Don Pedro Martinez schrie fast. »Das sollte nicht allzu schwierig sein«, fügte er hinzu und rückte auf seinem Stuhl nach vorn. »Ich bin gestern Morgen problemlos in die Klinik gelangt, und nachts dürfte es noch viel einfacher sein.«

»Wie soll er erledigt werden?«, fragte Karl in sachlichem Ton.

»Schneid ihm die Kehle durch«, sagte Don Pedro. »Du brauchst nichts als einen weißen Kittel, ein Stethoskop und ein Chirurgenmesser. Du musst nur darauf achten, dass es scharf ist.«

»Es wäre vielleicht nicht klug, dem Jungen die Kehle durchzuschneiden«, gab Karl zu bedenken. »Es wäre besser, ihn mit einem Kissen zu ersticken, sodass jeder annehmen wird, er sei an seinen Verletzungen gestorben.«

»Nein. Ich will, dass der Clifton-Junge einen langsamen und qualvollen Tod stirbt. Je langsamer umso besser.«

»Ich verstehe Ihre Gefühle, Chef, aber wir sollten diesem Ermittler nicht noch einen Grund geben, seine Nachforschungen wieder aufzunehmen.«

Don Pedro sah enttäuscht aus. »Na schön, dann ersticke ihn«, sagte er widerwillig. »Aber sieh zu, dass es so lange wie möglich dauert.«

»Soll ich Diego und Luis hinzuziehen?«

»Nein, aber ich will, dass sie als Sebastians Freunde die Beerdigung besuchen, damit sie mir darüber berichten können. Ich will hören, dass die Eltern nicht weniger gelitten haben als ich, als mir klar wurde, dass es nicht Bruno war, der überlebt hat.«

»Aber was ist mit ...«

Das Telefon auf Don Pedros Schreibtisch klingelte. Er nahm den Hörer ab. »Ja?«

»Ein gewisser Colonel Scott-Hopkins ist in der Leitung«, sagte seine Sekretärin. »Er möchte eine persönliche Angelegenheit mit Ihnen besprechen. Er sagt, es sei dringend.«

Alle vier hatten ihre Termine neu organisiert, damit sie am folgenden Morgen um neun Uhr im Kabinettsbüro in der Downing Street sein konnten.

Sir Alan Redmayne, der Kabinettssekretär, hatte sein Gespräch mit Monsieur Chauvel, dem französischen Botschafter, abgesagt, mit dem er sich eigentlich über die Folgen einer möglichen Rückkehr von Charles de Gaulle in den Élyséepalast hatte unterhalten wollen.

Der Abgeordnete Sir Giles Barrington würde nicht an der wöchentlichen Zusammenkunft des Schattenkabinetts teilnehmen, denn es hatte sich, wie er dem Oppositionsführer Mr. Gaitskell gegenüber erklärte, ein schwerwiegendes Problem in der Familie ergeben.

Harry Clifton würde bei Hatchards in Piccadilly nicht zur Verfügung stehen, um seinen neuesten Roman *Blut ist dicker als Wasser* zu signieren. Das hatte er bereits im Voraus bei einhundert Exemplaren getan, um dem Buchhändler entgegenzukommen. Dieser konnte seine Enttäuschung nämlich nicht verhehlen, nachdem er erfahren hatte, dass Harry am Sonntag auf dem ersten Platz der Bestsellerliste stehen würde.

Emma Clifton hatte ein Treffen mir Ross Buchanan abgesagt, bei dem sie mit dem Vorstandsvorsitzenden eigentlich über dessen Pläne zum Bau eines neuen luxuriösen Passagierschiffs hatte sprechen wollen, das, sollte der Vorstand Buchanan unterstützen, Teil der Schifffahrtslinie der Barringtons werden würde.

Die vier nahmen an einem ovalen Tisch im Büro des Kabinettssekretärs Platz.

»Es ist schön, dass Sie uns so kurzfristig empfangen konnten«, sagte Giles vom gegenüberliegenden Ende des Tisches aus. Sir Alan nickte. »Aber Sie werden sicher verstehen, dass Mr. und Mrs. Clifton darüber besorgt sind, dass das Leben ihres Sohnes noch immer in Gefahr sein könnte.«

»Ich teile ihre Besorgnis«, sagte Sir Alan, »und gestatten Sie mir, Ihnen zu sagen, wie betroffen ich war, als ich vom Unfall Ihres Sohnes gehört habe, Mrs. Clifton. Was nicht zuletzt daran liegt, dass ich mir eine Mitschuld an den Ereignissen gebe. Doch wie dem auch sei, ich darf Ihnen versichern, dass ich unterdessen nicht untätig geblieben bin. Am Wochenende habe ich mit Mr. Owen, Chief Inspector Miles und dem zuständigen Leichenbeschauer gesprochen. Sie waren außerordentlich kooperativ. Ich bin jedoch wie Miles der Ansicht, dass es einfach nicht genügend Beweise dafür gibt, dass Don Pedro Martinez in irgendeiner Weise in den Unfall verwickelt ist.« Als Sir Alan Emmas verzweifelte Miene sah, fügte er rasch hinzu: »Doch ein Beweis und die Tatsache, dass man in einer Frage nicht die geringsten Zweifel hegt, sind zwei völlig verschiedene Dinge. Und nachdem ich erfahren habe, dass Martinez an jenem Tag zunächst nicht bewusst war, dass sein Sohn ebenfalls im Auto saß, bin ich zum Schluss gekommen, dass er möglicherweise einen erneuten Anschlag planen könnte, wie irrational das auch immer erscheinen mag.«

»Auge um Auge«, sagte Harry.

»Sie könnten recht haben«, erwiderte der Kabinettssekretär. »Er hat uns offensichtlich noch nicht verziehen, dass wir ihm – so sieht er das jedenfalls – acht Millionen Pfund aus seinem Besitz gestohlen haben, selbst wenn es sich dabei um Falschgeld handelt. Und obwohl ihm vielleicht noch nicht klar ist, dass die Regierung hinter dieser Operation stand, kann es keinen Zweifel daran geben, dass er Ihren Sohn als persönlich verantwortlich für die Ereignisse in Southampton betrachtet, und ich bedauere, dass ich damals Ihre berechtigten Befürchtungen nicht ernst genug genommen habe.«

»Wenigstens dafür bin ich Ihnen dankbar«, sagte Emma. »Aber nicht Sie sind es, der sich ununterbrochen fragt, wo und wann Martinez als Nächstes zuschlagen wird. Jeder kann die Klinik einfach so betreten und verlassen, als würde es sich um einen Busbahnhof handeln.«

»Dem kann ich nicht widersprechen«, sagte Sir Alan. »Gestern Nachmittag habe ich genau das selbst getan.« Sein freimütiges Geständnis ließ alle verstummen, sodass er, ohne unterbrochen zu werden, fortfahren konnte. »Ich kann Ihnen jedoch versichern, Mrs. Clifton, dass ich diesmal alle notwendigen Schritte in die Wege geleitet habe, damit Ihrem Sohn keine Gefahr mehr droht.«

»Können Sie Mr. und Mrs. Clifton den Grund für Ihre Zuversicht mitteilen?«, fragte Giles.

»Nein, Sir Giles, das kann ich nicht.«

»Warum nicht?«, wollte Emma wissen.

»Weil ich in diesem Fall den Innen- und den Verteidigungsminister zurate ziehen musste, weshalb ich der besonderen Geheimhaltung des Privy Council verpflichtet bin.«

»Was für ein nebulöser Unsinn soll das denn sein?«, fragte

Emma. »Sie sollten nicht vergessen, dass wir über das Leben meines Sohnes sprechen.«

»Sollte irgendetwas davon jemals an die Öffentlichkeit gelangen«, erklärte Giles, indem er sich seiner Schwester zuwandte, »und sei es auch erst in fünfzehn Jahren, müssen wir unbedingt beweisen können, dass weder du noch Harry eine Ahnung davon hatte, dass Minister der Krone in die Angelegenheit verwickelt waren.«

»Ich danke Ihnen, Sir Giles«, sagte der Kabinettssekretär.

»Vielleicht schaffe ich es ja, die pompöse Geheimsprache zu verdauen, die einige in diesem Raum benutzen«, sagte Harry, »aber nur wenn ich sicher sein kann, dass das Leben meines Sohnes nicht mehr in Gefahr ist. Denn sollte Sebastian irgendetwas zustoßen, Sir Alan, dann gäbe es nur einen einzigen Menschen, der dafür verantwortlich wäre.«

»Ich kann Ihre Mahnung akzeptieren, Mr. Clifton. Ich darf jedoch bestätigen, dass Martinez keine Gefahr mehr für Sebastian oder irgendein anderes Mitglied Ihrer Familie darstellt. Offen gestanden, habe ich die Regeln so großzügig ausgelegt, dass man sie kaum noch Regeln nennen kann. Aber ich konnte Martinez deutlich machen, dass er bei einer entsprechenden Aktion mehr als nur sein Leben verlieren würde.«

Harry sah immer noch skeptisch aus. Giles hingegen schien Sir Alans Wort zu genügen, doch er begriff, dass er Premierminister werden musste, damit der Kabinettssekretär ihm den Grund für seine Zuversicht mitteilen würde – und vielleicht nicht einmal dann.

»Wir dürfen allerdings nicht vergessen«, fuhr Sir Alan fort, »dass Martinez ein skrupelloser und verräterischer Mensch ist, und ich zweifle nicht daran, dass er sich in irgendeiner Form wird rächen wollen. Solange er sich dabei an den Buchstaben des Gesetzes hält, gibt es nicht viel, was irgendjemand von uns dagegen tun kann.«

»Wenigstens sind wir diesmal darauf vorbereitet«, sagte Emma. Sie wusste nur zu gut, was der Kabinettssekretär mit seiner letzten Bemerkung andeuten wollte.

Eine Minute vor zehn klopfte Colonel Scott-Hopkins an die Eingangstür des Hauses am Eaton Square Nummer 44. Wenige Augenblicke später wurde die Tür von einem riesigen Mann geöffnet, gegenüber dem selbst der Befehlshaber einer Kommandoeinheit des SAS klein wirkte.

»Mein Name ist Scott-Hopkins. Ich habe einen Termin bei Mr. Martinez.«

Karl deutete eine Verbeugung an und zog die Tür gerade so weit auf, dass Mr. Martinez' Gast eintreten konnte. Er begleitete den Colonel durch den Flur und klopfte an die Tür des Arbeitszimmers.

»Herein.«

Als der Colonel das Zimmer betrat, erhob sich Don Pedro hinter seinem Schreibtisch und musterte seinen Gast misstrauisch. Er konnte sich nicht vorstellen, warum der SAS-Mann ihn unbedingt sprechen wollte.

»Möchten Sie einen Kaffee?«, fragte Don Pedro, nachdem sie einander die Hand gegeben hatten. »Oder vielleicht etwas Stärkeres?«

»Nein, vielen Dank, Sir. Das wäre ein bisschen früh am Tag für mich.«

»Dann nehmen Sie bitte Platz und sagen Sie mir, warum Sie mich so dringend treffen wollten.« Er hielt kurz inne. »Ich bin sicher, Sie können sich vorstellen, wie beschäftigt ich bin.«

»Ich bin mir nur allzu bewusst, wie beschäftigt Sie in letzter Zeit waren, Mr. Martinez, und deshalb will ich gleich zur Sache kommen.«

Don Pedro versuchte, keinerlei Reaktion zu zeigen, als er sich wieder in seinen Schreibtischsessel setzte und den Colonel unverwandt ansah.

»Ich habe nichts weiter zu tun, als dafür zu sorgen, dass Sebastian Clifton ein langes und friedliches Leben hat.«

Die Maske arroganter Selbstgefälligkeit fiel Don Pedro vom Gesicht. Doch er fasste sich sogleich wieder und hielt sich besonders aufrecht. »Was wollen Sie damit andeuten?«, schrie er und umklammerte die Armlehnen seines Sessels.

»Ich glaube, das wissen Sie selbst am allerbesten, Mr. Martinez. Gestatten Sie mir trotzdem, dass ich meine Position unmissverständlich klarmache. Ich bin hier, um sicherzustellen, dass in Zukunft kein Mitglied der Familie Clifton zu Schaden kommt.«

Don Pedro sprang auf und reckte dem Colonel seinen Zeigefinger entgegen. »Sebastian Clifton war der beste Freund meines Sohnes.«

»Das bezweifle ich nicht, Mr. Martinez. Doch meine Anweisungen hätten nicht eindeutiger sein können. Man verlangt von mir nichts weiter, als Ihnen Folgendes mitzuteilen: Sollte Sebastian oder irgendein anderes Mitglied seiner Familie in einen weiteren Unfall verwickelt werden, werden Ihre Söhne Diego und Luis mit dem nächsten Flugzeug nach Argentinien zurückfliegen, und dabei werden sie nicht in der ersten Klasse reisen, sondern im Frachtraum. In zwei Holzkisten.«

»Was glauben Sie wohl, wem Sie hier drohen?«, schrie Don Pedro mit bellender Stimme. Er ballte die Fäuste.

»Einem schmierigen südamerikanischen Gangster, der

glaubt, er könne sich als Gentleman ausgeben, weil er ein wenig Geld hat und am Eaton Sqare wohnt.«

Don Pedro drückte einen Knopf unter seinem Schreibtisch. Einen Augenblick später wurde die Tür aufgerissen, und Karl stürmte ins Zimmer. »Werfen Sie diesen Mann raus«, sagte Don Pedro und deutete auf den Colonel. »Ich rufe währenddessen meinen Anwalt an.«

»Leutnant Lunsdorf«, sagte der Colonel, als Karl auf ihn zukam. »Als ehemaliges Mitglied der SS werden Sie sicher rasch einsehen, dass sich Ihr Herr und Meister in einer unterlegenen Position befindet.« Karl blieb abrupt stehen. »Gestatten Sie mir also, dass ich Ihnen einen Rat gebe. Sollte Mr. Martinez sich nicht an meine Vorgaben halten, sehen unsere Pläne für Sie keine Abschiebung nach Buenos Aires vor, wo sich im Augenblick so viele Ihrer früheren Kameraden aufhalten. Nein, wir haben ein anderes Land für Sie vorgesehen, in dem viele Bürger nur zu gerne bereit sein werden, vor Gericht zu der Rolle auszusagen, die Sie als einer von Himmlers meistgeschätzten Mitarbeitern gespielt haben – und über das, was Sie sich alles einfallen ließen, um von ebendiesen Menschen gewisse Informationen zu erhalten.«

»Sie bluffen«, sagte Don Pedro. »Damit würden Sie niemals durchkommen.«

»Wie wenig Sie die Briten doch kennen, Mr. Martinez«, sagte der Colonel, als er sich aus seinem Sessel erhob und zum Fenster ging. »Deshalb möchte ich Ihnen gerne ein paar typische Vertreter der Bewohner unserer Insel vorstellen.«

Don Pedro und Karl traten neben ihn und starrten aus dem Fenster. Auf der gegenüberliegenden Straßenseite standen drei Männer, die sich niemand als Feinde gewünscht hätte.

»Drei meiner besonders vertrauenswürdigen Kollegen«, erklärte der Colonel. »Einer von ihnen wird Sie Tag und Nacht im Auge behalten in der Hoffnung, dass Sie auch nur eine falsche Bewegung machen. Der Mann links ist Captain Hartley, der von den Dragoon Guards unehrenhaft entlassen wurde, weil er seine Frau und ihren Liebhaber mit Benzin übergossen hat. Zu jenem Zeitpunkt schliefen die beiden friedlich. So lange, bis Hartley ein Streichholz angezündet hat. Nachdem er wieder aus dem Gefängnis gekommen war, wurde es verständlicherweise schwierig für ihn, eine dauerhafte Anstellung zu finden. Bis ich ihn von der Straße geholt und seinem Leben wieder einen Sinn gegeben habe.«

Hartley lächelte den drei Männern am Fenster herzlich zu, als wüsste er, dass sie über ihn sprachen.

»Mein Kollege in der Mitte ist Corporal Crann. Er ist gelernter Zimmermann. Es gefällt ihm, Dinge zu zersägen – ob Holz oder Knochen, spielt keine Rolle für ihn.« Crann starrte mit ausdrucksloser Miene durch die drei Männer hindurch. »Aber ich gestehe«, fuhr der Colonel fort, »dass mir Sergeant Roberts am liebsten ist. Er ist ein offiziell registrierter Psychopath. Meistens ist er harmlos, aber ich fürchte, er ist nach dem Krieg nie wirklich im Zivilleben angekommen.« Der Colonel wandte sich an Don Pedro. »Vielleicht hätte ich ihm nicht sagen sollen, dass Sie Ihr Vermögen als Nazi-Kollaborateur gemacht haben, aber so haben Sie schließlich Leutnant Lunsdorf kennengelernt. Eine Begegnung, von der ich Roberts besser nichts erzähle, es sei denn, Sie machen mich wirklich wütend. Denn, wissen Sie, Sergeant Roberts' Mutter war Jüdin.«

Don Pedro wandte sich vom Fenster ab und sah, dass Karl den Colonel anstarrte, als hätte er ihn am liebsten erwürgt, obwohl er einsah, dass dies nicht der richtige Ort und der richtige Zeitpunkt war.

»Ich bin so froh, dass ich Ihre Aufmerksamkeit gewinnen konnte«, sagte Scott-Hopkins, »denn jetzt darf ich darauf vertrauen, dass Sie begriffen haben, was in Ihrem ureigensten Interesse ist. Auf Wiedersehen, Gentlemen. Ich finde selbst raus.«

4

»Heute gibt es wirklich viel für uns zu tun«, sagte der Vorstandsvorsitzende. »Ich würde es also sehr zu schätzen wissen, wenn meine Kollegen Direktoren sich in ihren Beiträgen kurz fassen und ausschließlich zu den betreffenden Themen äußern könnten.«

Inzwischen hatte Emma Ross Buchanans geschäftsmäßiges Auftreten schätzen gelernt, mit dem er die Vorstandssitzungen der Barrington Shipping Company leitete. Er ließ sich nie eine besondere Vorliebe für bestimmte Direktoren anmerken, sondern hörte auch jedem aufmerksam zu, der eine Ansicht vertrat, die der seinigen widersprach. Manchmal, was jedoch eher selten vorkam, ließ er sich sogar umstimmen. Und er besaß die Fähigkeit, eine komplexe Diskussion auf eine Art und Weise zusammenzufassen, dass jede Meinung darin berücksichtigt wurde. Emma wusste, dass einige Vorstandsmitglieder sein schottisches Naturell ein wenig schroff fanden, doch sie hielt es für überaus angemessen, und manchmal fragte sie sich, ob sie die Dinge anders angehen würde als er, sollte sie jemals Vorstandsvorsitzende werden.

Nachdem Philip Webster, der Vorstandssekretär, das Protokoll der letzten Sitzung vorgelesen hatte und auf die Fragen eingegangen war, die sich daraus ergaben, wandte sich der Vorstandsvorsitzende dem ersten Punkt der Tagesordnung zu. Dieser betraf den Vorschlag, dass der Vorstand Angebote für den

Bau der MV *Buckingham*, eines Luxusliners, der als Verstärkung der Barrington-Flotte gedacht war, einholen solle.

Buchanan ließ gegenüber seinen Kollegen nicht den geringsten Zweifel daran aufkommen, dass dieser Bau seiner Meinung nach die einzige Möglichkeit für Barrington's war, sich auch weiterhin als eine der führenden Schifffahrtslinien des Landes zu behaupten. Mehrere Direktoren nickten zustimmend.

Nachdem der Vorsitzende seine Haltung in dieser Sache vorgetragen hatte, erteilte er Emma das Wort, damit sie ihre gegenteilige Sicht darlegen konnte. Emma wies zunächst darauf hin, dass sich der Diskontsatz auf einem Allzeithoch befand, weshalb die Firma sich nicht auf das Risiko so beträchtlicher Ausgaben einlassen, sondern vielmehr versuchen sollte, ihre Position zu konsolidieren, zumal die neuen Pläne ihrer Meinung nach allenfalls eine 50/50-Chance auf Erfolg hatten.

Mr. Anscott, einer der Direktoren ohne geschäftsführendes Mandat, der von Sir Hugo Barrington, Emmas verstorbenem Vater, in den Vorstand berufen worden war, schlug vor, ordentlich auf den Putz zu hauen und das Boot endlich zu Wasser zu lassen. Niemand lachte. Konteradmiral Summers sprach sich dafür aus, eine so radikale Entscheidung nur mit Zustimmung der Aktionäre weiterzuverfolgen.

»Wir sind es, die auf der Brücke stehen«, erinnerte Buchanan den Admiral. »Und deshalb sollten wir die Entscheidungen treffen.«

Der Admiral stieß ein Knurren aus, verzichtete jedoch auf einen weiteren Kommentar. Schließlich würde sein Verhalten bei der Abstimmung für sich selbst sprechen.

Emma hörte den Kommentaren der übrigen Direktoren aufmerksam zu, und schon bald wurde ihr klar, dass fast ebenso viele Vorstandsmitglieder für wie gegen das Projekt waren. Zwar gab es einen oder zwei Direktoren, die sich noch nicht entschieden hatten, doch Emma nahm an, dass der Vorsitzende sich durchsetzen würde, wenn es zur Abstimmung kam.

Eine Stunde später war der Vorstand einer Entscheidung noch nicht näher gekommen; einige Direktoren wiederholten einfach ihre früheren Argumente, was Buchanan offensichtlich ärgerte. Doch Emma wusste, dass er mit der Tagesordnung fortfahren musste, denn es gab noch andere wichtige Dinge, die zu besprechen waren.

»Ich muss feststellen«, sagte der Vorsitzende in seiner Zusammenfassung, »dass wir eine Entscheidung nicht viel länger aufschieben können, und deshalb schlage ich vor, dass wir alle versuchen, etwas Distanz zu gewinnen, und noch einmal sorgfältig über unsere Haltung in dieser besonderen Frage nachdenken. Offen gesagt, die Zukunft der Firma steht auf dem Spiel. Ich schlage vor, dass wir bei unserer nächsten Sitzung in einem Monat darüber abstimmen, ob wir Angebote für dieses Projekt einholen oder die ganze Idee aufgeben sollen.«

»Oder wenigstens so lange warten, bis wir ruhigere Gewässer erreicht haben«, schlug Emma vor.

Widerwillig wandte sich der Vorsitzende den anderen Punkten der Tagesordnung zu, doch da diese weitaus weniger umstritten waren, herrschte statt der hitzigen Debatte zu Beginn eine deutlich entspanntere Atmosphäre, als Buchanan schließlich fragte, ob es darüber hinaus noch irgendetwas zu besprechen gebe.

»Ich bin im Besitz einer Information, die ich dem Vorstand mitzuteilen verpflichtet bin«, sagte der Vorstandssekretär. »Es ist nicht zu übersehen, dass der Wert unserer Aktie während der letzten Woche kontinuierlich gestiegen ist, und Sie haben sich vielleicht gefragt, was der Grund dafür sein könnte, da wir keine bedeutenden Ankündigungen gemacht oder in letzter Zeit irgendeine Gewinnerwartung ausgegeben haben. Nun, gestern fand dieses Rätsel eine Lösung, als ich einen Brief vom Direktor der Midland Bank in St. James's erhielt, in welchem er mich darüber informierte, dass einer seiner Kunden im Besitz von siebeneinhalb Prozent unserer Aktien sei, weswegen er einen Direktor benennen werde, der in Zukunft die Interessen seines Kunden im Vorstand vertreten soll.

»Lassen Sie mich raten«, sagte Emma. »Das dürfte niemand anders als Major Alex Fisher sein.«

»Ich fürchte, genau so ist es«, sagte der Vorsitzende, womit er, was für ihn sehr ungewöhnlich war, persönliche Gefühle erkennen ließ.

»Gibt es irgendetwas zu gewinnen, wenn man errät, wen der gute Major zu vertreten gedenkt?«, fragte der Admiral.

»Nein«, sagte Buchanan, »denn Sie hätten auf jeden Fall unrecht. Obwohl ich gestehen muss, dass auch ich, genau wie Sie, sofort an unsere alte Freundin Lady Virginia Fenwick dachte, als ich die Nachricht das erste Mal gehört habe. Der Direktor der Midland hat mir jedoch versichert, dass ihre Ladyschaft keine Kundin der Bank ist. Als ich ihn drängte, mir mitzuteilen, wer sich im Besitz dieser Aktien befindet, erwiderte er höflich, dass er sich nicht in der Lage sehe, diese Information weiterzugeben, womit er in typischer Bankermanier zum Ausdruck bringen wollte, dass ich mich um meine eigenen Angelegenheiten kümmern soll.«

»Ich kann es gar nicht erwarten herauszufinden, wie der Major über den Bau der *Buckingham* abstimmen wird«, sagte Emma mit einem schiefen Lächeln, »denn eines ist sicher: Wen auch immer er vertreten mag, dem Betreffenden liegen wohl kaum die Interessen von Barrington's am Herzen.«

»Seien Sie versichert, Emma, ich werde es nicht zulassen, dass dieser kleine Scheißer den Ausschlag in die eine oder andere Richtung gibt«, sagte Buchanan.

Emma war sprachlos.

Eine weitere bewundernswerte Begabung des Vorsitzenden bestand darin, jegliche Uneinigkeit, wie heftig sie zuvor auch ausgefallen sein mochte, hinter sich zu lassen, wenn die Vorstandssitzung beendet war.

»Was gibt's Neues von Sebastian?«, fragte er, als er sich Emma anschloss, um sich vor dem Lunch etwas zu trinken servieren zu lassen.

»Die Krankenschwester hat gesagt, dass sie mit seinen Fortschritten sehr zufrieden ist. Und ich selbst freue mich jedes Mal, wenn ich ins Krankenhaus komme und sehe, dass es ihm tatsächlich ein wenig besser geht. An seinem Bein hat man den Gips schon abgenommen, der Verband ist jetzt über beiden Augen weg, und er hat auch schon wieder zu allem eine eigene Meinung. Es beginnt damit, dass er findet, sein Onkel Giles sei der Richtige, um Gaitskell als Führer der Labour Partei zu ersetzen, und reicht bis zur Ansicht, dass Parkuhren nur ein weiterer Trick der Regierung sind, uns noch mehr von unserem schwer verdienten Geld aus der Tasche zu ziehen.«

»Ich stimme ihm in beiden Fragen zu«, sagte Buchanan. »Hoffen wir, dass seine Lebhaftigkeit ein Zeichen dafür ist, dass er sich schon bald ganz erholen wird.«

»Sein Arzt scheint davon überzeugt zu sein. Mr. Owen hat mir gesagt, dass die moderne Chirurgie dramatische Fortschritte gemacht hat, weil so viele Soldaten ohne das Einholen einer zweiten oder dritten Meinung operiert werden mussten. Vor dreißig Jahren hätte Sebastian den Rest seines Lebens in einem Rollstuhl verbringen müssen, doch heute nicht mehr.«

»Will er immer noch zum nächsten Herbstsemester nach Cambridge gehen?«

»Ich glaube schon. Kürzlich hat ihn sein Supervisor besucht und ihm gesagt, er könne im September seinen Platz im Peterhouse wahrnehmen. Er hat ihm sogar einige Bücher mitgebracht, die er lesen soll.«

»Na ja, die Ausrede, dass er ständig abgelenkt wird, hat er im Moment ja wohl nicht.«

»Komisch, dass Sie das erwähnen«, sagte Emma, »denn seit Kurzem interessiert er sich auffallend für den Zustand der Firma, was einigermaßen überraschend ist. Er liest sogar die Protokolle jeder Vorstandssitzung, und zwar von der ersten bis zur letzten Seite. Er hat sogar zehn Aktien gekauft, wodurch er das Recht hat, jeden unserer Schritte genau zu verfolgen. Und ich kann Ihnen sagen, Ross, er hält mit seinen Ansichten nicht hinterm Berg, wenigstens nicht, was den geplanten Bau der *Buckingham* betrifft.«

»Wobei er zweifellos von der allseits bekannten Meinung seiner Mutter zu diesem Thema beeinflusst sein dürfte«, sagte Buchanan lächelnd.

»Nein, und das ist ja gerade das Merkwürdige«, sagte Emma. »Bei diesem besonderen Thema scheint jemand anders ihn zu beraten.«

Emma brach in lautes Gelächter aus.

Am anderen Ende des Frühstückstischs sah Harry auf und ließ seine Zeitung sinken. »Da ich heute Morgen in der *Times* absolut nichts Amüsantes finden kann, solltest du mir vielleicht sagen, was dich so erheitert.«

Emma nahm einen Schluck Kaffee, bevor sie sich wieder ihrem *Daily Express* zuwandte.

»Anscheinend hat Lady Virginia Fenwick, die einzige Tochter des neunten Earl of Fenwick, die Scheidung vom Grafen von Mailand in die Wege geleitet. William Hickey deutet an, dass Virginia etwa zweihundertfünfzigtausend Pfund und das Haus in Lowndes Square bekommen wird sowie den Landsitz in Berkshire.«

»Kein schlechter Lohn für zwei Jahre Arbeit.«

»Und natürlich wird auch Giles erwähnt.«

»Das wird jedes Mal so sein, wenn Virginia es in die Schlagzeilen schafft.«

»Ja, aber diesmal ist der Kommentar ausnahmsweise schmeichelhaft«, sagte sie und wandte sich wieder ihrer Zeitung zu. »›Lady Virginias erster Ehemann, Sir Giles Barrington, der Abgeordnete für Bristol Docklands, gilt vielerorts bereits als Kabinettsminister, sollte Labour die nächste Wahl gewinnen.‹«

»Ich halte das für unwahrscheinlich.«

»Dass Giles Kabinettsminister wird?«

»Nein, dass Labour die nächste Wahl gewinnt.«

»›Er hat sich im Unterhaus als ausgezeichneter Redner erwiesen‹«, fuhr Emma fort, »›und sich erst vor Kurzem mit Dr. Gwyneth Hughes verlobt, einer Dozentin am King's College, London.‹ Ein sehr hübsches Bild von Gwyneth, ein grauenhaftes Foto von Virginia.«

»Virginia wird das nicht gefallen«, sagte Harry und wandte sich wieder seiner *Times* zu. »Aber es gibt nicht viel, was sie im Augenblick dagegen tun kann.«

»Sei dir da mal nicht so sicher«, sagte Emma. »Ich habe das Gefühl, dass dieser ganz besondere Skorpion noch immer weiß, wie er seinen Stachel benutzen muss.«

Harry und Emma fuhren jeden Sonntag von Gloucestershire nach Harlow, um Sebastian zu besuchen, wobei sie Jessica immer im Schlepptau hatten. Denn das Mädchen ließ sich keine Gelegenheit entgehen, seinen großen Bruder zu sehen. Jedes Mal, wenn Emma durch die Tore des Manor House fuhr und sich nach links wandte, um sich auf den langen Weg zum Princess Alexandra Hospital zu machen, dachte sie unweigerlich wieder an jenen Tag, an dem sie diese Fahrt zum ersten Mal angetreten hatte und glauben musste, dass ihr Sohn bei einem Autounfall gestorben war. Emma war froh, dass sie damals nicht Grace oder Giles angerufen hatte, um ihnen die Nachricht mitzuteilen, und dass Jessica mit den Pfadfinderinnen in den Quantocks gezeltet hatte, als Sebastians Tutor anrief. Nur der arme Harry hatte vierundzwanzig Stunden lang glauben müssen, dass er seinen Sohn nie wieder lebend sehen würde.

Für Jessica waren die Besuche bei Sebastian der Höhepunkt der Woche. Jedes Mal, wenn sie in die Klinik kamen, zeigte sie ihm zuerst ihr neuestes Kunstwerk, und nachdem sie jeden Zentimeter seines Gipses mit Bildern bedeckt hatte, die das Manor House, die Familie und ihre Freunde darstellten, machte sie mit den Klinikwänden weiter. Die Krankenschwester hängte jedes neue Bild im Flur vor der Station auf, und Emma konnte nur hoffen, dass Sebastian entlassen würde, bevor Jessicas Werke im Empfangsbereich angelangt waren. Sie war immer ein wenig verlegen, wenn ihre Tochter der Krankenschwester ihre neueste Arbeit präsentierte.

»Sie brauchen nicht verlegen zu sein, Mrs. Clifton«, sagte Miss Puddicombe. »Sie sollten die Klecksereien sehen, die mir vernarrte Eltern überreichen in der Hoffnung, dass ich diese wackeren Bemühungen in meinem Büro aufhänge. Aber wie auch immer. Wenn Jessica erst einmal der Royal Academy angehört, werde ich alle ihre Bilder verkaufen und mit den Einnahmen eine neue Station errichten lassen.«

Man musste Emma nicht daran erinnern, wie begabt ihre Tochter war. Denn sie wusste, dass Miss Fielding, Jessicas Kunstlehrerin an der Red Maids', die Absicht hatte, ihr nahezulegen, sich um ein Stipendium an der Slade School of Fine Art zu bewerben, wobei sie überaus zuversichtlich war, was das Ergebnis betraf.

»Es ist wirklich eine Herausforderung, Mrs. Clifton, jemanden zu unterrichten, der, wie man selbst sehr genau weiß, so viel begabter ist als man selbst«, hatte Miss Fielding ihr einmal gesagt.

»Sorgen Sie bloß dafür, dass ihr das nicht zu Ohren kommt«, sagte Emma.

»Aber das weiß doch jeder«, erwiderte Miss Fielding. »Und wir alle freuen uns auf die größeren Dinge, die die Zukunft bringen wird. Niemand wäre überrascht, wenn man ihr als erster Schülerin der Red Maids' einen Platz an den Royal Academy Schools anbieten würde.«

Jessica scheint nicht im Geringsten zu ahnen, wie selten ihr Talent ist, dachte Emma. Immer wieder hatte sie Harry davor gewarnt, dass es nur eine Frage der Zeit war, bevor ihre Adoptivtochter über die Tatsache stolpern würde, wer ihr wirklicher Vater war, und sie hatte ihrem Mann gesagt, dass es besser wäre, wenn Jessica die Wahrheit von einem Familienmitglied hören würde anstatt von einem Fremden. Harry verhielt sich in dieser Sache merkwürdig zögerlich. Offensichtlich wollte er Jessica nicht mit dem Wissen über den wahren Grund belasten, warum sie das Mädchen vor vielen Jahren aus einem der Dr.-Barnardo-Kinderheime geholt und dabei mehrere scheinbar geeignetere Kandidatinnen ignoriert hatten. Sowohl Giles als auch Grace hatten angeboten, Jessica zu erklären, wie es dazu gekommen war, dass sie alle Sir Hugo Barrington zum Vater hatten, und warum Jessicas leibliche Mutter für seinen vorzeitigen Tod verantwortlich war.

Kaum dass Emma ihren Austin A30 auf dem Parkplatz der Klinik abgestellt hatte, sprang Jessica auch schon mit ihrem neuesten Bild unter dem Arm und einem Riegel Cadbury's Milchschokolade in der freien Hand nach draußen und rannte die ganze Strecke hinauf bis an Sebastians Bett. Emma hielt es für unmöglich, dass irgendjemand ihren Sohn mehr lieben könnte als sie selbst, doch wenn es diesen Jemand geben sollte, so wäre das gewiss Jessica.

Als Emma bei ihrem heutigen Besuch wenige Minuten nach Jessica die Station betrat, erlebte sie eine freudige Überraschung. Zum ersten Mal lag Sebastian nicht im Bett, sondern saß in einem Sessel. Sobald er seine Mutter sah, erhob er sich, verschaffte sich einen sicheren Halt und küsste sie auf beide Wangen. Auch das geschah heute zum ersten Mal. Wann kommt der Augenblick, fragte sich Emma, da Mütter aufhören, ihre Kinder zu küssen, und die jungen Männer beginnen, ihrer Mutter einen Kuss zu geben?

Jessica erzählte ihrem Bruder in allen Einzelheiten, was sie die Woche über getan hatte, sodass Emma sich zufrieden auf den Bettrand setzen und ihren Großtaten ein zweites Mal zuhören konnte. Als das Mädchen schließlich lange genug schwieg, damit auch Sebastian zu Wort kommen konnte, wandte dieser sich an seine Mutter und sagte: »Ich habe heute Morgen noch einmal die Protokolle der letzten Vorstandssitzung gelesen. Dir ist schon klar, dass der Vorsitzende in der nächsten Sitzung abstimmen lassen wird und du dann nicht um die Entscheidung herumkommen wirst, ob du den Bau der *Buckingham* in Zukunft unterstützen willst.«

Emma schwieg, und Jessica drehte sich um und begann, den alten Mann zu zeichnen, der im Bett nebenan lag.

»In seiner Situation würde ich dasselbe tun«, fuhr Sebastian fort. »Was meinst du, wer gewinnen wird?«

»Niemand wird gewinnen«, antwortete Emma, »denn wie die Entscheidung auch ausfallen mag, der Vorstand wird geteilter Meinung bleiben, bis sich herausstellen wird, wer mit seiner Haltung recht hatte.«

»Das wollen wir nicht hoffen, denn ich glaube, du hast noch ein viel größeres Problem direkt vor dir – ein Problem, bei dem du und der Vorsitzende eine gemeinsame Linie verfolgen müsst.«

»Fisher?«

Sebastian nickte. »Gott allein weiß, wie er abstimmen wird, wenn es um den Bau der *Buckingham* geht.«

»Fisher wird sich einfach an die Anweisung von Don Pedro Martinez halten.«

»Warum bist du so sicher, dass Martinez und nicht Lady Virginia die ganzen Aktien gekauft hat?«, fragte Sebastian.

»William Hickey schreibt im *Daily Express*, dass Virginia gerade eine weitere unangenehme Scheidung durchmacht, weshalb du sicher sein kannst, dass sie sich im Augenblick ausschließlich damit beschäftigt, um welche Summe sie den Grafen von Mailand erleichtern kann und wie sie das zu erwartende Geld ausgeben wird. Aber wie auch immer. Ich habe meine Gründe, warum ich davon überzeugt bin, dass Martinez hinter den jüngsten Aktienkäufen steckt.«

»Zu diesem Schluss bin ich auch schon gekommen«, sagte Sebastian. »Eines der letzten Dinge, die Bruno zu mir gesagt hat, als wir im Auto auf dem Weg nach Cambridge waren, betraf die Tatsache, dass sein Vater eine Besprechung mit einem Major hatte. Bruno hat zufällig gehört, wie bei dieser Unterredung der Name Barrington fiel.«

»Wenn das stimmt«, sagte Emma, »wird Fisher den Vorsitzenden unterstützen, und sei es auch nur, um sich an Giles dafür zu rächen, dass er selbst nicht Abgeordneter werden konnte.«

»Sollte er das tun, wird er wohl kaum wollen, dass beim Bau der *Buckingham* alles glattläuft. Ganz im Gegenteil. Er wird sofort die Seiten wechseln, wenn er eine Möglichkeit sieht, der Firma kurzfristig in finanzieller Hinsicht und langfristig in Hinblick auf ihren guten Ruf zu schaden. Entschuldige das Klischee, aber Leoparden wechseln ihr Fell nicht. Du solltest immer daran denken, dass sein grundlegendes Ziel deinem genau entgegengesetzt ist. Du willst, dass die Firma Erfolg hat; er will, dass sie scheitert.«

»Aber warum sollte er so etwas wollen?«

»Ich vermute, du kennst die Antwort auf diese Frage nur zu gut, Mutter.« Sebastian wartete, um zu sehen, wie Emma reagieren würde, doch sie wechselte einfach das Thema. »Wie kommt es, dass du plötzlich so viel weißt?«

»Ich bekomme täglich Unterricht von einem Experten. Und was noch besser ist: Ich bin sein einziger Schüler«, antwortete Sebastian ohne eine weitere Erklärung.

»Und was sollte ich nach Ansicht dieses Experten tun, wenn ich erreichen will, dass der Vorstand mich unterstützt und gegen den Bau der *Buckingham* stimmt?«

»Er hat einen Plan entwickelt, der dafür sorgen würde, dass du die Wahl bei der nächsten Vorstandssitzung gewinnst.«

»Das ist unmöglich, solange sich im Vorstand zwei gleich große Parteien gegenüberstehen.«

»Oh, das ist durchaus möglich«, sagte Sebastian, »aber nur unter der Voraussetzung, dass du bereit bist, Martinez mit seinen eigenen Waffen zu schlagen.«

»Was stellst du dir vor?«

»Solange die Familie zweiundzwanzig Prozent der Firmenaktien besitzt«, antwortete Sebastian, »hast du das Recht, zwei weitere Direktoren in den Vorstand zu berufen. Du musst also nur Onkel Giles und Tante Grace benennen, damit sie dich in der entscheidenden Wahl unterstützen können. So kannst du überhaupt nicht verlieren.«

»So etwas könnte ich nie tun«, sagte Emma.

»Warum nicht, wenn so viel auf dem Spiel steht?«

»Weil das Ross Buchanans Position als Vorsitzender unterminieren würde. Sollte er eine so wichtige Wahl verlieren, nur weil die Familie sich gegen ihn verbündet hat, bliebe ihm keine andere Möglichkeit mehr, als von seinem Posten zurückzutreten. Und ich vermute, dass andere Direktoren seinem Beispiel folgen würden.«

»Das könnte auf lange Sicht das Beste für die Firma sein.«

»Möglicherweise. Aber ich will die Auseinandersetzung auf saubere Art gewinnen und nicht mithilfe irgendwelcher Tricksereien. Das wäre genau eines jener dubiosen Mittel, zu denen Fisher sich herablassen würde.«

»Meine liebe Mutter, es gibt niemanden, der dich für deine ehrenhaften moralischen Grundsätze mehr bewundern könnte als ich. Aber wenn man gezwungen ist, sich gegen die Martinez dieser Welt zur Wehr zu setzen, muss einem klar sein, dass sie selbst keinerlei Moral haben und nur allzu gerne bereit sind, zu unlauteren Mitteln zu greifen. Ehrlich gesagt würde Martinez in die nächste Gosse kriechen, wenn er sicher sein könnte, damit die Wahl zu gewinnen.«

Ein langes Schweigen folgte, bis Sebastian schließlich sehr leise hinzufügte: »Als ich nach dem Unfall zum ersten Mal aufgewacht bin, stand Don Pedro am Fußende des Bettes.« Emma schauderte. »Er lächelte und sagte: ›Wie geht es dir, mein Junge?‹ Ich schüttelte den Kopf, und erst dann begriff er, dass ich nicht Bruno war. Den Blick, den er mir zuwarf, bevor er davonging, werde ich nicht vergessen, solange ich lebe.« Emma schwieg noch immer. »Findest du nicht, dass die Zeit gekommen ist, mir zu sagen, warum Martinez so entschlossen ist, unsere Familie zu vernichten? Es war schließlich nicht besonders schwierig zu verstehen, dass er mich auf der A1 umbringen wollte und nicht seinen eigenen Sohn.«

5

Sie sind immer so ungeduldig, Sergeant Warwick, sagte der Pathologe, während er sich die Leiche genauer ansah.

Aber können Sie mir wenigstens sagen, wie lange die Tote im Wasser lag?, fragte der Detective.

Harry änderte gerade das Wort *lag* zu *gelegen hat*, als das Telefon klingelte. Er legte den Füllfederhalter weg und griff nach dem Hörer.

»Ja«, sagte er einigermaßen abrupt.

»Harry, hier ist Harold Guinzburg. Herzlichen Glückwunsch. Diese Woche sind Sie auf Platz acht.« Sein Verleger rief jeden Donnerstagnachmittag an, um Harry mitzuteilen, wo er am folgenden Sonntag auf der Bestsellerliste stehen würde. »Das bedeutet, Sie sind neun Wochen in Folge unter den ersten fünfzehn.«

Einen Monat zuvor war Harry auf Platz vier gewesen, die höchste Position, die er bisher jemals erreicht hatte, und obwohl er so etwas nicht einmal Emma gegenüber zugeben würde, hoffte er immer noch, irgendwann einmal zu der kleinen Gruppe britischer Autoren zu gehören, die es auf beiden Seiten des Atlantiks bis an die Spitze geschafft hatten. Die letzten beiden William-Warwick-Romane waren in England auf Platz eins gelandet, aber in Amerika war ihm das noch nicht gelungen.

»In Wahrheit zählen nur die Verkaufszahlen«, sagte Guinzburg. Es war fast, als lese er Harrys Gedanken. »Aber wie auch immer. Ich bin davon überzeugt, dass Ihr Buch noch höher klettern wird, wenn im März das Paperback erscheint.« Harry entging nicht, dass *noch höher* etwas anderes bedeutete als *bis auf Platz eins*. »Wie geht es Emma?«

»Sie bereitet gerade eine Rede vor, in der sie darstellen will, warum die Firma im Augenblick keinen neuen Luxusliner bauen soll.«

»Das hört sich für mich nicht nach einem Bestseller an«, sagte Guinzburg. »Wie kommt Sebastian zurecht?«

»Er sitzt noch immer im Rollstuhl, aber sein Arzt hat mir versichert, dass das nicht mehr lange so sein wird. Nächste Woche darf er zum ersten Mal raus.«

»Bravo. Soll das heißen, dass er nach Hause kommen kann?«

»Nein. Seine Krankenschwester erlaubt ihm noch keine so weite Reise. Vielleicht wird es eine kurze Fahrt nach Cambridge, damit er seinen Tutor sprechen und seine Tante zum Tee besuchen kann.«

»Hört sich für mich schlimmer an als Schule. Trotzdem wird es wahrscheinlich nicht mehr lange dauern, bis er die Klinik ganz verlässt.«

»Oder rausgeschmissen wird. Ich bin mir nicht sicher, was früher kommt.«

»Warum sollten die ihn rausschmeißen wollen?«

»Seit ihm immer größere Teile seines Verbands abgenommen werden, gibt es die eine oder andere Schwester, die sich ganz besonders für ihn interessiert, und ich fürchte, Seb tut nichts, um die Damen zu entmutigen.«

»Der Tanz der sieben Schleier«, sagte Guinzburg. Harry lachte. »Hat er immer noch vor, im September nach Cambridge zu gehen?«

»Soweit ich weiß, ja. Aber er hat sich nach dem Unfall sehr verändert, weswegen mich nichts überraschen würde.«

»Inwiefern hat er sich verändert?«

»Ich kann es nicht genau definieren. Aber er ist auf eine Weise reifer geworden, die ich noch vor einem Jahr für unmöglich gehalten hätte. Und ich glaube, ich habe den Grund dafür herausgefunden.«

»Klingt faszinierend.«

»Das ist es auch. Ich werde es Ihnen in allen Einzelheiten erzählen, wenn ich das nächste Mal nach New York komme.«

»Werde ich lange darauf warten müssen?«

»Ja, denn es ist wie mit dem Schreiben. Ich habe keine Ahnung, was passieren wird, wenn ich die nächste Seite erreicht habe.«

»Dann erzählen Sie mir eben etwas über das eine Mädchen unter Millionen.«

»Nicht auch noch Sie«, sagte Harry.

»Bitte richten Sie Jessica aus, dass ich ihre Zeichung vom Manor House im Herbst in meinem Arbeitszimmer gleich neben dem Roy Lichtenstein aufgehängt habe.«

»Wer ist Roy Lichtenstein?«

»Der letzte Schrei in New York, aber ich bin nicht davon überzeugt, dass er sich besonders lange halten wird. Ich finde, dass Jessica viel besser zeichnen kann. Bitte sagen Sie ihr, dass ich ihr einen Lichtenstein zu Weihnachten schenke, wenn sie mir ein Bild malt, das New York im Herbst zeigt.«

»Ich frage mich, ob sie jemals von ihm gehört hat.«

»Bevor ich auflege – darf ich fragen, wie der neueste William-Warwick-Roman vorankommt?«

»Er würde sehr viel schneller vorankommen, wenn man mich nicht ständig unterbrechen würde.«

»Tut mir leid«, erwiderte Guinzburg. »Sie haben mir nicht gesagt, dass Sie gerade schreiben.«

»Die Wahrheit ist, dass Warwick vor einem unüberwindlichen Problem steht. Oder genauer: dass ich vor diesem Problem stehe.«

»Geht es um etwas, wobei ich Ihnen helfen kann?«

»Nein, und genau aus diesem Grund sind Sie Verleger und ich Autor.«

»Was für eine Art von Problem ist es denn?« Guinzburg gab nicht so leicht auf.

»Warwick hat die Leiche seiner Exfrau auf dem Grund eines Sees gefunden, doch er ist ziemlich sicher, dass sie umgebracht wurde, bevor man sie ins Wasser geworfen hat.«

»Wo liegt dann das Problem?«

»Das von mir oder das von William Warwick?«

»Zuerst das von Warwick.«

»Er muss mindestens vierundzwanzig Stunden warten, bis er den Bericht des Pathologen bekommt.«

»Und Ihr Problem?«

»Ich habe nur vierundzwanzig Stunden, um zu entscheiden, was in diesem Bericht stehen wird.«

»Weiß Warwick, wer seine Exfrau umgebracht hat?«

»Er ist sich nicht sicher. Im Augenblick gibt es fünf Verdächtige, und jeder von ihnen hat ein Motiv. Und ein Alibi.«

»Aber ich nehme an, Sie wissen, wer es getan hat.«

»Nein, das weiß ich nicht«, gab Harry zu. »Denn wenn ich es nicht weiß, dann weiß es der Leser auch nicht.«

»Ist das nicht ein wenig riskant?«

»Natürlich. Aber das macht es auch verdammt viel spannender, für mich selbst wie für den Leser.«

»Ich kann es gar nicht erwarten, die erste Fassung zu sehen.«

»Ich auch nicht.«

»Tut mir leid. Ich überlasse Sie wieder der Leiche Ihrer Exfrau im See. Ich rufe in einer Woche wieder an, um zu hören, wer sie dort hineingeschmissen hat.«

Als Guinzburg aufgelegt hatte, legte Harry den Hörer zurück und sah auf die fast leere Seite vor sich. Er versuchte, sich zu konzentrieren.

Also, was meinen Sie, Percy?

Es ist noch zu früh, um irgendetwas Bestimmtes zu sagen. Ich brauche die Werte aus dem Labor, und ich muss noch ein paar Untersuchungen durchführen, bevor ich eine vernünftige Einschätzung abgeben kann.

Wann kann ich mit Ihrem vorläufigen Bericht rechnen?, fragte Warwick.

Sie sind immer so ungeduldig, William …

Harry sah auf. Plötzlich wusste er, wer der Mörder war.

Obwohl Emma nicht bereit gewesen war, auf Sebastians Vorschlag einzugehen und Giles und Grace für den Vorstand zu benennen, um so dafür zu sorgen, dass sie die entscheidende Wahl gewinnen würde, betrachtete sie es auch weiterhin als ihre Pflicht, ihren Bruder und ihre Schwester in allen Firmenangelegenheiten auf dem Laufenden zu halten. Emma war stolz darauf, ihre Familie im Vorstand zu vertreten, obwohl sie nur zu gut wusste, das keiner der beiden besonders daran interessiert war, was hinter den Türen von Barrington's vor sich ging, solange sie nur ihre vierteljährliche Dividende erhielten.

Giles war mit seinen Aufgaben im Unterhaus beschäftigt, die noch anspruchsvoller geworden waren, nachdem Hugh Gaitskell ihn eingeladen hatte, seinem Schattenkabinett beizutreten, wo Giles für europäische Fragen zuständig sein sollte. Dies bedeutete, dass man ihn in seinem Wahlkreis nur noch selten sah, obwohl von ihm erwartet wurde, dass er sich um seinen – als marginal betrachteten – Sitz kümmerte und gleichzeitig regelmäßig diejenigen Länder besuchte, bei denen die Entscheidung lag, ob Britannien in die EWG aufgenommen werden sollte. Labour führte schon seit einigen Monaten in den Meinungsumfragen, und es wurde immer wahrscheinlicher, dass Giles nach der nächsten Wahl dem Kabinett als Minister angehören würde. Also konnte er auf »Probleme zu Hause in der Firma« gut und gerne verzichten.

Harry und Emma waren froh, als Giles endlich seine Verlobung mit Gwyneth Hughes verkündete, und zwar nicht in der Gesellschaftsspalte der *Times*, sondern im Ostrich Pub im Herzen seines Wahlkreises.

»Ich will, dass Sie bis zur nächsten Wahl ein verheirateter Mann sind«, erklärte Griff Haskins, der Leiter von Giles' Wahlkampfteam. »Und wenn Gwyneth bis zur ersten Woche unseres Wahlkampfs schwanger sein könnte, umso besser.«

»Wie romantisch«, seufzte Giles.

»Romantik interessiert mich nicht«, sagte Griff. »Meine Aufgabe ist es, dafür zu sorgen, dass Sie bei der nächsten Wahl Ihren Sitz im Unterhaus behaupten können, denn sollte das nicht der Fall sein, werden Sie ganz sicher nicht dem Kabinett angehören.«

Giles hätte gerne gelacht, doch er wusste, dass Griff recht hatte.

»Steht der Termin schon fest?«, fragte Emma, die zu ihnen getreten war.

»Für die Hochzeit oder für die Parlamentswahl?«

»Für die Hochzeit, du Dummkopf.«

»17. Mai, im Standesamt von Chelsea«, sagte Giles.

»Ein ziemlicher Kontrast zu St. Margaret's in Westminster, aber wenigstens dürfen Harry und ich diesmal darauf hoffen, eine Einladung zu erhalten.«

»Ich habe Harry gebeten, mein Trauzeuge zu sein«, sagte Giles. »Aber bei dir bin ich mir nicht so sicher«, fügte er grinsend hinzu.

Obwohl sie sich einen besseren Zeitpunkt gewünscht hätte, konnte Emma ihre Schwester erst am Abend vor der entscheidenden Vorstandssitzung treffen. Sie hatte bereits Kontakt zu all jenen Direktoren aufgenommen, mit deren Unterstützung sie rechnen konnte, sowie zu ein, zwei anderen, die sich möglicherweise noch nicht entschieden hatten. Doch sie wollte Grace unbedingt mitteilen, dass sie sich immer noch nicht sicher sein konnte, wie die Wahl ausfallen würde.

Grace hatte an den Geschicken der Firma sogar noch weniger Interesse als Giles, und es war sogar schon vorgekommen, dass sie sich ihren vierteljährlichen Dividendenscheck hatte gutschreiben lassen. Vor Kurzem war sie zum Senior Tutor am Newnham College berufen worden, weshalb sie nur selten die nähere Umgebung von Cambridge verließ. Emma schaffte es gelegentlich, ihre Schwester zu einem Besuch des Royal Opera House nach London zu locken, doch nur für eine Matinee, sodass ihnen gerade noch genügend Zeit blieb, um etwas essen zu gehen, bevor Grace wieder den Zug nach Cambridge nahm. Denn, so ihre Erklärung, sie schlief nicht gerne in einem fremden Bett. Einerseits so weltoffen und kultiviert und andererseits so beschränkt, hatte ihre liebe Mutter einst gesagt.

Luchino Viscontis Inszenierung von Verdis *Don Carlo* hatte sich als unwiderstehlich erwiesen, und Grace ließ sich beim

Abendessen sogar besonders viel Zeit und hörte aufmerksam zu, als Emma ausführte, welche Folgen es haben konnte, wenn die Firma einen so großen Teil ihrer Kapitalreserven in ein einziges Projekt investierte. Grace knabberte weitgehend stumm an ihrem grünen Salat und gab nur gelegentlich einen Kommentar dazu ab. Erst als Major Fishers Name fiel, äußerte sie sich ausführlicher.

»Auch er heiratet übrigens in ein paar Wochen, wie ich aus zuverlässiger Quelle erfahren habe«, sagte Grace, womit sie ihre Schwester überraschte.

»Wer in Gottes Namen würde eine so widerliche Kreatur heiraten wollen?«

»Susie Lampton, anscheinend.«

»Warum kommt mir dieser Name nur so bekannt vor?«

»Sie war auf der Red Maids', als du Schulsprecherin warst. Aber sie war zwei Jahre unter dir, also wirst du dich kaum mehr an sie erinnern.«

»Nur noch an den Namen«, bestätigte Emma. »Also wirst du mich aufklären müssen.«

»Susie war schon mit sechzehn eine Schönheit, und sie wusste es. Die Jungs blieben einfach mit offenem Mund stehen und starrten sie an, wenn sie vorbeiging. Nach ihrem Abschluss nahm sie den ersten Zug nach London und schaffte es, sich von einer führenden Modelagentur vertreten zu lassen. Kaum dass sie auf den Laufstegen erschien, machte Susie kein Geheimnis daraus, dass sie auf der Suche nach einem reichen Ehemann war.«

»Wenn das so ist, dann ist Fisher nicht gerade ein großer Fang.«

»Damals wäre er das wahrscheinlich nicht gewesen, aber heute liegt die dreißig bereits ebenso hinter ihr wie ihre Tage als Model, weshalb sich ein Direktor der Barrington Shipping Line, der von einem argentinischen Millionär gefördert wird, sich gut und gerne als ihre letzte Chance erweisen könnte.«

»Kann sie wirklich so verzweifelt sein?«

»Oh ja«, erwiderte Grace. »Zwei Männer haben ihr bereits den Laufpass gegeben, einer direkt vor dem Traualtar, und wie ich höre, hat sie das Geld bereits ausgegeben, das ihr das Gericht im Prozess um den Bruch des Eheversprechens zuerkannt hat. Sie hat sogar ihren Verlobungsring ins Pfandhaus gebracht. Wahrscheinlich kann sie mit dem Namen von Mr. Micawber nicht unbedingt etwas anfangen.«

»Die arme Frau«, sagte Emma leise.

»Du musst dir um Susie keine Sorgen machen«, versicherte Grace. »Sie besitzt ein solches Maß an angeborener Gerissenheit, wie du es auf keinem Lehrplan einer Universität finden wirst«, fügte sie hinzu, bevor sie ihren Kaffee austrank. »Ehrlich gesagt weiß ich nicht, wer einem mehr leidtun könnte, denn ich glaube, die Sache wird nicht lange gut gehen.« Grace sah auf die Uhr. »Ich muss los. Ich kann mir nicht erlauben, den letzten Zug zu verpassen.« Ohne ein weiteres Wort zu verlieren, küsste sie ihre Schwester flüchtig auf beide Wangen, verließ das Restaurant und rief ein Taxi.

Emma lächelte, als sie sah, wie ihre Schwester im Fond des schwarzen Taxis verschwand. Besonderes Geschick im gesellschaftlichen Umgang gehörte zwar nicht zu Grace' größten Stärken, aber es gab keine Frau, die Emma mehr bewunderte. Viele ehemalige Studentengenerationen in Cambridge hätten nur davon profitieren können, wären sie von diesem Senior Tutor im Newnham unterrichtet worden.

Als Emma um die Rechnung bat, bemerkte sie, dass ihre Schwester eine Pfundnote neben ihrem Dessertteller hatte liegen lassen. Sie war keine Frau, die irgendjemandem für etwas verpflichtet sein wollte.

Der Trauzeuge reichte dem Bräutigam einen einfachen Goldring. Giles seinerseits streifte den Ring über den dritten Finger an Miss Hughes' linker Hand.

»Und hiermit erkläre ich Sie zu Mann und Frau«, verkündete der Standesbeamte. »Sie dürfen die Braut jetzt küssen.«

Aufbrandender Applaus begrüßte Sir Giles und Lady Barrington. Der Hochzeitsempfang fand im Cadogan Arms in der King's Road statt. Offensichtlich war Giles entschlossen, jedem deutlich zu machen, wie groß der Unterschied zu seiner ersten Hochzeit war.

Als Emma den Pub betrat, sah sie, wie Harry mit Giles' Wahlkampfleiter sprach, der ein breites Grinsen im Gesicht hatte. »Ein verheirateter Kandidat bekommt viel mehr Stimmen als ein geschiedener«, erklärte Griff gerade Harry, bevor er sein drittes Glas Champagner trank.

Grace unterhielt sich mit der Braut, die vor noch gar nicht so langer Zeit eine ihrer Doktorandinnen gewesen war. Gwyneth erinnerte sie daran, dass sie Giles zum ersten Mal bei einer Party getroffen hatte, die von Grace zur Feier ihres Geburtstags veranstaltet worden war.

»Mein Geburtstag war für diese besondere Party nur ein Vorwand«, sagte Grace ohne eine weitere Erklärung.

Emma wandte ihre Aufmerksamkeit wieder Harry zu, der gerade von Deakins angesprochen worden war. Zweifellos unterhielten sie sich darüber, welch verschiedene Erfahrungen man als Giles' Trauzeuge machen konnte. Emma konnte sich nicht erinnern, ob Algernon Deakins inzwischen Professor in Oxford war. Er sah zweifellos danach aus, doch auch mit sechzehn hatte er bereits schon so gewirkt. Damals hatte er zwar noch keinen wild sprießenden Bart, wohl aber denselben Anzug getragen.

Emma lächelte, als ihr Blick auf Jessica fiel, die mit untergeschlagenen Beinen auf dem Boden saß und ein Bild von Sebastian, der sich mit seinem Onkel unterhielt, auf die Rückseite einer Speisekarte zeichnete. Unter der Bedingung, dass er bis sechs Uhr abends wieder in der Klink sein würde, durfte Sebastian an der Hochzeitsfeier teilnehmen. Giles beugte sich gerade nach vorn und hörte aufmerksam zu, was sein Neffe ihm zu sagen hatte. Emma brauchte nicht erst zu raten, worum es in diesem Gespräch ging.

»Aber wenn Emma die Wahl verliert«, sagte Giles.

»Barrington's wird in absehbarer Zeit wohl kaum Gewinn machen, weshalb du nicht mehr davon ausgehen kannst, jedes Vierteljahr deine Dividende zu bekommen.«

»Gibt es auch noch irgendeine gute Nachricht?«

»Ja. Wenn sich herausstellen sollte, dass Ross Buchanan mit seinen Vorstellungen über das Geschäft mit Luxusschiffen recht hat – und er vertritt die Interessen der Firma ja wirklich geschickt –, dann hat Barrington's eine strahlende Zukunft vor sich. Und du kannst deinen Platz am Kabinettstisch einnehmen, ohne dir den Kopf darüber zu zerbrechen, dass du vom Gehalt eines Ministers leben musst.«

»Ich freue mich, dass du dich so sehr für das Schicksal unserer Firma interessierst, und ich kann nur hoffen, dass das so bleiben wird, wenn du nach Cambridge gehst.«

»Davon solltest du ausgehen«, sagte Sebastian, »denn die Zukunft der Firma beschäftigt mich mehr als alles andere. Ich hoffe wirklich, dass unser Familienunternehmen noch existiert, wenn ich so weit sein werde, dass ich den Vorstandsvorsitz übernehmen kann.«

»Glaubst du wirklich, dass Barrington's untergehen könnte?«, fragte Giles, der sich zum ersten Mal besorgt anhörte.

»Es klingt einigermaßen unwahrscheinlich. Aber es ist gewiss keine Hilfe, dass Major Fisher wieder in den Vorstand berufen wurde, denn ich bin überzeugt davon, dass seine Interessen im Hinblick auf die Firma den unseren diametral entgegengesetzt sind. Wenn sich herausstellen sollte, dass er wirklich im Auftrag von Don Pedro Martinez handelt, bin ich nicht einmal sicher, ob in ihren langfristigen Plänen das Überleben des Unternehmens überhaupt vorgesehen ist.«

»Ich vertraue darauf, dass sich Ross Buchanan und Emma Fisher gegenüber mehr als gewachsen zeigten. Und sogar Martinez gegenüber.«

»Mag sein. Aber vergiss nicht, dass sich die beiden nicht immer einig sind, was Fisher unweigerlich ausnutzen wird. Und selbst wenn es ihnen gelingt, Fisher kurzfristig einen Strich durch die Rechnung zu machen, muss er nur ein paar Jahre warten, damit ihm alles in den Schoß fällt.«

»Worauf willst du hinaus?«, fragte Giles.

»Es ist kein Geheimnis, dass Ross Buchanan die Absicht hat, sich in nicht allzu ferner Zeit zurückzuziehen. Wie ich höre, hat er sich kürzlich ein Gut in Perthshire gekauft, in dessen Nähe sich drei Golfplätze und zwei Flüsse befinden, wodurch es ihm möglich sein wird, sich ganz seinen beiden liebsten Freizeitbeschäftigungen hinzugeben. Es wird also nicht mehr lange dauern, bis sich die Firma nach einem neuen Vorstandsvorsitzenden umschauen muss.«

»Aber deine Mutter wäre doch sicher eine naheliegende Wahl für diesen Posten, wenn Buchanan sich zurückzieht? Sie gehört schließlich zur Familie, und wir kontrollieren immer noch zweiundzwanzig Prozent der Aktien.«

»Bis dahin könnte sich Martinez ebenfalls zweiundzwanzig Prozent oder mehr verschafft haben, denn wir wissen, dass er immer noch Barrington-Aktien kauft, sobald sie auf dem Markt zu haben sind. Und ich glaube, wir können davon ausgehen, dass er sich einen anderen Kandidaten vorstellt, wenn es um den Posten des zukünftigen Vorstandsvorsitzenden geht.«

6

Als Emma an jenem Freitagmorgen in den Sitzungssaal kam, war sie nicht überrascht, dass die Mehrheit ihrer Vorstandskollegen bereits anwesend war. Nur der Tod wäre eine akzeptable Entschuldigung gewesen, an dieser besonderen Sitzung nicht teilzunehmen; Giles hätte von Fraktionszwang gesprochen.

Der Vorsitzende plauderte gerade mit Konteradmiral Summers. Clive Anscott war, kaum überraschend, in ein Gespräch mit seinem Golfpartner Jim Knowles vertieft, der Emma bereits mitgeteilt hatte, dass sie beide in der anstehenden Wahl den Vorsitzenden unterstützen würden. Emma trat zu Andy Dobbs und David Dixon. Beide hatten bereits deutlich gemacht, dass sie auf Emmas Seite waren.

Philip Webster, der Vorstandssekretär, und Michael Carrick, der Finanzdirektor, musterten die Pläne des Schiffsarchitekten für den Luxusliner. Diese waren auf dem Tisch neben etwas ausgelegt worden, das Emma noch nie gesehen hatte, einem maßstabsgetreuen Modell der MV *Buckingham*. Sie musste zugeben, dass das Modell sehr verlockend aussah, und schließlich liebten Jungs ihre Spielzeuge.

»Es wird knapp werden«, sagte Andy Dobbs zu Emma, als sich die Tür zum Sitzungssaal öffnete und das zehnte Vorstandsmitglied eintraf.

Alex Fisher hielt sich neben der Tür auf. Er wirkte ein wenig nervös, wie ein Schüler an seinem ersten Schultag, der sich fragt, ob einer der anderen Jungen mit ihm reden wird. Sogleich löste sich der Vorstandsvorsitzende aus seiner Gruppe und trat auf Fisher zu, um ihn zu begrüßen. Emma sah, wie Ross dem Major sehr förmlich die Hand gab. Es wirkte nicht so, als empfange er einen respektierten Kollegen. Wenn es um Fisher ging, waren Emma und er einer Meinung.

Als die Standuhr in der Ecke des Saals zehn zu schlagen begann, verstummten die Gespräche, und die Direktoren setzten sich auf ihre angestammten Plätze um den Tisch. Fisher blieb wie ein Mauerblümchen beim Gemeindetanz stehen, bis nur noch ein Stuhl frei war; man konnte fast glauben, die Herren spielten »Reise nach Jerusalem«. Schließlich setzte sich der Major auf den freien Stuhl gegenüber Emma, ohne in ihre Richtung zu blicken.

»Guten Morgen«, sagte der Vorsitzende, nachdem alle Platz genommen hatten. »Ich möchte die Sitzung damit eröffnen, dass ich Major Fisher wieder als Direktor in unseren Reihen begrüße.«

Nur einer der Anwesenden ließ ein gedämpftes »Hört, hört« vernehmen; doch dieser Mann hatte dem Vorstand noch nicht angehört, als Fisher zum ersten Mal Mitglied dieses Kreises gewesen war.

»Da der Major nun zum zweiten Mal seine Aufgaben in diesem Vorstand wahrnehmen wird, sind ihm natürlich die Abläufe bei uns vertraut, und er ist sich der Loyalität bewusst, die wir von jedem Vorstandsmitglied erwarten, das dieses bedeutende Unternehmen repräsentiert.«

»Danke, Mr. Chairman«, sagte Fisher. »Ich möchte Sie alle wissen lassen, wie erfreut ich bin, erneut diesem Vorstand anzugehören. Und ich will Ihnen versichern, dass ich stets das tun werde, was meiner Ansicht nach den Interessen von Barrington's am besten dient.«

»Es freut mich, das zu hören«, sagte der Vorsitzende. »Es ist jedoch meine Pflicht, Sie – genauso wie jedes andere neue Mitglied des Vorstands – daran zu erinnern, dass es keinem unserer Direktoren gestattet ist, Aktien der Gesellschaft zu kaufen oder zu verkaufen, ohne zuvor die Börse und den Vorstandssekretär zu informieren.«

Sollte dieser mit Widerhaken versehene Pfeil auf Fisher persönlich gerichet worden sein, so verfehlte er sein Ziel, denn dieser nickte nur und lächelte, obwohl Mr. Webster fleißig die Worte des Vorsitzenden für das Protokoll mitschrieb.

Nachdem das Protokoll der letzten Sitzung vorgelesen und angenommen worden war, sagte der Vorsitzende: »Ich gehe davon aus, dass sich jedes Mitglied dieses Vorstands darüber im Klaren ist, dass es bei unserer heutigen Sitzung nur einen einzigen Tagesordnungspunkt gibt. Sie alle wissen, dass meiner Ansicht nach die Zeit gekommen ist, eine Entscheidung zu treffen, die, wie ich ohne Übertreibung sagen kann, die Zukunft von Barrington's bestimmen wird – und vielleicht auch die Zukunft des einen oder anderen, der im Augenblick im Dienst dieses Unternehmens steht.«

Offensichtlich waren mehrere Direktoren von Buchanans einleitenden Worten überrascht, und sie begannen, leise miteinander zu tuscheln. Ross Buchanan hatte gewissermaßen mitten auf dem Vorstandstisch eine Handgranate platziert, indem er implizit andeutete, dass er als Vorsitzender zurücktreten würde, sollte er die Wahl nicht gewinnen.

Emmas Problem war, dass sie keine Handgranate hatte, die sie ebenfalls in die Runde werfen konnte. Aus mehreren Gründen konnte sie nicht damit drohen, ihren Sitz zur Verfügung zu stellen; dieser Schritt war ihr nicht zuletzt deshalb verwehrt, weil kein anderes Mitglied ihrer Familie auch nur das geringste Interesse daran zeigte, ihren Platz im Vorstand einzunehmen. Sebastian hatte ihr bereits mitgeteilt, dass sie sich bei einer Abstimmungsniederlage immer noch aus dem Vorstand zurückziehen und gemeinsam mit Giles sämtliche Aktien, welche die Familie besaß, verkaufen könne. Dieser Schritt hätte gleich zwei Vorteile: Sie würde einen stattlichen Gewinn machen, und sie würde Martinez damit ausmanövrieren.

Emma sah auf zu dem Porträt von Sir Walter Barrington. Sie konnte geradezu hören, wie ihr Großvater sagte: »Tu nichts, was du später dein Leben lang bereuen wirst.«

»Ich möchte Sie nachdrücklich um eine offene, von keiner falschen Zurückhaltung eingeschränkte Diskussion bitten«, fuhr Ross Buchanan fort. »Eine Diskussion, in der, wie ich hoffe, jeder Direktor seine Ansichten furchtlos und ohne Voreingenommenheit vortragen wird.« Dann warf er die zweite Granate. »In diesem Sinne möchte ich vorschlagen, dass Mrs. Clifton die Debatte eröffnet, denn sie ist nicht nur gegen meinen Plan, zum gegenwärtigen Zeitpunkt einen neuen Luxusliner zu bauen, sondern sie vertritt auch zweiundzwanzig Prozent der Firmenaktien, und es war ihr berühmter Vorfahr Sir Joshua Barrington, der vor über einhundert Jahren dieses Unternehmen gegründet hat.«

Emma hatte gehofft, sich als eines der letzten Vorstandsmitglieder an der Diskussion zu beteiligen, denn sie war sich bewusst, dass ihre Worte in der abschließenden Zusammenfassung durch den Vorsitzenden einiges von ihrer Kraft verloren haben könnten, sollte sie zu früh mit ihren Ausführungen beginnen. Trotzdem war sie entschlossen, ihre Argumente so entschieden wie möglich vorzutragen.

»Ich danke Ihnen, Mr. Chairman«, sagte sie und warf einen Blick auf ihre Notizen. »Gestatten Sie mir zunächst folgende Anmerkung. Wie immer auch unsere heutige Diskussion ausgehen mag, so bin ich mir doch einer Sache gewiss: Wir alle hoffen, dass Sie dieses Unternehmen noch viele Jahre führen werden.«

Laute »Hört, hört«-Rufe waren auf diese einleitende Bemerkung hin zu vernehmen, und Emma schien es, als hätte sie zumindest einen Stift wieder zurück in eine der Handgranaten geschoben.

»Der Vorsitzende hat uns daran erinnert, dass mein Urgroßvater dieses Unternehmen vor mehr als einhundert Jahren gegründet hat. Joshua Barrington besaß ein geradezu unheimliches Gespür für günstige Gelegenheiten und verstand es gleichermaßen, alle möglichen Fallgruben zu vermeiden. Nur zu gerne hätte ich Sir Joshuas Weitblick, denn dann könnte ich Ihnen sagen«, bemerkte sie und deutete auf den Plan des Architekten, »ob das hier eine günstige Gelegenheit oder eine Fallgrube ist. Meine tiefe Skepsis gegenüber diesem Projekt kommt vor allem daher, dass wir damit alles auf eine Karte setzen würden. Einen so großen Prozentsatz der finanziellen Reserven der Firma für ein einziges Schiff zu riskieren, könnte sich als eine Entscheidung erweisen, die wir alle noch bedauern werden. Denn was zukünftige Geschäfte mit Luxusschiffen angeht, so scheint im Augenblick alles im Wandel begriffen zu sein. Zwei größere Schifffahrtsgesellschaften haben für dieses Jahr bereits einen Verlust angekündigt und den Boom bei Passagierflugzeugen als Grund für ihre Schwierigkeiten genannt. Deshalb ist es kein Zufall, wenn der Rückgang unserer transatlantischen Passagierzahlen fast exakt dem Anstieg an Fluggästen während derselben Periode entspricht. Die

Tatsachen sind simpel. Geschäftsleute wollen so rasch wie möglich zu ihren Konferenzen gelangen und dann genauso rasch wieder nach Hause kommen. Das ist vollkommen verständlich. Es mag uns vielleicht nicht gefallen, dass unsere Kunden sich umentscheiden, aber es wäre verrückt, die langfristigen Folgen zu ignorieren. Ich glaube, wir sollten uns auf jenes Geschäftsfeld beschränken, auf dem sich Barrington's zu Recht in der ganzen Welt einen guten Ruf erworben hat: auf den Transport von Kohle, Fahrzeugen, schweren Baumaschinen, Stahl, Nahrungsmitteln und ähnlichen Waren. Sollen doch andere das Risiko der Beförderung von Passagieren eingehen. Ich vertraue darauf, dass unser Unternehmen mit der Fortführung unseres Kerngeschäfts, das aus Frachtschiffen besteht, die zusätzlich über Kabinen für etwa ein Dutzend Passagiere verfügen, diese schwierigen Zeiten bestehen wird und auch weiterhin jedes Jahr einen stattlichen Gewinn erzielen könnte, wodurch wir in der Lage sein werden, unseren Aktionären eine sehr gute Dividende für ihre Investitionen auszuzahlen. Ich will wegen einer Laune unserer Kunden nicht all das Geld aufs Spiel setzen, mit dem unser Unternehmen über viele Jahre hinweg so sparsam umgegangen ist.«

Es wird Zeit für meine Handgranate, dachte Emma, als sie die nächste Seite ihrer Notizen umschlug.

»Mein Vater, Sir Hugo Barrington – von dem Sie kein Ölgemälde zur Erinnerung an seine Leistungen als Firmenlenker an den Wänden dieses Vorstandssaales finden werden –, hat es innerhalb weniger Jahre geschafft, das Unternehmen an den Rand des Ruins zu treiben, und es bedurfte des ganzen Geschicks und der Umsicht von Ross Buchanan, um diese Firma wieder auf den richtigen Weg zu bringen. Dafür sind wir ihm für alle Zeit zu großem Dank verpflichtet. Und doch geht für mich sein jüngster Vorschlag den einen entscheidenden Schritt zu weit, weshalb ich hoffe, dass der Vorstand dieses Projekt ablehnen wird, um stattdessen unser Kerngeschäft fortzuführen, das sich für uns in der Vergangenheit als so vorteilhaft erwiesen hat. Ich bitte den Vorstand deshalb, gegen den vorgebrachten Plan zu stimmen.«

Erfreut bemerkte Emma, dass das eine oder andere ältere Vorstandsmitglied, das zuvor unentschlossen gewesen war, jetzt zustimmend nickte. Buchanan bat die anderen Direktoren um ihre Beiträge, und eine Stunde später hatte jeder von ihnen seine Meinung vorgetragen. Nur Alex Fisher hatte bisher noch kein Wort gesagt.

»Major, jetzt haben Sie die Ansichten all Ihrer Kollegen gehört. Vielleicht würden Sie so freundlich sein, den Vorstand an Ihren eigenen Überlegungen teilhaben zu lassen.«

»Mr. Chairman«, sagte Fisher, »im vergangenen Monat habe ich die Protokolle der früheren Vorstandssitzungen zu diesem besonderen Thema aufmerksam studiert, und es gibt nur eine Sache, deren ich mir sicher bin: Wir können es uns nicht leisten, die Angelegenheit weiter aufzuschieben, sondern müssen noch heute zu einer Entscheidung kommen – so oder so.«

Fisher wartete, bis die »Hört, hört«-Rufe verstummt waren, bevor er fortfuhr.

»Mit großem Interesse habe ich mir die Ausführungen meiner Vorstandskollegen angehört, was besonders für die Bemerkungen von Mrs. Clifton gilt, die meiner Ansicht nach ihre Sache plausibel, gut begründet und gleichzeitig voller Leidenschaft vertreten hat, indem sie uns an die lange Verbundenheit ihrer Familie mit diesem Unternehmen zu erinnern wusste. Aber bevor ich eine Entscheidung treffen werde, würde ich gerne hören, warum der Vorsitzende so sehr davon überzeugt ist, dass wir den Bau der *Buckingham* gerade zu diesem Zeitpunkt in Angriff nehmen sollten, denn ich bin immer noch nicht davon überzeugt, dass dieses Projekt das Risiko wert ist und wir damit nicht vielmehr den einen entscheidenen Schritt zu weit gehen, wie Mrs. Clifton es genannt hat.«

»Ein kluger Mann«, sagte der Admiral.

Emma fragte sich, wenn auch nur einen kurzen Moment lang, ob sie Fisher falsch eingeschätzt und er für das Unternehmen möglicherweise tatsächlich nur das Beste im Sinn hatte. Doch dann erinnerte sie sich wieder an Sebastians Bemerkung, dass Leoparden ihr Fell nicht wechseln.

»Danke, Major«, sagte Buchanan.

Emma zweifelte nicht daran, dass Fisher trotz seiner gründlich vorbereiteten und gekonnt vorgetragenen Worte seine Entscheidung längst getroffen hatte und Martinez' Anweisungen bis in alle Einzelheiten befolgen würde. Sie wusste allerdings immer noch nicht, wie diese Anweisungen aussahen.

»Die Mitglieder des Vorstands sind sich meiner unmissverständlichen Haltung in dieser Sache durchaus bewusst«, begann der Vorsitzende und warf einen Blick auf die sieben Punkte, die er auf einem einzigen Blatt Papier notiert hatte. »Ich glaube, die Entscheidung, um die es heute geht, ist überaus naheliegend. Wird dieses Unternehmen einen Schritt nach vorn wagen, oder sollen wir uns damit zufriedengeben, einfach auf der Stelle zu treten? Ich muss niemanden daran erinnern, dass Cunard kürzlich zwei neue Passagierschiffe in Dienst genommen hat, P&O die *Canberra* in Belfast bauen lässt und Union-Castle seine Südafrikaflotte um die *Windsor Castle* und die *Transvaal Castle* ergänzt hat, während wir einfach nur dasitzen und zusehen, wie unsere Konkurrenten wie Piraten auf Kaperfahrt die Kontrolle über die Meere übernehmen. Es wird nie wieder einen günstigeren Zeitpunkt für Barrington's geben, ins Passagiergeschäft einzusteigen. Im Sommer werden wir die Transatlantikroute, im Winter Kreuzfahrten anbieten. Mrs. Clifton hat darauf hingewiesen, dass unsere Passagierzahlen sinken, und sie hat recht. Aber das liegt nur daran, dass unsere Flotte veraltet ist und wir unseren Kunden keinen Service mehr zu bieten haben, den sie nicht auch woanders zu einem viel günstigeren Preis finden können. Und wenn wir uns heute entscheiden, nichts zu tun, um erst noch den richtigen Moment abzuwarten, wie Mrs. Clifton anzudeuten scheint, werden andere zweifellos den Vorteil unserer Zurückhaltung für sich zu nutzen wissen, sodass wir am Ende zu winkenden Zuschauern degradiert an der Kaimauer zurückbleiben müssen. Natürlich würden wir, worauf Major Fisher hingewiesen hat, ein Risiko eingehen, aber genau so zu handeln hat große Unternehmer wie Sir Joshua Barrington immer ausgezeichnet. Und gestatten Sie mir, Sie daran zu erinnern, dass dieses Projekt nicht das finanzielle Risiko darstellt, von dem Mrs. Clifton spricht«, fügte er hinzu und deutete auf das Modell, das in der Mitte des Tisches stand, »denn wir können einen beträchtlichen Teil der Baukosten für dieses großartige Schiff aus unseren Rücklagen bestreiten und müssen keine umfangreichen Bankkredite aufnehmen, um es zu finanzieren. Ich habe das Gefühl, dass Joshua Barrington dies zu schätzen gewusst hätte.« Buchanan hielt inne und betrachtete seine Vorstandskollegen, die um den Tisch herumsaßen. »Ich glaube, wir müssen uns heute eine ganz einfache Frage stellen: Wollen wir uns damit zufriedengeben, nichts zu tun, und uns bestenfalls für den Stillstand entscheiden, oder werden wir die Zukunft wählen und diesem Unternehmen die Chance geben, auch weiterhin den führenden Platz in der Welt der Schifffahrtsgesellschaften zu übernehmen, wie wir es schon im vergangenen Jahrhundert getan haben? Ich bitte den Vorstand deshalb, meinen Vorschlag zu unterstützen und diese Investition in die Zukunft in Angriff zu nehmen.«

Trotz der engagierten Worte des Vorsitzenden war Emma immer noch nicht sicher, wie die Wahl ausfallen würde. Und dann kam der Augenblick, in dem Buchanan beschloss, den Stift aus der dritten Handgranate zu ziehen.

»Ich möchte den Vorstandssekretär nun bitten, jeden einzelnen Direktor dazu aufzufordern zu erklären, ob er für oder gegen das Projekt ist.«

Emma war davon ausgegangen, dass es, entsprechend den üblichen Gepflogenheiten des Unternehmens, zu einer geheimen Abstimmung kommen würde, bei der sie vermutlich eine größere Aussicht darauf hatte, die Mehrheit der Direktoren für sich zu gewinnen. Sie wusste jedoch, dass es als ein Zeichen von Schwäche verstanden und Buchanan in die Hände spielen würde, sollte sie zu einem so späten Zeitpunkt noch Einwände gegen dieses Vorgehen erheben.

Mr. Webster nahm ein einzelnes Blatt Papier aus einer vor ihm liegenden Akte und las die Entscheidung vor, die es zu treffen galt: »Die Mitglieder des Vorstands werden aufgefordert, über einen vom Vorsitzenden eingebrachten und vom geschäftsführenden Direktor unterstützten Beschluss abzustimmen, der die Frage zum Inhalt hat, ob das Unternehmen mit dem Projekt zum Bau eines neuen Luxusliners, der MV *Buckingham*, zum gegenwärtigen Zeitpunkt fortfahren soll.«

Es war Emma, die darum gebeten hatte, die Worte »zum gegenwärtigen Zeitpunkt« einzufügen, denn sie hoffte, damit einige der konservativeren Vorstandsmitglieder davon zu überzeugen, eine möglicherweise günstigere Gelegenheit abzuwarten.

Der Vorstandssekretär öffnete das Protokollbuch und las die Namen der Direktoren nacheinander vor.

»Mr. Buchanan.«

»Ich spreche mich für diesen Vorschlag aus«, sagte der Vorsitzende, ohne zu zögern.

»Mr. Knowles.«

»Dafür.«

»Mr. Dixon.«

»Dagegen.«

»Mr. Anscott.«

»Dafür.«

Emma machte einen Haken oder ein Kreuz hinter jeden Namen auf ihrer Liste. Bisher hatte es keine Überraschungen gegeben.

»Admiral Summers.«

»Dagegen«, erklärte er mit ebenso fester Stimme wie der Vorsitzende.

Emma konnte es nicht glauben. Der Admiral hatte sich umentschieden, was bedeutete, dass sie nicht verlieren konnte, wenn jeder bei seiner ursprünglichen Position blieb.

»Mrs. Clifton.«

»Dagegen.«

»Mr. Dobbs.«

»Dagegen.«

»Mr. Carrick.«

Der Finanzdirektor zögerte. Er hatte Emma gesagt, dass er gegen das Projekt sei, weil er davon überzeugt war, dass die Kosten nicht in den Griff zu bekommen wären und das Unternehmen entgegen Buchanans Versicherungen große Kredite von der Bank brauchen würde.

»Dafür«, flüsterte Mr. Carrick.

Emma fluchte mit zusammengebissenen Zähnen. Sie machte ein Kreuz hinter Carricks Namen und sah ihre Liste noch einmal durch. Beide Parteien hatten jeweils fünf Stimmen bekommen. Alle Köpfe wandten sich dem neuesten Vorstandsmitglied zu, auf dessen Stimme nun alles ankam.

Emma und Ross Buchanan würden sogleich erfahren, wofür Don Pedro Martinez gestimmt hätte – aber nicht, warum.

DON PEDRO MARTINEZ

1958 – 1959

7

»Nur aufgrund einer einzigen Stimme?«

»Ja«, sagte der Major.

»Dann hat es sich bereits jetzt als eine wertvolle Investition erwiesen, diese Aktien zu kaufen.«

»Was soll ich als Nächstes tun?«

»Unterstützen Sie vorerst weiterhin den Vorsitzenden, denn es wird nicht lange dauern, bis er erneut auf Ihre Hilfe angewiesen ist.«

»Ich bin nicht sicher, ob ich das verstehe.«

»Das müssen Sie auch gar nicht verstehen, Major.«

Don Pedro erhob sich hinter seinem Schreibtisch und ging in Richtung Tür. Die Besprechung war beendet. Rasch folgte ihm Fisher hinaus in den Flur.

»Wie bekommt Ihnen das Eheleben, Major?«

»Es könnte nicht besser sein«, log Fisher, dem inzwischen klar geworden war, dass zwei Menschen mehr zum Leben brauchten als ein einzelner.

»Das freut mich zu hören«, sagte Don Pedro und reichte dem Major einen dicken Umschlag.

»Was ist das?«, fragte Fisher.

»Ein kleiner Bonus, weil Sie die Sache durchgezogen haben«, erwiderte Don Pedro, während Karl die Haustür öffnete.

»Aber ich stehe bereits in Ihrer Schuld«, sagte Fisher und schob den Umschlag in die Innentasche seiner Jacke.

»Ich bin sicher, Sie werden sich mit einer großzügigen Gegenleistung revanchieren«, sagte Don Pedro, wobei er den Mann bemerkte, der auf der gegenüberliegenden Straßenseite auf einer Bank saß und so tat, als lese er die *Daily Mail*.

»Möchten Sie immer noch, dass ich vor der nächsten Vorstandssitzung noch einmal nach London komme?«

»Nein. Aber rufen Sie mich an, sobald Sie wissen, wer den Auftrag zum Bau der *Buckingham* erhalten hat.«

»Sie sollen es als Erster erfahren«, sagte Fisher. Er salutierte nicht ganz ernsthaft vor seinem neuen Arbeitgeber und marschierte dann in Richtung Sloan Square davon. Der Mann auf der gegenüberliegenden Straßenseite folgte ihm nicht, aber Captain Hartley wusste ohnehin genau, wohin der Major ging. Don Pedro lächelte, als er ins Haus zurückschlenderte.

»Karl, sagen Sie Diego und Luis, dass ich sie sofort sehen will. Und Sie brauche ich ebenfalls.«

Der Butler verbeugte sich und schloss die Tür, wobei er sorgfältig darauf achtete, nie aus seiner Rolle zu fallen, sobald jemand zusah. Don Pedro ging zurück in sein Arbeitszimmer und setzte sich an seinen Schreibtisch. Wieder musste er lächeln, als er an das Gespräch dachte, das er gerade geführt hatte. Diesmal würde ihm niemand in die Quere kommen. Alles war dafür vorbereitet, nicht ein Familienmitglied, sondern die ganze Familie zu vernichten. Er hatte nicht die Absicht, den Major über seinen nächsten Schritt zu informieren. Er hatte den Eindruck, dass sich Fisher trotz der regelmäßigen Boni als zu zimperlich erweisen würde, sobald er unter heftigen Beschuss geriet und es möglicherweise bei dem, was er zu tun bereit war, eine Grenze gab.

Don Pedro musste nicht lange warten, bis er ein Klopfen an der Tür hörte und die drei einzigen Menschen, denen er vertraute, sein Arbeitszimmer betraten. Seine beiden Söhne setzten sich ihm gegenüber, was ihn daran erinnerte, dass er seinen jüngsten Sohn nie wiedersehen würde. Dieser Gedanke machte ihn nur noch entschlossener. Karl blieb unterdessen stehen.

»Die Vorstandssitzung hätte nicht besser laufen können. Die Direktoren haben sich mit einer Stimme Mehrheit dafür entschieden, den Bau der *Buckingham* in Auftrag zu geben, und es war die Stimme des Majors, die den Ausschlag gegeben hat. Jetzt geht es darum herauszufinden, welche Werft den Bauauftrag erhalten wird. Erst wenn wir das wissen, können wir zum zweiten Teil meines Plans übergehen.«

»Und weil dieser sich als ziemlich teuer erweisen könnte«, warf Diego ein, »würde ich gerne wissen, ob du schon einige Ideen hast, wie wir das Ganze finanzieren.«

»Ja«, sagte Don Pedro. »Ich habe die Absicht, eine Bank auszurauben.«

Kurz vor zwölf Uhr mittags erschien Colonel Scott-Hopkins im Clarence. Der Pub war nur ein paar Hundert Meter von Downing Street entfernt und bei Touristen sehr beliebt. Scott-Hopkins ging an die Bar und bestellte ein halbes Pint dunkles Bier und einen doppelten Gin Tonic.

»Das macht dann drei sechs«, sagte der Barmann.

Der Colonel legte zwei Zweishillingstücke auf den Tresen, nahm die Getränke und ging auf eine Nische am entgegengesetzten Ende des Pubs zu, wo er und sein Gesprächspartner vor neugierigen Blicken geschützt waren. Er stellte die Getränke auf einen kleinen Holztisch, der von den Abdrücken früherer Gläser und den Spuren von Zigaretten übersät war. Sein Vorgesetzter kam nur selten zu spät, obwohl in seinem Beruf jegliche Probleme die unangenehme Tendenz hatten, in allerletzter

Minute aufzutreten. Aber heute war das nicht der Fall, denn der Kabinettssekretär kam nur wenige Augenblicke später in den Pub und ging direkt auf die Nische zu.

Der Colonel stand auf. »Guten Morgen, Sir.« Er hätte sein Gegenüber nie als »Sir Alan« angesprochen; das wäre viel zu vertraulich gewesen.

»Guten Morgen, Brian. Ich habe nur ein paar Minuten, also sollten Sie mich vielleicht gleich auf den neuesten Stand bringen.«

»Martinez, seine Söhne Diego und Luis sowie Karl Lunsdorf arbeiten eindeutig als Team zusammen. Doch seit meiner Unterhaltung mit Martinez hat sich keiner von ihnen dem Princess Alexandra Hospital in Harlow genähert oder ist in Bristol aufgetaucht.«

»Das freut mich zu hören«, sagte Sir Alan und griff nach seinem Glas. »Aber das bedeutet nicht, dass Martinez nicht irgendeine andere Sache ausheckt. Er ist niemand, der sich so schnell geschlagen gibt.«

»Ich bin sicher, dass Sie recht haben, Sir. Er geht zwar nicht nach Bristol, aber das bedeutet nicht, dass Bristol nicht zu ihm kommt.«

Der Kabinettssekretär hob eine Augenbraue.

»Alex Fisher arbeitet inzwischen für Martinez. Es ist gewissermaßen ein Vollzeitjob für ihn. Er sitzt wieder im Vorstand von Barrington's und erstattet seinem neuen Chef mindestens einmal und manchmal sogar zweimal pro Woche Bericht.«

Der Kabinettssekretär nippte an seinem doppelten Gin Tonic, während er über die Bedeutung der Worte des Colonels nachdachte. Zunächst würde er ein paar Aktien von Barrington Shipping kaufen müssen, damit er regelmäßig die Protokolle der Vorstandssitzungen zugeschickt bekäme.

»Gibt es sonst noch etwas?«

»Ja. Martinez hat am Donnerstagmorgen um elf einen Termin beim Direktor der Bank of England.«

»Dann werden wir bald herausfinden, wie viele gefälschte Fünf-Pfund-Noten dieser Mann immer noch in seinem Besitz hat.«

»Aber ich dachte, wir hätten letzten Juni in Southampton alle vernichtet?«

»Das waren nur diejenigen, die er in der Rodin-Statue verstecken konnte. Aber er hat die letzten zehn Jahre über immer wieder kleinere Mengen ins Land geschmuggelt, bevor irgendeinem von uns klar wurde, was er damit vorhat.«

»Warum weigert sich der Direktor nicht einfach, diesen Mann überhaupt zu empfangen, wo wir doch alle wissen, dass die Scheine gefälscht sind?«

»Weil der Direktor ein selbstverliebter Esel ist und einfach nicht glauben will, dass irgendjemand in der Lage sein sollte, eine perfekte Kopie seiner so kostbaren Fünf-Pfund-Noten herzustellen. Deshalb wird Martinez in Kürze seine alten Scheine gegen neue umtauschen, und es gibt nichts, was wir dagegen tun könnten.«

»Ich kann ihn immer noch umbringen, Sir.«

»Den Bankdirektor oder Martinez?«, fragte Sir Alan, der nicht ganz sicher war, ob Scott-Hopkins das ernst meinte.

Der Colonel lächelte. Bei keinem von beiden hätte ihm eine solche Aktion etwas ausgemacht.

»Nein, Brian. Solange ich keinen rechtmäßigen Grund dafür habe, kann ich es nicht gutheißen, dass Martinez umgebracht wird. Und als ich das letzte Mal einen Blick in das Gesetzbuch geworfen habe, stand noch nicht darin, dass man für die Verbreitung von Falschgeld gehängt wird.«

Don Pedro saß an seinem Schreibtisch und trommelte ungeduldig auf die Schreibunterlage, während er darauf wartete, dass das Telefon klingelte.

Die Vorstandssitzung war auf zehn Uhr angesetzt worden und sollte wie üblich gegen Mittag zu Ende sein. Doch inzwischen war es bereits zwanzig Minuten nach zwölf, und er hatte noch immer kein Wort von Fisher gehört, obwohl er ihm eingeschärft hatte, nach der Sitzung unverzüglich anzurufen. Zu berücksichtigen war allerdings, dass Karl empfohlen hatte, Fisher solle sich erst dann bei seinem Auftraggeber melden, wenn er weit genug von Barrington House entfernt war; nur so konnte Fisher sicher sein, dass keiner seiner Vorstandskollegen mitbekommen würde, wie er den Anruf erledigte.

Karl hatte ebenfalls empfohlen, dass der Major einen Pub aufsuchen solle, der von keinem seiner Vorstandskollegen frequentiert wurde. Fisher hatte das Lord Nelson ausgesucht. Dieser Pub lag nicht nur weniger als eine Meile von der Barrington-Werft entfernt, sondern befand sich auch in der Nähe des unteren Abschnitts der Docks. Dort gab es vor allem dunkles Bier und gelegentlich Apfelwein, aber es war nicht nötig, dass der Wirt Harvey's Bristol Cream vorrätig hielt. Noch wichtiger war, dass sich neben der Eingangstür eine Telefonzelle befand.

Das Telefon auf Don Pedros Schreibtisch klingelte. Er griff nach dem Hörer, noch bevor der zweite Ton erklang. Karl hatte Fisher angewiesen, sich nicht mit Namen zu melden, wenn er von einer öffentlichen Telefonzelle aus anrief, keine Zeit mit einleitendem Geplauder zu verlieren und darauf zu achten, dass er für seine Nachricht weniger als eine Minute brauchte.

»Harland & Wolff, Belfast.«

»Es gibt doch einen Gott«, sagte Don Pedro.

Die Leitung war tot. Offensichtlich war in der Vorstandssitzung kein anderes Thema besprochen worden, das Fisher, noch bevor er am folgenden Tag nach London kommen würde, hätte erwähnen müssen. Don Pedro legte den Hörer auf die Gabel und sah hinüber zu den drei Männern, die auf der anderen Seite des Schreibtischs standen. Jeder von ihnen wusste bereits, was seine nächste Aufgabe war.

»Kommen Sie bitte.«

Der Chefkassierer öffnete die Tür und trat beiseite, sodass der Bankier aus Argentinien in das Büro des Direktors gehen konnte. Don Pedro Martinez trat ein. Er trug einen zweireihigen Nadelstreifenanzug, ein weißes Hemd und eine Seidenkrawatte, die er allesamt bei einem Schneider in der Savile Row besorgt hatte. Zwei uniformierte Wachmänner folgten ihm; sie transportierten einen großen, zerschrammten Schrankkoffer, der mit den Initialen *BM* gekennzeichnet war. Als Letzter folgte ein großer, dünner Herr, der ein schwarzes Jackett, eine graue Weste, eine Nadelstreifenhose und eine dunkle Krawatte mit fahlblauen Streifen trug, womit er gewöhnlichen Sterblichen zu verstehen gab, dass er und der Direktor dieselbe Schule besucht hatten.

Die Wachmänner setzten den Koffer in der Mitte des Raumes ab, während der Direktor hinter seinem Schreibtisch hervortrat und Don Pedro die Hand schüttelte. Er wandte den Blick nicht von dem Koffer ab, als sein Gast die Schließen löste und den Deckel öffnete. Die fünf Männer starrten hinab auf zahllose Reihen fein säuberlich gestapelter Fünf-Pfund-Noten. Für keinen von ihnen war der Anblick etwas Ungewöhnliches.

Der Direktor wandte sich an den Chefkassierer und sagte:

»Somerville, lassen Sie diese Noten zählen und das Ergebnis noch einmal überprüfen, und wenn Ihr Ergebnis mit der Summe übereinstimmt, auf die Mr. Martinez gekommen ist, dann lassen Sie die Noten schreddern.«

Der Chefkassierer nickte. Einer der Wachmänner klappte den Koffer zu und befestigte die Schließen. Dann hoben beide Wachmänner den schweren Koffer wieder an und folgten dem Chefkassierer aus dem Büro. Der Bankdirektor sprach erst weiter, als er hörte, dass sich die Tür geschlossen hatte.

»Vielleicht möchten Sie sich mir auf ein Glas Bristol Cream anschließen, alter Junge, während wir auf die Bestätigung warten, dass unsere Zahlen übereinstimmen.«

Don Pedro hatte einige Zeit gebraucht, um zu akzeptieren, dass »alter Junge« freundlich gemeint war und geradezu die Bestätigung dafür darstellte, dass der Sprecher einen als denselben Kreisen angehörend empfand, auch wenn man ein Ausländer war.

Der Direktor füllte zwei Gläser und reichte eines davon seinem Gast. »Auf Ihr Wohl, alter Junge.«

»Auf Ihr Wohl, alter Junge«, sprach ihm Don Pedro mit derselben Betonung nach.

»Ich bin überrascht«, sagte der Direktor, nachdem er einen kleinen Schluck genommen hatte, »dass Sie es für nötig erachtet haben, ständig über einen so großen Barbetrag zu verfügen.«

»Während der letzten fünf Jahre befand sich das Geld im Tresor einer Bank in Genf, und dort wäre es auch geblieben, wenn Ihre Regierung nicht beschlossen hätte, neue Banknoten zu drucken.«

»Das war nicht meine Entscheidung, alter Junge. Ehrlich gesagt, ich habe mich sogar dagegen ausgesprochen. Aber dieser unbelehrbare Kabinettssekretär – falsche Schule, falsche Universität –«, murmelte er zwischen zwei Schlucken, »ließ sich nicht davon abbringen, dass die Deutschen während des Krieges unsere Fünf-Pfund-Note gefälscht hätten. Ich habe ihm gesagt, dass das schlichtweg unmöglich ist, aber er wollte einfach nicht auf mich hören. Er schien zu glauben, er kenne sich besser aus als die Bank of England. Ich habe ihm ebenfalls gesagt, dass der entsprechende Betrag in voller Höhe anerkannt würde, solange meine Unterschrift auf einer englischen Banknote steht.«

»Ich hatte auch gar nichts anderes erwartet«, sagte Don Pedro und gestattete sich ein Lächeln.

Danach war es für beide Männer schwierig, ein Thema zu finden, bei dem sich jeder von ihnen gleichermaßen wohlfühlte. Nur über Polo, Wimbledon und darüber, dass sie sich auf den 12. August freuten, wussten sie so lange zu plaudern, bis es Zeit wurde, dass der Direktor ihnen beiden noch einmal nachschenkte. Er konnte jedoch seine Erleichterung nicht verbergen, als das Telefon endlich läutete. Er stellte sein Glas ab, nahm den Hörer von der Gabel und lauschte aufmerksam. Dann nahm der Direktor einen Parker-Füllfederhalter aus der Innentasche seines Jacketts und schrieb eine Zahl auf ein Blatt Papier. Er bat den Chefkassierer, das Gesagte zu wiederholen.

»Vielen Dank, Somerville«, sagte er schließlich und legte auf. »Ich bin erfreut, Ihnen mitteilen zu können, dass unsere Zahlen übereinstimmen, alter Junge. Nicht dass ich jemals daran gezweifelt hätte«, fügte er rasch hinzu.

Er öffnete die oberste Schublade seines Schreibtischs, nahm ein Scheckbuch heraus und schrieb *Zwei Millionen einhundertdreiundvierzigtausendeinhundertfünfunddreißig Pfund* in seiner ebenso gepflegten wie entschlossenen Handschrift.

Er konnte nicht widerstehen, das Wort »nur« hinzuzufügen, bevor er seine Signatur daruntersetzte. Er lächelte und reichte den Scheck Don Pedro, der die Zahl überprüfte, bevor er das Lächeln des Direktors erwiderte.

Don Pedro wäre ein Wechsel lieber gewesen, doch ein vom Direktor der Bank of England unterzeichneter Scheck war fast ebenso gut. Schließlich trug er, genauso wie die Fünf-Pfund-Note, die Signatur des Direktors.

8

Die drei verließen an jenem Morgen Eaton Square Nummer 44 zu unterschiedlichen Zeiten, doch sie alle fanden sich am selben Ziel ein.

Luis erschien als Erster. Er ging zur U-Bahn-Station Sloane Square und nahm die Circle Line nach Hammersmith, wo er in die Piccadilly Line wechselte. Corporal Crann war nie weit hinter ihm.

Diego nahm ein Taxi zum Busbahnhof Victoria, wo er in einen Bus zum Flughafen stieg; sein Schatten folgte ihm nur einen Augenblick später.

Luis machte es Crann leicht, jedem seiner Schritte zu folgen, doch dabei tat er nur das, wozu sein Vater ihn angewiesen hatte. In Hunslow West verließ er die U-Bahn und nahm ein Taxi zum London Airport, wo er die Abflugtafel musterte, um sicherzustellen, dass sein Flug in etwas über einer Stunde gehen würde. Er kaufte sich die neueste Ausgabe des *Playboy* in einer W.-H.-Smith-Buchhandlung, und weil er kein Gepäck aufzugeben hatte, ging er langsam in Richtung Gate 5.

Der Bus setzte Diego fünf Minuten vor zehn am Terminal ab. Auch er warf einen Blick auf die Abflugtafel, wodurch er sah, dass sich sein Flug nach Madrid um vierzig Minuten verzögerte. Das machte nichts. Er schlenderte zum Forte's Grill, kaufte sich einen Kaffee und ein Schinkensandwich und setzte sich in die Nähe des Eingangs, sodass ihn niemand übersehen konnte.

Wenige Minuten nachdem Luis' Flugzeug nach Nizza abgehoben hatte, öffnete Karl die Tür von Hausnummer 44. Er ging mit einer bereits vollen Einkaufstasche von Harrods in der Hand in Richtung Sloane Street. Unterwegs hielt er mehrmals inne, um einen Blick in die Schaufenster zu werfen, doch das geschah nicht, um die ausgestellten Waren zu bewundern, sondern um die Spiegelungen im Glas zu betrachten; es war ein alter Trick, um festzustellen, ob er verfolgt wurde. Verfolgt wurde er in der Tat, und zwar von jenem kleinen, schäbig gekleideten Mann, der ihm schon seit einem Monat ständig auf den Fersen war. Als er Harrods erreicht hatte, wusste er, dass sein Schatten nur wenige Schritte hinter ihm war.

Ein Portier in einem langen grünen Mantel und einem Zylinder öffnete Karl die Tür und salutierte. Er war stolz darauf, dass er die Stammkunden des Kaufhauses wiedererkannte.

Nachdem Karl das Gebäude betreten hatte, durchquerte er zügig die Kurzwarenabteilung. Er beschleunigte seine Schritte, als er an den Lederwaren vorbeikam, und als er die Reihe der sechs Aufzüge erreicht hatte, rannte er fast. Nur einer der Aufzüge war gerade offen. Es standen bereits viele Menschen darin, doch er quetschte sich noch hinein. Sein Schatten hätte ihn fast noch eingeholt, doch der Angestellte, der den Lift bediente, schloss das Gitter, bevor Karls Verfolger den Aufzug betreten konnte. Der Verfolgte konnte nicht widerstehen, seinem Verfolger zuzulächeln, als der Lift außer Sichtweite verschwand.

Karl stieg erst im obersten Stockwerk aus. Rasch ging er durch die Abteilungen für Elektrogeräte und Möbel sowie durch die Buchhandlung und die Kunstgalerie, bevor er schließlich die selten benutzte Steintreppe auf der Nordseite des Gebäudes erreichte. Er nahm zwei Stufen auf einmal und wurde erst langsamer, als er wieder im Erdgeschoss war. Dort ging er durch die Abteilungen für Herrenbekleidung, Parfüm und Schreibwaren, bis er zu einer Seitentür kam, die auf die Hans Road führte. Kaum dass er auf dem Bürgersteig stand, rief er das erste verfügbare Taxi, stieg ein und kauerte sich zusammen, sodass ihn niemand mehr sehen konnte.

»London Airport«, sagte er.

Er wartete, bis zwei Ampeln hinter dem Taxi lagen, bevor er einen Blick aus dem Heckfenster riskierte. Nirgendwo ein Hinweis auf seinen Verfolger, es sei denn, Sergeant Roberts fuhr Rad oder nahm einen Londoner Bus.

Während der letzten zwei Wochen war Karl regelmäßig ins Harrods gekommen und hatte mehrmals in der Lebensmittelabteilung im Erdgeschoss eingekauft, bevor er wieder zurück zum Eaton Square gefahren war. Heute nicht. Obwohl er den SAS-Mann dieses Mal abgeschüttelt hatte, wusste er, dass sein Trick mit dem Kaufhaus nicht noch einmal funktionieren konnte. Und da er die Reise, die er heute unternahm, wohl noch recht häufig wiederholen würde, wäre es für den SAS nicht schwierig herauszufinden, was sein Zielort war. In Zukunft würde einer seiner Verfolger einfach auf ihn warten, wenn er aus dem Flugzeug stieg.

Als das Taxi ihn vor dem Europa-Terminal absetzte, kaufte er weder ein Exemplar des *Playboy*, noch trank er einen Kaffee. Vielmehr ging er direkt auf Gate Nummer 18 zu.

Wenige Minuten nachdem Karls Flugzeug abgehoben hatte, landete Luis' Maschine in der Nähe von Nizza. Er hatte ein Bündel neuer Fünf-Pfund-Noten in seinem Waschbeutel versteckt, und seine Anweisungen hätten nicht klarer sein können: Mach dir ein paar schöne Tage und komm frühestens in einer Woche wieder. Die Aufgabe war nicht gerade anspruchsvoll, doch auch sie hatte ihren Platz in Don Pedros Gesamtplan.

Diegos Flugzeug erreichte den spanischen Luftraum eine Stunde später als vorgesehen, doch sein Termin bei einem der führenden Rindfleischimporteure des Landes war erst auf vier Uhr nachmittags angesetzt, weshalb ihm noch genügend freie Zeit blieb. Immer wenn er nach Madrid kam, wohnte er im selben Hotel, aß im selben Restaurant und suchte dasselbe Bordell auf. Sein Schatten buchte ebenfalls ein Zimmer im selben Hotel und aß ebenfalls im selben Restaurant. Doch dann wartete er alleine in einem Café auf der gegenüberliegenden Straßenseite, während Diego ein paar Stunden im La Buena Noche verbrachte. Die Spesenabrechnung würde Colonel Scott-Hopkins gar nicht gefallen.

Karl Lunsdorf war noch nie zuvor in Belfast gewesen, doch nachdem er an mehreren Abenden den Gästen des Ward's Irish House in Piccadilly zahlreiche Runden spendiert hatte, verließ er den Pub in der Gewissheit, dass fast alle seine Fragen beantwortet worden waren. Und er schwor sich, in seinem ganzen Leben nie wieder ein Guinness zu trinken.

Vom Flughafen aus nahm er ein Taxi ins Royal Windsor Hotel im Stadtzentrum, wo er ein Zimmer für drei Nächte buchte. Der Empfangsdame teilte er mit, dass er möglicherweise noch länger bleiben würde, je nachdem wie sich seine Geschäfte entwickelten. Sobald er in seinem Zimmer war, schloss er die Tür hinter sich ab, packte seine Harrods-Tasche aus und ließ sich ein Bad ein. Danach legte er sich auf das Bett und dachte darüber nach, was er für den Abend geplant hatte. Er bewegte sich erst wieder, als er sah, dass die Straßenlaternen angingen. Sicherheitshalber warf er noch einmal einen Blick auf den Stadtplan, damit er ihn nicht mehr zurate ziehen musste, sobald er das Hotel verlassen hatte.

Um sechs Uhr ging er aus seinem Zimmer und nahm die Treppe ins Erdgeschoss. Aufzüge in Hotels benutzte er nie; sie waren kleine, viel zu helle Räume, in denen man sich unter den Augen aller bewegte und bei denen es den anderen Gästen viel zu leicht fallen würde, sich gegebenenfalls an einen zu erinnern. Zügig, aber nicht zu schnell durchquerte er das Foyer und trat hinaus auf die Donegall Road. Nach ein paar Hundert Metern seiner besonderen Art des Schaufensterbummels war er sicher, dass ihm niemand folgte. Er war, wieder einmal, hinter den feindlichen Linien ganz auf sich allein gestellt.

Er nahm nicht den direkten Weg zu seinem Ziel, sondern folgte mehreren Seitenstraßen mal in die eine, mal in die andere Richtung, sodass er für eine Strecke, die üblicherweise zwanzig Minuten in Anspruch genommen hätte, fast eine Stunde benötigte. Doch er hatte es nicht eilig. Als er schließlich die Falls Road erreichte, hatte er Schweißtropfen auf der Stirn. Er wusste, dass die Angst sein ständiger Begleiter bleiben würde, solange er sich innerhalb der vierzehn Blocks aufhielt, in denen ausschließlich Katholiken lebten. Nicht zum ersten Mal in seinem Leben befand er sich an einem Ort, bei dem er nicht sicher sein konnte, dass er ihn auch wieder lebend verlassen würde.

Mit einer Größe von einem Meter neunzig, einer dichten blonden Mähne und einem Gewicht von neunzig Kilo, das vorwiegend durch seine Muskeln zustande kam, war es für Karl nicht leicht, mit seiner jeweiligen Umgebung zu verschmelzen. Was für ihn zu seiner Zeit als junger SS-Offizier noch ein Vorteil gewesen war, würde sich in den nächsten Stunden in das genaue Gegenteil verwandeln. Er besaß nur eine Eigenschaft, die für ihn sprach, und das war sein deutscher Akzent. Viele Katholiken, die in der Falls Road lebten, hassten die Engländer sogar noch mehr als die Deutschen, obwohl die Entscheidung manchmal ziemlich knapp ausfiel. Schließlich hatte Hitler für die Zeit nach seinem Sieg die Wiedervereinigung des Nordens mit dem Süden versprochen. Karl fragte sich oft, welchen Posten Himmler ihm gegeben hätte, wenn Deutschland – wie er es seinem Vorgesetzten empfohlen hatte – Britannien erobert und nicht den katastrophalen Fehler begangen hätte, sich noch weiter nach Osten gegen Russland zu wenden. Karl zweifelte jedoch nicht daran, dass viele, die sich die Sache der irischen Einheit auf die Fahnen geschrieben hatten, nichts weiter als primitive Schlägertypen und Kriminelle waren, die ihren Patriotismus als fadenscheinige Tarnung benutzten, um an möglichst viel Geld zu kommen. Etwas, das die Irish Republican Army mit der SS gemeinsam hatte.

Er sah das Schild in der Abendbrise schwanken. Wenn er noch umdrehen wollte, musste es jetzt sein. Doch er zögerte nicht. Er würde nie vergessen, dass es Don Pedro Martinez gewesen war, der ihm die Flucht aus seiner Heimat ermöglicht hatte, als sich die russischen Panzer dem Reichstag bereits bis auf Schussweite genähert hatten.

Er drückte die Tür auf, die von abblätternder grüner Farbe bedeckt war, und betrat die Bar, wobei er sich so unauffällig vorkam wie eine Nonne in einem Wettbüro. Er hatte bereits akzeptiert, dass es keinen subtilen Weg gab, die IRA wissen zu lassen, dass er in der Stadt war. Hier handelte es sich ausnahmsweise nicht um eine jener Angelegenheiten, bei denen es nur darauf ankam, wen man kannte. Denn er kannte überhaupt niemanden.

Als Karl einen Jameson's-Whiskey bestellte, übertrieb er seinen deutschen Akzent. Dann nahm er eine neue Fünf-Pfund-Note aus seiner Brieftasche und legte sie auf den Tresen. Der Barmann musterte den Geldschein misstrauisch; er war nicht sicher, ob er dafür genügend Wechselgeld in der Kasse hatte.

Karl trank seinen Whiskey und bestellte sofort den nächsten. Er musste wenigstens versuchen, so zu tun, als hätte er mit den Menschen, in deren Kreisen er sich gerade bewegte, etwas gemeinsam. Es hatte ihn schon immer amüsiert, dass viele Menschen dachten, groß gewachsene Männer müssten auch große Trinker sein. Nach seinem zweiten Whiskey sah er sich um, doch niemand war gewillt, Augenkontakt zu ihm aufzunehmen. Es waren etwa zwanzig Menschen in der Bar, die sich unterhielten, Domino spielten und ihr Bier tranken, doch sie alle taten so, als hätten sie den metaphorischen Elefanten mitten im Zimmer nicht bemerkt.

Um halb zehn läutete der Barmann die Glocke und bat um die letzten Bestellungen für diesen Tag, was mehrere Gäste veranlasste, zum Tresen zu eilen und sich noch ein Bier zu holen. Auch jetzt würdigte niemand Karl eines Blickes, ganz zu schweigen davon, dass einer der Gäste ihn angesprochen hätte. Karl blieb noch ein paar Minuten lang sitzen, doch weil sich die Situation nicht änderte, beschloss er, ins Hotel zurückzugehen und es am folgenden Tag noch einmal zu versuchen. Er wusste, dass es viele Jahre dauern konnte, bevor man ihn wie einen Einheimischen behandeln würde, sollte es überhaupt jemals so weit kommen. Doch er hatte nur ein paar Tage, um jemanden zu treffen, der eine solche Bar nie betreten und trotzdem schon heute um Mitternacht wissen würde, dass Karl dort gewesen war.

Als er wieder hinaus auf die Falls Road trat, war er sich mehrerer Augenpaare bewusst, die jeden seiner Schritte beobachteten. Kurz darauf wechselten zwei Männer, die eher betrunken als nüchtern schienen, jedes Mal schwankend die Straßenseite, wenn er selbst sie wechselte. Er ging langsamer und achtete sorgfältig darauf, dass seine Verfolger mitbekamen, wo er die Nacht verbrachte, damit sie diese Information an jemanden weitergeben konnten, der einen höheren Rang hatte als sie. Leichten Schrittes betrat er das Hotel, drehte sich um und sah, wie sich die beiden Männer in der Dunkelheit auf der gegenüberliegenden Straßenseite hielten. Dann nahm er die Treppe in den dritten Stock und ging in sein Zimmer. Er war überzeugt davon, dass er an seinem ersten Tag in der Stadt nicht noch mehr hätte tun können, um diejenigen Leute auf sich aufmerksam zu machen, die er treffen wollte.

Karl aß sämtliche kostenlosen Kekse, die das Hotel bereitgestellt hatte, dazu eine Orange, einen Apfel und eine Banane aus der Obstschale; das genügte ihm. Als er im April 1945 aus Berlin entkommen war, hatte er mithilfe des Wassers aus schlammigen Flüssen überlebt, die erst kurz zuvor von Panzern und schweren Transportfahrzeugen aufgewirbelt worden waren. Davon abgesehen hatte er sich nur noch den Luxus eines ungekochten Kaninchens gegönnt; als er die Grenze zur Schweiz überquerte, hatte er sogar die Haut des Tieres gegessen. Auf seiner langen, von vielen Umwegen geprägten Route in Richtung Mittelmeer, wo er schließlich an Bord eines Frachtschiffs geschmuggelt wurde wie ein Sack Kohle, hatte er nie unter einem Dach geschlafen, nie eine Straße benutzt und nie eine Stadt oder ein Dorf betreten. Damals sollte es noch fünf Monate dauern, bis er in Buenos Aires an Land ging und sich sofort auf die Suche nach Don Pedro Martinez machte, um den letzten Befehl auszuführen, den Himmler ihm vor seinem Selbstmord gegeben hatte. Jetzt war Martinez sein befehlshabender Offizier.

9

Am nächsten Morgen stand Karl spät auf. Er wusste, dass man ihn nicht im Frühstücksraum eines Hotels voller Protestanten sehen durfte, weshalb er ein Schinkenbrötchen in einem Café an der Ecke zur Leeson Street aß, bevor er langsam zurück in die Falls Road ging, die jetzt voller Menschen war, die ihre Einkäufe erledigten. Er sah Mütter mit Kinderwagen, Kinder mit Schnullern im Mund und schwarz gekleidete Priester.

Kaum dass der Wirt die Tür des Volunteer wieder geöffnet hatte, stand Karl auch schon davor. Der Wirt erkannte ihn sofort – der Mann mit der Fünf-Pfund-Note –, ließ sich jedoch nichts anmerken. Karl bestellte ein Pint Lager und bezahlte mit dem Wechselgeld, das ihm von seinem Schinkenbrötchen geblieben war. Er blieb am Tresen sitzen, bis die Bar schloss; die ganze Zeit über stand er nur zweimal auf, um sich zu erleichtern. Eine kleine blaue Tüte Smith's Chips diente ihm als Mittagessen. Am frühen Abend aß er zwei weitere kleine Tüten dieser gesalzenen Chips, was ihn nur umso durstiger machte. Männer aus der Umgebung kamen und gingen, und Karl fiel auf, dass der eine oder andere von ihnen nicht einmal etwas trank, was ihn hoffen ließ. Sie sahen hin, ohne hinzusehen. Doch viele Stunden verrannen, ohne dass einer der Gäste ihn angesprochen oder auch nur unmissverständlich in seine Richtung geblickt hätte.

Fünfzehn Minuten nachdem der Barmann um die letzen

Bestellungen gebeten hatte, rief er: »Bitte, Gentlemen, wir schließen«, und Karl kam es so vor, als hätte er einen weiteren Tag verschwendet. Als er zur Tür ging, erwog er sogar kurz die Chancen eines Alternativplans, der darin bestand, die Seiten zu wechseln und Kontakt zu den Protestanten aufzunehmen.

Er war gerade auf den Bürgersteig getreten, als ein schwarzer Hillman neben ihm hielt. Die Hecktür schwang auf, und bevor er reagieren konnte, packten ihn zwei Männer, schleuderten ihn auf die Rückbank und schlugen die Tür wieder zu. Der Wagen fuhr davon.

Karl blickte auf und sah einen jungen Mann, der noch nicht einmal alt genug war, um zur Wahl zu gehen; er hielt Karl eine Pistole an die Stirn. Das Einzige, was Karl Sorgen bereitete, war die Tatsache, dass der Junge offensichtlich viel mehr Angst hatte als er selbst und so heftig zitterte, dass er möglicherweise aus Versehen abdrücken könnte. Karl hätte nur einen Augenblick gebraucht, um den Jungen zu entwaffnen, doch das hätte seinem Vorhaben geschadet. Er leistete deshalb auch keinen Widerstand, als ein älterer Mann sich auf die andere Seite neben ihn setzte, ihm die Hände hinter dem Rücken fesselte und ihm einen Schal um die Augen band. Derselbe Mann tastete Karl ab, um zu sehen, ob er eine Waffe trug, und nahm mit einer geschickten Bewegung Karls Brieftasche an sich. Karl hörte, wie der Mann einen Pfiff ausstieß, als er die Fünf-Pfund-Noten zählte.

»Wo die herkommen, gibt's noch viel mehr davon«, sagte Karl.

Eine hitzige Debatte folgte, die, wie Karl annahm, anscheinend in der Muttersprache dieser Männer geführt wurde. Soweit er verstand, wollte einer der Männer ihn umbringen, doch er hoffte darauf, dass der ältere Mann der Aussicht auf noch mehr Geld nicht würde widerstehen können. Das Geld musste sich durchgesetzt haben, denn er spürte, wie ihm die Pistole nicht mehr gegen die Stirn gedrückt wurde.

Der Wagen bog nach rechts und kurz darauf nach links ab. Wen wollten sie damit täuschen? Karl wusste, dass sie dieselbe Route zurückfuhren, denn die Männer konnten es nicht riskieren, die katholische Hochburg zu verlassen.

Plötzlich hielt der Wagen, eine Tür ging auf, und Karl wurde auf die Straße geschleudert. Wenn ich in fünf Minuten noch lebe, dachte er, dann halte ich auch durch, bis ich in Rente gehe. Jemand packte ihn bei den Haaren und riss ihn hoch. Ein Tritt ins Kreuz schleuderte ihn durch eine offene Tür. Aus einem Hinterzimmer kam ein Geruch von angebranntem Fleisch, doch vermutlich ging es den Männern, die ihn hierher gebracht hatten, nicht um eine Mahlzeit.

Er wurde eine Treppe hinauf in einen Raum gezerrt, der wie ein Schlafzimmer roch, und auf einen harten Holzstuhl gedrückt. Die Tür schloss sich mit einem Knall, und dann war er allein. Aber war er das tatsächlich? Er nahm an, dass er sich in einem sogenannten sicheren Haus befand und ein hochrangiger Vertreter der IRA – möglicherweise sogar der Gebietskommandant selbst – entscheiden würde, was mit ihm geschehen sollte.

Er war nicht sicher, wie lange sie ihn warten ließen. Es fühlte sich an wie Stunden, und jede Minute war länger als die Minute zuvor. Dann wurde die Tür plötzlich aufgerissen, und er hörte, dass vier Männer ins Zimmer kamen. Einer von ihnen umrundete den Stuhl.

»Was willst du, Engländer?«, fragte die schroffe Stimme des Mannes, der um den Stuhl herumging.

»Ich bin kein Engländer«, sagte Karl. »Ich bin Deutscher.«

Langes Schweigen folgte. »Was willst du, Kraut?«

»Ich will euch etwas vorschlagen.«

»Unterstützt du die IRA?«, fragte eine andere Stimme. Sie war jünger und leidenschaftlicher, doch sie gehörte jemandem, der nichts zu sagen hatte.

»Die IRA ist mir scheißegal.«

»Warum riskierst du dann dein Leben, um uns zu finden?«

»Weil ich, wie ich schon sagte, einen Vorschlag habe, der für euch interessant sein könnte. Also verpisst euch endlich und schafft jemanden her, der auch tatsächlich etwas entscheiden kann. Denn ich vermute, junger Mann, dass deine Mutter dir immer noch beibringen muss, wie man aufs Töpfchen geht.«

Eine Faust krachte gegen seinen Mund, woraufhin erneut eine laute, wütende Diskussion folgte, bei der mehrere Stimmen gleichzeitig sprachen. Karl spürte, wie ihm Blut von der Lippe tropfte, und er wappnete sich für den zweiten Schlag, der jedoch nie kam. Anscheinend hatte sich der ältere Mann durchgesetzt. Einen Augenblick später verließen drei der Männer das Zimmer, und die Tür wurde zugeschlagen. Doch diesmal wusste Karl, dass er nicht alleine war. Die Tatsache, dass seine Augen bereits so lange bedeckt waren, hatte sein Gehör und seinen Geruchssinn geschärft. Mindestens eine Stunde verging, bevor die Tür sich wieder öffnete und ein Mann, der Schuhe – keine Stiefel – trug, das Zimmer betrat. Karl spürte, dass er nur wenige Zentimeter entfernt von ihm stand.

»Wie heißen Sie?«, fragte der Mann. Seine Stimme war kultiviert, und er sprach fast ohne Akzent.

»Karl Lunsdorf.«

»Und was führt Sie nach Belfast, Mr. Lunsdorf?«

»Ich brauche Ihre Hilfe.«

»Und woran haben Sie dabei gedacht?«

»Ich brauche jemanden, der von Ihrer Sache überzeugt ist und bei Harland & Wolff arbeitet.«

»Ich bin sicher, Sie wissen bereits, dass nur sehr wenige Katholiken bei Harland & Wolff Arbeit finden. Die Firma ist dicht. Ich fürchte, Sie haben diese Reise umsonst unternommen.«

»Aber eine Handvoll Katholiken gibt es, auch wenn sie, wie ich zugeben muss, gründlich überprüft wurden. Sie sind für besondere Aufgaben zuständig, wie etwa die Elektrik sowie Klempner- und Schweißarbeiten. Man hat sie nur genommen, weil die Geschäftsführung keine Protestanten mit den notwendigen Fähigkeiten gefunden hat.«

»Sie sind gut informiert, Mr. Lunsdorf. Angenommen, wir wären in der Lage, einen Mann zu finden, der unsere Sache unterstützt, was würden Sie von ihm erwarten?«

»Harland & Wolff haben gerade einen Auftrag von Barrington Shipping erhalten. Die Werft soll …«

»Einen Luxusliner namens *Buckingham* bauen.«

»Jetzt sind Sie derjenige, der gut informiert ist«, sagte Karl.

»Wohl kaum«, erwiderte die kultivierte Stimme. »Am Tag nach der Unterzeichnung des Vertrags haben unsere beiden Lokalzeitungen die Zeichnung des Architekten, die das geplante Schiff darstellt, auf der Titelseite abgedruckt. Also, Mr. Lunsdorf, sagen Sie mir etwas, das ich noch nicht weiß.«

»Die Arbeit an diesem Schiff beginnt im Laufe des nächsten Monats, und an Barrington's ausgeliefert werden soll es am 15. März 1962.«

»Und was sollen wir Ihrer Ansicht nach in dieser Sache tun? Sollen wir diesen Prozess beschleunigen, oder sollen wir ihn verzögern?«

»Sie sollen ihn zum Stillstand bringen.«

»Keine einfache Aufgabe, wenn so viele misstrauische Augen das ganze Unternehmen überwachen.«

»Wir könnten dafür sorgen, dass es sich für Sie auszahlt.«

»Warum?«, fragte die schroffe Stimme plötzlich.

»Sagen wir einfach, dass ich ein Konkurrenzunternehmen vertrete, dem es wünschenswert erscheint, Barrington Shipping in finanziellen Schwierigkeiten zu sehen.«

»Und wie würden wir unser Geld verdienen?«, fragte die kultivierte Stimme.

»Indem Sie Ergebnisse liefern. Laut Vertrag muss der Bau des Schiffs in acht Teilschritten erfolgen, wobei jeder Schritt bis zu einem bestimmten Zeitpunkt abzuschließen ist. Zum Beispiel muss Schritt eins spätestens bis zum 1. Dezember dieses Jahres zur Zufriedenheit beider Parteien erledigt sein. Ich würde vorschlagen, dass wir Ihnen für jeden Tag, um den sich einer dieser Teilschritte verzögert, eintausend Pfund bezahlen. Bei einer Verzögerung um ein Jahr wären das dreihundertfünfundsechzigtausend Pfund.«

»Ich weiß, wie viele Tage ein Jahr hat, Mr. Lunsdorf. Sollten wir auf Ihren Vorschlag eingehen, würden wir als Zeichen Ihres guten Willens eine gewisse Vorauszahlung erwarten.«

»Wie viel?«, fragte Karl, der zum ersten Mal das Gefühl hatte, als gleichberechtigter Partner mit seinem Gegenüber zu sprechen.

Die beiden Männer flüsterten miteinander. »Ich denke, eine Abschlagszahlung von zwanzigtausend würde uns davon überzeugen, dass Sie es ernst meinen«, sagte die kultivierte Stimme.

»Geben Sie mir Ihre Bankverbindung, und ich werde morgen früh den vollen Betrag überweisen.«

»Wir bleiben in Verbindung«, sagte die kultivierte Stimme. »Aber zunächst müssen wir über Ihren Vorschlag beraten.«

»Aber Sie wissen doch überhaupt nicht, wo ich wohne.«

»Eaton Square Nummer 44 in Chelsea, Mr. Lunsdorf.« Jetzt war es Karl, der verstummte. »Und sollten wir damit einverstanden sein, Ihnen zu helfen, würde ich Ihnen raten, nicht den so häufig begangenen Fehler zu machen, die Iren zu unterschätzen, wie es die Engländer fast eintausend Jahre lang getan haben.«

»Wie haben Sie es nur geschafft, Lunsdorf zu verlieren?«

»Er ist Sergeant Roberts im Harrods entwischt.«

»Manchmal wünschte ich mir, ich könnte das auch, wenn ich mit meiner Frau einkaufen gehe«, sagte der Kabinettssekretär. »Und was ist mit Luis und Diego Martinez? Sind sie ebenfalls verschwunden?«

»Nein. Aber was die beiden abgezogen haben, war nichts weiter als eine Ablenkungsaktion, damit uns Lunsdorf leichter entkommen konnte.«

»Wie lange war Lunsdorf weg?«

»Drei Tage. Seit Freitagabend ist er wieder am Eaton Square.«

»Während dieser Zeit kann er nicht allzu weit gekommen sein. Wenn ich wetten würde, bekäme ich sicher ziemlich schlechte Quoten für Belfast, denn letzten Monat hat er mehrere Abende damit verbracht, im Ward's Irish House Guinness zu trinken.«

»Und in Belfast soll die *Buckingham* gebaut werden. Aber ich weiß immer noch nicht genau, was Martinez vorhat«, sagte Scott-Hopkins.

»Ich auch nicht. Aber ich kann Ihnen sagen, dass er kürzlich über zwei Millionen Pfund bei der Zweigstelle St. James's der Midland Bank eingezahlt und sofort damit begonnen hat, weitere Aktien von Barrington's zu kaufen. Es wird nicht mehr lange dauern, dann hat er das Recht, einen zweiten Direktor für den Vorstand zu benennen.«

»Vielleicht hat er vor, die Firma zu übernehmen.«

»Und für Mrs. Clifton wäre die Vorstellung, dass Martinez das Familienunternehmen führt, wirklich demütigend. *Nehmt mir meinen guten Namen …*«

»Aber Martinez könnte ein Vermögen verlieren, wenn er das versucht.«

»Das bezweifle ich. Der Mann hat sicher schon einen Ersatzplan. Aber ich kann mir einfach nicht vorstellen, wie dieser aussehen könnte.«

»Gibt es sonst noch etwas, das ich tun kann?«

»Nicht viel. Wir können nur abwarten und darauf hoffen, dass einer von ihnen einen Fehler macht.« Der Kabinettssekretär leerte sein Glas und fügte dann hinzu: »Es sind Zeiten wie diese, in denen ich mir wünsche, dass ich in Russland geboren wäre. Dann wäre ich inzwischen Chef des KGB und würde meine Zeit nicht damit verschwenden, mich an die Regeln zu halten.«

10

»Es ist niemandem ein Vorwurf zu machen«, sagte der Vorsitzende.

»Vielleicht. Aber es sieht so aus, als würden wir von einer unerklärlichen Katastrophe in die nächste stolpern«, erwiderte Emma und begann laut die Liste vorzulesen, die vor ihr lag. »Ein Feuer auf einem Ladeplatz verzögert den Bau um mehrere Tage; während ein Boiler verladen wird, reißt die Halterung, und das Gerät endet auf dem Grund des Hafens; eine Lebensmittelvergiftung sorgt dafür, dass dreiundsiebzig Elektriker, Installateure und Schweißer nach Hause geschickt werden müssen; ein wilder Streik …«

»Worauf läuft das alles letztlich hinaus, Mr. Chairman?«, fragte Major Fisher.

»Dass wir dem Zeitplan gewaltig hinterherhinken«, antwortete Buchanan. »Es wird nicht mehr möglich sein, den ersten Teilschritt bis zum Ende des Jahres abzuschließen. Wenn das so weitergeht, dürfte sich der ursprünglich vorgesehene Zeitplan kaum noch einhalten lassen.«

»Und was sind die finanziellen Konsequenzen, wenn wir die ursprünglichen Termine nicht einhalten können?«, wollte der Admiral wissen.

Michael Carrick, der Finanzdirektor der Firma, sah auf seine Zahlen. »Bisher belaufen sich die Zusatzkosten auf rund 312.000 Pfund.«

»Können wir diese Summe aus unseren Reserven bestreiten, oder werden wir einen kurzfristigen Kredit beantragen müssen?«, fragte Dobbs.

»Wir haben mehr als genug Mittel, um diese anfänglichen Mehrkosten aufzufangen«, erwiderte Carrick. »Aber wir müssen alles in unserer Macht Stehende tun, um in den kommenden Monaten die verlorene Zeit wieder aufzuholen.«

In unserer Macht notierte Emma auf dem Block vor sich.

»Vielleicht wäre es klug«, sagte der Vorsitzende, »wenn wir vorerst auf jede Ankündigung hinsichtlich des Zeitpunkts der geplanten Inbetriebnahme des Schiffs verzichten würden, denn es sieht so aus, als müssten wir unsere ursprünglichen Vorhersagen revidieren, und zwar sowohl was den Termin als auch was die finanziellen Aufwendungen betrifft.«

»Als Sie stellvertretender Vorsitzender bei P&O waren«, sagte Knowles, »hatten Sie es da jemals mit einer solchen Serie von Problemen zu tun? Oder ist das, was wir gerade erleben, vollkommen ungewöhnlich?«

»Es ist in der Tat ungewöhnlich. So etwas habe ich, ehrlich gesagt, noch nie erlebt«, gestand Buchanan. »Bei jedem Bau gibt es Rückschläge und Überraschungen, aber auf lange Sicht gleichen sich die Dinge üblicherweise aus.«

»Deckt unsere Versicherung diese Probleme ab?«

»Einige Forderungen konnten wir geltend machen«, sagte Dixon, »aber Versicherungsgesellschaften setzen immer gewisse Höchstgrenzen durch, und in ein oder zwei Fällen haben wir diese bereits überschritten.«

»Aber einige dieser Verzögerungen fallen doch zweifellos in die Verantwortung von Harland & Wolff«, sagte Emma, »also können wir uns auf die entsprechende Strafklausel in unserem Vertrag berufen.«

»Ich wollte, es wäre so einfach, Mrs. Clifton«, sagte der Vorsitzende, »aber Harland & Wolff haben fast jeden unserer Ansprüche angefochten, da sie, wie sie behaupten, nicht direkt für die Verzögerungen verantwortlich sind. Das Ganze ist zu einem Schlachtfeld für die Anwälte geworden, was uns nur noch mehr Geld kostet.«

»Können Sie ein Muster erkennen, Mr. Chairman?«

»Ich bin nicht sicher, ob ich verstehe, was Sie damit anzudeuten scheinen, Admiral.«

»Eine fehlerhafte elektrische Anlage von einer üblicherweise zuverlässigen Firma aus Liverpool; ein Boiler, der auf dem Grund des Hafens endet, während er von einem Frachter aus Glasgow verladen werden soll; unsere Leute werden Opfer einer Fischvergiftung, von der niemand sonst in der Werft betroffen ist, obwohl das Essen für alle Beschäftigten von ein und derselben Küche aus Belfast geliefert wird?«

»Was wollen Sie damit sagen, Admiral?«

»Dass das für meinen Geschmack zu viele Zufälle sind, die sich allesamt ausgerechnet zu einem Zeitpunkt ereignen, da die IRA damit begonnen hat, ihre Muskeln spielen zu lassen.«

»Da machen Sie aber einen riesigen gedanklichen Sprung«, wandte Knowles ein.

»Vielleicht lese ich tatsächlich zu viel über diese Dinge«, gab der Admiral zu, »aber ich wurde im County Mayo als Sohn eines protestantischen Vaters und einer katholischen Mutter geboren, weswegen ich durch meine Herkunft wohl etwas mitbekommen habe.«

Emma hob den Blick über den Tisch hinweg und sah, dass Fisher sich hektisch Notizen machte, doch er ließ seinen Stift sofort sinken, als er bemerkte, dass ihr das aufgefallen war. Sie wusste, dass Fisher kein Katholik war und Don Pedro Martinez, der einzig an Eigennutz glaubte, genauso wenig. Da er bereit gewesen war, während des Krieges Waffen an die Deutschen zu verkaufen, mochte es durchaus möglich sein, dass er sich auf Geschäfte mit der IRA einließ, wenn es seinen Zwecken diente.

»Wir wollen hoffen, dass ich Ihnen bei unserem Termin in einem Monat einen positiveren Bericht geben kann«, sagte der Vorsitzende, der jedoch selbst nicht restlos überzeugt von seinen eigenen Worten schien.

Nachdem die Sitzung beendet war, sah Emma überrascht, dass Fisher den Raum verließ, ohne mit irgendjemandem zu sprechen. Noch einer jener dubiosen Zufälle, von denen der Admiral gesprochen hatte?

»Kann ich kurz mit Ihnen sprechen, Emma?«, fragte Buchanan.

»Ich bin sofort wieder zurück, Mr. Chairman«, erwiderte Emma und folgte Fisher hinaus auf den Flur, wo sie gerade noch sah, wie er die Treppe hinab verschwand. Warum nahm er nicht einfach den Aufzug, der bereits bereitstand? Emma trat ein und drückte den mit »G« gekennzeichneten Knopf. Als die Türen sich im Erdgeschoss öffneten, stieg sie nicht sogleich aus, sondern sah zu, wie Fisher durch die Drehtür das Gebäude verließ. Kaum dass sie selbst die Tür erreicht hatte, stieg Fisher bereits in seinen Wagen. Sie blieb im Gebäude stehen und sah zu, wie er in Richtung des vorderen Tores fuhr. Zu ihrer Überraschung bog er nach links in Richtung der unteren Docks ab und nicht nach rechts in Richtung Bristol.

Emma drückte die Tür auf und rannte zu ihrem Auto. Als sie das vordere Tor erreicht hatte, sah sie nach links und entdeckte in einiger Entfernung den Wagen des Majors. Sie wollte ihm gerade folgen, als ein Lastwagen sich vor sie setzte. Sie fluchte, bog nach links ab und folgte dem Fahrzeug vor ihr. Zahllose Autos kamen aus der entgegengesetzten Richtung, sodass sie den Lastwagen nicht überholen konnte. Sie war noch nicht einmal eine Meile weit gefahren, als sie sah, dass Fisher seinen Wagen vor dem Lord Nelson geparkt hatte. Während sie näher heranrollte, konnte sie erkennen, dass der Major in der Telefonzelle vor dem Pub stand und eine Nummer wählte.

Sie blieb im Windschatten des Lastwagens und fuhr weiter, bis sie die Telefonzelle nicht mehr in ihrem Rückspiegel sehen konnte. Dann wendete sie und fuhr langsam zurück. Sie hielt am Straßenrand, ließ den Motor jedoch laufen. Es dauerte nicht lange, bis der Major wieder aus der Telefonzelle trat, in sein Auto stieg und davonfuhr. Sie folgte ihm erst, als er außer Sichtweite war, denn sie wusste genau, wohin er wollte.

Als Emma ein paar Minuten später wieder die Tore der Werft passierte, war sie nicht überrascht, dass der Wagen des Majors an seinem üblichen Platz stand. Sie nahm den Aufzug in den vierten Stock und ging in den Speisesaal. Mehrere Direktoren, unter ihnen Fisher, standen an einem langen Seitentisch und bedienten sich am Büfett. Emma nahm sich einen Teller und schloss sich ihren Kollegen an. Kurz darauf setzte sie sich neben den Vorsitzenden. »Sie wollten mich sprechen, Ross?«

»Ja. Es gibt etwas, worüber wir uns dringend unterhalten müssen.«

»Nicht jetzt«, sagte Emma, als Fisher sich ihr gegenübersetzte.

»Ich hoffe wirklich, dass das wichtig ist, Colonel, denn ich komme gerade aus einer Besprechung mit dem Führer des Unterhauses.«

»Martinez hat einen neuen Chauffeur.«

»Ja, und?«, fragte der Kabinettssekretär.

»Der Mann war früher Liam Dohertys Handlanger.«

»Des IRA-Kommandanten von Belfast?«

»Von niemand Geringerem.«

»Wie heißt er?«, fragte Sir Alan und griff nach einem Bleistift.

»Kevin Rafferty, bekannt als ›Vier Finger‹.«

»Warum?«

»Wie ich gehört habe, soll ein brititischer Soldat bei einem Verhör etwas zu weit gegangen sein.«

»Dann werden Sie einen zusätzlichen Mann in Ihrem Team brauchen.«

»Ich war noch nie zuvor auf einen Tee im Palm Court Room«, sagte Ross Buchanan.

»Meine Schwiegermutter Maisie Holcombe hat früher im Royal Hotel gearbeitet«, erklärte Emma. »Aber damals hätte sie nie zugelassen, dass Harry und ich hierherkommen. ›Höchst unprofessionell‹, wie sie immer sagte.«

»Noch eine Frau, die ihrer Zeit eindeutig voraus war«, bemerkte Ross.

»Und dabei wissen Sie die wirklich wichtigen Dinge über sie noch nicht einmal«, sagte Emma. »Aber ich werde mir Maisie für eine andere Gelegenheit aufheben. Zunächst muss ich mich dafür entschuldigen, dass ich bei unserem Lunch nicht mit Ihnen sprechen wollte – oder wenigstens nicht, solange Fisher zuhören konnte.«

»Sie haben doch nicht etwa den Verdacht, dass er etwas mit unseren augenblicklichen Problemen zu tun haben könnte?«

»Nicht direkt. Bis heute Morgen hatte ich sogar fast gedacht, dass er vielleicht ein neues Kapitel aufgeschlagen hat.«

»Aber bisher hat er sich bei den Vorstandssitzungen durchaus konstruktiv verhalten.«

»Ich stimme Ihnen zu. Aber heute Morgen habe ich herausgefunden, wem seine Loyalität in Wirklichkeit gilt.«

»Da komme ich nicht mehr mit«, sagte Ross.

»Erinnern Sie sich an das Ende der Sitzung, als Sie darum baten, kurz mit mir sprechen zu können, und ich so plötzlich verschwinden musste?«

»Ja, aber was hat das mit Fisher zu tun?«

»Ich bin ihm gefolgt und habe herausgefunden, dass er jemanden angerufen hat.«

»Wie zweifellos auch der eine oder andere der übrigen Direktoren.«

»Sicher. Aber sie dürften ihre Anrufe innerhalb des Gebäudes erledigt haben. Fisher hat es verlassen, ist in Richtung der Docks gefahren und hat von einer Telefonzelle aus, die vor einem Pub namens Lord Nelson steht, angerufen.«

»Ich kann nicht behaupten, dass ich diesen Pub kenne.«

»Was wahrscheinlich der Grund dafür ist, warum er ihn ausgesucht hat. Der Anruf hat nur wenige Minuten gedauert, dann war Fisher zur Lunchzeit wieder zurück in unserem Haus, bevor irgendjemandem seine Abwesenheit auffallen konnte.«

»Ich frage mich, warum er es für nötig hielt, so ein Geheimnis daraus zu machen, wen er anrufen wollte.«

»Weil etwas von dem, was der Admiral gesagt hat, Fisher veranlasst hat, sofort den Mann zu informieren, den er in unserem Vorstand repräsentiert, ohne dass irgendjemand dieses Gespräch mithören würde.«

»Aber Sie glauben doch nicht, dass Fisher etwas mit der IRA zu tun hat?«

»Fisher selbst nicht, aber Don Pedro Martinez schon.«

»Don Pedro wer?«

»Ich glaube, es ist an der Zeit, Ihnen etwas über den Mann zu berichten, der Fisher für den Vorstand benannt hat. Sowie darüber, wie sich seine und die Wege meines Sohnes Sebastian gekreuzt haben und welche Rolle dabei Rodins Statue *Der Denker* spielt. Dann werden Sie begreifen, mit wem wir es zu tun haben.«

Später an jenem Abend nahmen drei Männer die Heysham-Fähre nach Belfast. Der erste trug einen Seesack, der zweite eine Aktentasche und der dritte überhaupt nichts. Sie waren keine Freunde; sie kannten einander nicht einmal. Nur ihre besonderen Fertigkeiten und ihre Überzeugungen hatten sie zusammengeführt.

Gewöhnlich dauerte die Überfahrt nach Belfast acht Stunden, und die meisten Passagiere versuchten, während dieser Zeit ein wenig zu schlafen. Die drei Männer jedoch nicht. Sie gingen an die Bar, wo jeder von ihnen ein Pint Guinness bestellte – eines der wenigen Dinge, die sie gemeinsam hatten –, und suchten sich einen Platz auf dem Oberdeck.

Sie kamen überein, dass sich ihr Plan am besten gegen drei Uhr nachts umsetzen ließe, denn dann würden die meisten Passagiere schlafen oder wären zu betrunken oder zu erschöpft, um sich um irgendetwas zu kümmern. Zum festgesetzten Zeitpunkt verließ einer von ihnen die anderen beiden, stieg über eine Kette, an der ein Schild mit der Aufschrift »Nur für Besatzungsmitglieder« hing, und ging lautlos die Treppe hinunter, die zum Frachtdeck führte. Dort war er von zahllosen großen Holzkisten umgeben, doch es war nicht schwierig für ihn, diejenigen Kisten zu finden, die er suchte. Schließlich waren sie allesamt unmissverständlich mit »Harland & Wolff« gekennzeichnet. Mithilfe eines Tischlerhammers löste er alle einhundertsechzehn Nägel an der Rückseite der vier Kisten. Vierzig Minuten später ging er zurück zu seinen Kollegen und teilte ihnen mit, dass alles bereit war. Ohne noch ein weiteres Wort miteinander zu wechseln, gingen seine beiden Kollegen hinunter aufs Frachtdeck.

Der Größere der beiden, der mit seinen Blumenkohlohren und seiner gebrochenen Nase wie ein ehemaliger Schwergewichtsboxer aussah – was daran liegen mochte, dass er tatsächlich einer war –, zog die Nägel aus der ersten Kiste und trug dann die Holzlatten ab. Dahinter kam eine elektrische Kontrolltafel zum Vorschein, die aus Hunderten von rot, grün und blau ummantelten Drähten bestand. Sie war für die Brücke der MV *Buckingham* bestimmt und sollte es dem Kapitän ermöglichen, mit jeder Abteilung des Schiffs in Verbindung zu bleiben, vom Maschinenraum bis zum Panoramadeck. Eine Gruppe besonders ausgebildeter Elektroingenieure hatte fünf Monate dazu gebraucht, um diese bemerkenswerte Maschine fertigzustellen. Ein junger Postgraduiertenstudent, der an der Queen's University in Belfast einen Doktortitel in Physik erworben und eine Zange zur Verfügung hatte, benötigte siebenundzwanzig Minuten, um das Bauteil vollständig auseinanderzunehmen. Er trat einen Schritt zurück, um seine Arbeit zu bewundern, doch er hielt nur kurz inne, denn sogleich rückte der ehemalige Boxer die Holzlatten wieder an die dafür vorgesehene Stelle. Nachdem sie sich davon überzeugt hatten, dass sie noch immer alleine waren, nahmen sie sich die zweite Kiste vor.

Diese enthielt zwei Bronzepropeller, die von einer Gruppe von Handwerkern in Durham mit großer Hingabe geschmiedet worden waren. Die Arbeit hatte sechs Wochen gedauert, und die Männer waren zu Recht stolz auf ihre Leistung. Der Postgraduiertenstudent öffnete seine Aktentasche, nahm eine Flasche Salpetersäure heraus, schraubte ihren Verschluss auf und goss den Inhalt der Flasche langsam in die Wölbungen der Propeller. Als die Kiste später an jenem Morgen geöffnet wurde, sahen die Propeller aus, als habe man sie für den Schrottplatz und nicht zur Montage vorbereitet.

Auf den Inhalt der dritten Kiste hatte sich der junge Doktor der Physik am meisten gefreut, und als sein muskelbepackter Kollege die Holzlatten abgetragen und das besondere Schmuckstück freigelegt hatte, das sich darin befand, wurde er nicht enttäuscht. Der Rolex-Navigationscomputer war der erste seiner Art und sollte in allen Werbebroschüren von Barrington's erwähnt werden, um potenzielle Kunden davon zu überzeugen, dass die *Buckingham* allen anderen Schiffen vorzuziehen war, wenn es um Sicherheit ging. Der junge Physiker brauchte nur zwölf Minuten, um den Zustand dieses Meisterwerks von »einzigartig« in »vollkommen unbrauchbar« zu verwandeln.

Die letzte Kiste enthielt das beeindruckende, aus Eichenholz und Messing gefertigte Steuerrad, das in Dorset gebaut worden war und hinter dem auf der Brücke zu stehen jeden Kapitän mit Stolz erfüllt hätte. Der junge Mann lächelte. Da ihnen die Zeit davonlief und das Steuer ohnehin keinem Zweck mehr dienen konnte, ließ er es in all seiner Pracht unangetastet.

Nachdem sein Kollege die letzten Holzlatten wieder an Ort und Stelle gerückt hatte, gingen die beiden zurück auf das Oberdeck. Hätte irgendjemand das Pech gehabt, sie im Laufe der letzten Stunde zu stören, hätte er erfahren, warum der ehemalige Boxer den Spitznamen »der Zerstörer« trug.

Sobald die beiden wieder oben angelangt waren, begab sich ihr Kollege erneut nach unten. Jetzt war die Zeit nicht mehr auf seiner Seite. Mit einem Taschentuch und einem Hammer schlug er sorgfältig jeden der einhundertsechzehn Nägel wieder an seiner ursprünglichen Stelle ins Holz. Er war noch mit der letzten Kiste beschäftigt, als er das zweimalige Signal aus dem Schiffshorn hörte.

Als die Fähre am Donegall Quay in Belfast anlegte, gingen die drei Männer in einem Abstand von fünf Minuten an Land. Noch immer kannte keiner von ihnen die Namen der anderen. Sie sollten einander nie wiedersehen.

11

»Ich möchte Ihnen versichern, Major, dass ich es unter keinen Umständen in Erwägung ziehen würde, Geschäfte mit der IRA zu machen«, sagte Don Pedro. »Für mich ist das nichts weiter als eine Bande verfluchter Mörder, und je eher diese Typen in der Crumlin Road hinter Gittern sitzen, umso besser für uns alle.«

»Ich freue mich, das zu hören«, sagte Fisher, »denn wenn ich den Eindruck gewinnen müsste, dass Sie sich hinter meinem Rücken mit diesen Kriminellen einlassen, müsste ich unverzüglich von meinen Posten zurücktreten.«

»Und das würde ich ganz sicher nicht wollen«, versicherte Don Pedro nachdrücklich. »Denken Sie immer daran: Ich betrachte Sie als den nächsten Vorstandsvorsitzenden von Barrington's, der vielleicht schon bald seinen Posten antreten wird.«

»Aber niemand erwartet, dass sich Buchanan in absehbarer Zeit zurückziehen wird.«

»Vielleicht doch. Wenn er nämlich den Eindruck gewinnen würde, dass es besser wäre, seinen Posten zur Verfügung zu stellen.«

»Aber warum sollte er das tun? Wo er sich doch gerade erst für das größte Investitionsprogramm in der Geschichte des Unternehmens eingesetzt hat?«

»Oder für den größten Reinfall. Denn wenn sich zeigen

sollte, dass diese Investition doch nicht so klug war, nachdem er seinen guten Namen in die Waagschale geworfen hat, damit der Vorstand ihn unterstützt, wird man niemandem die Schuld geben außer dem Mann, der diesen Plan überhaupt erst vorgebracht hat. Und man wird sich daran erinnern, dass die Familie Barrington von Anfang an gegen diese Idee war.«

»Möglicherweise. Aber die Lage müsste noch sehr viel schlimmer werden, bevor er darüber nachdenken würde, sich aus dem Geschäft zurückzuziehen.«

»Wie viel schlimmer kann es denn noch werden?«, sagte Don Pedro und schob ein Exemplar des *Daily Telegraph* über seinen Schreibtisch. Fisher starrte auf die Überschrift: *Polizei hält IRA verantwortlich für Sabotage auf Heysham-Fähre.* »Dadurch hat sich der Bau der *Buckingham* um weitere sechs Monate verzögert. Sie dürfen nicht vergessen, dass all das geschieht, während Buchanan das Unternehmen leitet. Was soll denn noch schiefgehen, bevor er sich fragt, ob er der richtige Mann am richtigen Ort ist? Ich sage Ihnen, wenn der Aktienpreis noch weiter fällt, wird man ihn entlassen, bevor er die Möglichkeit bekommt, selbst zu kündigen. Deshalb sollten Sie ernsthaft darüber nachdenken, seinen Platz einzunehmen. So eine Chance bekommen Sie nie wieder.«

»Selbst wenn Buchanan sich zurückzieht, wäre es naheliegend, dass Mrs. Clifton an seine Stelle tritt. Ihre Familie hat die Firma gegründet und besitzt noch immer zweiundzwanzig Prozent der Aktien. Außerdem ist Mrs. Clifton bei ihren Vorstandskollegen sehr beliebt.«

»Ich zweifle nicht daran, dass sie die Favoritin ist, aber es sind schon genügend Favoriten beim ersten Hindernis gescheitert. Deshalb schlage ich vor, dass Sie den gegenwärtigen Vorsitzenden loyal unterstützen, denn am Ende könnte die entscheidende Stimme von ihm kommen.« Don Pedro erhob sich. »Bedauerlicherweise muss ich Sie jetzt verlassen, denn ich habe einen Termin bei meiner Bank, bei dem es genau um dieses Thema gehen wird. Rufen Sie mich heute Abend an. Es könnte sein, dass ich dann eine interessante Nachricht für Sie habe.«

Nachdem Don Pedro im Fond seines Rolls-Royce Platz genommen und sein Fahrer sich in den morgendlichen Verkehr eingefädelt hatte, sagte er: »Guten Morgen, Kevin. Ihre Jungs haben auf der Heysham-Fähre saubere Arbeit geleistet. Ich hätte nur zu gerne die Gesichter der Anwesenden gesehen, als man die Kisten bei Harland & Wolff geöffnet hat. Was haben Sie als Nächstes vor?«

»Nichts, solange Sie nicht die einhunderttausend bezahlt haben, die Sie uns immer noch schulden.«

»Darum werde ich mich schon heute Morgen kümmern. Ehrlich gesagt ist das sogar einer der Gründe, warum ich zu meiner Bank möchte.«

»Das höre ich gerne«, sagte Rafferty. »Es wäre doch zu schade, sollten Sie schon so bald nach dem unglücklichen Tod von Bruno einen weiteren Ihrer Söhne verlieren.«

»Drohen Sie mir nicht!«, schrie Don Pedro.

»Das war keine Drohung«, sagte Rafferty, der an der nächsten Ampel hielt. »Und nur weil ich Sie mag, würde ich Ihnen die Entscheidung überlassen, welcher Ihrer Söhne überleben darf.«

Don Pedro sank in seinen Sitz zurück und sagte kein Wort mehr, während der Wagen seiner Route folgte und schließlich vor der Midland Bank in St. James's zum Stehen kam.

Jedes Mal, wenn Don Pedro die Stufen zur Bank hinaufging,

kam es ihm so vor, als betrete er eine andere Welt – eine Welt, in der man ihm das Gefühl gab, dass er nicht hierher gehörte. Er wollte gerade nach dem Knauf der Tür greifen, als diese aufschwang und ein junger Mann auf ihn zutrat.

»Guten Morgen, Mr. Martinez. Mr. Ledbury freut sich bereits darauf, Sie empfangen zu dürfen.« Wortlos führte der junge Mann einen der meistgeschätzten Kunden der Bank auf kürzestem Weg in das Büro des Direktors.

»Guten Morgen, Martinez«, sagte der Direktor, als Don Pedro das Zimmer betrat. »Das Wetter ist ziemlich mild für diese Jahreszeit.«

Don Pedro hatte einige Zeit gebraucht, um zu akzeptieren, dass es ein Kompliment darstellt, wenn ein Engländer das »Mr.« weglässt und einen nur mit dem Nachnamen anspricht, denn damit behandelt er einen als seinesgleichen. Als Freund konnte man jedoch erst gelten, wenn man mit dem Vornamen angesprochen wurde.

»Guten Morgen, Ledbury«, sagte Don Pedro, der allerdings immer noch nicht wusste, wie er auf die Besessenheit der Engländer gegenüber dem Wetter eingehen sollte.

»Darf ich Ihnen einen Kaffee bringen lassen?«

»Nein, vielen Dank. Ich habe um zwölf einen weiteren Termin.«

»Natürlich. Entsprechend Ihren Anweisungen haben wir auch weiterhin Barrington-Aktien für Sie erworben, sobald diese auf dem Markt angeboten wurden. Wie Ihnen zweifellos bewusst sein dürfte, besitzen Sie inzwischen zweiundzwanzigeinhalb Prozent der Aktien dieses Unternehmens, und dadurch steht es Ihnen frei, zusätzlich zu Major Fisher zwei weitere Direktoren für den Vorstand zu benennen. Ich muss Sie jedoch darauf aufmerksam machen, dass die Bank gesetzlich verpflichtet wäre, die Börse darüber zu informieren, dass Sie die Absicht haben, ein Angebot zur Übernahme der gesamten Firma vorzulegen, sollte Ihr Aktienanteil auf fünfundzwanzig Prozent steigen.«

»Diese Absicht habe ich ganz sicher nicht«, sagte Don Pedro. »Zweiundzwanzigeinhalb Prozent genügen für meine Absichten vollkommen.«

»Ausgezeichnet. Dann brauche ich nur noch die Namen der beiden neuen Direktoren, welche künftig Sie im Vorstand von Barrington's repräsentieren werden.«

Don Pedro zog einen Umschlag aus der Innentasche seines Jacketts und reichte ihn dem Bankdirektor. Ledbury öffnete den Umschlag, zog das Ernennungsformular heraus und musterte die Namen. Obwohl er überrascht war, gab er keinen Kommentar dazu ab. Er sagte nur: »Als Ihr Bankier muss ich hinzufügen, wie sehr ich hoffe, dass die Rückschläge, die Barrington's in letzter Zeit erlitten hat, auf lange Sicht kein Problem für Sie darstellen werden.«

»Ich bin absolut überzeugt von der Zukunft dieser Firma.«

»Das freut mich, denn der Kauf einer so großen Anzahl von Aktien hat zu beträchtlichen Einschnitten in Ihrem Vermögen geführt. Wir müssen darauf vertrauen, dass der Preis nicht noch weiter sinkt.«

»Ich glaube, die Firma wird schon bald eine Ankündigung machen, die sowohl den Aktionären als auch den Finanzleuten in der City gefallen wird.«

»Das ist in der Tat eine gute Nachricht. Gibt es sonst noch etwas, das ich im Augenblick für Sie tun kann?«

»Ja«, sagte Don Pedro. »Bitte überweisen Sie einhunderttausend Pfund auf ein Konto in Zürich.«

»Ich bedaure, dem Vorstand mitteilen zu müssen, dass ich beschlossen habe, von meinem Posten als Vorsitzender zurückzutreten.«

Schock und ungläubige Verwirrung waren die ersten Reaktionen von Buchanans Kollegen, doch gleich darauf folgte ein allgemeiner Protest. Nur ein Direktor schwieg: derjenige, für den diese Ankündigung keine Überraschung darstellte. Rasch wurde klar, dass fast kein Vorstandsmitglied Buchanans Rückzug begrüßte. Der Vorsitzende wartete, bis sich die Anwesenden ein wenig beruhigt hatten, und fuhr dann fort.

»Ihre Loyalität berührt mich zutiefst, doch es ist meine Pflicht, Sie darüber zu informieren, dass mir ein bedeutender Aktionär zu verstehen gegeben hat, dass ich *sein* Vertrauen nicht mehr genieße«, sagte er. »Er hat mich – durchaus zu Recht – daran erinnert, dass ich meine ganze Autorität zugunsten des Baus der *Buckingham* in die Waagschale geworfen habe, was seiner Ansicht nach bestenfalls unüberlegt und schlimmstenfalls unverantwortlich war. Wir liegen bereits hinter den Terminen zurück, die für die ersten beiden Teilfertigungen vorgesehen waren, und unsere Ausgaben betragen schon jetzt achtzehn Prozent mehr als im Budget vorgesehen.«

»Was nur noch ein Grund mehr ist, jetzt auf der Brücke die Stellung zu halten«, sagte der Admiral. »Wenn sich ein Sturm zusammenbraut, sollte der Kapitän als Letzter von Bord gehen.«

»In diesem Fall bin ich davon überzeugt, dass nur dann noch eine Hoffnung für uns besteht, wenn ich das Schiff verlasse, Admiral«, sagte Buchanan. Einige Direktoren senkten die Köpfe, und Emma fürchtete, dass nichts, was sie sagen könnte, Buchanan umstimmen würde. »Meiner Erfahrung nach«, fuhr er fort, »wünschen sich die Finanzleute in der City unter solchen Umständen vor allem einen neuen Vorstandsvorsitzenden, der das Problem löst, und zwar schnell.« Buchanan musterte seine Kollegen und fügte hinzu: »Ich glaube, man muss sich nicht außerhalb der hier versammelten Direktoren umsehen, um einen passenden Kandidaten zu finden, der meine Stelle einnehmen kann.«

»Vielleicht sollten wir Mrs. Clifton und Major Fisher als stellvertretende Vorsitzende benennen«, schlug Anscott vor. »Das sollte unsere hohen Herren aus der Square Mile beruhigen.«

»Ich fürchte, sie würden einen solchen Zug genau als das betrachten, was er in Wirklichkeit auch ist, Anscott. Als einen kurzfristigen Kompromiss. Wenn Barrington's irgendwann in der Zukunft noch mehr Geld aufnehmen muss, darf unser neuer Vorsitzender nicht demütig mit der Mütze in der Hand zu den Banken gehen, sondern er muss es voller Selbstvertrauen tun, denn das ist der wichtigste Begriff im Wörterbuch der City.«

»Wäre es eine Hilfe, Ross« – zum ersten Mal nannte Emma den Vorsitzenden während einer offiziellen Besprechung bei seinem Vornamen – »wenn ich öffentlich erklären würde, dass die Familie vollstes Vertrauen in Ihre Führungsqualiäten hat und es ihrem Wunsch entspricht, dass Sie auch weiterhin Vorstandsvorsitzender bleiben?«

»Natürlich wäre ich tief bewegt über einen solchen Schritt, doch die Finanzleute in der City würden sich davon nicht beeindrucken lassen und das Ganze als leere Geste abtun. Obwohl ich Ihnen persönlich, Emma, zutiefst dankbar für Ihre Unterstützung bin.«

»Und auch auf meine Unterstützung können Sie sich immer verlassen«, warf Fisher ein. »Ich werde bis zum Ende auf Ihrer Seite sein.«

»Genau das ist das Problem, Major. Wenn ich nicht gehe, mag sich gerade dies als das Ende erweisen, das Ende eines großen Unternehmens, wie wir es kennen, und damit könnte ich nicht leben.« Der Vorsitzende ließ seinen Blick über die Anwesenden schweifen, um zu sehen, ob sich noch jemand zu Wort melden wollte, doch jeder am Tisch schien inzwischen zu akzeptieren, dass die Würfel gefallen waren.

»Heute Nachmittag nach Börsenschluss um fünf Uhr werde ich erklären, dass ich aus privaten Gründen meinen Rücktritt als Vorstandsvorsitzender von Barrington Shipping eingereicht habe. Sofern Sie alle einverstanden sind, werde ich jedoch für das Tagesgeschäft des Unternehmens verantwortlich bleiben, bis ein neuer Vorsitzender gewählt wurde.«

Niemand erhob irgendwelche Einwände, und kurz darauf wurde die Sitzung für beendet erklärt. Emma war nicht überrascht, als sie sah, wie schnell Fisher den Saal verließ. Zwanzig Minuten später war er wieder zurück, um sich seinen Kollegen zum Lunch anzuschließen.

»Sie müssen Ihren großen Trumpf ausspielen«, sagte Don Pedro, nachdem Fisher ihm in allen Einzelheiten von der Sitzung vom Vormittag berichtet hatte.

»Und der wäre?«

»Sie sind ein Mann. Und es gibt kein einziges börsennotiertes Unternehmen in diesem Land, bei dem eine Frau den Vorstandsvorsitz innehätte. Es gibt sogar nur wenige Vorstände, in denen sich überhaupt eine Frau findet.«

»Emma Clifton hat die Angewohnheit, mit alten Regeln zu brechen«, erinnerte ihn Fisher.

»Das mag sein, aber wissen Sie vielleicht, ob es unter Ihren Direktorenkollegen den einen oder anderen gibt, der mit der

Vorstellung, dass eine Frau den Vorsitz führt, nur schwer zurechtkäme?«

»Nein, aber …«

»Aber?«

»Ich weiß, dass Knowles und Anscott dagegen gestimmt haben, als es um die Frage ging, ob Frauen an Spieltagen der Zutritt zum Clubhaus des Royal Wyvern Golf Club gewährt werden soll.«

»Dann müssen die beiden unbedingt von Ihnen hören, wie sehr Sie ihre prinzipientreue Haltung bewundern und dass Sie dasselbe getan hätten, wenn Sie Mitglied des Clubs wären.«

»Ich bin Mitglied, und ich habe dasselbe getan«, erwiderte der Major.

»Dann haben wir schon zwei Stimmen in der Tasche. Wie sieht es mit dem Admiral aus? Schließlich ist er Junggeselle.«

»Es wäre möglich. Ich erinnere mich, dass er sich enthalten hat, als es darum ging, ob sie überhaupt in den Vorstand berufen werden sollte.«

»Das wäre dann vielleicht der Dritte auf unserer Seite.«

»Aber selbst wenn sie mich unterstützen, wären das nur drei Stimmen, und ich bin ziemlich sicher, dass die anderen vier Direktoren für Mrs. Clifton stimmen würden.«

»Vergessen Sie nicht, dass ich am Tag vor der Sitzung zwei weitere Direktoren benennen werde. Das macht dann sechs Stimmen für Sie und damit mehr als genug, um das Pendel zu Ihren Gunsten ausschlagen zu lassen.«

»Nicht, wenn die Barringtons alle anderen Plätze im Vorstand einnehmen. Dann würde mir immer noch eine Stimme fehlen, um mir den Sieg zu sichern, denn ich bin mir sicher, dass sich Buchanan bei Stimmengleichheit für Mrs. Clifton entscheiden würde.«

»Dann brauchen wir bis nächsten Donnerstag einen weiteren Direktor.«

Beide schwiegen, bis Don Pedro schließlich sagte: »Kennen Sie irgendjemanden, der ein wenig Geld übrighat, dem klar ist, wie günstig Barrington-Aktien im Augenblick sind, und der unter gar keinen Umständen Mrs. Clifton als Vorstandsvorsitzende von Barrington's sehen möchte?«

»Ja«, antwortete Fisher, ohne zu zögern. »Ich kenne jemanden, der Emma Clifton sogar noch mehr verabscheut als Sie, und diese Dame hat erst vor Kurzem bei ihrer Scheidung einen außerordentlich großzügigen Betrag erhalten.«

12

»Guten Morgen«, sagte Ross Buchanan. »Ich begrüße Sie zu dieser außerordentlichen Vorstandssitzung. Es gibt nur einen Tagesordnungspunkt, nämlich die Wahl zum neuen Vorstandsvorsitzenden der Barrington Shipping Company. Zunächst möchte ich betonen, welches Privileg es für mich war, Ihnen während der letzten fünf Jahre als Vorsitzender dienen zu dürfen, und wie unglücklich ich darüber bin, mich jetzt von diesem Posten zurückziehen zu müssen. Doch aus Gründen, auf die ich hier nicht noch einmal einzugehen brauche, scheint mir nun der richtige Zeitpunkt gekommen, von meinen Verpflichtungen zurückzutreten und einem anderen die Möglichkeit zu geben, an meine Stelle zu treten.

Meine erste Aufgabe«, fuhr er fort, »besteht darin, diejenigen Aktionärsvertreter vorzustellen, die heute zu uns gestoßen und entsprechend den Statuten unseres Unternehmens berechtigt sind, bei einer außerordentlichen Vorstandssitzung ihre Stimme abzugeben. Der eine oder andere an diesem Tisch wird mit den Anwesenden vertraut sein, doch nicht jeder ist jedem gleichermaßen bekannt. Zu meiner Rechten sitzt Mr. David Dixon, der geschäftsführende Direktor, und zu meiner Linken Mr. Philip Webster, der Vorstandssekretär. Der Herr zu seiner Linken ist unser Finanzvorstand Mr. Michael Carrick. Neben ihm sitzt Konteradmiral Summers, dann kommen Mrs. Clifton, Mr. Anscott, Mr. Knowles, Major Fisher und Mr.

Dobbs, die allesamt keine Exekutivdirektoren sind. Ihre Reihen werden heute ergänzt durch entsprechend befugte Einzelpersonen oder Repräsentanten verschiedener Gesellschaften, die über einen großen Bestand an Barrington-Aktien verfügen. Zu diesen gehören Mr. Peter Maynard und Mrs. Alex Fisher, die beide von Major Fisher benannt wurden, welcher inzwischen zweiundzwanzigeinhalb Prozent unseres Unternehmens vertritt.« Maynard strahlte, doch Susan Fisher hielt den Kopf gesenkt und errötete jedes Mal, wenn jemand sie ansah.

»Als Vertreter der Familie Barrington, die zweiundzwanzig Prozent der Firmenaktien hält, sind Sir Giles Barrington MC MP und seine Schwester Dr. Grace Barrington anwesend. Auch die beiden anderen Personen, die heute zugegen sind, erfüllen die juristischen Anforderungen, welche die Voraussetzungen für die Beteiligung an einer solchen Wahl sind. Es handelt sich um Lady Virginia Fenwick« – Virginia klopfte Fisher auf den Rücken, womit sie allen unmissverständlich klarmachte, wen sie unterstützen würde – »und Mr. Cedric Hardcastle, der die Farthings Bank vertritt. Die Bank hält gegenwärtig siebeneinhalb Prozent der Aktien unseres Unternehmens.«

Alle am Tisch wandten sich dem einzigen Menschen zu, den bisher noch keiner der Anwesenden kennengelernt hatte. Der Mann trug einen grauen Dreiteiler, ein weißes Hemd und eine leicht abgenutzte blaue Seidenkrawatte. Er war höchstens einen Meter fünfundfünfzig groß und hatte eine Glatze, die von einem dünnen Halbkreis grauer Haare umgeben wurde, der ihm kaum bis zu den Ohren reichte. Weil er eine dicke Hornbrille trug, war es fast unmöglich, sein Alter zu schätzen. Fünfzig? Sechzig? Vielleicht sogar siebzig? Mr. Hardcastle nahm die Brille ab, sodass man seine stahlgrauen Augen sehen konnte, und Emma war sicher, dass sie ihn schon irgendwo gesehen hatte, aber sie konnte sich nicht erinnern, wo.

»Guten Morgen, Herr Vorsitzender«, war alles, was er sagte, doch diese vier Worte genügten schon, um zu verraten, aus welcher Grafschaft er kam.

»Ich denke, wir sollten uns nun unserer heutigen Aufgabe widmen«, sagte Buchanan. »Bis gestern Abend sechs Uhr – jenem Zeitpunkt, bis zu dem eine solche Meldung erforderlich war – haben sich zwei Kandidaten freundlicherweise bereit erklärt, sich als mögliche Vorstandsvorsitzende zur Verfügung zu stellen: Mrs. Emma Clifton, die von Sir Giles Barrington MC MP vorgeschlagen wurde, der wiederum in seinem Vorschlag offiziell von Dr. Grace Barrington unterstützt wurde; sowie Major Alex Fisher, der von Mr. Anscott vorgeschlagen wurde, welcher seinerseits in seinem Vorschlag offiziell von Mr. Knowles unterstützt wurde. Beide Kandidaten werden jetzt dem Vorstand ihre Perspektiven für die Zukunft unseres Unternehmens vorstellen. Hiermit erteile ich Major Fisher das Wort und bitte ihn zu beginnen.«

Fisher rührte sich nicht von seinem Platz. »Es erscheint mir höflicher, wenn zuerst die Dame die Gelegenheit erhält, sich zu äußern«, sagte er und bedachte Emma mit einem warmen Lächeln.

»Wie überaus freundlich von Ihnen, Major«, erwiderte Emma, »aber ich bin durchaus einverstanden mit der Entscheidung des Vorsitzenden, Ihnen den Vortritt zu überlassen.«

Fisher wirkte ein wenig verwirrt, doch er fasste sich rasch. Er strich seine Notizen glatt, stand auf und ließ seinen Blick langsam um den Tisch schweifen, bevor er mit seiner Rede begann.

»Mr. Chairman, Mitglieder des Vorstands. Ich betrachte es

bereits als ein großes Privileg, dass meine Kandidatur zum Vorstandsvorsitzenden der Barrington Shipping Company überhaupt in Erwägung gezogen wurde. Als jemand, der in Bristol geboren und aufgewachsen ist, war ich mir dieser bedeutenden Firma von frühester Jugend an bewusst; schon lange kenne ich ihre Geschichte, ihre Traditon und ihren guten Ruf, aufgrund dessen dieses Unternehmen dem großen maritimen Erbe Bristols angehört. Sir Joshua Barrington ist eine geradezu legendäre Gestalt, und Sir Walter, den zu kennen ich die Ehre hatte« – Emma wirkte überrascht, es sei denn, mit der Aussage, ihren Großvater zu kennen, war ein zufälliges Treffen bei einer Schulfeier vor dreißig Jahren gemeint –, »war verantwortlich dafür, das einstige Familienunternehmen in eine Aktiengesellschaft umzuwandeln und sein nicht nur nationales, sondern weltweites Ansehen als führendes Schifffahrtsunternehmen aufzubauen. Doch unglücklicherweise hat diese ausgezeichnete Reputation gelitten, was teilweise daran lag, dass Sir Walters Sohn, Sir Hugo, der Aufgabe einfach nicht gewachsen war, und obwohl unser gegenwärtiger Vorsitzender sehr viel unternommen hat, das Ansehen der Firma wiederherzustellen, hat eine Reihe von Ereignissen in jüngster Zeit, an denen er keinerlei Schuld trägt, zu einem Vertrauensverlust bei einigen unserer Aktionäre geführt. Sie, meine Kollegen, haben heute zu entscheiden«, sagte Fisher und ließ erneut seinen Blick um den Tisch schweifen, »wer am besten geeignet ist, mit dieser Vertrauenskrise umzugehen. Unter den gegebenen Umständen mag es angebracht sein, auf meine Erfahrungen zu verweisen, wenn es gilt, eine Schlacht zu schlagen. Ich habe meinem Land als junger Leutnant in Tobruk gedient, wo, mit den Worten Montgomerys, eine der blutigsten Schlachten der Geschichte stattfand. Nur durch Glück habe ich den Angriff des Feindes überlebt, wobei ich noch im Feld ausgezeichnet wurde.«

Giles senkte den Kopf zwischen die Hände. Er hätte dem Vorstand am liebsten berichtet, was wirklich geschehen war, als der Feind in Nordafrika am Horizont erschien, doch er wusste, es würde der Sache seiner Schwester nicht helfen.

»Meine nächste Schlacht schlug ich, indem ich bei der letzten Parlamentswahl als Kandidat der Konservativen gegen Sir Giles Barrington antrat«, sagte Fisher, wobei er das Wort *Konservativen* betonte, denn er nahm nicht an, dass, von Giles abgesehen, irgendeiner der Anwesenden jemals in seinem Leben für Labour gestimmt hatte. »Wir kandidierten beide um den sicheren Labour-Sitz Bristol Docklands, und ich unterlag mit gerade einmal einer Handvoll Stimmen, und auch das nur nach dreimaliger Auszählung.« Diesmal bedachte er Giles mit einem Lächeln.

Giles wollte aufspringen und Fisher das Lächeln aus dem Gesicht schlagen, doch irgendwie gelang es ihm, sich zu beherrschen.

»Deshalb glaube ich, mit einiger Überzeugung behaupten zu können, dass ich gleichermaßen Triumphe und Niederlagen erfahren habe; und mit Kiplings Worten darf ich sagen: Ich habe beide Hochstapler vollkommen gleich behandelt.

Und jetzt«, fuhr er fort, »gestatten Sie mir, auf einige Probleme einzugehen, die dieses ausgezeichnete Unternehmen gegenwärtig zu bewältigen hat. Dabei muss ich das Wort *gegenwärtig* betonen. Vor etwas über einem Jahr haben wir eine wichtige Entscheidung getroffen, und ich möchte den Vorstand daran erinnern, dass ich damals die Pläne des Vorsitzenden zum Bau der MV *Buckingham* voll und ganz unterstützt habe. Seither jedoch ist es zu einer Reihe von Schwierigkeiten gekommen;

einige waren unvorhersehbar, mit anderen hätten wir rechnen müssen. Diese Schwierigkeiten sind verantwortlich dafür, dass wir im Zeitplan zurückliegen. Als Folge davon mussten wir zum ersten Mal in der Geschichte dieses Unternehmens bei den Banken einen Kredit aufnehmen, um diese schwierigen Zeiten zu überstehen.

Ich möchte Ihnen deshalb drei Änderungen skizzieren, die ich unverzüglich auf den Weg bringen würde, sollte ich zum Vorsitzenden gewählt werden. Erstens würde ich Mrs. Clifton darum bitten, mir als stellvertretende Vorsitzende zur Seite zu stehen, damit niemand in der City Zweifel daran hegen kann, dass die Familie Barrington sich voll und ganz für die Zukunft des Unternehmens einsetzt, wie sie es schon seit über einem Jahrhundert getan hat.«

Mehrere »Hört, hört!« erklangen um den Tisch herum, und Fisher bedachte Emma zum zweiten Mal, seit er Mitglied des Vorstands geworden war, mit einem Lächeln. Fast hätte Giles die Unverfrorenheit dieses Mannes bewundert, denn Fisher musste klar sein, dass Emma ihm niemals einen solchen Posten anbieten würde, da ihrer Ansicht nach *er* für die gegenwärtigen Schwierigkeiten des Unternehmens verantwortlich war; und selbstverständlich wäre sie keinesfalls bereit, als seine Stellvertreterin aufzutreten.

»Zweitens«, fuhr Fisher fort, »würde ich schon morgen früh nach Belfast fliegen und mich mit Sir Frederick Rebbeck, dem Vorstandsvorsitzenden von Harland & Wolff, zusammensetzen, um unseren Vertrag neu auszuhandeln, da sein Unternehmen bisher nicht gewillt war, die Verantwortung für auch nur einen einzigen der unglücklichen Rückschläge zu übernehmen, zu denen es während des Baus der *Buckingham* gekommen ist. Und drittens würde ich eine Sicherheitsfirma von bestem Ruf beauftragen, sämtliche Fertigungsstücke zu bewachen, die für Barrington's aus Belfast verschickt werden, damit sich ein Sabotageakt wie der auf der Heysham-Fähre nie wieder ereignen könnte. Gleichzeitig würde ich neue Versicherungen abschließen, welche die Haftbarkeitsvereinbarungen nicht in mehreren Seiten an Kleingedrucktem verstecken. Lassen Sie mich hinzufügen, dass ich, sollte ich zu Ihrem Vorsitzenden gewählt werden, schon heute Nachmittag die Arbeit aufnehmen und nicht ruhen werde, bis die MV *Buckingham* in See gestochen ist und unserem Unternehmen für seine Investition einen deutlichen Gewinn eingebracht hat.«

Fisher setzte sich unter dem herzlichen Applaus seiner Kollegen, die ihm zulächelten und zustimmend nickten. Noch bevor der Applaus verklungen war, begriff Emma, dass es ein taktischer Fehler gewesen war, ihrem Gegner den Vortritt zu überlassen. Zu den meisten Punkten, auf die sie eingehen wollte, hatte er sich schon geäußert, weshalb es jetzt – bestenfalls – so aussehen würde, als stimme sie mit ihm überein oder – schlimmstenfalls – als habe sie keine eigenen Ideen. Sie erinnerte sich nur zu gut daran, wie Giles während der letzten Parlamentswahl seinem Gegner in der Colston Hall eine empfindliche Niederlage versetzt hatte. Doch als Fisher heute Morgen Barrington House betreten hatte, schien er geradezu ein anderer Mensch zu sein, und ein Blick auf ihren Bruder bestätigte ihr, dass auch Giles völlig überrascht war.

»Mrs. Clifton«, sagte der Vorsitzende. »Vielleicht möchten Sie dem Vorstand nun Ihre Ideen vortragen?«

Grace reckte die Daumen nach oben, und Emma erhob sich unsicher. Sie kam sich wie eine christliche Sklavin vor, die den Löwen vorgeworfen werden sollte.

»Mr. Chairman, zunächst möchte ich Ihnen gestehen, dass

Sie heute eine Kandidatin vor sich sehen, die sich nur ungern um diesen Posten bewirbt, denn wenn es nach mir ginge, würden *Sie* Vorstandsvorsitzender dieses Unternehmens bleiben. Erst als Sie zu dem Schluss kamen, dass es zu Ihrem Rücktritt keine Alternative gibt, habe ich in Erwägung gezogen, Ihre Stelle einzunehmen und die lange Tradition der Verbundenheit meiner Familie mit diesem Unternehmen fortzusetzen. Ich möchte deshalb gleich zu Beginn meiner Ausführungen auf das eingehen, was einige Vorstandsmitglieder wohl als meinen größten Nachteil betrachten dürften: mein Geschlecht.«

Die Bemerkung löste einiges Gelächter aus, das wenigstens teilweise auf reine Nervosität zurückzuführen war. Fisher jedoch hatte eine verständnisvolle Miene aufgesetzt.

»Mein Problem ist«, fuhr Emma fort, »dass ich eine Frau in einer Männerwelt bin, und daran kann ich, ehrlich gesagt, auch nichts ändern. Mir ist durchaus bewusst, dass es von einem Direktorenkollegium einigen Mut verlangt, eine Frau zur Vorsitzenden von Barrington's zu wählen, besonders angesichts der schwierigen Umstände, mit denen wir uns im Augenblick konfrontiert sehen. Doch andererseits sind Mut und Innovationskraft genau das, was dieses Unternehmen in einer solchen Zeit braucht. Barrington's steht an einem Scheideweg, und wer auch immer heute gewählt wird, hat die Verpflichtung, sich für den Wegweiser zu entscheiden, dem wir alle folgen sollen. Als der Vorstand letztes Jahr beschlossen hat, den Bau der *Buckingham* ernsthaft in Angriff zu nehmen, war ich, wie Sie wissen, gegen diesen Plan und habe entsprechend abgestimmt. Deshalb gebietet es jetzt die schiere Fairness, den Vorstand darüber in Kenntnis zu setzen, wo ich heute in dieser Frage stehe. Meiner Ansicht nach wäre es sinnlos, eine Umkehr auch nur zu erwägen, denn das würde eine große Niederlage und am Ende sogar vielleicht die völlige Bedeutungslosigkeit unseres Unternehmens bedeuten. Der Vorstand hat seine Entscheidung in gutem Glauben getroffen, und wir schulden es unseren Aktionären, uns nicht davonzustehlen und anderen die Schuld zu geben, sondern alles in unserer Macht Stehende zu tun, um die verlorene Zeit aufzuholen und dafür zu sorgen, dass wir auf lange Sicht Erfolg haben.«

Emma sah auf das Blatt mit ihren Notizen, auf dem fast nur noch das stand, was ihr Konkurrent bereits gesagt hatte. Doch sie fuhr fort in der Hoffnung, dass angesichts ihrer natürlichen Begeisterungsfähigkeit und ihrer Energie ihre Kollegen die Tatsache vergessen würden, dass sie dieselben Pläne und Ansichten ein zweites Mal zu hören bekamen.

Als sie sich jedoch dem Ende ihrer Rede näherte, konnte sie spüren, wie sie die Aufmerksamkeit ihrer Vorstandskollegen verlor. Giles hatte sie davor gewarnt, dass heute etwas Unerwartetes geschehen würde, und genau so war es gekommen. Fisher hatte eine bessere Rede gehalten als jemals zuvor.

»Mr. Chairman, zum Schluss meiner Ausführungen möchte ich Ihnen versichern, welch außerordentliches Privileg es wäre, wenn es dieser Barrington ermöglicht würde, dem Beispiel ihrer berühmten Vorfahren zu folgen und den Vorsitz dieses Vorstands zu übernehmen, besonders weil dies in einer Zeit geschehen würde, in der das Unternehmen sich in großen Schwierigkeiten befindet. Ich weiß, dass ich diese Schwierigkeiten mit Ihrer Hilfe überwinden und den guten Namen von Barrington's wiederherstellen kann, sodass er erneut für exzellente Leistung und finanzielle Zuverlässigkeit stehen wird.«

Emma setzte sich mit dem Gefühl, dass als Beurteilung dieser Rede in ihrem Schulzeugnis *Hätte mehr leisten können* stehen würde. Sie konnte nur hoffen, dass Giles auch mit seiner anderen Vorhersage recht behielt: Bei fast allen Anwesenden stand bereits vor Beginn dieser außerordentlichen Sitzung fest, wie sie abstimmen würden.

Nachdem die beiden Kandidaten ihre Bewerbungsreden gehalten hatten, erhielten die übrigen Vorstandsmitglieder die Gelegenheit, sich zu äußern. Die meisten von ihnen machten von diesem Recht Gebrauch, doch im Laufe der nächsten Stunde wurde deutlich, dass weder besonders tiefgründige Einsichten noch besonders originelle Ideen zum Vortrag kamen. Und trotz ihrer Weigerung, eine Antwort auf die Frage »Würden Sie Major Fisher zu Ihrem Stellvertreter machen?« zu geben, hatte Emma den Eindruck, dass das Ergebnis noch immer offen war. Jedenfalls bis Lady Virginia sich zu Wort meldete.

»Ich möchte mich nur zu einem einzigen Aspekt äußern, Mr. Chairman«, schnurrte sie und ließ ihre Wimpern flattern. »Ich glaube nicht, dass Frauen auf dieser Welt sind, um Vorstände zu führen, es mit Gewerkschaftsbossen aufzunehmen, Luxusliner zu bauen oder gewaltige Summen mithilfe der Banken der City of London aufzubringen. So sehr ich Mrs. Clifton und all das, was sie erreicht hat, bewundere, so werde ich doch Major Fisher unterstützen, und ich kann nur hoffen, dass sie das großzügige Angebot des Majors annimmt, ihm als seine Stellvertreterin zur Seite zu stehen. Ich bin gänzlich unvoreingenommen hierhergekommen, um ihr gegenüber gleichsam nach dem Prinzip ›Im Zweifel für den Angeklagten‹ zu verfahren, doch bedauerlicherweise ist sie meinen Erwartungen nicht gerecht geworden.«

In gewisser Hinsicht, fand Emma, war Virginias Auftritt fast bewundernswert. Zweifellos hatte sie jedes Wort ihrer kleinen

Rede schon lange, bevor sie diesen Raum betrat, auswendig gelernt und dabei sogar die dramatischen Pausen eingeübt. Und doch war es ihr gelungen, den Eindruck zu erwecken, sie habe erst im allerletzten Augenblick beschlossen, sich an der Diskussion zu beteiligen, weil ihr schlicht keine andere Wahl blieb, als einige vollkommen spontane Bemerkungen einzubringen. Emma fragte sich, wie viele ihrer Kollegen sie damit wohl getäuscht hatte. Giles sicher nicht, denn er sah aus, als würde er seine Exfrau am liebsten erwürgen.

Nachdem Lady Virginia sich wieder gesetzt hatte, gab es nur zwei Menschen, die sich überhaupt noch nicht zu Wort gemeldet hatten. Höflich wie immer fragte der Vorsitzende deshalb: »Bevor wir abstimmen, würde ich gerne wissen, ob Mrs. Fisher oder Mr. Hardcastle noch etwas beitragen möchten.«

»Nein, danke, Mr. Chairman«, platzte Susan Fisher heraus und senkte sofort wieder den Kopf. Der Vorsitzende wandte sich an Mr. Hardcastle.

»Ich danke Ihnen für Ihre Nachfrage, Mr. Chairman«, erwiderte Hardcastle, »aber ich möchte nur anmerken, dass ich alle Ausführungen mit großem Interesse verfolgt habe, was besonders für die Reden der beiden Kandidaten gilt, und dass ich, genau wie Lady Virginia, meine Entscheidung getroffen habe, wen ich unterstützen werde.«

Fisher lächelte dem Mann aus Yorkshire zu.

»Vielen Dank, Mr. Hardcastle«, sagte der Vorsitzende. »Wenn sich sonst niemand mehr äußern möchte, dann werden die Vorstandsmitglieder jetzt ihre Stimme abgeben.« Er hielt einen Augenblick inne, doch niemand meldete sich. »Der Vorstandssekretär wird nun einen Namen nach dem anderen aufrufen. Bitte lassen Sie ihn wissen, für welchen Kandidaten Sie sich aussprechen.«

»Ich werde mit den Exekutivdirektoren beginnen«, sagte Webster. »Danach werde ich die übrigen Vorstandsmitglieder bitten, ihre Stimme abzugeben. Mr. Buchanan?«

»Ich werde keinen der beiden Kandidaten unterstützen«, sagte Buchanan. »Sollte es jedoch zu einem Patt kommen, werde ich von dem Recht Gebrauch machen, das mir als Vorsitzendem zusteht, und meine Stimme demjenigen geben, den ich am geeignetsten für diesen Posten halte.«

Ross Buchanan hatte sich mehrere schlaflose Nächte mit der Frage herumgeschlagen, wer sein Nachfolger werden sollte, und sich schließlich für Emma entschieden. Doch Fishers eindrückliche Rede und Emmas eher schwache Reaktion darauf hatten ihn in seinem Entschluss noch einmal wanken lassen. Weil er sich jedoch immer noch nicht überwinden konnte, für Fisher zu stimmen, hatte er beschlossen, zunächst davon abzusehen, seine Stimme abzugeben, wodurch seine Kollegen die Entscheidung treffen würden. Sollte es aber zu einer Stimmengleichheit kommen, würde er, wenn auch widerwillig, Fisher unterstützen.

Emma konnte nicht verbergen, wie überrascht und enttäuscht sie angesichts Buchanans Entscheidung war, seine Stimme vorerst nicht abzugeben. Fisher lächelte und strich den Namen des Vorsitzenden aus, der bis zu diesem Zeitpunkt in seiner Clifton-Liste gestanden hatte.

»Mr. Dixon?«

»Mrs. Clifton«, sagte der geschäftsführende Direktor, ohne zu zögern.

»Mr. Carrick?«

»Major Fisher«, sagte der Finanzvorstand.

»Mr. Anscott?«

»Major Fisher.« Emma war enttäuscht, aber nicht überrascht, denn sie wusste, dass dann auch Mr. Knowles gegen sie stimmen würde.

»Sir Giles Barrington?«

»Mrs. Clifton.«

»Dr. Grace Barrington?«

»Mrs. Clifton.«

»Ich werde nicht wählen«, sagte Emma, »und mich somit der Stimme enthalten.« Fisher nickte zustimmend.

»Mr. Dobbs?«

»Mrs. Clifton.«

»Lady Virginia Fenwick?«

»Major Fisher.«

»Major Fisher?«

»Ich werde für mich selbst stimmen, wie es mein gutes Recht ist«, sagte Fisher und lächelte Emma über den Tisch hinweg an.

Immer wieder hatte Sebastian seine Mutter angefleht, sich nicht zu enthalten, denn er war absolut sicher gewesen, dass sich Fisher nicht wie ein Gentleman verhalten würde.

»Mrs. Fisher?«

Susan Fisher sah auf, zögerte einen kurzen Augenblick und flüsterte dann nervös: »Mrs. Clifton.«

Alex Fisher wirbelte herum und starrte seine Frau ungläubig an. Diesmal jedoch senkte Susan ihren Kopf nicht. Sie sah hinüber zu Emma und lächelte. Emma machte völlig überrascht einen Haken hinter Susans Namen.

»Mr. Knowles?«

»Major Fisher«, sagte Knowles, ohne zu zögern.

»Mr. Maynard?«

»Major Fisher.«

Emma warf einen Blick auf die Haken und Kreuze auf ihrem Notizblock. Fisher führte mit sechs zu fünf Stimmen.

»Admiral Summers?«, fragte der Vorstandssekretär. Das Schweigen, das daraufhin folgte, kam Emma unendlich lange vor, obwohl es in Wahrheit nur wenige Sekunden dauerte.

»Mrs. Clifton«, sagte der Admiral schließlich. Emma schnappte nach Luft. Der alte Mann beugte sich nach vorn und flüsterte: »Ich hatte bei Fisher nie ein gutes Gefühl, und als er für sich selbst gestimmt hat, wusste ich, dass ich die ganze Zeit über recht gehabt hatte.«

Emma war nicht sicher, ob sie lachen oder ihm einen Kuss geben sollte, doch der Vorstandssekretär riss sie aus ihren Gedanken. »Mr. Hardcastle?«

Wieder wandte sich die Aufmerksamkeit aller dem Mann zu, von dem niemand im Raum etwas wusste.

»Wären Sie so freundlich, uns Ihre Entscheidung mitzuteilen, Sir?«

Fisher sah finster vor sich hin. Sechs Stimmen für beide. Wenn Susan ihn gewählt hätte, wäre Hardcastles Stimme bedeutungslos gewesen, doch er war immer noch zuversichtlich, dass der Mann aus Yorkshire sich für ihn entscheiden würde.

Cedric Hardcastle zog ein Taschentuch aus seiner Brusttasche, nahm seine Brille ab und polierte die Gläser, bevor er sprach: »Ich werde mich der Stimme enthalten, damit der Vorsitzende, der beide Kandidaten viel besser kennt als ich, entscheiden kann, wer am besten als sein Nachfolger geeignet ist.«

Susan Fisher schob ihren Stuhl zurück und huschte leise aus dem Saal, als die neu gewählte Vorstandsvorsitzende ihren Platz an der Spitze des Tisches einnahm.

Bisher war alles gut gegangen, doch Susan wusste, dass die nächste Stunde entscheidend war, wenn sie auch noch den

Rest ihres Plans in die Tat umsetzen wollte. Alex hatte kein Wort dazu geäußert, als sie ihm angeboten hatte, ihn an diesem Morgen zur Vorstandssitzung zu fahren, damit er sich ganz auf seine Rede konzentrieren konnte. Nicht informiert hatte sie ihn über die Tatsache, dass sie ihn nicht zurückfahren würde.

Eine Zeit lang hatte Susan akzeptiert, dass ihre Ehe eine Farce war, und sie konnte sich nicht einmal daran erinnern, wann sie beide das letzte Mal miteinander geschlafen hatten. Sie fragte sich oft, warum sie überhaupt einverstanden gewesen war, ihn zu heiraten. Dass ihre Mutter sie ständig mit den Worten ermahnt hatte: »Wenn du nicht aufpasst, mein Kind, verstaubst du auf dem Regal«, hatte ihr nicht gerade geholfen. Inzwischen jedoch war sie entschlossen, die Regale leer zu räumen.

Alex Fisher gelang es nicht, sich auf Emmas Dankesrede zu konzentrieren, denn er fragte sich immer noch, wie er Don Pedro erklären sollte, dass seine Frau gegen ihn gestimmt hatte.

Don Pedro hatte ursprünglich vorgeschlagen, dass Diego und Luis ihn im Vorstand repräsentieren sollten. Doch Alex hatte ihn davon überzeugt, dass es eines gab, das die Direktoren noch mehr verschrecken würde als die Vorstellung einer Frau, die den Vorstandsvorsitz innehatte, und das war der Gedanke, dass ein Ausländer die Firma übernehmen könnte.

Am Ende beschloss er, Don Pedro nur über Emmas Wahlsieg zu informieren, ohne die Tatsache zu erwähnen, dass seine Frau ihn nicht unterstützt hatte. Er wollte lieber nicht daran denken, was geschehen würde, wenn Don Pedro jemals das Sitzungsprotokoll las.

Susan Fisher parkte den Wagen vor Arcadia Mansions, schloss die Haustür auf, nahm den Aufzug in den dritten Stock und betrat die Wohnung. Rasch eilte sie durchs Schlafzimmer, ließ sich auf die Knie nieder und zog zwei Koffer unter dem Bett hervor. Dann nahm sie sechs Kleider, zwei Hosenanzüge, mehrere Röcke und ein Ballkleid, von dem sie nicht sicher war, ob sie es je wieder tragen würde, aus dem Schrank. Danach öffnete sie eine Kommodenschublade nach der anderen und nahm Strümpfe, Unterwäsche, Blusen und Pullover heraus. Jetzt war im ersten Koffer fast kein Platz mehr.

Als sie aufstand, fiel ihr Blick auf ein Aquarell des Lake District, für das Alex während ihrer Flitterwochen ein wenig zu viel bezahlt hatte. Erfreut stellte sie fest, dass es perfekt auf den Boden des zweiten Koffers passte. Dann ging sie ins Bad und sammelte alle ihre Toilettenartikel, ihren Morgenrock und mehrere Handtücher zusammen. Mit ihnen füllte sie den zweiten Koffer bis auf den letzten Winkel.

Abgesehen von dem Wedgewood Dinnerservice, das ein Hochzeitsgeschenk von Alex' Eltern gewesen war, wollte sie aus der Küche kaum etwas. Sorgfältig wickelte sie jedes Teil in eine Seite des *Daily Telegraph* und legte die Einzelstücke in zwei Einkaufstaschen, die sie unter der Spüle fand.

Das einfache grüne Teeservice, das ihr vor allem wegen der vielen angeschlagenen Stellen nie so richtig gefallen hatte, ließ sie stehen. Sie hatte ohnehin keinen Platz mehr im zweiten Koffer. »Hilfe«, sagte sie laut, als ihr klar wurde, dass sie noch viel mehr mitnehmen wollte, doch beide Koffer schon voll waren.

Susan ging zurück ins Schlafzimmer, wo sie auf einen Stuhl stieg und Alex' alten Koffer, den er als Internatsschüler benutzt hatte, vom Schrank holte. Sie zog ihn hinaus in den Flur, löste die Schließgurte und setzte ihre Mission fort. Auf dem Kaminsims im Salon standen eine historische Uhr, von der Alex behauptete, es handle sich um ein Familienerbstück, sowie drei Fotografien im Silberrahmen. Sie nahm die Fotos heraus, zerriss sie und packte nur die Rahmen ein. Gerne hätte sie auch den Fernseher mitgenommen, doch das Gerät war viel zu groß. Ganz abgesehen davon hätte ihre Mutter das nicht gutgeheißen.

Nachdem der Vorstandssekretär die Sitzung offiziell für beendet erklärt hatte, verzichtete Alex darauf, sich seinen Direktorenkollegen zum Mittagessen anzuschließen. Ohne mit jemandem zu sprechen, verließ er rasch den Sitzungssaal. Peter Maynard folgte ihm unverzüglich. Don Pedro hatte Alex zwei Umschläge gegeben, von denen jeder eintausend Pfund enthielt. Seine Frau würde garantiert nicht die fünfhundert Pfund erhalten, die er ihr versprochen hatte. Als er mit Maynard zusammen im Aufzug stand, zog Alex einen der beiden Umschläge aus seiner Tasche.

»Wenigstens haben Sie Ihren Teil der Abmachung eingehalten«, sagte er und reichte Peter Maynard den Umschlag.

»Vielen Dank«, sagte Maynard beglückt und steckte das Geld ein. »Was ist nur in Susan gefahren?«, fügte er hinzu, als sich die Aufzugtür im Erdgeschoss öffnete. Alex antwortete nicht.

Die beiden Männer verließen Barrington House, und Alex war nicht überrascht, als er seinen Wagen nirgendwo mehr sah. Doch zu seiner Verblüffung musste er feststellen, dass ein Auto, das er nicht kannte, auf seinem üblichen Parkplatz stand.

Ein junger Mann mit einer Gladstone-Tasche wartete neben der Fahrertür. Kaum dass er Alex sah, ging er auf ihn zu.

Erschöpft betrat Susan schließlich – zum ersten Mal, ohne anzuklopfen – Alex' Arbeitszimmer. Sie erwartete nicht, hier etwas anderes zu finden als die Dinge, mit denen sie ohnehin rechnen konnte: zwei weitere Bilderrahmen, der eine aus Silber, der andere aus Leder, sowie einen Brieföffner, den sie Alex zu Weihnachten geschenkt hatte. Da Letzterer aber nur versilbert war, beschloss sie, dass ihr Mann ihn behalten konnte.

Langsam wurde die Zeit knapp, und inzwischen konnte es nicht mehr lange dauern, bis Alex nach Hause kam. Doch als sie gerade aufbrechen wollte, sah sie einen dicken Umschlag mit ihrem Namen darauf. Sie öffnete ihn und wagte kaum, ihren Augen zu trauen. Er enthielt die fünfhundert Pfund, die Alex ihr für die Teilnahme an der Vorstandssitzung und ihre Stimme bei der Wahl des Vorsitzenden versprochen hatte. Sie hatte ihren Teil der Abmachung eingehalten – na schön, die Hälfte der Abmachung –, und deshalb steckte sie das Geld in ihre Handtasche. Zum ersten Mal an diesem Tag lächelte sie.

Susan schloss die Tür zum Arbeitszimmer und sah sich noch einmal rasch in der Wohnung um. Irgendetwas hatte sie vergessen, aber was? Oh ja, natürlich. Sie eilte zurück ins Schlafzimmer, öffnete den kleineren der beiden Schränke und lächelte zum zweiten Mal, als sie die zahllosen Schuhe sah, die sie noch aus ihren Tagen als Fotomodell besaß. Sie nahm sich Zeit, sämtliche Paare im letzten großen Koffer zu verstauen. Gerade als sie die Schranktür schließen wollte, fiel ihr Blick auf eine Reihe hübscher schwarzer Leder- und brauner Halbschuhe, die so sorgfältig poliert waren, als sollten sie bei einer Parade getragen werden. Sie wusste, dass diese Schuhe Alex' ganzer Stolz und seine große Freude waren. Sie waren alle von Lobb of St. James's handgefertigt worden und würden, wie er ihr gegenüber immer wieder betont hatte, ein ganzes Leben lang halten.

Susan nahm von jedem Paar den linken Schuh und warf sie in Alex' alten Schulkoffer. Dann fügte sie einen rechten Slipper, einen rechten Stiefel und einen rechten Sportschuh hinzu, bevor sie den Kofferdeckel schloss und die Schließgurte festzurrte.

Schließlich zog sie den Schulkoffer zusammen mit den beiden anderen Koffern und den beiden Einkaufstaschen hinaus auf den Treppenabsatz und schloss die Tür zu einem Heim, in das sie nie wieder zurückkehren würde.

»Major Alex Fisher?«

»Ja.«

Der junge Mann reichte ihm einen länglichen gelbbraunen Umschlag und sagte: »Ich habe Anweisung, Ihnen das zu geben, Sir.« Ohne noch ein Wort zu verlieren, ging er zurück zu seinem Wagen und fuhr davon. Die ganze Begegnung hatte weniger als eine Minute gedauert.

Ratlos und ein wenig nervös riss Alex den Umschlag auf und entnahm ihm ein Dokument von mehreren Seiten Umfang. Als er die Worte *Scheidungsantrag: Mrs. Susan Fisher gegen Major Alex Fisher* auf dem Deckblatt sah, sackten ihm die Beine weg, und er griff nach Maynards Arm, um sich abzustützen.

»Gibt's ein Problem, alter Junge?«

CEDRIC HARDCASTLE

1959

13

Im Zug auf der Rückfahrt nach London dachte Cedric Hardcastle wieder einmal darüber nach, wie es dazu gekommen war, dass er soeben an der Vorstandssitzung eines Schifffahrtsunternehmens aus Bristol teilgenommen hatte. Alles hatte mit einem Beinbruch angefangen.

Seit fast fünfundvierzig Jahren führte Cedric das, was selbst der Pfarrer der Kirchengemeinde seines Stadtteils als ein Leben ohne Fehl und Tadel bezeichnet hätte. Während dieser Zeit hatte er den Ruf erworben, zuverlässig, integer und von gesundem Urteilsvermögen zu sein.

Nachdem er im Alter von fünfzehn Jahren von der Huddersfield Grammar School abgegangen war, hatte Cedric bei seinem Vater in der Farthings Bank zu arbeiten begonnen, die an einer Kreuzung der Hauptstraße seiner Heimatstadt lag und bei der man kein Konto eröffnen konnte, wenn man nicht in Yorkshire geboren und aufgewachsen war. Von seinem ersten Tag als Lehrling an hatte jeder Angestellte sich die Mühe gegeben, ihm den alles beherrschenden Leitsatz der Bank einzuprägen: *Kümmere dich um die Pennys, und das Pfund sorgt für sich selbst.*

Mit zweiunddreißig Jahren wurde Cedric zum jüngsten Direktor in der Geschichte der Bank ernannt, und sein Vater, der immer noch als einfacher Schalterbeamter arbeitete, ging gerade noch rechtzeitig in Rente, sodass er seinen Sohn nicht »Sir« nennen musste.

Ein paar Wochen vor seinem vierzigsten Geburtstag wurde Cedric in den Vorstand von Farthings berufen, und jeder nahm an, dass es nun nicht mehr lange dauern würde, bis er die kleine Bank auf dem Land verlassen und sich wie Dick Whittington in die City of London aufmachen würde. Doch das war nicht Cedrics Art. Vor allem anderen war er ein Yorkshire-Mann. Er heiratete Beryl, ein Mädchen aus Batley, und ihr gemeinsamer Sohn Arnold wurde während der Flitterwochen in Scarborough gezeugt und in Keighley geboren. Aus der richtigen Grafschaft zu stammen war eine der Vorbedingungen, wenn man wollte, dass der eigene Sohn eines Tages in der Bank Arbeit finden würde.

Als Bert Entwistle, der Vorstandsvorsitzende von Farthings, im Alter von dreiundsechzig Jahren an einem Herzinfarkt starb, war es nicht nötig, eine Wahl durchzuführen, um herauszufinden, wer ihm auf seinem Posten folgen sollte.

Nach dem Krieg gehörte Farthings zu jenen Banken, die auf den Wirtschaftsseiten der großen Zeitungen immer wieder als »reif für eine Übernahme« bezeichnet wurden. Doch Cedric hatte andere Pläne, und trotz mehrerer Anfragen größerer Institute, die allesamt diskussionslos zurückgewiesen wurden, machte sich der neue Vorstandsvorsitzende daran, die Anzahl der Filialen zu erweitern und der Bank neue Geschäftsfelder zu eröffnen, sodass Farthings bereits innerhalb weniger Jahre selbst andere Banken übernehmen konnte. Über drei Jahrzehnte hinweg hatte Cedric mit jeglichem Geld, das er übrig hatte, sowie mit allen seinen Boni und Dividenden Aktien der Bank gekauft, wodurch er an seinem sechzigsten Geburtstag nicht nur Vorstandsvorsitzender, sondern auch Mehrheitsaktionär von Farthings war; ihm gehörten jetzt einundfünfzig Prozent von Farthings.

Mit sechzig Jahren, wenn die meisten Menschen daran denken, sich aus dem Berufsleben zurückzuziehen, war Cedric für elf Zweigstellen seiner Bank in Yorkshire und eine Niederlassung in der City of London verantwortlich und gewiss nicht darauf aus, jemanden zu suchen, der ihn als Vorstandsvorsitzenden ersetzen würde.

Wenn es in seinem Leben überhaupt eine Enttäuschung gab, so handelte es sich dabei um seinen Sohn Arnold. In der Leeds Grammar School war er ein vorbildlicher Schüler gewesen, doch dann hatte er rebelliert und lieber einen Studienplatz in Oxford angenommen als das Stipendium, das ihm die Leeds University anbot. Schlimmer noch, der Junge wollte nicht bei Farthings arbeiten, sondern zog es vor, sein Praktikum als Anwalt zu machen – und das auch noch in London. Dies bedeutete, dass Cedric niemanden hatte, in dessen Hände er die Bank legen konnte.

Zum ersten Mal im Leben dachte er über ein Übernahmeangebot nach, das ihm die Midland Bank machte. Die Leute von der Midland boten ihm so viel Geld an, dass er den Rest seiner Tage damit hätte verbringen können, an der Costa del Sol Golf zu spielen, nur noch Slipper zu tragen, Horlicks zu trinken und regelmäßig um zehn Uhr abends ins Bett zu gehen. Doch niemand außer Beryl schien zu verstehen, dass für Cedric Hardcastle die Arbeit für eine Bank nicht nur irgendein Job war – es war sein Hobby. Und solange er der Mehrheitsaktionär von Farthings war, konnten Golf, Slipper und Horlicks noch ein paar Jahre warten. Er sagte zu seiner Frau, wenn er irgendwann einmal für immer abtreten müsse, wolle er dabei lieber an seinem Schreibtisch sitzen, als am achtzehnten Loch zu stehen.

Wie sich zeigen sollte, wäre es eines Abends auf der Rückfahrt nach Yorkshire fast dazu gekommen. Doch selbst Cedric hätte niemals ahnen können, wie sehr sich sein Leben ändern sollte, als er an einem späten Freitagabend auf der A1 einen Unfall hatte. Nach mehreren Besprechungen im Hauptsitz der Bank in der City, die sehr lange gedauert hatten, war er erschöpft und hätte besser in seiner Londoner Wohnung übernachten sollen. Doch er zog es immer vor, hinauf nach Huddersfield zu fahren und das Wochenende mit Beryl zu verbringen. Er schlief am Steuer ein, und das Nächste, woran er sich erinnern konnte, war die Tatsache, dass er im Krankenhaus aufwachte und an beiden Beinen einen Gips trug. Das war das Einzige, das er mit dem jungen Mann ein Bett weiter gemeinsam hatte.

Sebastian Clifton war alles, was Cedric missfiel. Er war ein hochnäsiger, respektloser Junge aus dem Süden, dem es an Disziplin mangelte. Er hatte zu allem eine Meinung und, schlimmer noch, schien davon auszugehen, dass die Welt es ihm schuldete, für sein Leben zu sorgen. Cedric bat die Krankenschwester unverzüglich, auf eine andere Station verlegt zu werden. Miss Puddicombe lehnte ab, wies ihn aber darauf hin, dass die Klinik im Augenblick über zwei freie Privatzimmer verfügte. Cedric blieb, wo er war; er gab nicht gern Geld für überflüssige Dinge aus.

Während der folgenden Wochen seines Zwangsaufenthalts konnte Cedric nicht mehr sicher sein, wer von ihnen beiden einen größeren Einfluss auf den anderen hatte. Zunächst gingen ihm die endlosen Fragen des jungen Mannes über das Bankwesen auf die Nerven, doch schließlich gab er nach und wurde, wenn auch widerwillig, so etwas wie Sebastians Ersatztutor. Als die Krankenschwester sich bei ihm nach seinem Bettnachbarn erkundigte, musste er zugeben, dass dieser nicht nur außerordentlich aufgeweckt war, sondern dass man ihm auch nichts zweimal erklären musste.

»Sind Sie jetzt nicht froh darüber, dass ich Sie nicht verlegt habe?«, neckte sie ihn.

»Nun, so weit würde ich nicht gehen«, sagte Cedric.

Die Tatsache, der Tutor des jungen Mannes zu sein, brachte noch zwei weitere Vorteile mit sich. Cedric genoss die wöchentlichen Besuche von Sebastians Mutter und Schwester sehr. Es waren zwei beeindruckende Damen, die beide ihre eigenen Sorgen hatten. Er brauchte nicht lange, um herauszufinden, dass Jessica unmöglich Mrs. Cliftons Tochter sein konnte, und als Sebastian ihm schließlich die ganze Geschichte erzählte, erwiderte er nur: »Es wird Zeit, dass es ihr jemand sagt.«

Außerdem wurde Cedric sehr bald klar, dass Mrs. Clifton mit irgendeiner Krise im Familienunternehmen zu kämpfen hatte. Jedes Mal, wenn sie ihren Sohn im Krankenhaus besuchte, drehte Cedric sich um und tat so, als schliefe er, während er in Wahrheit mit Sebastians Zustimmung auf jedes Wort achtete, das zwischen den beiden gewechselt wurde.

Jessica kam oft auf seine Seite des Bettes, um ihr neues Modell zu skizzieren, was bedeutete, dass Cedric die Augen geschlossen halten musste.

Die gelegentlichen Besuche von Sebastians Vater, Harry Clifton, dessen Onkel Giles und dessen Tante Grace halfen Cedric, weitere Puzzleteile zu einem Bild zusammenzufügen, das nach und nach sichtbar wurde. Es war nicht schwierig herauszufinden, was Martinez und Fisher vorhatten; er verstand jedoch die Motive der beiden nicht, was unter anderem daran lag, dass nicht einmal Sebastian eine Antwort auf diese Frage zu wissen schien. Als es jedoch um die Abstimmung ging, ob die Pläne zum Bau der *Buckingham* in die Tat umgesetzt werden sollten, hatte er den Eindruck, dass Mrs. Cliftons Bauchgefühl (oder das, was Frauen gerne ihre Intuition nannten) sich durchaus als begründet erweisen würde. Nachdem er sich gründlich mit den Statuten des Unternehmens beschäftigt hatte, teilte er Sebastian mit, dass seine Mutter, die mit ihrer Familie zweiundzwanzig Prozent des Aktienbesitzes vertrat, das Recht hatte, drei Repräsentanten für den Vorstand zu benennen, was mehr als genug sein sollte, den geplanten Bau zu stoppen. Mrs. Clifton nahm den Vorschlag nicht an und unterlag bei der Wahl mit einer Stimme.

Am Tag darauf erwarb Cedric zehn Aktien von Barrington Shipping; dadurch bekam er regelmäßig die Sitzungsprotokolle zugeschickt, sodass er zusammen mit Sebastian die Überlegungen des Vorstands mitverfolgen konnte. Es dauerte nur wenige Wochen, bis Cedric begriff, dass Fisher sich als neuer Vorstandsvorsitzender zu etablieren versuchte. Wenn Ross Buchanan und Mrs. Clifton eine Schwäche hatten, so bestand sie in ihrer naiven Überzeugung, jeder würde nach ihren moralischen Standards handeln. Doch bedauerlicherweise hatte Major Fisher keine Standards und Don Pedro Martinez keine Moral.

Regelmäßig hielt Cedric in der *Financial Times* und dem *Economist* Ausschau nach irgendwelchen Informationen, die erklären konnten, warum sich die Barrington-Aktien im freien Fall befanden. Sollte, wie ein Artikel im *Daily Express* andeutete, tatsächlich die IRA ihre Finger im Spiel haben, dann musste Martinez die Verbindung sein. Was Cedric jedoch nicht verstehen konnte, war die Tatsache, warum Fisher dieser Linie so bereitwillig folgte. Brauchte er das Geld wirklich so dringend? Cedric notierte eine ganze Reihe von Fragen, die Sebastian seiner Mutter bei ihren wöchentlichen Besuchen stellen sollte, und es dauerte nicht lange, bis er über das Tagesgeschäft in der Barrington Shipping Company genauso gut informiert war wie jedes Vorstandsmitglied.

Als Cedric sich schließlich so weit erholt hatte, dass er aus dem Krankenhaus entlassen werden konnte, um wieder seiner Arbeit nachzugehen, traf er zwei Entscheidungen. Seine Bank würde siebeneinhalb Prozent von Barrington Shipping erwerben, also jene Mindestaktienmenge, aufgrund deren er befugt wäre, einen Sitz im Vorstand einzunehmen und über den nächsten Vorsitzenden abzustimmen. Als er am nächsten Tag seinen Aktienhändler anrief, erfuhr er zu seiner Überraschung, dass es sehr viele Käufer von Barrington-Aktien gab, die offensichtlich genau dasselbe im Sinn hatten. Dies bedeutete, dass Cedric am Ende mehr bezahlen musste, als er eingerechnet hatte, und obwohl er das sonst nicht tat, waren Beryl und er sich darin einig, dass er die ganze Transaktion außerordentlich genoss.

Nachdem er den Entwicklungen im Vorstand mehrere Monate lang nur zugesehen hatte, konnte er es gar nicht erwarten, Ross Buchanan, Mrs. Clifton, Major Fisher, Admiral Summers und den anderen vorgestellt zu werden.

Die zweite Entscheidung, die er getroffen hatte, sollte sich jedoch als bei Weitem folgenreicher erweisen.

Unmittelbar bevor Cedric aus dem Krankenhaus entlassen wurde, bekam Sebastian Besuch von seinem Supervisor aus Cambridge. Mr. Padgett erklärte, dass der junge Mann im nächsten September seinen Studienplatz am Peterhouse noch immer in Anspruch nehmen könne, sofern er dies wolle.

Mit einem der ersten Briefe, die Cedric verfasste, als er wieder an seinem Schreibtisch in der City saß, bot er Sebastian für die Zeit, bevor der junge Mann nach Cambridge gehen würde, einen Ferienjob in der Farthings Bank an.

Wenige Minuten vor seinem Termin beim Vorstandsvorsitzenden von Farthings stieg Ross Buchanan aus dem Taxi. Vor der Eingangshalle in der Threadneedle Street Nummer 127 erwartete ihn Mr. Hardcastles persönlicher Assistent, der ihn in das Büro des Vorsitzenden im fünften Stock begleitete.

Cedric erhob sich hinter seinem Schreibtisch, als Buchanan den Raum betrat. Er schüttelte seinem Gast herzlich die Hand und führte ihn zu einem der beiden bequemen Sessel am Kamin. Der Yorkshire-Mann und der Schotte fanden schnell heraus, dass sie viele Interessen teilten, zu denen nicht zuletzt die Sorge um die Zukunft von Barrington Shipping gehörte.

»Wie ich sehe, ist der Aktienkurs in letzter Zeit ein wenig gestiegen«, sagte Cedric. »Also beruhigen sich die Dinge vielleicht nach und nach.«

»Die IRA scheint das Interesse daran verloren zu haben, dem Unternehmen auf jede nur denkbare Weise zuzusetzen, was eine große Erleichterung für Mrs. Clifton sein muss.«

»Könnte es nicht vielmehr so sein, dass die Zahlungen zum Erliegen gekommen sind? Schließlich dürfte es Martinez eine beträchtliche Summe gekostet haben, zweiundzwanzigeinhalb Prozent der Firma zu erwerben, nur um mit ansehen zu müssen, dass sein Versuch, den nächsten Vorstandsvorsitzenden zu bestimmen, misslungen ist.«

»Wenn es sich wirklich so verhält, warum streicht er dann nicht einfach den Gewinn ein, den er mit seinen Aktien erzielen könnte, und vergisst die ganze Sache?«

»Weil Martinez ein absolut starrsinniger Mensch ist, der sich weigert, eine Niederlage einzugestehen. Ich bin sicher, dass er sich nicht in irgendeinen Winkel zurückziehen wird, um seine Wunden zu lecken. Wir müssen akzeptieren, dass er einfach nur abwartet. Aber *worauf* wartet er?«

»Ich weiß es nicht«, sagte Buchanan. »Der Mann ist ein Rätsel und fast völlig unergründlich für mich. Ich weiß nur, dass bei ihm etwas Persönliches dahintersteckt, wenn es um die Barringtons und die Cliftons geht.«

»Was wohl kaum überraschend ist. Aber genau das könnte am Ende sein Niedergang sein. Er sollte besser eine der wichtigsten Regeln der Mafia beherzigen: Wenn es darum geht, einen Konkurrenten umzubringen, dürfen dabei nur geschäftliche Überlegungen eine Rolle spielen, niemals persönliche.«

»Ich hätte Sie nie für ein Mitglied der Mafia gehalten.«

»Machen Sie keine Witze, Ross. Yorkshire besaß bereits eine Mafia, bevor sich die ersten Italiener nach New York aufgemacht haben. Wir töten unsere Konkurrenten nicht. Wir lassen nur nicht zu, dass sie über die Grenze unserer Grafschaft kommen.« Buchanan lächelte. »Immer wenn ich jemandem begegne, der so aalglatt ist wie Martinez«, fuhr Cedric in ernsterem Ton fort, »versuche ich, mich an seine Stelle zu versetzen und möglichst genau herauszufinden, was er zu erreichen versucht. Doch in Martinez' Fall habe ich noch nicht alles beisammen. Ich hatte gehofft, Sie könnten mir die fehlenden Puzzleteile liefern.«

»Auch ich kenne nicht die ganze Geschichte«, gestand Buchanan. »Aber nach dem, was Emma Clifton mir gesagt hat, dürfte sie einen Harry-Clifton-Roman wert sein.«

»So viele überraschende Wendungen?«, sagte Cedric. Er lehnte sich in seinem Sessel zurück und schwieg, während Buchanan ihm alles erzählte: über eine Auktion bei Sotheby's, eine Rodin-Statue, in der sich acht Millionen Pfund Falschgeld befunden hatten, und einen Autounfall auf der A1, der nie vollständig aufgeklärt worden war. »Gut möglich, dass Martinez zu einem taktischen Rückzug gezwungen wurde«, fuhr

Buchanan fort. »Aber ich glaube nicht, dass er das Schlachtfeld bereits vollständig verlassen hat.«

»Wenn wir beide zusammenarbeiten würden«, schlug Cedric vor, »dann könnten wir Mrs. Clifton vielleicht den Rücken freihalten und sie in die Lage versetzen, sowohl das Vermögen als auch den guten Ruf des Unternehmens wiederherzustellen.«

»Was schwebt Ihnen vor?«

»Nun, zunächst einmal hatte ich gehofft, dass Sie dem Vorstand von Farthings beitreten, natürlich nicht als Exekutivdirektor.«

»Ich fühle mich geschmeichelt.«

»Das brauchen Sie nicht. Sie würden beträchtliche Erfahrungen und Ihr Fachwissen auf den verschiedensten Gebieten mitbringen, nicht zuletzt aus dem Bereich Schiffbau; und sicher wäre niemand besser geeignet, unsere Investition bei Barrington's im Auge zu behalten. Warum denken Sie nicht mal darüber nach und lassen es mich wissen, wenn Sie zu einer Entscheidung gelangt sind?«

»Ich muss nicht darüber nachdenken«, sagte Buchanan. »Es wäre mir eine Ehre, Ihrem Vorstand anzugehören. Ich empfand schon immer Hochachtung gegenüber Farthings. *Kümmere dich um die Pennys, und das Pfund sorgt für sich selbst* ist ein Motto, von dem auch andere Institute, deren Namen ich nicht nennen will, profitieren könnten.« Cedric lächelte. »Und ganz abgesehen davon«, fügte Buchanan hinzu, »glaube ich nicht, dass die Sache mit Barrington's schon ausgestanden ist.«

»Das sehe ich genauso«, sagte Cedric. Er erhob sich, ging durchs Zimmer und drückte einen Knopf an seinem Schreibtisch. »Hätten Sie Lust, mich zum Lunch ins Rules zu begleiten? Dann können Sie mir verraten, warum Sie sich im letzten

Augenblick umentschieden und für Mrs. Clifton gestimmt haben, obwohl Sie ursprünglich doch ganz eindeutig Fisher unterstützen wollten.«

Buchanan war so verblüfft, dass er kein Wort sagen konnte. Ein Klopfen an der Tür unterbrach die plötzliche Stille. Buchanan sah auf und erkannte den jungen Mann wieder, der ihn vor der Eingangshalle in Empfang genommen hatte.

»Ross, ich glaube nicht, dass Sie schon *nähere* Bekanntschaft mit meinem persönlichen Assistenten gemacht haben.«

14

Alle standen auf, als Mr. Hardcastle den Raum betrat. Sebastian hatte einige Zeit gebraucht, um sich an die Hochachtung zu gewöhnen, mit der jeder, der bei Farthings arbeitete, den Vorstandsvorsitzenden betrachtete. Doch wenn man wochenlang nur ein Bett entfernt von diesem Mann geschlafen hatte, wenn man ihn unrasiert und im Pyjama gesehen, ihn schnarchen gehört und in eine Flasche pinkelnd erlebt hatte, war es ziemlich schwierig, Ehrfurcht vor ihm zu haben. Doch respektiert hatte Sebastian den Bankier aus Huddersfield bereits wenige Tage nach ihrer ersten Begegnung.

Mit einer Geste bedeutete Mr. Hardcastle den Anwesenden, sich zu setzen, während er selbst seinen Platz am Kopfende des Tisches einnahm.

»Guten Morgen, Gentlemen«, begann er und musterte seine Kollegen. »Ich habe diese Sitzung einberufen, weil sich für die Bank eine außerordentliche Gelegenheit ergeben hat, die uns, wenn wir sie richtig zu nutzen verstehen, eine ganz neue Einkommensquelle eröffnen könnte, von der Farthings noch viele Jahre profitieren würde.«

Jetzt war wirklich jeder aufmerksam.

»Kürzlich trat der Gründer und Vorstandsvorsitzende des japanischen Elektronikunternehmens Sony International an die Bank heran mit der Anfrage zu einem kurzfristigen Darlehen in Höhe von zehn Millionen Pfund zu einem festen Zinssatz.«

Cedric hielt inne, um zu sehen, wie seine vierzehn Vorstandskollegen, die um den Tisch herum saßen, reagieren würden. Ihre Mienen verrieten so ziemlich alles zwischen unverhohlener Abneigung und begeisterter Erwartung. Doch Cedric hatte den nächsten Abschnitt seiner Präsentation besonders sorgfältig vorbereitet.

»Der Krieg ist nun schon seit vierzehn Jahren zu Ende. Trotzdem könnten einige von Ihnen den Eindruck haben, dass wir, wie das der *Daily Mirror* heute Morgen in seinem Leitartikel ausgedrückt hat, niemals mit *einem Haufen kriegstreiberischer Japsen-Bastarde* Geschäfte machen sollten. Andererseits mag der eine oder andere von Ihnen den Erfolg von Westminster mitbekommen haben, der sich aus der Vereinbarung mit der Deutschen Bank zum Bau einer neuen Mercedesfabrik in Dortmund ergeben hat. Uns bietet sich eine ähnliche Gelegenheit. Ich möchte hier einen Augenblick innehalten und jeden von Ihnen bitten, darüber nachzudenken, wie unsere Geschäfte in fünfzehn Jahren aussehen werden. Sicherlich nicht so wie heute oder wie vor fünfzehn Jahren. Werden wir dieselben alten Vorurteile mit uns herumschleppen, oder werden wir uns weiterentwickelt haben zu einer neuen Wirtschaftsordnung, die akzeptiert, dass es eine neue Generation von Japanern gibt, die wir wegen der Vergangenheit ihres Landes nicht verdammen sollten. Wenn sich irgendjemand in diesem Raum nicht in der Lage sieht, auch nur die Vorstellung einer geschäftlichen Beziehung mit den Japanern in Erwägung zu ziehen, weil das nur alte Wunden aufreißen würde, dann ist jetzt die Zeit, seine Position klar und deutlich zu vertreten, denn ohne Ihre volle Unterstützung hat ein solches Projekt keine Aussicht auf Erfolg. Das letzte Mal, dass ich mich, wenn auch mit zusammengebissenen Zähnen, in diesem Sinne geäußert habe, war im

Jahr 1947, als ich einem Kunden aus Lancashire schließlich gestattet habe, bei Farthings ein Konto zu eröffnen.«

Das Gelächter, das auf diese Bemerkung hin erklang, half dabei, die Anspannung zu lösen. Doch Cedric zweifelte nicht daran, dass er bei den leitenden Mitarbeitern noch immer auf einen gewissen Widerstand stoßen würde und einige besonders konservative Kunden möglicherweise sogar erwägen könnten, ihr Geld zu einer anderen Bank zu transferieren.

»Im Moment kann ich Ihnen nur sagen«, fuhr er fort, »dass der Vorstandsvorsitzende von Sony International zusammen mit zwei seiner Direktoren die Absicht hat, London in etwa sechs Wochen zu besuchen. Die Herren haben mir zu verstehen gegeben, dass wir nicht die einzige Bank sind, die sie aufsuchen werden. Sie haben mich jedoch gleichzeitig wissen lassen, dass wir ihre präferierte Wahl wären.«

»Warum sollte Sony uns überhaupt in Erwägung ziehen, Mr. Chairman, wo es doch so viele größere Banken gibt, die sich auf dieses Geschäftsfeld spezialisiert haben?«, fragte Adrian Sloane, der Leiter der Abteilung für Fremdwährungen.

»Sie werden es kaum für möglich halten, Adrian, aber letztes Jahr, als mich der *Economist* interviewt hat und dabei ein Foto von meinem Haus in Huddersfield brachte, war im Hintergrund ein Transistorradio von Sony zu sehen. Aufgrund solcher Launen werden Vermögen gemacht.«

»John Kenneth Galbraith«, sagte Sebastian.

Leiser Applaus von ein oder zwei Mitarbeitern war zu hören, die ihren Vorsitzenden normalerweise nie unterbrochen hätten, woraufhin etwas sehr Seltenes mit Sebastian geschah: Er errötete.

»Gut zu wissen, dass es in diesem Raum wenigstens einen Menschen gibt, der über die entsprechende Bildung verfügt«, sagte der Vorsitzende. »Ganz in diesem Sinne sollten wir uns wieder an die Arbeit machen. Wenn irgendjemand die Angelegenheit mit mir privat besprechen möchte, braucht er sich keinen Termin geben zu lassen. Er soll einfach bei mir reinschauen.«

Als Cedric wieder in sein Büro zurückging, folgte Sebastian ihm rasch und entschuldigte sich sogleich für seine spontane Bemerkung.

»Nicht nötig, Seb. Genau genommen haben Sie sogar geholfen, die Atmosphäre aufzulockern, während Sie zugleich Ihren Status bei den leitenden Mitarbeitern erhöht haben. Hoffen wir, dass jetzt der eine oder andere den Mut findet, mir gelegentlich zu widersprechen. Aber kommen wir zu wichtigeren Dingen. Ich habe eine Aufgabe für Sie.«

»Endlich«, sagte Sebastian, dem es schon lange nicht mehr genügte, hochgeschätzte Kunden der Bank im Lift zu ihren Besprechungen zu begleiten, nur um zu erleben, wie sich die Tür vor seiner Nase schloss, wenn sie das Büro des Vorsitzenden erreicht hatten.

»Wie viele Sprachen sprechen Sie?«

»Fünf, wenn man Englisch mitzählt. Aber mein Hebräisch ist ein wenig eingerostet.«

»Dann haben Sie sechs Wochen, um passables Japanisch zu lernen.«

»Wer wird darüber entscheiden, ob ich die Abschlussprüfung bestanden habe?«

»Der Vorstandsvorsitzende von Sony International.«

»Ach so, dann gibt es ja keinerlei Druck.«

»Jessica hat mir erzählt, dass Sie während des Urlaubs in der Familienvilla in der Toskana in nur drei Wochen jede Menge Italienisch aufgeschnappt haben.«

»Etwas aufschnappen bedeutet nicht, dass man die Sprache

beherrscht«, sagte Sebastian. »Ganz abgesehen davon, dass meine Schwester zu Übertreibungen neigt«, fügte er hinzu und betrachtete Jessicas Zeichnung, die Cedric im Bett liegend im Princess Alexandra Hospital zeigte und den Titel *Porträt eines Sterbenden* trug.

»Ich habe bisher an keinen anderen Kandidaten gedacht«, sagte Cedric und reichte ihm einen Prospekt. »Die London University bietet zurzeit drei Japanischkurse an – für Anfänger, für die Mittelstufe und für Fortgeschrittene. Somit bleiben Ihnen zwei Wochen für jeden Kurs.« Cedric war wenigstens so freundlich zu lachen.

Das Telefon auf dem Tisch des Vorsitzenden begann zu klingeln. Er nahm ab, hörte einige Augenblicke zu und sagte schließlich: »Jacob, wie gut, dass Sie mich zurückrufen. Ich muss mit Ihnen über das bolivianische Minenprojekt sprechen, denn ich weiß, dass sie der Hauptinvestor sind …«

Sebastian verließ das Büro, indem er leise die Tür hinter sich schloss.

»Das Protokoll ist der Schlüssel zum Verständnis der japanischen Psyche«, sagte Professor Marsh, während er seinen Blick über die aufsteigenden Reihen erwartungsvoller Gesichter schweifen ließ. »Es ist in jeder Hinsicht genauso wichtig wie die Beherrschung der Sprache.«

Sebastian hatte schnell herausgefunden, dass die Kurse für die Anfänger, die Mittelstufe und die Fortgeschrittenen zu verschiedenen Zeiten stattfanden, wodurch es ihm möglich war, fünfzehn Unterrichtsstunden pro Woche zu besuchen. Angesichts der zusätzlichen Stunden, in denen er sich zahllosen Büchern und Dutzenden von Tonbändern widmete, blieb ihm kaum noch Zeit, zu essen oder zu schlafen.

Professor Marsh hatte sich nach kurzer Zeit daran gewöhnt, denselben jungen Mann, der fleißig mitschrieb, in allen seinen Kursen in der ersten Bankreihe zu sehen.

»Lassen Sie uns mit der Verbeugung beginnen«, sagte der Professor. »Es ist wichtig zu verstehen, dass die Verbeugung unter Japanern viel mehr verrät als ein Handschlag unter Briten. Es gibt keine verschiedenen Grade, einander die Hand zu geben, abgesehen von einem kräftigen oder schwachen Händedruck, was dazu führt, dass diese Art der Begrüßung nichts über die gesellschaftliche Position der beiden Beteiligten verrät. Für einen Japaner jedoch ist eine Verbeugung in ein umfangreiches Regelsystem eingebettet. Um ganz oben zu beginnen: Nur der Kaiser verbeugt sich vor niemandem. Wenn Sie jemandem begegnen, der die gleiche gesellschaftliche Stellung wie Sie innehat, nicken Sie beide einander zu.« Der Professor deutete ein leichtes Senken des Kopfes an. »Doch wenn zum Beispiel der Vorstandsvorsitzende eines Unternehmens einen Termin mit seinem geschäftsführenden Direktor hat, würde der Vorsitzende nur nicken, während der Geschäftsführer sich aus der Hüfte heraus zu verbeugen hat. Sollten sich die Wege des Vorsitzenden und eines Arbeiters kreuzen, würde sich der Arbeiter sehr tief verbeugen, sodass es zu keinem Augenkontakt kommt, und es könnte durchaus sein, dass der Vorsitzende den Gruß überhaupt nicht erwidert, sondern einfach weitergeht.«

»Wenn ich«, sagte Sebastian, als er am selben Nachmittag in die Bank zurückkam, »Japaner wäre und Sie wären der Vorstandsvorsitzende meiner Firma, würde ich mich sehr tief verbeugen, um zu zeigen, dass ich weiß, wo mein Platz ist.«

»Schön wär's«, sagte Cedric.

»Und Sie«, fuhr Sebastian fort, indem er den Kommentar ignorierte, »würden entweder nicken oder einfach vorbeigehen.

Bei Ihrer ersten Begegnung mit Mr. Morita müssen Sie, da das Treffen in Ihrem Land stattfindet, ihm die Gelegenheit geben, Ihnen zuerst zuzunicken. Dann erwidern Sie seine Begrüßung, und schließlich tauschen Sie beide Ihre Visitenkarten aus. Wenn Sie ihn wirklich beeindrucken wollen, sollte Ihre Visitenkarte auf der Vorderseite englisch und auf der Rückseite japanisch beschriftet sein. Wenn Mr. Morita seinen geschäftsführenden Direktor vorstellt, wird dieser sich tief verbeugen, aber Sie werden ihm nur zunicken. Und wenn er seinen zweiten Begleiter vorstellt, wird dieser sich noch tiefer verbeugen, während Sie ihm wiederum nur knapp zunicken.«

»Also nicke ich einfach immer weiter. Gibt es auch jemanden, vor dem ich mich verbeugen sollte?«

»Nur den Kaiser, doch ich glaube nicht, dass er im Augenblick nach einem kurzfristigen Darlehen Ausschau hält. Durch Ihre Art des Auftretens machen Sie Mr. Morita klar, dass Sie ihn über seine Kollegen stellen, und, was ebenso wichtig ist, seine Kollegen werden den Respekt zu schätzen wissen, den Sie ihrem Vorsitzenden erweisen.«

»Ich glaube, das alles sollte man unverzüglich bei Farthings einführen«, sagte Cedric.

»Und dann gilt es, die komplizierte Etikette zu beachten, wenn Sie zusammen speisen«, fuhr Sebastian fort. »In einem Restaurant muss Mr. Morita zuerst bestellen, und das Essen muss ihm als Erstem serviert werden, doch er kann nicht vor Ihnen mit der Mahlzeit beginnen. Seine Kollegen können mit dem Essen nicht vor ihm beginnen, aber sie müssen vor ihm fertig sein.«

»Stellen Sie sich vor, Sie besuchen eine Dinnerparty mit sechzehn Gästen, und Sie sind von allen Anwesenden der unbedeutendste …«

»Man würde sich den Magen verderben«, sagte Sebastian. »Am Ende der Mahlzeit jedoch wird Mr. Morita erst dann den Tisch verlassen, wenn Sie sich erheben und ihn bitten, er möge sich Ihnen anschließen.«

»Was ist mit den Frauen?«

»Ein einziges Minenfeld«, antwortete Sebastian. »Die Japaner können nicht begreifen, warum ein Engländer aufsteht, sobald eine Frau den Raum betritt; warum er zulässt, dass sie zuerst bedient wird und er erst nach seiner Frau zu Messer und Gabel greift.«

»Möchten Sie damit andeuten, dass es besser wäre, wenn Beryl in Huddersfield bleiben würde?«

»Das könnte unter den gegebenen Umständen klug sein.«

»Und was würde geschehen, wenn Sie mit zu diesem Dinner kämen, Seb?«

»Ich müsste als Letzter bestellen, würde als Letzter bedient, würde meine Mahlzeit als Letzter beginnen und würde den Tisch als Letzter verlassen.«

»Das wäre sicher sehr ungewöhnlich für Sie«, sagte Cedric. »Übrigens, wann haben Sie das alles gelernt?«

»Heute Morgen«, sagte Sebastian.

Sebastian hätte den Anfängerkurs am Ende der ersten Woche aufgegeben, hätte es nicht etwas gegeben, das ihn vom Lernen ablenken sollte. Er versuchte, sich auf das zu konzentrieren, was Professor Marsh sagte, doch nur zu oft ertappte er sich dabei, wie er in *ihre* Richtung sah. Obwohl sie viel älter als Sebastian war – sie mochte dreißig oder fünfunddreißig sein –, war sie sehr attraktiv, und die Mitarbeiter in der Bank versicherten ihm, dass Frauen, die im Finanzdistrikt der City arbeiteten, oft jüngere Männer bevorzugten.

Gerade drehte er sich wieder einmal zu ihr um, doch sie lauschte aufmerksam auf jedes Wort, das der Professor zu sagen hatte. Oder tat sie nur so unnahbar? Es gab nur eine Möglichkeit, wie er das herausfinden konnte.

Als der Unterricht zu Ende war, folgte er ihr in die Halle, wo er zu dem Schluss kam, dass sie von hinten genauso attraktiv war wie von vorn. Ihr enger Rock ließ viel von ihren schlanken Beinen sehen, denen er nur zu gerne in die Studentenbar folgte. Seine Zuversicht wuchs, als die Frau direkt auf die Theke zuging und der Barmann sofort nach einer Flasche Weißwein griff. Sebastian setzte sich auf den Hocker neben sie.

»Lassen Sie mich raten. Ein Glas Chardonnay für die Dame. Ich selbst nehme ein Bier.«

Sie lächelte.

»Kommt sofort«, sagte der Barmann.

»Ich heiße Seb.«

»Ich bin Amy«, erwiderte sie. Ihr amerikanischer Akzent überraschte ihn. Würde er jetzt vielleicht entdecken, dass Amerikanerinnen tatsächlich so leicht zu haben waren, wie seine Kollegen in der Bank behaupteten?

»Was machen Sie so, wenn Sie nicht Japanisch lernen?«, fragte Sebastian, als der Barmann die beiden Gläser auf die Theke stellte.

»Das macht dann vier Shilling.«

Sebastian reichte ihm zwei Halbkronenstücke. »Stimmt so.«

»Ich habe gerade meinen Job als Stewardess aufgegeben«, antwortete sie.

Könnte nicht besser sein, dachte Sebastian. »Was war der Grund?«

»Dort hält man ständig Ausschau nach jüngeren Bewerberinnen.«

»Aber Sie können doch keinen Tag älter als fünfundzwanzig sein.«

»Ich wollte, es wäre so«, sagte sie und nippte an ihrem Wein. »Und was machen Sie so?«

»Ich arbeite für eine Handelsbank.«

»Das klingt aufregend.«

»Das ist es auch«, sagte Sebastian. »Erst heute Morgen habe ich mit Jacob Rothschild einen Vertrag über den Kauf einer Zinnmine in Bolivien abgeschlossen.«

»Wow. Dagegen sieht meine Welt ziemlich gewöhnlich aus. Warum lernen Sie Japanisch?«

»Der Leiter unserer Fernostabteilung ist gerade befördert worden, und ich bin in der engeren Auswahl für seine Stelle.«

»Sind Sie nicht ein wenig zu jung für eine so verantwortungsvolle Position?«

»Das Bankgeschäft ist ideal für junge Leute«, sagte Sebastian, und als sie den letzten Schluck aus ihrem Glas genommen hatte, fügte er hinzu: »Darf ich Ihnen noch eins bestellen?«

»Nein, aber vielen Dank. Ich muss noch jede Menge Hausaufgaben machen, wenn ich morgen im Unterricht nicht schlecht dastehen will.«

»Ich könnte mit Ihnen kommen, dann könnten wir zusammen üben.«

»Klingt verlockend«, erwiderte sie. »Aber es regnet. Wir werden ein Taxi brauchen.«

»Überlassen Sie das mir«, sagte er und schenkte ihr ein herzliches Lächeln.

Sebastian rannte fast aus der Bar, direkt in den strömenden Regen. Es dauerte einige Zeit, bis er ein Taxi sah, und als es ihm schließlich gelang, einen Wagen heranzuwinken, konnte er nur hoffen, dass Amy nicht zu weit entfernt wohnte, denn er hatte kaum Kleingeld bei sich. Er entdeckte sie hinter der Glastür und winkte ihr.

»Wohin, Chef?«

»Muss ich erst noch rausfinden. Ich weiß nicht, wo die Dame wohnt«, antwortete Sebastian und blinzelte dem Fahrer zu. Er drehte sich wieder um und sah, wie Amy auf das Taxi zurannte und rasch eine der hinteren Türen öffnete, um nicht völlig durchnässt zu werden. Sie glitt auf die Rückbank, und er wollte sich gerade neben sie setzen, als eine Stimme hinter ihm sagte: »Vielen Dank, Clifton. Wie nett von Ihnen, dass Sie meiner Frau bei diesem furchtbaren Wetter ein Taxi besorgt haben.

Wir sehen uns morgen«, fügte der Professor hinzu, bevor er die Tür schloss.

15

»Guten Morgen, Mr. Morita. Es ist mir ein Vergnügen, Ihre Bekanntschaft zu machen«, sagte Cedric und deutete ein Nicken an.

»Und es ist mir ein Vergnüngen, Ihre Bekanntschaft zu machen, Mr. Hardcastle«, sagte sein Gegenüber und erwiderte den Gruß. »Darf ich Ihnen meinen geschäftsführenden Direktor Mr. Ueyama vorstellen.« Der Erwähnte trat vor und verbeugte sich respektvoll. Cedric nickte erneut. »Und meinen Privatsekretär Mr. Ono.« Dieser verbeugte sich noch tiefer, und Cedrics Nicken fiel sehr knapp aus.

»Bitte setzen Sie sich, Mr. Morita«, sagte Cedric und wartete, bis sein Gast Platz genommen hatte, bevor er sich selbst hinter seinem Schreibtisch niederließ. »Ich hoffe, Sie hatten einen angenehmen Flug.«

»Ja, vielen Dank. Zwischen Hongkong und London konnte ich ein wenig schlafen, und es war höchst aufmerksam von Ihnen, uns einen Wagen und Ihren persönlichen Assistenten zu schicken, um uns am Flughafen abzuholen.«

»Es war mir ein Vergnügen. Ist das Hotel zu Ihrer Zufriedenheit?«

»Voll und ganz. Überdies liegt es besonders günstig, wenn man in der City zu tun hat.«

»Ich freue mich, das zu hören. Sollen wir uns jetzt dem Geschäftlichen widmen?«

»Nein, nein nein!«, sagte Sebastian und sprang auf. »Kein japanischer Gentleman würde auf die Idee kommen, über Geschäfte zu sprechen, bevor ihm Tee angeboten wurde. In Tokio würde die Teezeremonie von einer Geisha durchgeführt werden und könnte bis zu dreißig Minuten oder mehr in Anspruch nehmen, je nachdem, welcher Rang Ihnen gebührt. Natürlich könnte es sein, dass er Ihr Angebot ablehnt, aber trotzdem würde er erwarten, dass Sie es machen.«

»Das habe ich vergessen«, sagte Cedric. »Ein dummer Fehler, den ich am entscheidenden Tag gewiss nicht wiederholen werde. Glücklicherweise können Sie mir zu Hilfe eilen, wenn mir irgendein Missgeschick unterläuft.«

»Nein, das wird mir leider nicht möglich sein«, erwiderte Sebastian. »Ich werde zusammen mit Mr. Ono im hinteren Bereich des Raums sitzen. Wir werden uns Notizen zu dem Gespräch machen, das Sie mit Mr. Morita führen, und keiner von uns wird auch nur auf die Idee kommen, unseren Vorgesetzten zu unterbrechen.«

»Wann darf ich denn dann mit ihm über das Geschäftliche sprechen?«

»Erst wenn Mr. Morita den ersten Schluck aus seiner zweiten Tasse Tee genommen hat.«

»Und darf ich bei der Konversation, die ich vorher mache, meine Frau und meine Familie erwähnen?«

»Nur dann, wenn er dieses Thema zuerst anspricht. Er ist seit elf Jahren mit Yoshiko verheiratet, und sie begleitet ihn gelegentlich auf seinen Reisen ins Ausland.«

»Haben sie Kinder?«

»Er hat drei kleine Kinder. Zwei Söhne, Hideo, sechs Jahre, und Masao, vier, sowie eine Tochter, Naoko, die erst zwei Jahre alt ist.«

»Darf ich erwähnen, dass mein Sohn Jura studiert hat und erst kürzlich Kronanwalt geworden ist?«

»Nur wenn er seine eigenen Kinder zuerst erwähnt, was höchst unwahrscheinlich sein dürfte.«

»Ich verstehe«, sagte Cedric. »Oder wenigstens glaube ich das. Denken Sie, dass die Vorstandsvorsitzenden der anderen Banken genauso viel Aufwand treiben?«

»Sie sollten es jedenfalls, wenn ihnen der Vertrag genauso am Herzen liegt wie Farthings.«

»Ich bin Ihnen sehr dankbar, Seb. Und wie kommen Sie mit Japanisch voran?«

»Es ging so lange gut, bis ich mich völlig zum Narren gemacht und versucht habe, mich mit der Frau des Professors zu verabreden.«

Cedric konnte nicht aufhören zu lachen, als Sebastian ihm in allen Einzelheiten berichtete, was sich am Abend zuvor ereignet hatte. »Triefend nass, sagen Sie?«

»Bis auf die Haut. Ich weiß nicht, was zwischen mir und den Frauen schiefläuft. Ich scheine einfach nicht über dieselbe Anziehungskraft wie die anderen Jungs in der Bank zu verfügen.«

»Ich kann Ihnen sagen, was mit den anderen Jungs los ist«, sagte Cedric. »Nach ein paar Bieren tun sie so, als verrieten sie einem die Geheimtipps von James Bond. Aber bei den meisten von ihnen ist das nichts weiter als Angeberei, glauben Sie mir.«

»Hatten Sie dasselbe Problem, als Sie in meinem Alter waren?«

»Absolut nicht«, sagte Cedric. »Aber das liegt wohl daran, dass ich Beryl kennenlernte, als ich sechs war, und seither nie wieder eine andere Frau angesehen habe.«

»Sechs?«, sagte Sebastian. »Sie sind ja noch schlimmer als

meine Mutter. Sie hat sich in meinen Dad verliebt, als sie zehn war, und von da an hatte der arme Kerl keine Chance mehr.«

»Genauso wenig wie ich«, gab Cedric zu. »Sehen Sie, Beryl war für die Milchausgabe in der Grundschule von Huddersfield verantwortlich, und als ich einen Viertelliter mehr haben wollte ... da hat sie mich ganz schön rumkommandiert. Was sie, wenn ich so darüber nachdenke, heute noch macht. Doch ich wollte nie jemand anderen.«

»Und Sie haben tatsächlich nie eine andere Frau angesehen?«

»Na schön, hingesehen habe ich gelegentlich, aber das war auch schon alles. Warum sollte man Messing suchen, wenn man Gold gefunden hat?«

Sebastian lächelte. »Woran werde ich erkennen, dass ich Gold gefunden habe?«

»Sie werden es einfach wissen, mein Junge. Glauben Sie mir, Sie werden es einfach wissen.«

Die letzten beiden Wochen, bevor Mr. Moritas Flugzeug am London Airport eintreffen sollte, verbrachte Sebastian damit, jede Unterrichtsstunde von Professor Marsh zu besuchen, ohne sich auch nur ein einziges Mal nach dessen Frau umzudrehen. Abends kam er zurück in die Wohnung seines Onkels Giles am Smith Square, und nach einem leichten Abendessen, das er anstatt mit Messer und Gabel mit Essstäbchen zu sich nahm, zog er sich auf sein Zimmer zurück, las, hörte sich Sprachaufnahmen an und verbeugte sich immer wieder vor einem bodentiefen Spiegel.

In der Nacht, bevor der Vorhang aufgehen sollte, schien es ihm, als sei er ganz gut auf alles vorbereitet. Na ja, einigermaßen vorbereitet.

Giles gewöhnte sich daran, dass Sebastian jeden Morgen eine Verbeugung machte, wenn er das Frühstückszimmer betrat.

»Du musst meinen Gruß mit einem Nicken erwidern, sonst kann ich mich nicht setzen«, sagte Sebastian.

»So langsam gefällt mir das«, sagte Giles, als Gwyneth zu ihnen ins Zimmer kam. »Guten Morgen, Liebling«, sagte er, während er sich gemeinsam mit Sebastian von seinem Platz erhob.

»Vor der Tür steht ein hübscher Daimler«, sagte Gwyneth und setzte sich Giles gegenüber.

»Ja. Er bringt mich zum London Airport, damit ich Mr. Morita abholen kann.«

»Natürlich. Heute ist der große Tag.«

»Absolut«, sagte Sebastian. Er trank seinen Orangensaft, sprang auf und eilte in den Flur, um noch einmal einen Blick in den Spiegel zu werfen.

»Ich mag dieses Hemd«, sagte Gwyneth, während sie Butter auf eine Scheibe Toast strich. »Aber die Krawatte ist ein bisschen zu sehr alte Schule. Ich finde, die blaue Seidenkrawatte, die du zu unserer Hochzeit getragen hast, wäre ein wenig angemessener.«

»Du hast recht«, sagte Sebastian, rannte sofort nach oben und verschwand in seinem Zimmer.

»Viel Glück«, sagte Giles, als der junge Mann die Treppe wieder nach unten stürmte.

»Danke«, rief Sebastian über die Schulter und verließ das Haus.

Mr. Hardcastles Chauffeur stand an der hinteren Tür des Daimlers.

»Ich glaube, ich werde mich vorne hinsetzen, Tom, denn das wird auch auf dem Rückweg mein Platz sein.«

»Ganz wie Sie wünschen«, sagte Tom und setzte sich hinter das Steuer.

»Sagen Sie«, begann Sebastian, als der Wagen Smith Square verließ und in Richtung Embankment fuhr, »als Sie ein junger Mann waren …«

»Vorsicht, mein Junge, ich bin erst vierunddreißig.«

»Tut mir leid. Ich versuch's noch mal. Wie viele Frauen kannten Sie, bevor Sie geheiratet haben?«

»Sie meinen, mit wie vielen ich Sex hatte?«, fragte Tom.

Sebastian errötete. Mühsam brachte er ein »Ja« heraus.

»Haben wir Schwierigkeiten mit den kleinen Vögelchen?«

»Mit einem Wort – ja.«

»Nun, ich habe nicht die Absicht, diese Frage zu beantworten, Kumpel, da ich mich dadurch zweifellos selbst belasten würde.« Sebastian lachte. »Aber es waren nicht so viele, wie ich gerne gehabt hätte, und nicht so viele, wie ich meinen Freunden erzählt habe.«

Sebastian lachte wieder. »Und wie ist das Eheleben so?«

»Es geht rauf und runter, wie die Tower Bridge. Wie kommen Sie überhaupt auf dieses Thema, Seb?«, fragte Tom, als sie an Earls Court vorbeikamen. »Haben Sie jemanden gefunden, der Ihnen besonders gefällt?«

»Schön wär's. Nein, es ist nur so, dass mit mir einfach nichts anzufangen ist, wenn es um Frauen geht. Ich scheine alles zu vermasseln, wenn ich ein Mädchen treffe, das ich mag. Irgendwie muss ich wohl immer wieder die falschen Signale aussenden.«

»Was nicht besonders sinnvoll ist, wo doch alles andere für Sie spricht, nicht wahr?«

»Was meinen Sie damit?«

»Sie sind auf Ihre Feine-Pinkel-Art recht ansehnlich. Sie

sind gut erzogen, drücken sich gewählt aus, kommen aus einer guten Familie – was wollen Sie mehr?«

»Ich habe kein Geld.«

»Mag sein. Aber Sie haben Potenzial. Und die Damen mögen Potenzial. Sie denken dann immer, dass sie es für ihre eigenen Ziele einspannen und zu ihrem Vorteil nutzen können. Deshalb werden Sie auf diesem Gebiet keine Probleme haben, glauben Sie mir. Sobald es erst mal läuft, werden Sie nie wieder einen Blick zurückwerfen.«

»Tom, Sie verschwenden hier wirklich Ihre Zeit. Sie hätten Philosoph werden sollen.«

»Jetzt reicht's aber, Kumpel! Nicht ich bin es, dem sie einen Platz in Cambridge freihalten. Denn eins kann ich Ihnen sagen: Wenn ich auch nur die Hälfte Ihrer Chancen hätte, würde ich sofort mit Ihnen tauschen.«

Dieser Gedanke war Sebastian noch nie gekommen.

»Verstehen Sie mich nicht falsch. Ich beklage mich nicht. Ich habe einen guten Job, Mr. Hardcastle ist ein wunderbarer Chef, und Linda ist wirklich eine tolle Ehefrau. Aber wenn ich Ihre Startbedingungen im Leben gehabt hätte, wäre ich ganz sicher kein Chauffeur, so viel steht fest.«

»Was wären Sie dann?«

»Ich würde inzwischen einen richtigen Fuhrpark besitzen, und Sie würden mich ›Sir‹ nennen.«

Sebastian fühlte sich plötzlich schuldig. Er betrachtete so viele Dinge als selbstverständlich und verschwendete keinen Gedanken daran, wie das Leben anderer Menschen aussah oder wie privilegiert er in ihren Augen vielleicht war. Während der restlichen Fahrt schwieg er, denn ihm war schmerzlich bewusst geworden, dass die Geburt das erste Los in der Lebenslotterie darstellt.

Tom brach das Schweigen, als er die Great West Road verließ. »Stimmt es, dass wir heute drei Japsen abholen?«

»Achten Sie auf Ihren Tonfall, Tom. Wir wollen drei japanische Gentlemen in Empfang nehmen.«

»Verstehen Sie mich nicht falsch. Ich habe nichts gegen diese kleinen gelben Scheißer. Könnte ja sein, dass sie nur deshalb in den Krieg gezogen sind, weil man es ihnen befohlen hat.«

»Jetzt sind Sie auch noch Historiker«, sagte Sebastian, als die Limousine vor dem Flughafenterminal hielt. »Öffnen Sie die Türen und lassen Sie den Motor laufen, sobald Sie mich sehen, denn die drei Herren sind sehr wichtig für Mr. Hardcastle.«

»Ich werde bereit sein und Haltung annehmen«, sagte Tom. »Ich habe sogar meine Verbeugung geübt.«

»In Ihrem Fall sollte sie sehr tief ausfallen«, sagte Sebastian grinsend.

Obwohl es auf der Ankunftstafel hieß, dass das Flugzeug pünktlich ankommen würde, war Sebastian bereits eine Stunde zuvor im Terminal. Er holte sich einen lauwarmen Kaffee in einem kleinen, überfüllten Café und besorgte sich eine *Daily Mail*, in der er etwas über zwei Affen las, die die Amerikaner in den Weltraum geschossen hatten und die gerade erst wieder sicher auf der Erde gelandet waren. Er ging zweimal in den Waschraum, überprüfte dreimal seine Krawatte im Spiegel – Gwyneth hatte recht gehabt – und ging in der Halle auf und ab, wo er immer wieder den Satz einübte, den er auf Japanisch vorbereitet hatte: »Guten Morgen, Mr. Morita. Willkommen in England«, gefolgt von einer tiefen Verbeugung.

»Japan Airlines Flug Nummer 107 aus Tokio ist soeben

gelandet«, verkündete eine wohlartikulierte Stimme über Lautsprecher.

Sofort nahm Sebastian seinen Platz im Ankunftsbereich ein, von wo aus er einen guten Blick auf die Passagiere hatte, die durch den Zoll kamen. Nicht erwartet hatte er jedoch, dass so viele japanische Geschäftsleute Flug 107 nehmen würden, und er hatte keine Ahnung, wie Mr. Morita und seine Kollegen aussahen.

Jedes Mal, wenn drei Passagiere zusammen aus dem Gate kamen, trat er vor, verbeugte sich und stellte sich vor. Beim vierten Mal hatte er Glück, doch inzwischen war er so nervös, dass er seinen Begrüßungssatz auf Englisch vorbrachte.

»Guten Morgen, Mr. Morita. Willkommen in England«, sagte er und verbeugte sich tief. »Ich bin der persönliche Assistent von Mr. Hardcastle und habe draußen einen Wagen stehen, der Sie ins Savoy bringen wird.«

»Vielen Dank«, sagte Mr. Morita und ließ sogleich erkennen, dass er viel besser Englisch sprach als Sebastian Japanisch. »Es ist höchst aufmerksam von Mr. Hardcastle, sich so viel Mühe zu machen.«

Da Morita offensichtlich nicht die Absicht hatte, seine beiden Kollegen vorzustellen, führte Sebastian die drei Japaner unverzüglich aus dem Terminal.

»Guten Morgen, Sir«, sagte Tom und verbeugte sich tief, doch Mr. Morita und seine Kollegen stiegen in den Wagen, ohne von ihm Notiz zu nehmen.

Eilig nahm Sebastian auf dem Beifahrersitz Platz, und der Wagen fädelte sich in den langsam dahinrollenden Vormittagsverkehr in Richtung London. Sebastian schwieg während der Fahrt zum Savoy, doch Mr. Morita plauderte leise in seiner Muttersprache mit seinen Kollegen. Vierzig Minuten später hielt der Daimler vor dem Hotel. Drei Pagen eilten zum Kofferraum der Limousine und begannen, das Gepäck zu entladen.

Als Morita auf den Bürgersteig trat, verbeugte sich Sebastian tief vor ihm. »Ich werde um halb zwölf zurück sein, Sir«, sagte er auf Englisch, »so werden Sie Ihren Termin bei Mr. Hardcastle um zwölf Uhr pünktlich wahrnehmen können.«

Mr. Morita deutete ein Nicken an, als der Hoteldirektor hinzutrat, sich tief verbeugte und sagte: »Willkommen zurück im Savoy, Morita San.«

Sebastian ging erst zum Wagen zurück, nachdem Morita durch die Drehtür ins Hotel verschwunden war. »Wir müssen wieder ins Büro, und zwar so schnell wie möglich.«

»Aber ich habe Anweisung, vor Ort zu bleiben für den Fall, dass Mr. Morita einen Wagen braucht«, sagte Tom, ohne sich von der Stelle zu rühren.

»Es ist mir egal, was man Ihnen ursprünglich aufgetragen hat«, erwiderte Sebastian. »Wir fahren sofort ins Büro. Und treten Sie aufs Gas.«

»Meinetwegen. Auf Ihre Verantwortung«, sagte Tom, bevor er auf der falschen Straßenseite vom Savoy weg und in Richtung The Strand raste.

Zweiundzwanzig Minuten später hatten sie den Hauptsitz von Farthings erreicht. »Wenden Sie und lassen Sie den Motor laufen«, sagte Sebastian. »Ich bin so schnell wie möglich zurück.« Er sprang aus dem Wagen und stürmte ins Gebäude auf den nächstgelegenen Lift zu. Als er den fünften Stock erreicht hatte, rannte er den Flur entlang und platzte ohne anzuklopfen in das Büro des Vorstandsvorsitzenden. Adrian Sloane gab sich gar nicht erst die Mühe zu verbergen, wie sehr er diese abrupte Unterbrechung seiner Besprechung mit dem Leiter der Bank missbilligte.

»Ich dachte, ich hätte Sie angewiesen, beim Savoy zu bleiben«, sagte Cedric.

»Es hat sich eine neue Situation ergeben, Mr. Chairman, und mir bleiben nur wenige Augenblicke, Sie darüber zu informieren.«

Sloane sah sogar noch unerfreuter aus, als Cedric Hardcastle ihn bat, das Büro zu verlassen und erst ein paar Minuten später wieder zurückzukehren. »Also, wo liegt das Problem?«, fragte Cedric Sebastian, nachdem Sloane die Tür hinter sich geschlossen hatte.

»Mr. Morita hat heute Nachmittag um drei einen Termin bei der Westminster Bank und einen weiteren bei Barclays morgen Vormittag um zehn. Er und seine Mitarbeiter sind darüber besorgt, dass Farthings bisher noch nicht viele Unternehmenskredite ausgegeben hat, und Sie müssen die Herren überzeugen, dass Sie in der Lage sind, mit so einem bedeutenden Abschluss zurechtzukommen. Und übrigens, die Herren wissen alles über Sie, einschließlich der Tatsache, dass Sie die Schule mit fünfzehn Jahren verlassen haben.«

»Er kann also Englisch lesen«, sagte Cedric. »Aber wie sind Sie an diese Informationen gekommen? Ich nehme nicht an, dass die Japaner sie Ihnen freiwillig gegeben haben.«

»Das haben sie auch nicht. Sie wussten nicht, dass ich Japanisch spreche.«

»Dann brauchen die Herren das auch weiterhin nicht zu wissen«, sagte Cedric. »Es könnte noch nützlich werden. Im Moment sollten Sie allerdings schleunigst wieder zurück zum Savoy.«

»Nur eine Sache noch«, sagte Sebastian, der schon auf die Tür zuging. »Mr. Morita ist nicht zum ersten Mal im Savoy. Der Direktor hat ihn sogar begrüßt, als sei er ein regelmäßiger

Gast. Und gerade fällt mir noch ein, dass die drei gerne Karten für *My Fair Lady* hätten, aber man hat ihnen gesagt, dass alle nächsten Vorstellungen ausverkauft sind.«

Der Vorsitzende griff zum Telefonhörer und sagte: »Finden Sie heraus, in welchem Theater *My Fair Lady* gegeben wird, und holen Sie mir den Kartenverkauf an den Apparat.«

Sebastian stürmte aus dem Büro und den Flur hinab, wobei er versuchte, durch bloße Willenskraft einen wartenden Aufzug herbeizuzaubern. Doch das funktionierte nicht, und es schien eine Ewigkeit zu dauern, bis der Aufzug tatsächlich kam. Und bei der Fahrt hinab hielt er in jedem einzelnen Stockwerk. Sebastian rannte aus dem Gebäude, sprang in den Wagen, warf einen Blick auf seine Uhr und sagte: »Wir haben sechsundzwanzig Minuten, um wieder am Savoy zu sein.«

Sebastian konnte sich nicht daran erinnern, dass der Verkehr sich jemals so langsam bewegt hatte. Jede Ampel schien auf Rot zu schalten, sobald sie näher kamen. Und warum waren auf allen Zebrastreifen ausgerechnet um diese Zeit am Vormittag so viele Leute?

Tom bog um siebenundzwanzig Minuten nach elf auf den Savoy Place ein, wo eine Flotte hoteleigener Limousinen einen schier unablässigen Strom an Gästen in das Hotel brachte. Sebastian konnte es sich nicht leisten zu warten, denn noch immer klangen ihm Professor Marshs Worte im Ohr: *Japaner kommen nie zu spät zu einem Termin und betrachten es als eine Beleidigung, wenn Sie Ihrerseits nicht pünktlich sind.* Also sprang er aus dem Auto und rannte die Straße entlang in Richtung Hotel.

Warum habe ich nicht im Hotel angerufen?, fragte er sich, lange bevor er den Haupteingang erreicht hatte. Doch es war bereits zu spät, sich darüber Sorgen zu machen. Er stürmte am

Portier vorbei und eilte durch die Drehtür, wobei er eine Dame viel schneller nach draußen beförderte, als diese wohl beabsichtigt gehabt hatte.

Er sah hinauf zu der Uhr im Foyer. 11:29 Uhr. Rasch ging er zu den Aufzügen, überprüfte seine Krawatte im Spiegel und holte tief Luft. Die Uhr schlug zweimal, die Aufzugtür öffnete sich, und heraus trat Mr. Morita mit seinen beiden Kollegen. Er schenkte Sebastian ein Lächeln. Was daran liegen mochte, dass er davon ausging, der junge Mann habe während der letzten Stunde an genau dieser Stelle gewartet.

16

Sebastian öffnete die Tür, sodass Mr. Morita und seine beiden Kollegen in das Büro des Vorstandsvorsitzenden eintreten konnten.

Cedric kam sich zum ersten Mal in seinem Leben groß vor, als er auf die drei Japaner zuging, um sie zu begrüßen. Er wollte sich gerade verbeugen, als Mr. Morita ihm die Hand reichte.

»Ich bin erfreut, Ihre Bekanntschaft zu machen«, sagte Cedric, während er dem Japaner die Hand schüttelte. Und gerade, als er ein weiteres Mal zu einer Verbeugung ansetzte, drehte sich Morita um und sagte: »Darf ich Ihnen Mr. Ueyama, meinen geschäftsführenden Direktor, vorstellen?« Der Mann trat vor und gab Cedric ebenfalls die Hand. Der Vorsitzende von Farthings hätte auch Mr. Ono die Hand gegeben, doch dieser hielt eine große Schachtel in beiden Händen.

»Bitte nehmen Sie Platz«, sagte Cedric und versuchte, sich an das eingeübte Protokoll zu halten.

»Vielen Dank«, sagte Morita. »Aber zunächst wollen wir der ehrwürdigen japanischen Tradition folgen und mit unserem neuen Freund die Geschenke austauschen.« Der Privatsekretär trat vor und reichte Mr. Morita die Schachtel, welcher sie seinerseits Cedric überreichte.

»Wie überaus freundlich von Ihnen«, sagte Cedric, wobei er etwas verlegen wirkte, denn seine drei Besucher rührten sich nicht von der Stelle und erwarteten offensichtlich, dass er das Geschenk öffnete.

Er ließ sich Zeit. Zunächst löste er das blaue Band, das sorgfältig zu einer hübschen Schlaufe gebunden worden war, und während er das Goldpapier abstreifte, dachte er darüber nach, was er Morita schenken könnte. Würde er seinen Henry Moore opfern müssen? Voller Hoffnung, aber ohne Erwartung, dass diese Hoffnung erfüllt würde, sah er zu Sebastian hinüber, und in der Tat schien der junge Mann ebenso verlegen zu sein. Die Tradition des Geschenkeaustausches musste in einer der wenigen Stunden behandelt worden sein, in denen er gefehlt hatte.

Cedric hob den Deckel von der Schachtel und schnappte nach Luft, bevor er eine schöne, zierliche Vase herausnahm, die türkisfarben und schwarz gemustert war. Sebastian, der am hinteren Ende des Raumes stand, machte einen Schritt nach vorn, sagte jedoch nichts.

»Wundervoll«, sagte Cedric. Er nahm eine Blumenschale von seinem Schreibtisch und stellte die elegante ovale Vase an deren Stelle. »Wenn Sie in Zukunft in mein Büro kommen, Mr. Morita, werden Sie diese Vase immer auf meinem Schreibtisch finden.«

»Ich fühle mich geehrt«, sagte Morita und verbeugte sich zum ersten Mal.

Sebastian machte einen weiteren Schritt nach vorn, bis er nicht einmal mehr einen halben Meter von Mr. Morita entfernt stand. Er wandte sich an Cedric.

»Würden Sie mir gestatten, unserem hochgeehrten Gast eine Frage zu stellen, Sir?«

»Gewiss«, sagte Cedric in der Hoffnung, dass Sebastian ihn in seiner Bedrängnis retten würde.

»Dürfte ich den Namen des Töpfers erfahren, Morita San?«

Mr. Morita lächelte. »Shoji Hamada«, erwiderte er.

»Es ist uns eine große Ehre, ein Geschenk zu empfangen, das von einer lebenden Legende Ihres Landes geschaffen wurde. Wenn der Vorsitzende das gewusst hätte, hätte er Ihnen ein ähnliches Geschenk aus der Hand eines unserer besten englischen Töpfer überreicht – eines Mannes, der ein Buch über Hamadas Arbeiten geschrieben hat.« All die endlosen Plaudereien mit Jessica erwiesen sich endlich als nützlich.

»Mr. Bernard Leach«, sagte Mr. Morita. »Ich habe das Glück, drei seiner Werke zu meiner Sammlung zählen zu dürfen.«

»Das Geschenk, das der Vorsitzende ausgewählt hat, ist zwar gewiss nicht so wertvoll, doch wir überreichen es Ihnen im selben Geist der Freundschaft.«

Cedric lächelte. Er konnte es kaum erwarten zu erfahren, welches Geschenk er ausgesucht hatte.

»Der Vorsitzende hat drei Karten für die heutige Abendvorstellung von *My Fair Lady* im Theatre Royal in der Drury Lane erworben. Mit Ihrer Erlaubnis werde ich Sie um sieben im Hotel abholen und Sie ins Theater bringen, wo sich der Vorhang um halb acht heben wird.«

»Man könnte sich kein passenderes Geschenk vorstellen«, sagte Mr. Morita. Er wandte sich an Cedric und fügte hinzu: »Ich fühle mich beschämt durch Ihre großzügige Wahl.«

Cedric verbeugte sich. Offensichtlich war jetzt nicht der geeignete Zeitpunkt, um Sebastian mitzuteilen, dass er das Theater bereits angerufen und erfahren hatte, dass das Stück für die nächsten zwei Wochen ausverkauft war. Eine träge Stimme hatte ihn informiert: »Sie können sich immer noch in der Schlange für die nicht abgeholten Karten anstellen.« Genau das würde Sebastian für den Rest des Tages tun.

»Bitte nehmen Sie Platz, Mr. Morita«, sagte Cedric und versuchte, sich wieder zu fassen. »Vielleicht möchten Sie etwas Tee?«

»Nein, danke. Aber eine Tasse Kaffee, wenn das möglich wäre.«

Wehmütig dachte Cedric an die sechs verschiedenen Teesorten aus Indien, Ceylon und Malaya, die er zu Anfang der Woche bei Carwardine's ausgesucht hatte und die jetzt allesamt mit einem einzigen Satz abgelehnt worden waren. Er drückte einen Knopf an seinem Telefon und betete, dass seine Sekretärin Kaffee trank. »Einen Kaffee bitte, Miss Clough.« Nachdem er den Hörer wieder aufgelegt hatte, fuhr er an Morita gewandt fort: »Ich hoffe, Sie hatten einen angenehmen Flug.«

»Zu viele Zwischenlandungen, fürchte ich. Ich freue mich schon auf den Tag, an dem man nonstop von Tokio nach London fliegen kann.«

»Was für eine Vorstellung«, sagte Cedric. »Ich hoffe, Sie sind mit Ihrem Hotel zufrieden?«

»Ich steige immer im Savoy ab. Es liegt so günstig, wenn man in der City zu tun hat.«

»Ja, natürlich«, sagte Cedric. Schon wieder fühlte er sich auf dem falschen Fuß erwischt.

Mr. Morita beugte sich vor, betrachtete das Foto auf Cedrics Schreibtisch und sagte: »Ihre Frau und Ihr Sohn?«

»Ja«, antwortete Cedric, unsicher, ob er ausführlicher auf das Thema eingehen sollte.

»Die Ehefrau war in der Milchausgabe, der Sohn ist Kronanwalt.«

»Ja«, sagte Cedric hilflos.

»Meine Söhne«, sagte Morita, zog seine Brieftasche aus seinem Jackett und nahm zwei Fotos heraus, die er vor Cedric auf den Schreibtisch legte. »Hideo und Masao gehen in Tokio zur Schule.«

Cedric betrachtete die Fotos und begriff, dass der Zeitpunkt gekommen war, sich nicht weiter an den geplanten Ablauf zu halten. »Und Ihre Frau?«

»Mrs. Morita konnte diesmal nicht mit nach England kommen, weil unsere kleine Tochter Naoko die Windpocken hat.«

»Das tut mir leid«, sagte Cedric, als leise an die Tür geklopft wurde und Miss Clough ein Tablett mit dem Kaffee und Butterkeksen hereinbrachte. Kurz darauf, als Cedric gerade im Begriff war, den ersten Schluck aus seiner Tasse zu nehmen, und sich fragte, worüber er als Nächstes plaudern könnte, schlug Mr. Morita vor: »Vielleicht sollten wir nun über das Geschäftliche sprechen?«

»Ja, natürlich«, sagte Cedric und stellte seine Tasse zurück. Er öffnete eine Akte, die auf seinem Schreibtisch lag, und rief sich noch einmal die entscheidenden Punkte ins Gedächtnis, die er am Abend zuvor zusammengestellt hatte. »Gleich zu Beginn möchte ich Sie darauf hinweisen, Mr. Morita, dass diese Art von Kredit nicht zu dem Geschäftsfeld gehört, auf dem Farthings das Ansehen erworben hat, das es heute genießt. Da wir jedoch die Absicht haben, eine langfristige Beziehung mit Ihrem geschätzten Unternehmen einzugehen, hoffe ich, dass Sie uns die Möglichkeit bieten werden, unsere Leistungsfähigkeit zu beweisen.« Morita nickte. »In Anbetracht der Tatsache, dass Sie zehn Millionen Pfund zu einem festgelegten Zinssatz und mit einer Laufzeit von fünf Jahren aufzunehmen wünschen, und im Hinblick auf Ihre jüngsten Cash-Flow-Zahlen unter Einbeziehung der gegenwärtigen Umtauschrate des Yen, halten wir einen Zinssatz für realistisch, der …«

Jetzt, da sich Cedric wieder auf vertrautem Terrain bewegte, konnte er sich zum ersten Mal entspannen. Vierzig Minuten später hatte er seine Vorstellungen erläutert und jede der Fragen von Mr. Morita beantwortet. Sebastian hatte den Eindruck, dass sein Chef es nicht hätte besser machen können.

»Dürfte ich vorschlagen, dass Sie einen Vertrag anfertigen lassen, Mr. Hardcastle? Schon lange bevor ich in Tokio zu diesem Besuch aufgebrochen bin, war ich der Ansicht, dass Sie der Richtige für diese Aufgabe sind. Ihre Präsentation hat diesen Eindruck noch verstärkt. Ich habe zwar noch Termine bei zwei anderen Banken, doch ich werde sie nur wahrnehmen, um meine Aktionäre davon zu überzeugen, dass ich auch mögliche Alternativen in Betracht gezogen habe. Kümmere dich um den Rin, und der Yen sorgt für sich selbst.«

Die beiden Männer lachten.

»Möchten Sie«, sagte Cedric, »sich mir vielleicht zum Lunch anschließen, wenn Sie Zeit haben? Kürzlich hat ein japanisches Restaurant in der Stadt eröffnet und ausgezeichnete Kritiken erhalten. Deshalb dachte ich …«

»Denken Sie lieber noch einmal nach, Mr. Hardcastle, denn ich bin nicht sechstausend Meilen weit geflogen, nur um ein japanisches Restaurant aufzusuchen. Nein, ich werde Sie ins Rules einladen, und dann werden wir Roastbeef und Yorkshire Pudding genießen. Genau das Richtige für jemanden aus Huddersfield, denke ich.«

Wieder brachen beide in lautes Gelächter aus.

Als sie ein paar Minuten später das Büro verließen, hielt Cedric Sebastian für einen Augenblick zurück und flüsterte ihm ins Ohr: »Netter Einfall, doch weil es für die heutige Abendvorstellung von *My Fair Lady* keine Karten mehr gibt, werden Sie den Rest des Tages in der Schlange für die nicht abgeholten Karten verbringen. Wir können nur hoffen, dass es nicht regnet, sonst werden Sie wieder völlig durchnässt«, fügte er hinzu, bevor er zu Mr. Morita auf den Flur trat.

Sebastian verbeugte sich tief, als Cedric und seine Gäste den Aufzug bestiegen und in Richtung Erdgeschoss verschwanden. Er selbst wartete noch einige Minuten lang im fünften Stock und rief den Aufzug erst, als er sicher sein konnte, dass die anderen auf dem Weg ins Restaurant waren.

Nachdem Sebastian die Bank verlassen hatte, rief er ein Taxi. »Theatre Royal, Drury Lane«, sagte er, und als der Wagen zwanzig Minuten später vor dem Theater hielt, fiel ihm sofort auf, wie lang die Schlange derer war, die wegen nicht abgeholter Karten anstanden. Er bezahlte den Fahrer und ging direkt zum Verkaufsschalter des Theaters.

»Ich nehme nicht an, dass Sie noch drei Karten für heute Abend haben?«, sagte er in fast flehentlichem Ton.

»Da vermuten Sie ganz richtig«, erwiderte die Frau am Schalter. »Sie könnten sich natürlich in der Schlange für die nicht abgeholten Karten anstellen, doch ehrlich gesagt dürfte auch da bis Weihnachten nur wenig zu machen sein. Es müsste schon jemand sterben, bis für dieses Stück Karten zurückgegeben werden.«

»Der Preis spielt keine Rolle.«

»Das sagen sie alle. In der Schlange stehen Leute, die behaupten, es sei ihr einundzwanzigster Geburtstag oder ihr fünfzigster Hochzeitstag. Einer war sogar so verzweifelt, dass er mir einen Heiratsantrag gemacht hat.«

Sebastian verließ das Theater und trat hinaus auf den Bürgersteig. Noch einmal warf er einen Blick auf die Schlange, die in den letzten Minuten sogar noch länger geworden zu sein schien, und versuchte, sich darüber klar zu werden, was er als

Nächstes tun könnte. Dann fiel ihm etwas ein, worüber er in einem der Romane seines Vaters gelesen hatte. Er entschloss sich herauszufinden, ob ihm dieser Weg genauso viel Erfolg bringen würde, wie er William Warwick gebracht hatte.

Er joggte den Hügel hinab in Richtung The Strand, schlängelte sich durch den Nachmittagsverkehr und erreichte ein paar Minuten später Savoy Place. Er ging direkt zum Empfangstresen und bat die Rezeptionistin um den Namen des Chefportiers.

»Albert Southgate«, erwiderte sie.

Sebastian bedankte sich und schlenderte hinüber zum Pult des Concierge, als sei er ein Gast.

»Ist Albert da?«, fragte er den Concierge.

»Ich glaube, er ist beim Lunch, Sir, aber ich werde kurz nachsehen.« Der Mann verschwand in einem rückwärtig gelegenen Raum.

»Bert, hier ist ein Gentleman, der nach dir fragt.«

Sebastian musste nicht lange warten, bis ein älterer Herr in einem langen blauen Mantel mit goldbestickten Ärmeln und golden schimmernden Knöpfen erschien. Auf Brusthöhe trug er zwei Reihen Weltkriegsorden; eine dieser Auszeichnungen kannte Sebastian. Mit skeptischem Blick musterte der Portier den jungen Mann und fragte: »Wie kann ich Ihnen helfen, Sir?«

»Ich habe ein Problem«, antwortete Sebastian, der sich immer noch fragte, ob er sich wirklich auf ein solches Vorgehen einlassen sollte. »Mein Onkel, Sir Giles Barrington, hat mir gesagt, dass ich mich, wenn ich jemals im Savoy zu Gast sein und irgendetwas benötigen würde, an Albert wenden sollte.«

»Ist das der Gentleman, dem man in Tobruk das Military Cross verliehen hat?«

»Ja, Sir«, sagte Sebastian überrascht.

»Damals haben nicht viele überlebt. Schlimme Sache. Wie kann ich Ihnen helfen?«

»Sir Giles braucht drei Karten für *My Fair Lady*.«

»Für welche Vorstellung?«

»Für die heute Abend.«

»Soll das ein Witz sein?«

»Der Preis spielt keine Rolle.«

»Warten Sie hier. Ich werde sehen, was ich tun kann.«

Sebastian sah zu, wie Albert Southgate das Hotel verließ, die Straße überquerte und in Richtung Theatre Royal ging. Er lief im Foyer auf und ab und warf gelegentlich einen besorgten Blick in Richtung The Strand, doch es dauerte eine volle halbe Stunde, bis der Chefportier wieder ins Hotel zurückkehrte und Sebastian einen Umschlag überreichte.

»Drei Plätze, Reihe F Mitte.«

»Fantastisch. Was schulde ich Ihnen?«

»Nichts.«

»Ich verstehe nicht«, sagte Sebastian.

»Der Leiter des Kartenverkaufs bittet Sie, Sir Giles seine Grüße auszurichten. Sein Bruder, Sergeant Harris, ist in Tobruk gefallen.«

Sebastian schämte sich.

»Gut gemacht, Seb. Sie sind meine Rettung. Jetzt müssen Sie nur noch dafür sorgen, dass der Daimler so lange vor dem Savoy bereitsteht, bis wir sicher sein können, dass Mr. Morita und seine Kollegen friedlich in ihren Betten schlummern«, sagte Cedric.

»Aber zwischen dem Hotel und dem Theater liegen nur ein paar Hundert Meter.«

»Wenn es regnet, kann das ein ziemlich langer Weg sein, wie Ihnen seit Ihrer kurzen Begegnung mit der Frau von Professor Marsh klar sein sollte. Und denken Sie immer daran: Wenn wir uns diese Mühe nicht machen wollen, machen sie sich andere nur allzu gerne.«

Sebastian stieg aus dem Wagen und betrat das Savoy um halb sieben Uhr abends. Er ging direkt zu den Aufzügen, wo er geduldig wartete. Kurz nach sieben erschienen Mr. Morita und seine beiden Kollegen. Sebastian verbeugte sich tief und überreichte ihnen den Umschlag mit den drei Karten.

»Vielen Dank, junger Mann«, sagte Mr. Morita. Dann ging Sebastian mit den Herren durch das Foyer und verließ mit ihnen das Hotel.

»Der Wagen des Vorsitzenden wird Sie zum Theatre Royal bringen«, sagte Sebastian, als Tom die Tür zum Fond des Daimlers öffnete.

»Nein, vielen Dank«, sagte Morita. »Der kleine Spaziergang wird uns guttun.« Ohne ein weiteres Wort zu verlieren, machten sich die drei Männer auf in Richtung Theater. Wieder verbeugte Sebastian sich tief, bevor er neben Tom auf dem Beifahrersitz Platz nahm.

»Warum gehen Sie nicht nach Hause?«, fragte Tom. »Es gibt für Sie keinen Grund, hier weiter rumzuhängen. Sollte es regnen, fahre ich zum Theater und hole die Herren ab.«

»Aber es könnte doch sein, dass sie nach der Vorstellung irgendwo etwas essen oder einen Nachtclub besuchen möchten. Kennen Sie irgendwelche Nachtclubs?«

»Kommt drauf an, was gewünscht wird.«

»*Das* wahrscheinlich nicht, vermute ich mal. Aber wie auch immer. Ich bleibe hier, bis – um Mr. Hardcastle zu zitieren –

wir sicher sein können, dass sie alle friedlich in ihren Betten schlummern.«

Es regnete nicht. Kein einziger Tropfen fiel, und um zehn Uhr wusste Sebastian alles über Toms Leben, was es zu wissen gab, einschließlich der Tatsache, wo er zur Schule gegangen war, wohin man ihn im Krieg geschickt und wo er vor seiner Stellung als Mr. Hardcastles Chauffeur gearbeitet hatte.

Tom erzählte gerade, dass er und seine Frau den nächsten Urlaub in Marbella verbringen wollten, als Sebastian plötzlich »Oh mein Gott« sagte und vom Sitz auf den Boden des Wagens glitt, sodass zwei elegant gekleidete Herren, die am Daimler vorbei ins Hotel gingen, ihn nicht sehen konnten.

»Was machen Sie denn da?«

»Ich bemühe mich, jemandem aus dem Weg zu gehen, den ich nie wieder sehen wollte.«

»Anscheinend ist die Vorstellung zu Ende«, sagte Tom, als auf der Straße zahllose Theaterbesucher zu sehen waren, die sich angeregt unterhielten. Wenige Minuten danach erspähte Sebastian seine drei Schutzbefohlenen, die auf dem Weg zurück ins Hotel waren. Sebastian stieg aus dem Auto und verbeugte sich.

»Ich hoffe, die Vorstellung hat Ihnen gefallen, Morita San.«

»Sie hätte nicht gelungener sein können«, erwiderte Morita. »Ich habe schon seit Jahren nicht mehr so gelacht, und die Musik war einfach wunderbar. Ich werde mich persönlich bei Mr. Hardcastle bedanken, wenn ich ihn morgen früh sehe. Bitte gehen Sie nach Hause, Mr. Clifton. Ich werde den Wagen heute Nacht nicht mehr benötigen. Es tut mir leid, dass Sie so lange warten mussten.«

»Es war mir ein Vergnügen, Morita San«, sagte Sebastian. Er blieb auf dem Bürgersteig stehen und sah zu, wie die drei

Männer das Hotel betraten, das Foyer durchquerten und zu den Aufzügen gingen. Sein Herz schlug schneller, als er sah, wie zwei Männer vortraten, sich verbeugten und Mr. Morita die Hand gaben. Sebastian rührte sich nicht von der Stelle. Die beiden Männer sprachen einige Augenblicke lang mit Morita. Dann schickte dieser seine Kollegen fort und begleitete die beiden Männer in die American Bar. Sebastian wäre am liebsten ins Hotel gegangen, um sich ein genaueres Bild zu verschaffen, doch er wusste, dass er so etwas nicht riskieren konnte. Stattdessen nahm er zögernd wieder im Wagen Platz.

»Alles in Ordnung mit Ihnen?«, fragte Tom. »Sie sind kreidebleich.«

»Um wie viel Uhr geht Mr. Hardcastle zu Bett?«

»Elf, halb zwölf. Es kommt darauf an. Aber wenn er noch wach ist, sieht man das. Dann brennt in seinem Arbeitszimmer nämlich noch Licht.«

Sebastian warf einen Blick auf die Uhr. 22:43 Uhr. »Dann sollten wir nachsehen, ob er noch wach ist.«

Tom fuhr in Richtung The Strand, überquerte den Trafalgar Square, folgte der Mall in Richtung Hyde Park Corner und erreichte um kurz nach elf Cadogan Place Nummer 37. Das Licht im Arbeitszimmer brannte noch. Zweifellos sah der Vorsitzende mindestens zum dritten Mal den Vertrag durch, den, so erwartete er, die Japaner am nächsten Morgen unterzeichnen würden.

Langsam stieg Sebastian aus dem Auto, ging die Stufen hinauf und klingelte an der Tür. Wenige Augenblicke später ging das Licht im Flur an, und Cedric öffnete.

»Es tut mir leid, Sie so spät noch zu stören, Chairman, aber wir haben ein Problem.«

17

»Als Erstes müssen Sie Ihrem Onkel die Wahrheit sagen«, betonte Cedric. »Und damit meine ich: die ganze Wahrheit.«

»Ich werde ihm alles sagen, sobald ich heute Abend wieder zu Hause bin.«

»Sir Giles muss wissen, was Sie in seinem Namen getan haben, denn er wird sich bei Mr. Harris vom Royal Theatre ebenso bedanken wollen wie beim Chefportier des Savoy.«

»Albert Southgate.«

»Und *Sie* müssen sich ebenfalls bei den beiden bedanken.«

»Ja, natürlich. Und ich kann mich nur noch einmal entschuldigen, Sir. Ich komme mir vor, als hätte ich Sie im Stich gelassen, denn die ganze Angelegenheit muss für Sie reine Zeitverschwendung gewesen sein.«

»Solche Erfahrungen sind in den seltensten Fällen *reine* Zeitverschwendung. Denn fast immer, wenn man sich um einen Abschluss bemüht – und selbst dann, wenn man am Ende nicht den Zuschlag erhält –,lernt man etwas dabei, das einem bei der nächsten Gelegenheit hilft.«

»Und was habe ich gelernt?«

»Zunächst einmal Japanisch. Ganz zu schweigen von der einen oder anderen Sache über sich selbst.«

»Aber die viele Zeit, die Sie und Ihre leitenden Mitarbeiter in dieses Projekt investiert haben, von den beträchtlichen Aufwendungen der Bank ganz abgesehen.«

»Für Barclays oder Westminster wäre es auch nicht anders gewesen. Wenn man eines von fünf Projekten in dieser Größenordnung abschließen kann, dann zählt das schon als Erfolg«, fügte er hinzu, als das Telefon auf seinem Schreibtisch klingelte. Er nahm den Hörer ab und sagte einen Augenblick später: »Ja, schicken Sie ihn rein.«

»Soll ich gehen, Sir?«

»Nein, bleiben Sie. Es ist ganz in meinem Sinne, dass Sie meinen Sohn kennenlernen.« Die Tür ging auf, und ein junger Mann kam herein, dem man sofort ansah, dass Cedric Hardcastle sein Vater sein musste: Zwar war er vielleicht zwei, drei Zentimeter größer, doch er hatte dasselbe warmherzige Lächeln, dieselben breiten Schultern und denselben fast kahlen Schädel, auch wenn der Halbkreis seiner Haare, der sich von Ohr zu Ohr zog, möglicherweise ein wenig dichter war, was ihn wie einen Mönch aus dem siebzehnten Jahrhundert wirken ließ. Und er besaß, wie Sebastian schnell herausfinden sollte, denselben scharfen Verstand.

»Guten Morgen, Pop. Schön, dich zu sehen.« Und denselben Yorkshire-Akzent.

»Arnold, das ist Sebastian Clifton, der mich bei den Verhandlungen mit Sony unterstützt hat.«

»Ich freue mich, Ihre Bekanntschaft zu machen, Sir«, sagte Sebastian, als sie einander die Hand gaben.

»Ich bin ein großer Bewunderer …«

»… der Bücher meines Vaters?«

»Nein. Ich kann nicht behaupten, dass ich jemals auch nur eines gelesen hätte. Ich habe schon bei Tag so viel mit Ermittlern der Polizei zu tun, dass ich nicht auch noch nachts über sie lesen muss.«

»Dann meinen Sie sicher meine Mutter, die die erste Vorstandsvorsitzende einer Aktiengesellschaft in diesem Land ist.«

»Nein, es ist Ihre Schwester Jessica, die ich geradezu anbete. Welch ein Talent«, fügte er hinzu und nickte in Richtung der Wand, an der die Zeichung hing, die seinen Vater darstellte. »Was macht sie so zurzeit?«

»Sie hat sich gerade an der Slade in Bloomsbury immatrikuliert und wird in Kürze ihr erstes Jahr dort beginnen.«

»Die anderen armen Schüler in ihrer Klasse tun mir leid.«

»Warum?«

»Weil ihnen keine andere Wahl bleiben wird, als sie zu hassen oder zu lieben, denn sie werden schon bald herausfinden, dass sie einfach nicht in ihrer Liga spielen. Aber kommen wir zu gewöhnlicheren Dingen«, sagte Arnold und wandte sich seinem Vater zu. »Ich habe, wie von beiden Parteien vereinbart, drei Exemplare des Vertrags vorbereitet, und sobald du unterschrieben hast, bleiben dir neunzig Tage, um den Japanern einen Kredit über zehn Millionen bei einer Laufzeit von fünf Jahren und einem Zinssatz von zweieinviertel Prozent zur Verfügung zu stellen. Das Viertelprozent entspricht deinem Verdienst bei dieser Transaktion. Außerdem sollte ich erwähnen …«

»Mach dir keine Mühe«, sagte Cedric. »Ich habe so das Gefühl, dass wir nicht mehr im Rennen sind.«

»Aber als ich gestern Abend mit dir gesprochen habe, warst du ziemlich zuversichtlich.«

»Sagen wir einfach, dass die Umstände sich geändert haben, und belassen wir es dabei«, erwiderte Cedric.

»Das tut mir leid zu hören«, sagte Arnold. Er schob die Verträge zusammen und wollte sie gerade wieder in seine Aktentasche stecken, als er das neue Kunstwerk zum ersten Mal sah.

»Ich habe dich nie für einen Ästheten gehalten, Pop, aber

die hier ist wirklich beeindruckend«, fuhr er fort, während er die japanische Vase behutsam vom Schreibtisch seines Vaters hochhob. Er musterte das Stück genauer und betrachtete schließlich dessen Unterseite. »Und sogar von einer lebenden Legende Japans.«

»Nicht du auch noch«, sagte Cedric.

»Shoji Hamada«, sagte Sebastian.

»Wo hast du sie gefunden?«

»Überhaupt nirgends«, antwortete Cedric. »Sie ist ein Geschenk von Mr. Morita.«

»Nun, dann stehst du ja nicht mit leeren Händen da, selbst wenn das Geschäft geplatzt ist«, sagte Arnold gerade, als jemand an der Tür klopfte.

»Herein«, sagte Cedric, der sich fragte, wer das sein könnte. Die Tür schwang auf, und Tom marschierte ins Büro. »Ich dachte, ich hätte Sie gebeten, vor dem Savoy zu bleiben«, sagte der Vorsitzende.

»Das ist nicht besonders sinnvoll, Sir. Ganz wie Sie gesagt hatten, habe ich um halb zehn vor dem Hotel gewartet, doch Mr. Morita ist nicht erschienen. Und da es sich bei ihm um einen Gentleman handelt, der nie zu spät kommt, habe ich beschlossen, mich beim Portier zu erkundigen, und er hat mir gesagt, dass die drei japanischen Gäste ausgecheckt und das Hotel kurz nach neun mit einem Taxi verlassen haben.«

»Ich hätte nie gedacht, dass so etwas möglich ist«, sagte Cedric. »Anscheinend bin ich dabei, mein Gespür für solche Dinge zu verlieren.«

»Du kannst nicht immer gewinnen, Pop – was du mir selbst oft genug gesagt hast«, bemerkte Arnold.

»Nur Anwälte scheinen sogar dann zu gewinnen, wenn sie verlieren«, erwiderte sein Vater.

»Ich sage dir, was ich tun werde«, fuhr Arnold fort. »Ich verzichte auf mein gewaltiges, unverdientes Honorar im Austausch gegen dieses kleine, völlig bedeutungslose Gefäß hier.«

»Sieh zu, dass du Land gewinnst.«

»Dann sollte ich mich wohl mal auf den Weg machen, weil ich hier anscheinend nichts mehr tun kann.«

Arnold schob die Verträge zurück in seine Gladstone-Tasche, als die Tür aufging und Mr. Morita und seine Kollegen genau in dem Augenblick das Büro betraten, als mehrere Kirchenglocken in der Square Mile elf Uhr zu schlagen begannen.

»Ich hoffe, ich bin nicht zu spät«, waren Mr. Moritas erste Worte, als er Cedric die Hand gab.

»Pünktlich auf die Minute«, sagte Cedric.

»Und Sie«, sagte Morita und wandte sich Arnold zu, »können nur der unwürdige Sohn eines großen Vaters sein.«

»Genau das bin ich, Sir«, sagte Arnold, als sie einander die Hand gaben.

»Haben Sie die Verträge vorbereitet?«

»Das habe ich in der Tat, Sir.«

»Dann brauchen Sie nur noch meine Unterschrift, damit Ihr Vater seine Arbeit fortsetzen kann.« Arnold nahm die Verträge wieder aus seiner Gladstone-Tasche und legte sie auf dem Schreibtisch aus. »Doch bevor ich unterschreiben werde, möchte ich meinem neuen Freund Sebastian Clifton ein Geschenk überreichen – was auch der Grund ist, warum ich das Hotel heute Morgen so früh verlassen habe.«

Mr. Ono trat vor und reichte Mr. Morita eine kleine Schachtel, die dieser Sebastian gab.

»Er ist nicht immer ein guter Junge, aber, wie die Briten sagen, er trägt sein Herz am rechten Fleck.«

Sebastian schwieg, während er das rote Band löste, das Silberpapier zurückschob und den Deckel der Schachtel öffnete. Eine winzige, karmesinrot und gelb glasierte Vase lag darin. Er konnte den Blick nicht davon lösen.

»Sie suchen nicht zufällig einen Anwalt?«, fragte Arnold.

»Nur wenn Sie mir den Töpfer nennen können, ohne an der Unterseite nachzusehen.«

Sebastian reichte Arnold die Vase, der sich Zeit nahm, die rote Glasur zu bewundern, die beim Übergang in die gelbe Glasur zu orangefarbenen Streifen wurde, bevor er seine Meinung äußerte. »Bernard Leach?«

»Der Sohn ist anscheinend doch zu etwas gut«, sagte Morita.

Beide Männer lachten, als Arnold das exquisite Stück an Sebastian zurückgab, der sagte: »Ich weiß nicht, wie ich Ihnen danken soll, Sir.«

»Nun, *wenn* Sie es versuchen wollen, dann sollten Sie es in meiner Muttersprache tun.«

Sebastian war so überrascht, dass er beinahe die Vase fallen ließ. »Ich bin nicht sicher, ob ich Sie richtig verstehe, Sir.«

»Natürlich verstehen Sie mich, und wenn Sie mir nicht auf Japanisch antworten, bleibt mir nichts anderes übrig, als diese Vase Mr. Hardcastles Sohn zu überreichen.«

Alle warteten darauf, dass Sebastian etwas sagte. »*Arigatou gozaimasu. Taihenni kouei desu. Isshou taisetsuni itashimasu.*«

»Überaus beeindruckend. Im Gegensatz zu den Arbeiten Ihrer Schwester bräuchten bei Ihnen die feineren Pinselstriche zwar noch ein bisschen mehr Aufmerksamkeit, aber beeindruckend ist es trotzdem.«

»Aber wie, Morita San, haben Sie nur herausgefunden, dass ich Ihre Sprache spreche, wo ich in Ihrer Gegenwart doch nie auch nur ein Wort auf Japanisch geäußert habe?«

»Ich würde auf die drei Karten für *My Fair Lady* tippen«, sagte Cedric.

»Mr. Hardcastle ist ein kluger Mann, was auch der Grund dafür ist, warum ich mich für ihn als meinen Repräsentanten entschieden habe.«

»Aber wie?«, fragte Sebastian.

»Die Karten waren einfach ein zu großer Zufall«, sagte Morita. »Denken Sie darüber nach, Sebastian, während ich den Vertrag unterzeichne.« Er nahm einen Füllfederhalter aus der Brusttasche seines Jacketts und reichte ihn Cedric. »Sie müssen zuerst unterschreiben, denn sonst werden die Götter unserer Vereinigung nicht wohlgesinnt sein.«

Morita sah zu, wie Cedric alle drei Verträge unterschrieb, bevor er selbst seine Unterschrift hinzufügte. Dann verbeugten sich beide und reichten einander die Hand.

»Ich muss mich beeilen, damit ich es für meinen Flug nach Paris noch rechtzeitig zum London Airport schaffe. Die Franzosen machen mir jede Menge Probleme.«

»Welche Art von Problemen?«, fragte Arnold.

»Bedauerlicherweise keine, bei denen Sie mir helfen könnten. Vierzigtausend unserer Transistorradios stecken in einem Zolllager fest. Der französische Zoll verweigert mir die Genehmigung, sie an meine Verkäufer auszuliefern, solange nicht jede einzelne Kiste geöffnet und inspiziert wurde. Zurzeit schaffen sie zwei am Tag. Sie versuchen, mich so lange wie möglich hinzuhalten, damit französische Firmen währenddessen ihre unterlegenen Produkte an ungeduldige Kunden verkaufen können. Aber ich habe einen Plan, mit dem ich sie besiegen werde.«

»Ich kann es gar nicht erwarten zu hören, wie dieser Plan aussieht.«

»Er ist eigentlich ganz einfach. Ich werde eine Fabrik in Frankreich bauen, örtliche Arbeitskräfte einstellen und dann mein überlegenes Produkt ausliefern, ohne dass ich mich um die Zollbehörden kümmern muss.«

»Die Franzosen werden herausfinden, was Sie vorhaben.«

»Zweifellos. Doch bis dahin wird jeder wie Mr. Hardcastle sein und ein Radio von Sony in seinem Wohnzimmer haben wollen. Ich kann es mir nicht erlauben, mein Flugzeug zu verpassen, aber zunächst würde ich gerne mit meinem neuen Partner ein vertrauliches Gespräch führen.« Arnold schüttelte Mr. Morita die Hand, dann verließen er und Sebastian das Büro. »Mr. Hardcastle«, sagte Morita und setzte sich in den Sessel gegenüber dem Schreibtisch des Vorsitzenden. »Hatten Sie schon jemals mit einem Mann namens Don Pedro Martinez zu tun? Zusammen mit einem gewissen Major Fisher hat er mich gestern nach dem Theater aufgesucht.«

»Von Martinez habe ich nur gehört. Fisher jedoch habe ich schon persönlich kennengelernt, da er Martinez im Vorstand der Barrington Shipping Company repräsentiert, dem auch ich als Direktor angehöre.«

»Ich habe den Eindruck, dass Martinez eine durch und durch üble Gestalt ist; Fisher scheint mir schwach und vermutlich vollkommen von Martinez' Geld abhängig zu sein.«

»Das haben Sie nach einem einzigen Gespräch herausgefunden?«

»Nein, nach zwanzig Jahren, in denen ich häufig mit solchen Menschen zu tun hatte. Aber dieses Exemplar hier ist gerissen und hinterhältig. Sie sollten ihn nicht unterschätzen. Ich vermute, dass für Martinez nicht einmal ein Menschenleben besonders viel wert ist.«

»Ich danke Ihnen für Ihre aufmerksame Beobachtung, Mr.

Morita, aber noch mehr danke ich Ihnen für Ihre Sorge um mich.«

»Dürfte ich Sie um einen kleinen Gefallen bitten, bevor ich nach Paris fliege?«

»Was immer Sie wollen.«

»Ich hätte gerne, dass Sebastian auch weiterhin die Verbindung zwischen unseren beiden Unternehmen bleibt. Dadurch könnten wir viel Zeit und unnötige Arbeit sparen.«

»Ich wünschte, ich könnte Ihnen diesen Gefallen tun«, sagte Cedric, »aber der Junge wird im September nach Cambridge gehen.«

»Haben Sie eine Universität besucht, Mr. Hardcastle?«

»Nein. Ich bin mit fünfzehn Jahren von der Schule abgegangen und habe nach einigen Wochen Ferien in der Bank angefangen, in der bereits mein Vater gearbeitet hat.«

Morita nickte. »Eine Universität ist nicht für jeden von Nutzen, und einige wirft sie sogar zurück. Ich glaube, Sebastian hat das Metier gefunden, auf dem seine natürliche Begabung liegt, und mit Ihnen als seinem Mentor wäre es sogar möglich, dass Sie Ihrerseits den Menschen gefunden haben, der am Ende Ihr Nachfolger werden könnte.«

»Er ist sehr jung«, sagte Cedric.

»Das ist Ihre Königin auch, und sie hat den Thron mit fünfundzwanzig bestiegen. Mr. Hardcastle, wir leben in einer schönen neuen Welt.«

GILES BARRINGTON

1963

18

»Bist du sicher, dass du Oppositionsführer werden willst?«, fragte Harry.

»Nein, überhaupt nicht«, antwortete Giles. »Ich will Premierminister werden, aber dazu werde ich eine gewisse Zeit in der Opposition verbringen müssen, bevor ich damit rechnen darf, dass man mir die Schlüssel zu Downing Street Nummer 10 aushändigen wird.«

»Es mag ja sein, dass du bei der letzten Wahl deinen Sitz behauptet hast«, sagte Emma, »aber deine Partei hat dramatische Verluste hinnehmen müssen. Ich frage mich, ob Labour es jemals wieder schaffen wird, eine Wahl zu gewinnen. Es ist anscheinend Labours Schicksal, Oppositionspartei zu bleiben.«

»Ich weiß, dass es im Augenblick so aussehen muss«, sagte Giles, »aber ich bin davon überzeugt, dass die Bevölkerung bei der nächsten Wahl von den Tories genug haben und die Zeit als reif für einen Wechsel betrachten wird.«

»Und natürlich war die Profumo-Affäre nicht gerade hilfreich«, sagte Grace.

»Wer entscheidet über den nächsten Parteichef?«

»Gute Frage, Sebastian«, sagte Giles. »Nur ich und meine gewählten Parteikollegen im Unterhaus, macht alles in allem 258 Abgeordnete.«

»Das sind nicht gerade viele Personen, die darüber abstimmen dürfen«, sagte Harry.

»Stimmt, aber die meisten von ihnen werden sich bis dahin in ihren Wahlkreisen umgehört haben, um herauszufinden, wen die einfachen Mitglieder für geeignet halten, die Partei zu führen. Und diejenigen, die der Gewerkschaft nahestehen, werden sich ohnehin für denjenigen aussprechen, den die Gewerkschaft unterstützt. Also können wir davon ausgehen, dass die Mitglieder der Schiffbauergewerkschaft aus den Wahlkreisen Tyneside, Belfast, Glasgow, Clydesdale und Liverpool wohl auf meiner Seite sein werden.«

»Den Partei*chef* wählen«, sagte Emma sehr betont. »Soll das etwa heißen, dass es unter den 258 Labour-Abgeordneten keine einzige Frau gibt, die Aussichten hat, die Partei zu führen?«

»Barbara Castle könnte sich entschließen, sich aufstellen zu lassen, aber offen gestanden hat sie so wenige Aussichten auf einen Erfolg wie ein Schneeball in der Hölle. Andererseits, Emma, sitzen mehr Frauen auf den Bänken von Labour als auf denen der konservativen Seite des Hauses. Sollte also jemals eine Frau in die Downing Street einziehen, so halte ich jede Wette, dass es sich um eine Sozialistin handeln wird.«

»Aber warum sollte jemand Parteichef von Labour werden wollen? Das muss doch einer der undankbarsten Jobs im ganzen Land sein.«

»Weil es gleichzeitig einer der spannendsten ist«, sagte Giles. »Wie viele Menschen bekommen denn die Chance, wirklich etwas zu verändern, das Leben der Menschen zu verbessern und der nächsten Generation ein wertvolles Erbe zu hinterlassen? Vergiss nicht, dass ich mit dem sprichwörtlichen Silberlöffel im Mund geboren wurde. Vielleicht ist es jetzt ja an der Zeit, etwas zurückzugeben.«

»Wow«, sagte Emma. »Ich würde für dich stimmen.«

»Natürlich wird dich jeder hier unterstützen«, sagte Harry, »aber ich glaube nicht, dass wir einen besonders großen Einfluss auf die 257 anderen Abgeordneten haben, denen wir noch nie begegnet sind und denen wir auch wohl kaum je begegnen werden.«

»Diese Art Unterstützung suche ich auch gar nicht. Es geht um etwas Persönlicheres. Ich muss euch alle, die ihr hier um den Tisch herumsitzt, davor warnen, dass die Presse erneut in eurem Privatleben herumschnüffeln wird. Vielleicht habt ihr ja inzwischen genug davon, und ich könnte euch das nicht einmal übel nehmen.«

»Solange wir alle dieselbe Hymne anstimmen«, erwiderte Grace, »und immer wieder erklären, wie begeistert wir darüber sind, dass Giles sich um den Parteivorsitz bewirbt, weil wir wissen, dass er der Richtige für diese Aufgabe ist und wir alle davon überzeugt sind, dass er gewinnen wird, dürfte es ihnen doch bald langweilig werden, sodass sie sich ein anderes Thema vornehmen, oder?«

»Nein, denn gerade dann werden sie noch tiefer graben, um etwas Neues zu finden«, sagte Giles. »Wenn also irgendjemand etwas beichten will, das über einen Strafzettel wegen Falschparkens hinausgeht, dann wäre jetzt die Gelegenheit dazu.«

»Ich hatte gehofft, dass es mein nächstes Buch auf der Bestsellerliste der *New York Times* bis auf Platz eins schafft«, sagte Harry, »also sollte ich vielleicht erwähnen, dass William Warwick eine Affäre mit der Frau des Chief Constable haben wird. Wenn du der Ansicht bist, dass dir das schaden würde, könnte ich die Veröffentlichung immer noch bis nach der Wahl aufschieben.« Alle lachten.

»Ehrlich gesagt, Liebling«, sagte Emma, »sollte William Warwick eine Affäre mit der Frau des Bürgermeisters von New

York haben, denn dadurch würden deine Chancen, in Amerika auf Platz eins zu landen, viel größer.«

»Keine schlechte Idee«, sagte Harry.

»Aber im Ernst«, fuhr Emma fort. »vielleicht ist das der richtige Moment, um euch allen zu sagen, dass Barrington's sich zurzeit gerade noch mit Mühe und Not über Wasser halten kann und die Dinge während der nächsten zwölf Monate nicht leichter werden dürften.«

»Wie schlimm ist es?«, fragte Giles.

»Wir liegen mit dem Bau der *Buckingham* mehr als ein Jahr hinter dem Zeitplan, und obwohl es in den letzten Wochen keine Rückschläge mehr gab, mussten wir bei den Banken ziemlich hohe Kredite aufnehmen. Wenn es so weit kommen sollte, dass unsere Schulden den Wert des Unternehmens übersteigen, würden die Banken die Kredite sofort fällig stellen, und es könnte sein, dass wir dann am Ende wären. Das ist zwar nur das schlimmstmögliche Szenarium, aber es ist nicht unmöglich.«

»Und wann könnte das passieren?«

»In absehbarer Zeit nicht«, sagte Emma, »es sei denn, Fisher käme zu dem Schluss, dass es seinen Zwecken dienen würde, in aller Öffentlichkeit unsere schmutzige Wäsche zu waschen.«

»Martinez wird das nicht zulassen, solange er noch so viele Anteile des Unternehmens hält«, sagte Sebastian. »Aber das bedeutet nicht, dass er einfach nur rumsitzen und vom Spielfeldrand aus zusehen wird, wenn du deinen Hut in den Ring wirfst.«

»Das sehe ich genauso«, sagte Grace. »Außerdem ist er nicht der Einzige, der diesen Hut liebend gerne wieder aus dem Ring schleudern würde, vermute ich.«

»An wen denkst du dabei?«, fragte Giles.

»Zuallererst an Lady Virginia Fenwick. Sie wird jeden Abgeordneten, der ihr über den Weg läuft, daran erinnern, dass du geschieden bist und sie wegen einer anderen Frau verlassen hast.«

»Virginia kennt nur Tories, und die hatten bereits einen Geschiedenen als Premierminister. Und vergiss nicht«, fügte Giles hinzu und nahm Gwyneths Hand, »ich bin jetzt glücklich mit einer anderen Frau verheiratet.«

»Ehrlich gesagt«, warf Harry ein, »finde ich, dass du dir mehr Sorgen über Martinez als über Virginia machen solltest, denn er wird immer noch auf der Suche nach irgendeinem Vorwand sein, um unserer Familie zu schaden, wie Sebastian gleich zu Beginn seiner Arbeit bei Farthings herausgefunden hat. Und noch etwas, Giles: Dich scheitern zu lassen, muss für ihn viel bedeutender sein, als das bei Sebastian der Fall wäre, und ich wette, dass Martinez alles in seiner Macht Stehende tun würde, damit du niemals Premierminister wirst.«

»Wenn ich mich dazu entschließe, bei dieser Wahl anzutreten«, sagte Giles, »kann ich mein restliches Leben nicht damit verbringen, ständig einen Blick über die Schulter zu werfen und mich zu fragen, was Martinez wohl als Nächstes vorhat. Und im Augenblick muss ich mich auf einige Konkurrenten konzentrieren, die mir in meinem Umfeld viel näher sind.«

»Wer ist dein größter Konkurrent?«, fragte Harry.

»Harold Wilson ist der Favorit bei den Buchmachern.«

»Mr. Hardcastle hätte es gern, wenn er gewinnt«, sagte Sebastian.

»Um Himmels willen, warum?«, fragte Giles.

»Mit dem Himmel hat das nichts zu tun«, antwortete Sebastian. »Auch für Mr. Hardcastle hat das mit seinem Umfeld zu tun. Beide wurden in Huddersfield geboren.«

»Oft ist es etwas scheinbar so Triviales, das den Ausschlag dafür gibt, ob man Unterstützung findet oder auf Widerstand stößt«, seufzte Giles.

»Vielleicht hat Harold Wilson ja ein paar Leichen im Keller, für die sich die Presse interessiert«, sagte Emma.

»Nicht dass ich wüsste«, sagte Giles. »es sei denn, dazu zählt, dass er bei den Prüfungen in Oxford und dem Test für den öffentlichen Dienst der Beste war.«

»Aber er ist kein Soldat mit Fronterfahrung«, sagte Harry. »Also könnte dein MC von Vorteil sein.«

»Denis Healey hat auch ein MC bekommen, und vielleicht wird er ebenfalls antreten.«

»Er ist viel zu klug, um jemals die Labour Partei zu führen«, sagte Harry.

»Nun, dieses Problem hast du definitiv nicht, Giles«, sagte Grace. Giles bedachte seine Schwester mit einem schiefen Grinsen, und die ganze Familie brach in Gelächter aus.

»Ich könnte mir vorstellen, dass es ein Problem gibt, mit dem Giles sich auseinandersetzen muss.« Alle sahen Gwyneth an, die bisher noch nichts gesagt hatte. »Ich bin in diesem Zimmer in gewissem Sinne die Außenseiterin«, fuhr sie fort, »oder wenigstens jemand, der nur in die Familie eingeheiratet hat, weshalb ich die Dinge vielleicht aus einer anderen Perspektive sehe.«

»Wodurch deine Meinung für uns umso wichtiger ist«, sagte Emma. »Also raus damit. Sag uns, was dir Sorgen macht.«

»Ich fürchte, wenn ich es tue, könnte ich eine Wunde wieder aufreißen, die nie wirklich vernarbt ist«, erwiderte Gwyneth zögernd.

»Lass dich davon nicht abhalten, uns ehrlich zu sagen, was du denkst«, forderte Giles sie auf und nahm erneut ihre Hand.

»Es gibt noch ein weiteres Mitglied in eurer Familie, das nicht mit uns in diesem Raum sitzt und meiner Ansicht nach eine wandelnde Zeitbombe ist.«

Ein langes Schweigen folgte, bevor Grace schließlich sagte: »Du hast recht, Gwyneth, denn wenn ein Journalist zufällig über die Tatsache stolpert, dass das kleine Mädchen, das Harry und Emma vor Jahren adoptiert haben, Giles' Halbschwester und Sebastians Tante ist, und dass ihr Vater von ihrer Mutter umgebracht wurde, nachdem er ihren Schmuck gestohlen und sie verlassen hat, ist das ein gefundenes Fressen für die Medien.«

»Und nicht zu vergessen, dass ihre Mutter Selbstmord begangen hat«, sagte Emma leise.

»Das Mindeste, was wir tun können, ist, dem armen Kind die Wahrheit zu sagen«, erklärte Grace. »Schließlich ist sie jetzt auf der Slade und führt ihr eigenes Leben, sodass es für die Presse nicht schwierig wäre, sie zu finden. Und wenn es dazu kommen sollte, bevor wir ihr gesagt haben, dass …«

»Das ist nicht so einfach«, sagte Harry. »Wie wir alle wissen, hat Jessica immer wieder Anfälle von Depressionen, und trotz ihres unbestreitbaren Talents verliert sie oft jegliches Selbstvertrauen. Und da es nur noch wenige Wochen bis zu ihrer diesjährigen Zwischenprüfung dauert, ist das nicht gerade der ideale Augenblick.«

Giles beschloss, seinen Schwager nicht daran zu erinnern, dass er ihn bereits vor über einem Jahrzehnt zum ersten Mal davor gewarnt hatte, dass es nie einen idealen Augenblick geben würde.

»Ich könnte ja mit ihr sprechen«, erklärte Sebastian.

»Nein«, sagte Harry entschieden. »Ich muss derjenige sein, der das tut.«

»Und zwar so schnell wie möglich«, sagte Grace.

»Lass es mich wissen, wenn du es gemacht hast«, sagte Giles und fügte dann hinzu: »Gibt es noch irgendwelche anderen Bomben, auf die ich eurer Meinung nach vorbereitet sein muss?« Ein langes Schweigen folgte, bevor Giles fortfuhr: »Dann danke ich euch allen für eure Zeit. Ich werde euch noch vor Ende der Woche mitteilen, wie ich mich entschieden habe. Aber jetzt muss ich euch verlassen, denn ich muss zurück ins Unterhaus. Dort sind, in diesem Fall, meine Wähler. Wenn ich beschließe anzutreten, werdet ihr mich in den nächsten Wochen kaum zu Gesicht bekommen, weil ich zahllose Hände schütteln, endlos Reden halten, entlegene Wahlkreise besuchen und jeden freien Abend damit verbringen werde, Labour-Mitgliedern Drinks in Annie's Bar zu spendieren.«

»Annie's Bar?«, fragte Harry.

»Der beliebteste Treffpunkt im Unterhaus, der hauptsächlich von Labour-Mitgliedern frequentiert wird und wohin auch ich jetzt gleich gehen werde.«

»Viel Glück«, sagte Harry.

Die Familie stand auf und applaudierte einträchtig, als Giles das Zimmer verließ.

»Besteht die Möglichkeit, dass er gewinnt?«

»Oh ja«, sagte Fisher. »Bei den einfachen Mitgliedern in den Wahlkreisen ist er sehr beliebt, obwohl Harold Wilson der Favorit bei den Abgeordneten ist, und nur sie dürfen bei dieser Wahl abstimmen.«

»Dann werden wir Wilson eine bedeutende Wahlkampfspende schicken. Wenn es sein muss, in bar.«

»Das brauchen wir ganz gewiss nicht zu tun«, sagte Fisher.
»Warum nicht?«, wollte Diego wissen.
»Weil er das Geld zurückschicken würde.«
»Warum sollte er denn so etwas tun?«, fragte Don Pedro.
»Weil wir hier nicht in Argentinien sind. Und wenn die Presse herausfinden würde, dass Wilson im Wahlkampf von einem Ausländer unterstützt wird, würde er nicht nur verlieren, sondern wäre gezwungen, seine Bewerbung zurückzuziehen. Und nachdem er das Geld zurückgeschickt hätte, würde er damit an die Öffentlichkeit gehen.«
»Wie kann man denn ohne Geld eine Wahl gewinnen?«
»Man braucht nicht viel Geld, wenn es überhaupt nur 258 Wahlberechtigte gibt, die sich die meiste Zeit auch noch im selben Gebäude aufhalten wie man selbst. Man muss vielleicht ein paar Briefmarken kaufen, ein paar Anrufe machen und einige Runden in Annie's Bar spendieren, doch das genügt schon, um mit jedem in Kontakt zu kommen, der möglicherweise für einen stimmen würde.«
»Wenn wir Wilson nicht helfen können, wie stellen wir dann sicher, dass Barrington verliert?«, fragte Luis.
»Bei 258 Wahlberechtigten muss es doch sicher jemanden geben, der sich bestechen lässt«, sagte Diego.
»Mit Geld nicht«, sagte Fisher. »Gegenüber anderen bevorzugt werden ist das Einzige, was bei diesen Leuten zählt.«
»Bevorzugt werden?«, wiederholte Diego. »Was soll das denn heißen?«
»Ein Kandidat könnte gegenüber einem jüngeren Parteikollegen andeuten, dass er einen bestimmten Posten für ihn im Auge hat, und einem älteren Kollegen, der zur nächsten Wahl in den Ruhestand zu gehen gedenkt, könnte man zu verstehen geben, dass seine Erfahrung und seine Weisheit im Oberhaus

besonders geschätzt werden würden. Und für diejenigen, die gar keine Aussicht darauf haben, irgendwann einmal zu einem wichtigen Amt zu kommen, die aber bei der nächsten Parlamentswahl wieder antreten werden, hat ein Parteichef immer den einen oder anderen kleinen Posten anzubieten. Ich kenne einen Abgeordneten, dessen ganzer Ehrgeiz darauf abzielte, Vorsitzender des Verpflegungskomitees im Unterhaus zu werden, denn auf diesem Posten durfte er entscheiden, welcher Wein zu welchen Mahlzeiten angeboten wird.«

»Na schön, wir können Wilson also kein Geld zukommen lassen und auch keinen der Wähler bestechen. Vielleicht können wir dann wenigstens den ganzen Schmutz wieder hervorkehren, den wir über die Familie Barrington haben«, schlug Diego vor.

»Das brauchen wir gar nicht, denn die Presse wird das nur zu gerne auch ohne unsere Hilfe tun«, sagte Fisher. »Außerdem wären die Journalisten schon nach ein paar Tagen gelangweilt, wenn wir ihnen nichts Neues zu bieten haben, in das sie ihre Zähne schlagen können. Nein, wir müssen uns etwas einfallen lassen, das es garantiert in die Schlagzeilen schafft und ihn mit einem einzigen Schlag aus dem Rennen wirft.«

»Offensichtlich haben Sie über dieses Thema bereits gründlich nachgedacht, Major«, sagte Don Pedro.

»Ich muss zugeben, das habe ich tatsächlich getan«, erwiderte Fisher mit selbstzufriedener Miene. »Und ich glaube, ich habe etwas gefunden, das Barrington endgültig zu Fall bringen wird.«

»Na los, spucken Sie's aus.«

»Es gibt eine einzige Sache auf der Welt, von der sich ein Politiker nie mehr erholen kann. Doch wenn ich Barrington eine Falle stellen soll, dann werde ich vor Ort ein kleines Team brauchen, und die zeitlichen Abläufe müssen absolut perfekt sein.«

19

Griff Haskins, der Leiter des Labour-Wahlkampfbüros für Bristol Docklands, kam zu dem Schluss, dass er mit dem Trinken würde aufhören müssen, wenn Giles jemals eine Chance haben sollte, Parteichef zu werden. Griff verzichtete regelmäßig einen Monat vor jeder Wahl auf Alkohol, nur um danach mindestens ebenso lange das Versäumte nachzuholen – je nachdem, ob die Partei gewonnen oder verloren hatte. Und seit der Abgeordnete für Bristol Docklands mit einer komfortablen Stimmenmehrheit wieder sicher auf eine der grünen Bänke des Unterhauses zurückgekehrt war, stand es ihm seiner Ansicht nach zu, sich für die eine oder andere Nacht gänzlich abzumelden.

Es war daher kein besonders günstiger Zeitpunkt, als Giles seinen Wahlkampfleiter am Morgen nach einer von dessen Sauftouren anrief, um ihm mitzuteilen, dass er für das Amt des Parteichefs kandidieren würde. Da Griff schrecklich verkatert war, rief er eine Stunde später zurück, um sicher zu sein, dass er den Abgeordneten richtig verstanden hatte. Das hatte er.

Unverzüglich telefonierte Griff mit seiner Sekretärin Penny, die im Urlaub in Cornwall war, und mit Miss Parish, seiner erfahrensten Wahlkämpferin, die ihm gestand, dass sie sich entsetzlich langweile und sich nur zu Wahlkampfzeiten wirklich am Leben fühle. Er bat beide, sich noch am selben Nachmittag um halb fünf auf Bahnsteig sieben des Bahnhofs Temple Mead einzufinden, wenn sie Interesse daran hätten, für den nächsten Premierminister zu arbeiten.

Punkt fünf saßen die drei im Dritter-Klasse-Abteil eines Zuges, der sie nach Paddington brachte. Am folgenden Nachmittag hatte Griff ein erstes Büro im Unterhaus und ein zweites in Giles' Wohnung in Smith Square eingerichtet. Er brauchte nur noch einen weiteren Freiwilligen für sein Team.

Sebastian erklärte Griff, dass er gerne auf seinen vierzehntägigen Urlaub verzichten und seinem Onkel Giles helfen würde, die Wahl zu gewinnen, und Cedric war einverstanden, diese Zeit auf einen Monat zu verlängern, da der junge Mann von einer solchen Erfahrung nur lernen könne, auch wenn Giles für ihn in seinem angestrebten Amt nur die zweite Wahl wäre.

Sebastians erste Aufgabe bestand darin, eine Plantafel anzulegen, die sämtliche 258 wahlberechtigten Labour-Abgeordneten auflistete. Die Namen wurden dann mit einem entsprechenden Haken gekennzeichnet – je nachdem, welcher Kategorie sie angehörten: sichere Stimme für Giles, roter Haken; sichere Stimme für einen anderen Kandidaten, blauer Haken; unentschlossen, die wichtigste Kategorie überhaupt, grüner Haken. Obwohl Sebastian die Idee zu dieser Liste hatte, war es Jessica, die sie schließlich anlegte.

Bei der ersten Zählung kam Harold Wilson auf 86 sichere Stimmen, George Brown auf 57, Giles auf 54 und James Callaghan auf 19. Entscheidende 42 Abgeordnete waren noch unentschlossen. Für Giles war offensichtlich, dass seine erste Aufgabe darin bestand, sich noch deutlicher von Callaghan abzusetzen und Brown zu überholen, denn wenn der Abgeordnete für den Wahlbezirk Belper aufgab, würden, so vermutete

Griff, die meisten ursprünglich für ihn vorgesehenen Stimmen an Giles fallen.

Nach einer Woche Wahlkampf lagen Giles und Brown mit nur noch einem Prozent Unterschied an zweiter Stelle, und obwohl Wilson auch weiterhin eindeutig führte, waren sich die politischen Beobachter einig, dass es ein knappes Rennen werden würde, sollte entweder Brown oder Barrington seine Kandidatur zurückziehen.

Griff war ununterbrochen in den Korridoren der Macht unterwegs, wo er sich gerne bereit zeigte, für jeden Abgeordneten, der behauptete, noch unentschlossen zu sein, ein persönliches Treffen mit Giles zu vermitteln. Mehrere Abgeordnete würden sich bis zum Schluss nicht zu einer Entscheidung durchringen, da sie nie zuvor in ihrem Leben so viel Aufmerksamkeit genossen hatten und darüber hinaus auf der Seite des Siegers stehen wollten. Miss Parish war ständig am Telefon, und Sebastian wurde zu Giles' Augen und Ohren, indem er ständig zwischen dem Unterhaus und Smith Square hin und her eilte und jeden auf dem Laufenden hielt.

Während der ersten Woche seiner Kampagne hielt Giles dreiundzwanzig Reden, doch keiner davon widmete die Presse am folgenden Tag mehr als einen Absatz, und keine schaffte es auf die Titelseite. Als es nur noch zwei Wochen bis zur Abstimmung dauern würde, kam Giles zu dem Schluss, dass er die üblichen Bahnen verlassen und ein Risiko eingehen musste. Sogar Griff war überrascht über die Reaktionen der Presse am nächsten Morgen, als es Giles auf alle Titelseiten geschafft hatte, einschließlich der des *Daily Telegraph*.

»Es gibt in diesem Land zu viele Menschen, die nicht bereit sind, ihre Tage mit ehrlicher Arbeit zuzubringen«, hatte Giles vor einer Versammlung von Gewerkschaftsführern erklärt.

»Wenn jemand fit und gesund ist und in einem Zeitraum von sechs Monaten drei Jobs ablehnt, soll er automatisch seinen Anspruch auf Arbeitslosengeld verlieren.«

Seine Worte wurden nicht gerade mit donnerndem Beifall aufgenommen, und die erste Reaktion seiner Kollegen im Unterhaus fiel nicht günstig aus. *Hat sich selbst ins Bein geschossen*, lautete der Ausdruck, den seine Konkurrenten immer wieder benutzten. Doch je mehr Tage vergingen, umso mehr Journalisten deuteten an, dass Labour endlich einen potenziellen Parteichef gefunden hatte, der in der realen Welt lebte und wirklich wollte, dass seine Partei die Regierung übernahm, anstatt in ewiger Opposition zu verharren.

Alle 258 Labour-Abgeordneten kehrten an jenem Wochenende in ihre Wahlkreise zurück, wo sie schnell herausfanden, dass der Vorschlag des Abgeordneten von Bristol Docklands auf große Zustimmung stieß. Eine Meinungsumfrage am darauffolgenden Montag bestätigte dies und sah Giles nur wenige Prozentpunkte hinter Wilson. Brown lag weit zurück auf dem dritten und James Callaghan auf dem vierten Platz. Am Dienstag zog Callaghan seine Kandidatur zurück und empfahl seinen Anhängern, für Barrington zu stimmen.

Als Sebastian die Plantafel auf den neuesten Stand brachte, hatte Wilson 122 und Giles 107 Stimmen sicher; 29 Abgeordnete waren noch unentschlossen. Griff und Miss Parish brauchten nur vierundzwanzig Stunden, um sich die 29 Abgeordneten, die sich, aus welchem Grund auch immer, noch nicht auf eine Seite geschlagen hatten, genauer anzusehen. Unter ihnen befanden sich die Mitglieder der einflussreichen Fabian Society, die über elf entscheidende Stimmen verfügten. Tony Crosland, der Vorsitzende der Gruppe, bat um ein persönliches Gespräch mit den beiden führenden Kandidaten und erklärte vorab, er würde gerne etwas über ihre Haltung zu Europa hören.

Giles hatte den Eindruck, dass sein Treffen mit Crosland ein Erfolg war, doch wann immer er einen Blick auf die Liste warf, lag Wilson in Führung. Immerhin war in der letzten Woche vor der Abstimmung in den Schlagzeilen bereits von einem Kopf-an-Kopf-Rennen die Rede. Giles wusste, dass ihm nur noch ein glücklicher Zufall helfen konnte, wenn er Wilson in den letzten Tagen noch überholen wollte. Dieser Zufall erschien in Form eines Telegramms, das am Montag der letzten Woche der Kampagne in sein Büro geliefert wurde.

Die Europäische Wirtschaftsgemeinschaft lud Giles ein, bei ihrer Jahreskonferenz in Brüssel eine Grundsatzrede zu halten; der Termin lag genau drei Tage vor der Abstimmung. In der Einladung wurde nicht erwähnt, dass Charles de Gaulle im letzten Moment abgesagt hatte.

»Das ist Ihre Chance«, sagte Griff. »Damit können Sie nicht nur auf der internationalen Bühne glänzen, sondern auch die elf Stimmen der Fabian Society holen. Die Veranstaltung könnte entscheidend sein.«

Das gewünschte Thema der Rede lautete: *Ist Britannien bereit, dem Gemeinsamen Markt beizutreten?* Giles wusste genau, wo er in dieser Frage stand.

»Aber wann soll ich die Zeit finden, eine so bedeutende Rede zu schreiben?«

»Nachdem das letzte Labour-Mitglied zu Bett gegangen ist und bevor das erste am nächsten Morgen wieder aufsteht.«

Giles hätte gerne gelacht, aber er wusste, dass Griff das genau so meinte, wie er es sagte.

»Und wann schlafe ich?«

»Im Flugzeug. Wenn Sie aus Brüssel zurückfliegen.«

Griff schlug vor, dass Sebastian Giles nach Brüssel begleiten sollte, während er und Miss Parish in Westminster bleiben und ein wachsames Auge auf die Unentschlossenen werfen wollten.

»Ihr Flug startet morgen um zwanzig Minuten nach zwei vom London Airport«, sagte Griff, »aber Sie dürfen nicht vergessen, dass es in Brüssel bereits eine Stunde später ist, weshalb sie erst um zehn Minuten nach vier landen werden. Trotzdem bleibt Ihnen immer noch genügend Zeit, es bis zur Konferenz zu schaffen.«

»Ist das nicht alles ein bisschen knapp?«, fragte Giles. »Schließlich soll ich um sechs meine Rede halten.«

»Ich weiß, aber wir können uns nicht erlauben, dass Sie in irgendeinem Flughafen rumhängen, es sei denn, er ist voller Abgeordneter, die noch nicht entschieden haben, für wen sie stimmen wollen. Die Sitzung, in der Sie Ihre Rede halten werden, dürfte etwa eine Stunde dauern, was bedeutet, dass Sie gegen sieben zu Ende sein wird. Dadurch haben Sie genügend Zeit, den Rückflug nach London um vierzig Minuten nach acht zu bekommen, wo der Zeitunterschied zu Ihren Gunsten arbeitet. Nehmen Sie sich sofort ein Taxi, nachdem Sie gelandet sind, denn ich will, dass Sie zur anstehenden Entscheidung über die Pensionen wieder im Unterhaus sind.«

»Und was soll ich jetzt Ihrer Meinung nach machen?«

»Setzen Sie sich an Ihre Rede. Davon hängt alles ab.«

Giles verbrachte jeden freien Augenblick damit, an seiner Rede zu feilen, deren erste Entwürfe er seinem Team und seinen wichtigsten Unterstützern zeigte, und als er sie zum ersten Mal in seiner Wohnung am Smith Square vor einem Publikum hielt, das aus einer Person bestand, erklärte Griff sich vollkommen zufrieden. Welch ein Lob.

»Ich werde morgen früh an führende Pressevertreter nummerierte Kopien verteilen und mir den Empfang schriftlich bestätigen lassen. So haben sie genügend Zeit, für ihre Blätter am nächsten Tag Leitartikel und Hintergrundberichte vorzubereiten. Außerdem könnte es sinnvoll sein, Tony Crosland einen ersten Entwurf zukommen zu lassen, um ihm zu zeigen, dass wir ihn auf dem Laufenden halten. Darüber hinaus habe ich für faule Journalisten diejenige Passage markiert, die es höchstwahrscheinlich in die Schlagzeilen schaffen wird.«

Giles blätterte ein paar Seiten in seiner Rede zurück, bis er die Stelle gefunden hatte, von der Griff sprach. *Ich möchte nicht, dass Britannien in einen weiteren europäischen Krieg verwickelt wird. Die besten jungen Männer zu vieler Nationen haben ihr Blut auf europäischem Boden vergossen, und das nicht nur in den letzten fünfzig, sondern in den letzten tausend Jahren. Gemeinsam müssen wir dafür Sorge tragen, dass man in Zukunft europäische Kriege nur noch auf den Seiten von Geschichtsbüchern finden kann, wo unsere Kinder und Enkel etwas über unsere Fehler lesen, ohne sie selbst zu wiederholen.*

»Warum gerade dieser Abschnitt?«, fragte Giles.

»Weil einige Zeitungen ihn nicht nur Wort für Wort abdrucken, sondern darüber hinaus nicht in der Lage sein werden, der Versuchung zu widerstehen, darauf hinzuweisen, dass Ihr Konkurrent noch nie buchstäblich unter schwerem Beschuss stand.«

Giles war hocherfreut, als ihm am nächsten Morgen eine handgeschriebene Notiz von Tony Crosland überreicht wurde, in der dieser erklärte, wie sehr ihm die Rede gefallen habe, und versicherte, dass er auf die Reaktionen der Presse am folgenden Tag schon sehr gespannt sei.

Als Giles noch am selben Nachmittag den BEA-Flug nach Brüssel antrat, glaubte er zum ersten Mal, dass er tatsächlich der nächste Parteichef von Labour sein könnte.

20

Nach der Landung in Brüssel war Giles überrascht, Sir John Nicholls, den britischen Botschafter, am Fuß der Treppe neben einem Rolls-Royce zu sehen.

»Ich habe Ihre Rede gelesen, Sir Giles«, sagte der Botschafter, als sie, noch bevor irgendein anderer Passagier auch nur die Passkontrolle erreicht hatte, aus dem Flughafen gefahren wurden. »Und obwohl Diplomaten gehalten sind, sich mit eigenen Meinungsäußerungen zurückzuhalten, muss ich einfach sagen, dass sie mir wie ein frischer Wind zu sein scheint. Obwohl ich nicht sicher bin, wie Ihre Partei darauf reagieren wird.«

»Ich hatte eigentlich gehofft, dass elf ganz besondere Abgeordnete genauso empfinden wie Sie.«

»Ah, an diese Herren richtet sie sich«, sagte Sir John. »Wie begriffsstutzig ich doch manchmal bin.«

Seine zweite Überraschung erlebte Giles, als sie vor dem Europäischen Parlament vorfuhren, wo sich zahlreiche Beamte, Journalisten und Fotografen versammelt hatten, um den Mann zu begrüßen, der eine so grundlegende Rede halten würde. Sebastian sprang vom Beifahrersitz und öffnete Giles die Tür, was er noch nie zuvor getan hatte.

Gaetano Martino, der Parlamentspräsident, trat nach vorn und schüttelte Giles die Hand, bevor er ihm seine Mitarbeiter vorstellte. Auf dem Weg in den Konferenzsaal begegnete Giles mehreren bedeutenden europäischen Politikern, die ihm allesamt Glück wünschten – und damit bezogen sie sich nicht auf seine Rede.

»Wenn Sie so freundlich sein wollen, hier zu warten«, sagte der Präsident, nachdem sie den hinteren Bereich einer Bühne betreten hatten. »Ich werde ein paar einführende Bemerkungen machen und dann Ihnen das Wort überlassen.«

Giles war seine Rede ein letztes Mal im Flugzeug durchgegangen, wobei er nur zwei kleinere Änderungen angebracht hatte, und als er sie schließlich Sebastian zurückgab, konnte er sie fast auswendig. Jetzt spähte er durch einen Spalt zwischen den langen schwarzen Vorhängen und sah eintausend führende Europäer, die darauf warteten, seine Ansichten zu hören. Seine letzte Rede in Bristol während des Wahlkampfs zum Wiedereinzug ins Unterhaus hatte siebenunddreißig Interessenten angezogen – und da waren Griff, Gwyneth, Penny, Miss Parish und Miss Parishs Cockerspaniel schon mitgezählt.

Giles stand nervös in den Kulissen, während er zuhörte, wie Mr. Martino ihn als einen jener wenigen Politiker beschrieb, die nicht nur sagten, was sie dachten, sondern überdies die jeweils jüngste Meinungsumfrage nicht zu ihrem moralischen Kompass machten. Er konnte fast hören, wie Griff in missbilligendem Ton »Hört, hört« sagte.

»… und damit wird der nächste Premierminister Großbritanniens zu uns sprechen. Meine Damen und Herren, Sir Giles Barrington.«

Sebastian trat neben Giles, reichte ihm die Rede und flüsterte: »Viel Glück, Sir.«

Giles schritt unter lang anhaltendem Applaus zur Bühnenmitte. Über die Jahre hinweg hatte er sich an die Blitzlichter allzu begeisterter Fotografen und sogar an das Surren von Fernsehkameras gewöhnt, doch so etwas hatte er noch nie erlebt.

Er legte seine Rede auf das Pult, trat einen Schritt zurück und wartete, bis seine Zuhörer sich wieder gesetzt hatten.

»In der Geschichte gibt es nur wenige Momente«, begann Giles, »die das Schicksal einer Nation formen, und der Entschluss Britanniens, sich um eine Mitgliedschaft im Gemeinsamen Markt zu bewerben, ist zweifellos einer davon. Natürlich wird das Vereinigte Königreich auch in Zukunft eine Rolle auf der Weltbühne spielen, aber es muss eine realistische Rolle sein, eine Rolle, hinter der die Einsicht steht, dass wir nicht mehr über ein Empire herrschen, in dem die Sonne niemals untergeht. Ich bin der Ansicht, dass für Britannien die Zeit gekommen ist, die Herausforderung dieser neuen Rolle an der Seite unserer neuen Partner anzunehmen, mit denen wir freundschaftlich zusammenarbeiten sollten, während wir alte Animositäten hinter uns lassen sollten. Ich möchte, dass Britannien nie wieder in einen weiteren europäischen Krieg verwickelt wird. Die edelsten jungen Männer zu vieler Nationen haben ihr Blut auf europäischem Boden vergossen, und das nicht nur in den letzten fünfzig, sondern in den letzten tausend Jahren. Gemeinsam müssen wir dafür Sorge tragen, dass man in Zukunft europäische Kriege nur noch auf den Seiten von Geschichtsbüchern finden wird, wo unsere Kinder und Enkel etwas über unsere Fehler lesen, ohne sie selbst zu wiederholen.«

Mit jeder Woge Applaus entspannte sich Giles ein wenig mehr, und als er zum Schluss seiner Rede kam, hatte er den Eindruck, das Publikum lausche ihm völlig gebannt.

»Als ich ein Kind war, hat Winston Churchill, ein wahrer Europäer, meine Schule in Bristol besucht, um die Schulpreise zu überreichen. Ich bekam damals keinen, was so ziemlich das Einzige ist, was ich mit diesem großen Mann gemeinsam habe« – lautes Gelächter erklang –, »und doch war die Rede, die er an jenem Tag hielt, der Grund dafür, warum ich in die Politik gegangen bin, und meine Erfahungen im Krieg gaben den Ausschlag dafür, warum ich mich der Labour Partei angeschlossen habe. Sir Winston sagte damals zu uns: ›Heute sieht sich unsere Nation mit einer jener großen Bedrohungen der Geschichte konfrontiert, bei der dem britischen Volk möglicherweise ein weiteres Mal die Aufgabe zukommt, das Schicksal der freien Welt zu entscheiden.‹ Sir Winston und ich mögen verschiedenen Parteien angehören, aber in diesem Punkt sind wir uns zweifellos einig.«

Giles hob den Kopf und wandte sich seinem dicht an dicht sitzenden Publikum zu. Mit jedem Satz wurde seine Stimme ein wenig eindringlicher.

»Wir, die wir uns heute hier versammelt haben, mögen aus verschiedenen Nationen stammen, doch jetzt ist es an der Zeit, nicht länger unsere selbstsüchtigen Interessen zu verfolgen, sondern gemeinsam für diejenigen Generationen zu arbeiten, die heute noch nicht geboren sind. Ich möchte mit der Versicherung schließen, dass ich mich voll und ganz für dieses Ziel einsetzen werde, was immer die Zukunft mir persönlich auch bringen mag.«

Giles trat einen Schritt zurück, als alle Anwesenden sich erhoben. Es dauerte mehrere Minuten, bis er von der Bühne treten konnte, und auch danach, als er den Saal verließ, umringten ihn noch mehrere Abgeordnete, Beamte und andere Zuhörer, um ihn zu beglückwünschen.

»Uns bleibt etwa eine Stunde, bevor wir wieder am Flughafen sein müssen«, sagte Sebastian und versuchte, ruhig zu bleiben. »Gibt es noch etwas, das ich erledigen kann?«

»Versuch, irgendwo ein Telefon zu finden, damit wir Griff anrufen können, um zu hören, ob es daheim schon erste Reaktionen auf die Rede gegeben hat. Ich möchte sicher sein, dass dies alles nicht nur eine Illusion ist«, sagte Giles, während er mehrere Hände schüttelte und sich für die Glückwünsche bedankte. Er gab sogar das eine oder andere Autogramm, was zuvor auch noch nie vorgekommen war.

»Das Palace Hotel liegt direkt gegenüber«, sagte Sebastian. »Wir könnten das Büro von dort aus anrufen.«

Giles nickte, während er sich langsam weiterschob. Es dauerte weitere zwanzig Minuten, bis er wieder auf der Treppe vor dem Parlamentsgebäude stand und sich vom Präsidenten verabschieden konnte. Rasch überquerten Sebastian und er den breiten Boulevard und zogen sich in die relative Stille des Palace Hotel zurück. Sebastian gab einer der Damen am Empfang die entsprechende Nummer. Die junge Frau rief in London an, und als sie am anderen Ende der Leitung eine Stimme hörte, sagte sie: »Ich stelle Sie gleich durch, Sir.«

Giles nahm den Hörer, und Griff begann sofort zu sprechen. »Ich habe gerade die Sechs-Uhr-Nachrichten der BBC gesehen«, sagte er. »Sie waren die Hauptmeldung. Seither steht das Telefon nicht mehr still. Pausenlos rufen Leute an, die ein Stück von Ihnen abhaben wollen. Wenn Sie wieder in London sind, wartet am Flughafen ein Wagen, der Sie direkt zu ITV bringt, wo Sandy Gall Sie für die Spätnachrichten interviewen wird. Aber trödeln Sie bloß nicht rum, denn die BBC will, dass Sie sich um halb elf mit Richard Dimbleby in *Panorama* unterhalten. Die Presse liebt nichts so sehr wie einen Außenseiter, der auf den letzten Metern alle hinter sich lässt. Wo sind Sie im Augenblick?«

»Auf dem Weg zum Flughafen.«

»Das könnte gar nicht besser sein. Rufen Sie mich sofort nach der Landung an.«

Giles gab den Hörer zurück und wandte sich mit einem breiten Grinsen an Sebastian. »Wir werden ein Taxi brauchen.«

»Ich glaube nicht. Der Wagen des Botschafters ist gerade vorgefahren. Er wartet draußen, um uns zum Flughafen zu bringen.«

Als die beiden durch das Hotelfoyer gingen, streckte ein Mann seine Hand aus und sagte: »Herzlichen Glückwunsch, Sir Giles. Das war ein bravouröser Auftritt. Hoffen wir, dass er für Sie den Ausschlag geben wird.«

»Vielen Dank«, sagte Giles, der den Botschafter draußen neben dem Wagen stehen sah.

»Ich bin Pierre Bouchard, der stellvertretende Präsident der Europäischen Wirtschaftsgemeinschaft.«

»Natürlich«, sagte Giles, blieb stehen und gab ihm die Hand. »Ich bin mir bewusst, wie unermüdlich Sie Britannien bei der Bewerbung um eine Vollmitgliedschaft in der EWG unterstützt haben.«

»Ich bin tief bewegt«, sagte Bouchard. »Können Sie einen Augenblick erübrigen, um mit mir über eine vertrauliche Angelegenheit zu sprechen?«

Giles sah zu Sebastian, welcher seinerseits einen Blick auf die Uhr warf. »Nicht länger als zehn Minuten. Ich werde den Botschafter informieren.«

»Ich glaube, Sie kennen meinen guten Freund Tony Crosland«, sagte Bouchard, während er Giles in Richtung Bar führte.

»Allerdings. Ich habe ihm gestern vorab meine Rede zukommen lassen.«

»Ich bin sicher, dass er Ihre Ansichten teilt. Sie entsprechen genau dem, was die Fabian Society immer wieder vertreten hat. Was möchten Sie trinken?«, fragte Bouchard, als sie die Bar betraten.

»Einen Single Malt mit viel Wasser.«

Bouchard nickte dem Barkeeper zu und sagte: »Ich nehme dasselbe.«

Giles setzte sich auf einen Hocker und sah sich um. Er entdeckte eine Gruppe politischer Journalisten, die in einer Ecke saßen und den Text seiner Rede durchgingen. Einer von ihnen hob spielerisch die Hand an die Stirn, als wolle er salutieren. Giles lächelte.

»Der entscheidende Punkt ist«, sagte Bouchard, »dass De Gaulle alles tun wird, um die Mitgliedschaft Britanniens im Gemeinsamen Markt zu verhindern.«

»›Nur über meine Leiche‹ waren seine Worte, wenn ich mich richtig erinnere«, sagte Giles und griff nach seinem Drink.

»Hoffen wir, dass wir nicht so lange warten müssen.«

»Es ist fast so, als hätte der General den Briten nicht verziehen, dass sie den Krieg gewonnen haben.«

»Auf Ihr Wohl«, sagte Bouchard und nahm einen Schluck aus seinem Glas.

»Cheers«, sagte Giles.

»Sie dürfen nicht vergessen, dass De Gaulle selbst jede Menge Probleme hat, und dazu gehört unter anderem …«

Plötzlich kam es Giles so vor, als würde er in Ohnmacht fallen. Er hielt sich am Tresen fest und versuchte, einen sicheren Halt zu finden, doch der Raum schien sich im Kreis zu drehen. Er ließ das Glas fallen, glitt vom Hocker und brach auf dem Boden zusammen.

»Mein guter Freund«, sagte Bouchard und kniete sich neben ihn, »ist alles in Ordnung mit Ihnen?« Er sah hoch, als ein Mann, der in einer Ecke gesessen hatte, auf ihn zueilte.

»Ich bin Arzt«, sagte der Mann, kniete sich ebenfalls neben

Giles, lockerte dessen Krawatte und knöpfte dessen Hemdkragen auf. Dann legte er Giles zwei Finger an den Hals und sagte in drängendem Ton zum Barkeeper: »Rufen Sie einen Krankenwagen. Er hatte einen Herzanfall.«

Mehrere Journalisten stürmten durch die Bar. Einer begann, sich Notizen zu machen, während der Barkeeper nach dem Telefonhörer griff und hektisch eine kurze Nummer wählte.

»Ja«, meldete sich eine Stimme.

»Wir brauchen einen Krankenwagen. Schnell. Einer unserer Gäste hatte einen Herzanfall.«

Bouchard stand auf. »Doktor«, sagte er zu dem Mann, der neben Giles kniete, »ich werde nach draußen gehen und auf den Krankenwagen warten. Ich werde den Sanitätern sagen, wo sie hinmüssen.«

»Wissen Sie, wie dieser Mann heißt?«, fragte einer der Journalisten, als Bouchard die Bar verließ.

»Keine Ahnung«, sagte der Barkeeper.

Mehrere Minuten bevor der Krankenwagen eintraf, stürmte der erste Fotograf in die Bar, und erneut prasselte das Blitzlicht auf Giles hernieder, der noch nicht richtig begriff, was um ihn herum vor sich ging. Als sich die Nachricht verbreitete, ließen mehrere andere Journalisten, die das Konferenzzentrum besucht hatten und jetzt ihre Redaktionen über die erfolgreiche Rede informierten, ihre Telefonhörer fallen und rannten über die Straße ins Palace Hotel.

Sebastian unterhielt sich gerade mit dem Botschafter, als er die Sirene hörte, doch er achtete erst auf sie, als ein Krankenwagen vor dem Hotel hielt und zwei makellos gekleidete Sanitäter nach draußen sprangen und im Laufschritt eine Rolltrage ins Gebäude schoben.

»Man würde nicht glauben …«, begann Sir John, doch

Sebastian rannte bereits die Treppe hinauf und verschwand im Hotel. Er blieb stehen, als er sah, wie die Sanitäter die Trage an ihm vorbeirollten. Ein einziger Blick auf den Patienten genügte, um seine schlimmsten Befürchtungen zu bestätigen. Als die Männer die Trage ins Heck des Krankenwagens schoben, sprang Sebastian ebenfalls hinein, indem er rief: »Er ist mein Chef.« Einer der Sanitäter nickte, während der andere die Türen schloss.

Sir John folgte dem Krankenwagen in seinem Rolls-Royce. Als er die Klinik erreicht hatte, stellte er sich vor und fragte die Dame am Empfang, ob sich ein Arzt um Sir Giles Barrington kümmere.

»Ja, Sir. Er wird in der Notaufnahme von Dr. Clairbert untersucht. Wenn Sie so freundlich sein wollen, Platz zu nehmen, Euer Exzellenz. Ich bin sicher, der Arzt wird Sie über alles informieren, sobald er die Untersuchung abgeschlossen hat.«

Griff schaltete erneut den Fernseher ein, weil er die Sieben-Uhr-Nachrichten der BBC sehen wollte. Er hoffte, dass Giles' Rede immer noch die Hauptmeldung sein würde.

Giles war in der Tat auch jetzt die Hauptmeldung, doch es dauerte eine Weile, bis Griff akzeptieren konnte, um wen es sich bei dem Mann auf der Trage handelte. Griff war lange genug in der Politik, um zu begreifen, dass Sir Giles Barringtons Kandidatur um den Parteivorsitz von Labour damit beendet war.

Ein Mann, der die Nacht in Zimmer 437 des Palace Hotel verbracht hatte, reichte der Dame am Empfang seine Schlüssel, checkte aus und bezahlte seine Rechnung in bar. Dann nahm er ein Taxi zum Flughafen und bestieg eine Stunde später das Flugzeug nach London, in dem Sir Giles Barrington einen Platz gebucht hatte. Nach seiner Ankunft auf dem London Airport stellte er sich in der Schlange derer an, die auf ein Taxi warteten, und als die Reihe an ihm war, setzte er sich auf die Rückbank eines Wagens und sagte: »Eaton Square Nummer 44.«

»Sie sehen mich völlig verblüfft, Herr Botschafter«, sagte Dr. Clairbert, nachdem er seinen Patienten ein zweites Mal untersucht hatte. »Ich kann nichts finden, das mit Sir Giles' Herz nicht in Ordnung sein sollte. Genau genommen ist er sogar ausgezeichnet in Form für einen Mann seines Alters. Absolut sicher kann ich jedoch erst sein, wenn die Laborergebnisse da sind, was bedeutet, dass ich ihn über Nacht hierbehalten muss, nur um keine unangenehme Überraschung zu riskieren.«

Am folgenden Morgen war Giles auf allen Titelseiten der überregionalen Zeitungen, genau wie Griff gehofft hatte.

Die Schlagzeilen der Frühausgaben – *Kopf an Kopf (Express), Rennen völlig offen (Mirror)* und *Die Geburt eines Staatsmannes? (The Times)* – waren jedoch rasch ersetzt worden. Die neue Titelseite der *Daily Mail* brachte die Lage auf den Punkt: *Herzattacke beendet Barringtons Chancen auf Führung der Labour-Partei.*

In den Sonntagszeitungen erschienen lange Artikel über den neuen Oppositionsführer.

Die meisten Titelseiten zeigten ein Foto von Harold Wilson im Alter von acht Jahren, wie er im Sonntagsstaat und mit

Schirmmütze auf dem Kopf vor Downing Street Nummer 10 steht.

Begleitet von Gwyneth und Sebastian flog Giles am Montagmorgen nach London zurück.

Als das Flugzeug auf dem London Airport landete, erwartete ihn kein einziger Journalist, Fotograf oder Kameramann. Er war Schnee von gestern. Gwyneth fuhr ihn zum Smith Square zurück.

»Was hat Ihnen der Arzt empfohlen für die Zeit, in der Sie wieder zu Hause sind?«, fragte Griff.

»Er hat mir überhaupt nichts empfohlen«, antwortete Giles. »Er versucht immer noch herauszufinden, warum ich überhaupt jemals im Krankenhaus war.«

Es war Sebastian, der seinen Onkel auf einen Artikel auf Seite elf in der *Times* hinwies; der Bericht war von einem Reporter verfasst worden, der sich zum Zeitpunkt von Giles' Zusammenbruch in der Bar des Palace Hotel aufgehalten hatte.

Matthew Castle hatte beschlossen, noch ein paar Tage lang in Brüssel zu bleiben und ein wenig nachzuforschen, denn er konnte nicht glauben, dass Giles einen Herzanfall gehabt hatte, obwohl es unmittelbar vor seinen eigenen Augen zu diesem Zwischenfall gekommen war.

Er berichtete erstens, dass Pierre Bouchard, der stellvertretende Präsident der EWG, an jenem Tag nicht in Brüssel gewesen war, um sich Giles' Rede anzuhören, denn er nahm an der Beerdigung eines alten Freundes in Marseille teil; dass, zweitens, der Barkeeper, der den Krankenwagen rief, nur drei Zahlen ins Telefon eingegeben und demjenigen, der am anderen Ende der Leitung war, nicht gesagt hatte, wohin der Wagen kommen sollte; dass es, drittens, im St. Jean Hospital keine Unterlagen darüber gab, dass irgendjemand aus dem Palace Hotel einen Krankenwagen angefordert hatte und niemand in der Lage war, die beiden Sanitäter zu identifizieren, die Sir Giles mit der Rolltrage aus dem Hotel gebracht hatten; dass, viertens, der Mann, der die Bar verlassen hatte, um auf den Krankenwagen zu warten, nie zurückgekehrt war und niemand für die beiden Getränke bezahlt hatte; dass, fünftens, der Mann, der in der Bar Arzt zu sein behauptet und erklärt hatte, dass Sir Giles einen Herzanfall erlitten habe, nie wieder aufgetaucht war; und dass, sechstens, der Barkeeper am Tag darauf nicht mehr zur Arbeit erschienen war.

Vielleicht war das alles ja nur eine Kette von Zufällen, schrieb der Journalist; aber, so meinte er, hätte Labour heute vielleicht einen anderen Parteichef, wenn etwas anderes dahintersteckte?

Griff kehrte am folgenden Morgen nach Bristol zurück, und weil die nächste Wahl frühestens in einem Jahr stattfinden würde, begab er sich auf eine Sauftour, die einen Monat lang andauerte.

JESSICA CLIFTON

1964

21

»Erwartet jemand von mir, dass ich verstehe, was das darstellen soll?«, fragte Emma.

»Da gibt es nichts zu verstehen, Mutter«, sagte Sebastian. »Du hast den entscheidenden Punkt nicht kapiert.«

»Dann sag mir, was dieser entscheidende Punkt ist, denn ich kann mich noch genau daran erinnern, wie Jessica früher Menschen gezeichnet hat. Menschen, die ich wiedererkannt habe.«

»Die Phase liegt hinter ihr, Mutter. Inzwischen hat ihre abstrakte Periode begonnen.«

»Ich fürchte, für mich sieht das nur wie ein Farbklecks aus.«

»Das liegt daran, dass du das Bild nicht mit der erforderlichen Offenheit betrachtest. Jessica möchte nicht mehr Constable oder Turner sein.«

»Wer will sie dann sein?«

»Jessica Clifton.«

»Selbst wenn du recht hast, Seb«, sagte Harry und musterte *Klecks eins* genauer, »haben alle Künstler einschließlich Picasso erklärt, dass sie von außen kommende Einflüsse verarbeiten. Also, von wem ist Jessica beeinflusst?«

»Von Peter Blake und Francis Bacon. Und sie bewundert einen Amerikaner namens Rothko.«

»Ich habe noch nie von einem von ihnen gehört«, gab Emma zu.

»Und sie haben wahrscheinlich noch nie von Edith Evans, Joan Sutherland und Evelyn Waugh gehört, die ihr beide so bewundert.«

»Harold Guinzburg hat einen Rothko in seinem Büro hängen«, sagte Harry. »Er hat mir erzählt, dass das Bild zehntausend Dollar gekostet hat, worauf ich ihn daran erinnert habe, dass das mehr ist als mein letzter Vorschuss.«

»So darfst du nicht denken«, sagte Sebastian. »Der Wert eines Kunstwerks bemisst sich daran, wie viel jemand dafür zu bezahlen bereit ist. Wenn das für dein Buch gilt, warum sollte es dann nicht gleichermaßen für ein Gemälde gelten?«

»Das ist die typische Einstellung eines Bankiers«, sagte Emma. »Ich werde dich nicht daran erinnern, was Oscar Wilde zum Thema Preis und Wert gesagt hat, denn ich fürchte, du hältst mich sonst für altmodisch.«

»Du bist nicht altmodisch, Mutter«, sagte Sebastian und legte einen Arm um sie. Emma lächelte. »Du bist definitiv prähistorisch.«

»Vierzig Jahre gebe ich zu«, protestierte Emma und sah hoch zu ihrem Sohn, der nicht aufhören konnte zu lachen. »Aber ist das wirklich das Beste, was Jessica zustande bringt?«, fragte sie und wandte sich wieder dem Gemälde zu.

»Es ist ihre Abschlussarbeit, und das Bild entscheidet darüber, ob man Jessica im September einen Postgraduiertenplatz an den Royal Academy Schools anbieten wird. Außerdem könnte es ihr sogar ein wenig Geld einbringen.«

»Diese Bilder stehen zum Verkauf?«, fragte Harry.

»Oh ja. Die Ausstellung mit den Abschlussarbeiten ist für viele junge Künstler die erste Möglichkeit, ihre Arbeiten der Öffentlichkeit vorzustellen.«

»Ich frage mich, wer so etwas kauft«, sagte Harry und sah

sich im Saal um, an dessen Wänden Ölgemälde, Aquarelle und Zeichnungen hingen.

»Eltern, die ihre Kinder abgöttisch lieben, nehme ich an«, sagte Emma. »Also werden wir wohl alle eines von Jessica kaufen müssen, einschließlich dir, Seb.«

»Mich musst du nicht überzeugen, Mutter. Ich werde um sieben, wenn die Ausstellung offiziell eröffnet wird, wieder hier sein und mein Scheckbuch bereithalten. Ich habe mir das Bild, das ich haben möchte, bereits ausgesucht: *Klecks eins*.«

»Das ist sehr großzügig von dir.«

»Du begreifst es einfach nicht, Mutter.«

»Also, wo ist der nächste Picasso?«, fragte Emma, indem sie ihren Sohn ignorierte und sich wie ihr Mann im Saal umsah.

»Wahrscheinlich ist sie mit ihrem Freund zusammen.«

»Ich wusste gar nicht, dass Jessica einen Freund hat«, sagte Harry.

»Ich glaube, sie hat vor, dich ihm heute Abend vorzustellen.«

»Und was macht dieser Freund so?«

»Er ist ebenfalls Künstler.«

»Ist er jünger oder älter als Jessica?«, fragte Emma.

»Genauso alt. Er ist in ihrer Klasse, aber ehrlich gesagt, er *hat* nicht ihre Klasse.«

»Wie witzig«, sagte Harry. »Hat er vielleicht auch einen Namen?«

»Clive Bingham.«

»Hast du ihn schon einmal getroffen?«

»Sie sind fast immer zusammen, und ich weiß, dass er ihr wenigstens einmal pro Woche einen Heiratsantrag macht.«

»Aber sie ist doch noch viel zu jung, um schon an eine Ehe zu denken«, sagte Emma.

»Mutter, man muss nicht in Cambridge Mathematik mit

Auszeichnung studiert haben, um auszurechnen, dass du mich mit neunzehn bekommen hast, wenn du heute dreiundvierzig bist und ich vierundzwanzig bin.«

»Aber es war eine völlig andere Zeit.«

»Ich frage mich, ob Grandpa Walter das damals auch so gesehen hat.«

»Das hat er allerdings«, sagte Emma und nahm Harry beim Arm. »Gramps hat deinen Vater geradezu angebetet.«

»Und du wirst Clive mögen. Er ist ein wirklich netter Kerl, und es ist nicht seine Schuld, dass er als Künstler nicht besonders viel taugt. Von Letzterem kannst du dich übrigens jetzt schon überzeugen«, sagte Sebastian und führte seine Eltern durch den Saal zu Clives Werken.

Harry starrte einige Zeit lang ein *Selbstporträt* an, bevor er seine Meinung dazu äußerte. »Ich kann verstehen, warum du Jessica für so gut hältst, denn diese Bilder hier kauft sicherlich niemand.«

»Glücklicherweise sind seine Eltern reich, also sollte das kein Problem werden.«

»Aber Jessica war nie an Geld interessiert, und er scheint kein Talent zu haben. Was findet sie dann so anziehend an ihm?«

»Da fast jede Studentin in diesem Kurs Clive irgendwann während der letzten drei Jahre einmal gemalt hat, kannst du davon ausgehen, dass nicht nur Jessica ihn attraktiv findet.«

»Nicht, wenn er so aussieht«, sagte Emma und musterte das *Selbstporträt* genauer.

Sebastian lachte. »Halte dich mit deinem Urteil zurück, bis du ihn gesehen hast. Aber ich muss dich warnen, Mutter. Bei deinen Maßstäben findest du ihn wahrscheinlich ein wenig desorganisiert, vielleicht sogar zerstreut. Aber wie wir alle wissen, hat sich Jessica schon immer gerne um Streuner gekümmert. Vielleicht, weil sie selbst eine Waise ist.«

»Weiß Clive, dass sie adoptiert wurde?«

»Natürlich«, sagte Sebastian. »Jessica hat noch nie ein Geheimnis daraus gemacht. Sie erzählt es jedem, der sie danach fragt. An der Kunstschule ist das ein Bonus, fast schon eine Ehrenmedaille.«

»Und sie leben zusammen?«, flüsterte Emma.

»Da sie beide Studenten sind, halte ich das doch tatsächlich für möglich.«

Harry lachte, doch Emma sah noch immer schockiert aus.

»Es mag dich überraschen, Mutter, aber Jess ist einundzwanzig, schön und hochbegabt. Ich kann dir versichern, dass Clive nicht der Einzige ist, der sie für etwas ganz Besonderes hält.«

»Nun, ich freue mich darauf, ihn kennenzulernen«, sagte Emma. »Und wenn wir zur Preisverleihung nicht zu spät kommen wollen, dann sollten wir jetzt gehen und uns umziehen.«

»Da wir gerade beim Thema sind, Mutter. Du solltest heute Abend bitte nicht so aussehen wie die Vorstandsvorsitzende der Barrington Shipping Company, die eine offizielle Sitzung zu leiten gedenkt. Das würde Jessica in Verlegenheit bringen.«

»Aber ich bin doch die Vorstandsvorsitzende von Barrington's.«

»Heute Abend nicht. Heute Abend bist du Jessicas Mutter. Wenn du also irgendwo eine Jeans hast, vorzugsweise schon älter und ein wenig abgewetzt, wäre das sehr gut.«

»Aber ich habe keine Jeans. Und schon gar nicht etwas älter und ein wenig abgewetzt.«

»Dann zieh irgendetwas an, das du eigentlich schon dem Pfarrer als Kleiderspende geben wolltest.«

»Wie wär's mit dem Zeug, das ich anhabe, wenn ich im Garten arbeite?«, fragte Emma, die sich nicht die Mühe machte, ihren Sarkasmus zu verbergen.

»Perfekt. Und dazu noch den ältesten Pullover, der dir in die Finger kommt. Am besten mit Löchern an den Ellbogen.«

»Und wie sollte sich dein Vater deiner Meinung nach bei einer solchen Gelegenheit anziehen?«

»Bei Dad gibt's keine Probleme«, sagte Sebastian. »Er sieht ohnehin immer wie ein chaotischer Schriftsteller aus, der keiner richtigen Arbeit nachgeht. Also passt er genau in diese Kreise.«

»Ich möchte dich daran erinnern, Sebastian, dass dein Vater einer der am meisten respektierten Autoren …«

»Mutter, ich liebe euch beide. Ich bewundere euch beide. Aber dieser Abend gehört Jessica. Also solltet ihr ihn nicht verderben.«

»Er hat recht«, sagte Harry. »Die Frage, welchen Hut meine Mutter am Elternsprechtag tragen würde, hat mich nervöser gemacht als die Möglichkeit, den Preis in Latein zu bekommen.«

»Aber Vater, du hast mir doch gesagt, dass Deakins immer den Preis in Latein bekommen hat.«

»Stimmt«, antwortete Harry. »Deakins, dein Onkel Giles und ich waren zwar alle in derselben Klasse, aber genau wie Jessica *hatte* Deakins eine andere Klasse.«

»Onkel Giles, ich möchte dir meinen Freund Clive Bingham vorstellen.«

»Hallo, Clive«, sagte Giles, der schon nach wenigen Augenblicken im Saal seine Krawatte abgenommen und seinen Hemdkragen aufgeknöpft hatte.

»Sie sind dieser total angesagte Abgeordnete, stimmt's?«, sagte Clive, während sie einander die Hand gaben.

Giles suchte nach Worten, während er den jungen Mann musterte, der zu seinen Röhrenjeans ein gelbes Hemd mit großen Punkten und offenem, breitem Kragen trug. Doch seine ungebändigte blonde Mähne, seine nordisch blauen Augen und sein gewinnendes Lächeln verrieten ihm sofort, dass Jessica nicht die einzige Frau im Saal war, die ihre Augen nicht von Clive lösen konnte.

»Er ist der Größte«, sagte Jessica und umarmte ihren Onkel herzlich. »Und eigentlich sollte er der Führer der Labour-Partei sein.«

»Nun, Jessica«, sagte Giles, »bevor ich mich entscheide, welches deiner Bilder …«

»Zu spät«, unterbrach ihn Clive. »Aber Sie können immer noch eines meiner Bilder bekommen.«

»Aber ich möchte meiner Sammlung ein Originalwerk von Jessica Clifton hinzufügen.«

»Dann wartet eine Enttäuschung auf Sie. Die offizielle Ausstellungseröffnung war um sieben, und alle Bilder von Jessica waren innerhalb weniger Minuten verkauft.«

»Ich weiß nicht, ob ich mich über deinen Triumph freuen oder mich darüber ärgern soll, dass ich nicht früher gekommen bin, Jessica«, sagte Giles. Jetzt war er es, der seine Nichte umarmte. »Herzlichen Glückwunsch.«

»Vielen Dank. Aber du musst dir Clives Arbeiten ansehen. Sie sind wirklich gut.«

»Was auch der Grund dafür ist, warum ich kein einziges Bild verkauft habe. Ehrlich gesagt kaufen nicht einmal mehr meine Eltern eines meiner Werke«, fügte er hinzu, als Emma, Harry und Sebastian den Saal betraten und sogleich auf sie zugingen.

Soweit Giles zurückdenken konnte, war Emma bei jeder Gelegenheit stets sehr modisch gekleidet gewesen, doch an diesem Abend sah sie aus, als käme sie gerade aus einem Töpferschuppen. Im Vergleich dazu wirkte sogar Harry entschieden elegant. Und war da etwa tatsächlich ein Loch in ihrem Pullover? »Kleider sind eine der wenigen Waffen einer Frau«, hatte Emma einst zu ihm gesagt. Aber nicht heute Abend. Und dann begriff er. »Gutes Mädchen«, flüsterte er.

Sebastian stellte Clive seinen Eltern vor, und Emma musste zugeben, dass er ganz anders aussah als sein Selbstporträt. »Flott« war das Wort, das Emma spontan in den Sinn kam, auch wenn sein Händedruck ein wenig schwach ausfiel. Sie wandte sich Jessicas Bildern zu.

»Sollen alle diese roten Punkte etwa bedeuten, dass …«

»Die Bilder verkauft sind, genau«, sagte Clive. »Aber wie ich bereits Sir Giles erklärt habe, leide *ich* nicht unter diesem Problem.«

»Dann gibt es kein Bild von Jessica mehr, das jetzt noch zum Verkauf stehen würde?«

»Kein einziges«, sagte Sebastian. »Ich habe dich gewarnt, Mutter.«

Jemand klopfte am anderen Ende des Saals gegen ein Glas. Sie alle drehten sich um und sahen einen bärtigen Mann im Rollstuhl, der sich bemühte, die Aufmerksamkeit des Publikums auf sich zu ziehen. Er war nachlässig gekleidet und trug eine braune Cordjacke und eine grüne Hose. Er lächelte den versammelten Gästen zu.

»Ladys und Gentlemen«, begann er. »Wenn Sie mir freundlicherweise für ein paar Minuten Ihre Aufmerksamkeit schenken würden.« Die Gespräche verstummten, und die Gäste wandten sich dem Sprecher zu. »Ich heiße Sie herzlich willkommen zur jährlichen Ausstellung der Abschlussklasse der Slade School. Mein Name ist Ruskin Spear, und in meiner Funktion als Vorsitzender des Preiskomitees ist es meine erste Aufgabe, die Gewinner in den Kategorien Zeichnung, Aquarell und Ölmalerei bekannt zu geben. Zum ersten Mal in der Geschichte der Slade gehen die Preise in allen drei Kategorien an ein und dieselbe Person.«

Voller Spannung wartete Emma darauf, den Namen des Preisträgers zu erfahren, damit sie das Werk dieses bemerkenswerten jungen Künstlers mit den Bildern von Jessica vergleichen könnte.

»Offen gestanden dürfte niemand, vielleicht abgesehen von der Gewinnerin selbst, überrascht darüber sein, dass die beste junge Künstlerin dieses Jahrgangs Jessica Clifton ist.«

Emma strahlte vor Stolz, als alle im Saal applaudierten, während Jessica nur den Kopf senkte und sich an Clive festhielt. In Wahrheit wusste niemand außer Sebastian, was sie durchmachte: Sie hatte ihre ganz eigenen Dämonen, wie sie es nannte. Wenn die beiden alleine waren, redete Jessica üblicherweise ununterbrochen, doch sobald sie im Mittelpunkt der Aufmerksamkeit vieler Menschen stand, zog sie sich wie eine Schildkröte in ihren Panzer zurück und hoffte, dass niemand sie bemerkte.

»Wenn Jessica bitte zu mir kommen möchte, würde ich ihr gerne den Scheck über dreißig Pfund und den Munnings Cup überreichen.«

Clive schob sie sanft nach vorn, und wieder applaudierte das Publikum, während Jessica zögernd auf den Vorsitzenden des Preiskomitees zuging. Mit jedem Schritt röteten sich ihre Wangen ein wenig mehr. Als Mr. Spear ihr Scheck und Pokal reichte, wurde unmissverständlich klar, dass sie keine Dankesrede halten würde. Vielmehr eilte Jessica zu Clive zurück, der so glücklich aussah, als hätte er den Preis selbst gewonnen.

»Ich darf darüber hinaus bekannt geben, dass Jessica ein Platz an den Royal Academy Schools angeboten wurde, wodurch sie die Möglichkeit erhält, im September mit ihrer Postgraduiertenarbeit zu beginnen, und ich weiß, dass sich alle meine Kollegen an der Royal Academy darauf freuen, wenn sie zu uns stoßen wird.«

»Ich kann nur hoffen, dass ihr so viel Lob nicht zu Kopf steigt«, flüsterte Emma Sebastian zu, während sie sich ihrer Tochter zuwandte und sah, wie diese Clives Hand umklammerte.

»Keine Angst, Mutter. Sie ist so ziemlich der einzige Mensch in diesem Saal, dem nicht klar ist, wie begabt sie ist.« In diesem Augenblick trat ein eleganter Herr, der einen modischen Zweireiher und eine rote Seidenfliege trug, neben Emma.

»Gestatten Sie mir, dass ich mich vorstelle, Mrs. Clifton.« Emma lächelte den Fremden an und fragte sich, ob es sich um Clives Vater handelte. »Mein Name ist Julian Agnew. Ich bin Kunsthändler und wollte Ihnen nur sagen, wie sehr ich das Werk Ihrer Tochter bewundere.«

»Wie freundlich von Ihnen, Mr. Agnew. Haben Sie es noch geschafft, eines von Jessicas Bildern zu kaufen?«

»Ich habe jedes einzelne von ihnen gekauft, Mrs. Clifton. Der letzte junge Künstler, bei dem ich das getan habe, war David Hockney.«

Emma wollte nicht zugeben, dass sie noch nie von David Hockney gehört hatte, und Sebastian kannte ihn nur, weil Cedric ein halbes Dutzend Bilder von ihm in seinem Büro hängen hatte, was jedoch nicht viel bedeuten musste, denn Hockney kam aus Yorkshire. Allerdings achtete Sebastian in diesem

Moment nicht besonders auf Mr. Agnew, denn er war mit seinen Gedanken ganz woanders.

»Soll das etwa heißen, dass wir doch noch eine Chance bekommen, eines der Bilder meiner Tochter zu kaufen?«, fragte Harry.

»Ohne jeden Zweifel«, antwortete Agnew, denn ich habe vor, nächstes Frühjahr eine Einzelausstellung von Jessicas Arbeiten zu veranstalten, und bis dahin hat sie hoffentlich noch ein paar mehr gemalt. Natürlich werde ich Ihnen und Mrs. Clifton eine Einladung zur Vernissage schicken.«

»Danke«, sagte Harry. »Zu dieser Veranstaltung werden wir ganz sicher nicht zu spät kommen.«

Mr. Agnew deutete eine Verbeugung an, wandte sich um und ging ohne ein weiteres Wort in Richtung Ausgang. Es war offensichtlich, dass er an keinem der anderen Künstler interessiert war, deren Werke an den Wänden hingen. Emma warf Sebastian einen Blick zu und sah, dass er Mr. Agnew nachstarrte. Dann entdeckte sie die junge Frau an der Seite des Kunsthändlers und verstand, warum ihr Sohn so schlagartig verstummt war.

»Du kannst den Mund wieder zumachen, Seb.«

Sebastian war verlegen – eine Tatsache, die nur selten vorkam und die Emma genoss.

»Ich finde, wir sollten uns jetzt Clives Bilder ansehen«, schlug Harry vor. »Dann können wir vielleicht auch seine Eltern kennenlernen.«

»Sie haben sich nicht die Mühe gemacht, heute zu erscheinen«, sagte Sebastian. »Jessica hat mir erzählt, dass sie nie auftauchen, um sich seine Werke anzuschauen.«

»Wie merkwürdig«, sagte Harry.

»Wie traurig«, sagte Emma.

22

»Ich mag deine Eltern«, sagte Clive. »Und dein Onkel Giles ist wirklich ein Fall für sich. Sogar ich könnte für ihn stimmen, obwohl das meinen Eltern gar nicht gefallen würde.«

»Warum nicht?«

»Beide sind eingefleischte Tories. Mutter würde keinen Sozialisten ins Haus lassen.«

»Ich finde es schade, dass sie nicht zur Ausstellung gekommen sind. Sie wären so stolz auf dich gewesen.«

»Das glaube ich nicht. Mum war nicht damit einverstanden, dass ich überhaupt auf die Kunstschule gegangen bin. Sie wollte, dass ich nach Oxford oder Cambridge gehe, und konnte einfach nicht akzeptieren, dass ich dazu nicht gut genug war.«

»Dann dürfte ich ihnen wahrscheinlich auch nicht gefallen.«

»Wie könntest du ihnen nur *nicht* gefallen?«, sagte Clive, drehte sich zu ihr um und sah ihr direkt ins Gesicht. »Niemand wurde an der Slade jemals so sehr ausgezeichnet wie du, und im Gegensatz zu mir hat man dir einen Platz an der Royal Academy angeboten. Dein Vater ist ein Bestsellerautor, deine Mutter die Vorstandsvorsitzende eines an der Börse notierten Unternehmens, und dein Onkel sitzt im Schattenkabinett. Dagegen ist mein Vater der Vorstandsvorsitzende einer Firma für Fischpastete, der darauf hofft, zum nächsten High Sheriff von Lincolnshire ernannt zu werden – eine Möglichkeit, die überhaupt nur deshalb besteht, weil bereits mein Großvater ein Vermögen mit dem Verkauf von Fischpastete gemacht hat.«

»Aber du weißt wenigstens, wer dein Großvater ist«, sagte Jessica und legte ihren Kopf auf seine Schulter. »Harry und Emma sind nicht meine leiblichen Eltern, obwohl sie mich immer wie ihre eigene Tochter behandelt haben und die Leute Emma für meine Mutter halten, weil sie und ich uns ein wenig ähnlich sehen. Und Seb ist der beste Bruder, den sich ein Mädchen jemals wünschen könnte. Und doch bin ich in Wahrheit eine Waise, und ich habe keine Ahnung, wer meine Eltern sind.«

»Hast du jemals versucht, es herauszufinden?«

»Ja. Man hat mir gesagt, dass sich die Dr.-Barnardo-Heime strikt an die Regel halten, ohne Zustimmung der leiblichen Eltern keinerlei Informationen an die Kinder weiterzugeben.«

»Warum fragst du nicht einfach deinen Onkel Giles? Wenn es irgendjemanden gibt, der Bescheid weiß, dann er.«

»Selbst wenn das stimmt, könnte es dann nicht sein, dass meine Familie gute Gründe hat, mir nichts zu sagen?«

»Vielleicht ist dein Vater im Krieg gefallen, nachdem man ihn noch auf dem Schlachtfeld für seinen besonders heldenhaften Einsatz ausgezeichnet hat, und deine Mutter starb an gebrochenem Herzen.«

»Und du, Clive Bingham, bist ein unverbesserlicher Romantiker, der aufhören sollte, *Biggles* zu lesen, und es stattdessen mal mit *Im Westen nichts Neues* versuchen sollte.«

»Wenn du eine berühmte Künstlerin bist, wirst du dich dann Jessica Clifton oder Jessica Bingham nennen?«

»Sollte das etwa schon wieder ein Heiratsantrag sein, Clive? Wenn ja, wäre es der dritte in dieser Woche.«

»Du hast mitgezählt? Ja, es war einer, und ich hatte eigentlich gehofft, dass du dieses Wochenende mit mir nach Lincolnshire kommst, um meine Eltern kennenzulernen, damit wir die ganze Sache offiziell machen können.«

»Liebend gerne«, sagte Jessica und legte die Arme um ihn.

»Aber vergiss nicht, dass es noch jemanden gibt, den ich aufsuchen muss, bevor du nach Lincolnshire kommen kannst«, sagte Clive. »Also fang noch nicht gleich an zu packen.«

»Es ist sehr freundlich von Ihnen, dass Sie mich so kurzfristig empfangen können, Sir.«

Harry war beeindruckt. Er konnte sehen, dass sich der junge Mann große Mühe gegeben hatte. Er war pünktlich, trug ein Jackett und eine Krawatte, und seine Schuhe glänzten, als wolle er in einer Parade mitmarschieren. Er war ganz offensichtlich nervös, also tat Harry alles, damit Clive sich wohlfühlte.

»In Ihrem Brief haben Sie geschrieben, dass Sie mich in einer wichtigen Angelegenheit sprechen wollen, was bedeutet, dass es sich nur um eines von zwei Dingen handeln kann.«

»Es ist wirklich ganz einfach, Sir«, sagte Clive. »Ich würde gerne um die Hand Ihrer Tochter anhalten.«

»Wie anrührend altmodisch.«

»Jessica würde nichts Geringeres von mir erwarten.«

»Haben Sie nicht das Gefühl, dass Sie beide noch ein wenig zu jung sind, um schon an eine Hochzeit zu denken? Vielleicht sollten Sie und Jessica noch ein wenig warten. Wenigstens so lange, bis Jessica ihren Abschluss gemacht hat.«

»Bei allem gebotenen Respekt, Sir. Sebastian hat mir gesagt, dass ich älter bin, als Sie es waren, als Sie Mrs. Clifton einen Antrag gemacht haben.«

»Stimmt, aber wir standen damals unmittelbar vor einem Krieg.«

»Ich hoffe nicht, dass ich in den Krieg ziehen muss, Sir, nur um zu beweisen, wie sehr ich Ihre Tochter liebe.«

Harry lachte. »Nun, ich nehme an, dass ich Sie als zukünftiger Schwiegervater nach Ihren Aussichten fragen sollte. Von Jessica weiß ich, dass man Ihnen keinen Platz an den RA Schools angeboten hat.«

»Ich bin ziemlich sicher, dass Sie das nicht überrascht hat, Sir.«

Harry lächelte. »Nun, was haben Sie dann so gemacht, seit Sie die Slade beendet haben?«

»Ich habe für eine Werbefirma gearbeitet, Curtis Bell & Getty, in der Designabteilung.«

»Wird das gut bezahlt?«

»Nein, Sir. Mein Gehalt beträgt vierhundert Pfund im Jahr, aber mein Vater unterstützt mich zusätzlich mit jährlich eintausend Pfund, und als Geschenk zu meinem einundzwanzigsten Geburtstag haben mir meine Eltern eine Wohnung in Chelsea zur Verfügung gestellt, für die ich keine Miete bezahlen muss. Wir werden also mehr als genug haben.«

»Sind Sie sich darüber im Klaren, dass die Malerei Jessicas erste Liebe war und immer sein wird und dass sie es niemals zulassen würde, dass irgendetwas zwischen sie und ihre Kunst kommt – was wir als ihre Familie übrigens schon am ersten Tag begriffen haben, an dem sie in unser Leben getreten ist?«

»Dessen bin ich mir nur allzu bewusst, Sir, und ich werde alles in meiner Macht Stehende tun, damit sie ihre künstlerischen Ziele verwirklichen kann. Es wäre Wahnsinn, sich angesichts ihres Talents anders zu verhalten.«

»Ich bin froh, dass Sie die Dinge auch so sehen«, sagte Harry. »Doch trotz ihrer großen Begabung leidet Jessica immer wieder an einer tiefen Unsicherheit, für die Sie in manchen

Zeiten viel Einfühlung und großes Verständnis werden aufbringen müssen.«

»Auch dessen bin ich mir absolut bewusst, Sir, und ich kann Ihnen versichern, dass ich gerne bereit bin, das für Jessica zu tun. Es ist geradezu eine Auszeichnung für mich.«

»Darf ich Sie fragen, was Ihre Eltern von Ihren Plänen halten, meine Tochter zu heiraten?«

»Meine Mutter ist ein großer Fan von Ihnen, und sie bewundert Ihre Frau.«

»Aber Ihre Eltern wissen doch hoffentlich, dass wir nicht Jessicas leibliche Eltern sind?«

»Oh ja. Aber wie Dad zu sagen pflegt: Das ist ja wohl kaum Jessicas Schuld.«

»Und haben Sie ihnen schon gesagt, dass Sie Jessica heiraten wollen?«

»Nein, Sir. Aber wir fahren dieses Wochenende nach Louth, wo ich genau das tun will. Ich kann mir nicht vorstellen, dass die beiden besonders überrascht sein werden.«

»Dann bleibt mir nur noch, Ihnen und Jessica Glück zu wünschen. Wenn es einen gütigeren, liebevolleren Menschen auf der Welt gibt als Jessica, dann habe ich ihn noch nicht getroffen. Aber vielleicht kommt das jedem Vater so vor.«

»Ich bin mir bewusst, dass ich niemals gut genug für sie sein kann, aber ich schwöre, dass ich sie nicht enttäuschen werde.«

»Da bin ich mir sicher«, sagte Harry. »Aber ich muss Sie warnen. Diese Münze hat zwei Seiten. Jessica ist eine sensible junge Frau, und wenn Sie jemals ihr Vertrauen verlieren sollten, dann haben Sie sie ganz und gar verloren.«

»Ich würde nie zulassen, dass so etwas geschehen könnte, glauben Sie mir.«

»Ich bin sicher, dass es Ihnen ernst ist. Also rufen Sie mich doch einfach an, wenn Jessica Ja sagt.«

»Das werde ich ganz bestimmt, Sir«, erwiderte Clive, als Harry aufstand. »Wenn Sie bis Sonntagabend nichts von mir hören, bedeutet das, dass Jessica abgelehnt hat. Wieder einmal.«

»Wieder einmal?«, fragte Harry.

»Ja. Ich habe Jessica schon mehr als einmal einen Heiratsantrag gemacht«, gab Clive zu, »und sie hat immer abgelehnt. Ich habe das Gefühl, dass es da etwas gibt, das ihr Sorgen macht, obwohl sie nicht darüber sprechen will. Wenn ich davon ausgehe, dass es sich dabei nicht um mich handelt, könnten, so hatte ich gehofft, vielleicht Sie etwas Licht in diese Angelegenheit bringen.«

Harry zögerte lange, bevor er antwortete. »Ich werde Jessica morgen zum Lunch treffen, deshalb würde ich vorschlagen, dass Sie danach kurz mit ihr sprechen, und zwar noch bevor Sie mit ihr nach Lincolnshire aufbrechen. Auf jeden Fall aber, bevor Sie Ihren Eltern die Neuigkeit mitteilen.«

»Wenn Sie den Eindruck haben, dass das nötig ist, werde ich das natürlich tun, Sir.«

»Ich glaube, das könnte unter den gegebenen Umständen sinnvoll sein«, sagte Harry gerade, als seine Frau ins Zimmer kam.

»Darf ich das so verstehen, dass Glückwünsche angebracht sind?«, fragte Emma, woraufhin Harry sich seinerseits fragte, ob seine Frau ihre Unterhaltung mit angehört hatte. »Wenn das der Fall ist, könnte ich gar nicht glücklicher darüber sein.«

»Noch nicht ganz, Mrs. Clifton. Aber wir wollen doch hoffen, dass es nach diesem Wochenende offiziell ist. Und wenn es dazu kommt, werde ich mich bemühen, mich Ihres Vertrauens und des Vertrauens von Mr. Clifton als würdig zu erweisen.« Er wandte sich an Harry und fügte hinzu: »Es war sehr freundlich von Ihnen, mich zu empfangen, Sir.«

Die beiden Männer gaben einander die Hand.

»Fahren Sie vorsichtig«, sagte Harry in einem Ton, als spreche er mit seinem eigenen Sohn.

Er und Emma traten ans Fenster und sahen zu, wie Clive in seinen Wagen stieg.

»Dann hast du dich also endlich dazu entschlossen, Jessica zu sagen, wer ihr Vater ist?«

»Clive hat mir keine andere Wahl gelassen«, erwiderte Harry, als der Wagen die Auffahrt hinabfuhr und durch die Tore zum Manor House verschwand. »Und nur der Himmel weiß, wie der junge Mann reagieren wird, wenn er die Wahrheit erfährt.«

»Ich mache mir größere Sorgen darüber, wie Jessica reagieren wird«, sagte Emma.

23

»Ich hasse die A1«, sagte Jessica. »Sie weckt so viele unglückliche Erinnerungen in mir.«

»Hat man jemals herausgefunden, was an jenem Tag wirklich passiert ist?«, fragte Clive, als er einen Lastwagen überholte. Jessica sah nach links und dann wieder zu ihm. »Was machst du da?«

»Ich will mich nur vergewissern, dass alles in Ordnung ist«, sagte Jessica. »Der Leichenbeschauer hat auf Tod durch Unfall entschieden. Doch ich weiß, dass Seb sich noch immer die Schuld an Brunos Tod gibt.«

»Aber das ist einfach nicht fair, wir beide wissen das.«

»Sag das Seb«, erwiderte Jessica.

»Wohin bist du mit deinem Vater gestern zum Lunch gegangen?«, fragte Clive, indem er sich bemühte, das Thema zu wechseln.

»Ich musste in letzter Minute absagen. Mein Tutor wollte mit mir zusammen das Bild aussuchen, das ich für die Sommerausstellung der RA einreichen soll. Also werde ich mit Dad am Montag zum Lunch gehen, obwohl ich zugeben muss, dass er enttäuscht klang.«

»Vielleicht gibt es ja etwas Wichtiges, das er mit dir besprechen wollte.«

»Da ist nichts, das nicht genauso gut bis Montag warten könnte.«

»Welches Bild habt ihr denn ausgesucht?«

»*Smog zwei.*«

»Eine gute Wahl!«

»Mr. Dunstan scheint recht zuversichtlich zu sein, dass die RA es in Erwägung ziehen wird.«

»War das das Bild, das du in der Wohnung an die Wand gelehnt hast, kurz bevor wir losgefahren sind?«

»Ja. Eigentlich wollte ich es diese Woche deiner Mutter schenken, aber unglücklicherweise müssen alle Anmeldungen für die Ausstellung bis nächsten Donnerstag eingegangen sein.«

»Sie wird stolz darauf sein, wenn ein Bild ihrer Schwiegertochter gemeinsam mit Werken von Studenten der RA ausgestellt wird.«

»Jedes Jahr werden zehntausend Bilder an die RA geschickt, und nur ein paar Hundert werden ausgewählt. Du kannst also noch ein wenig warten, bevor du die Einladungen rumschickst.« Wieder sah Jessica nach links und dann zurück zu Clive, als sie einen weiteren Lastwagen überholten. »Haben deine Eltern irgendeine Ahnung, warum wir sie dieses Wochenende besuchen?«

»Einen größeren Hinweis als *Ich möchte, dass ihr die Frau kennenlernt, mit der ich den Rest meines Lebens verbringen werde* hätte ich ihnen ja wohl kaum geben können.«

»Aber was ist, wenn sie mich nicht mögen?«

»Sie werden dich geradezu anbeten, und wen kümmert es schon, wenn sie es nicht tun sollten? Ich kann dich nicht noch mehr lieben, als ich dich jetzt schon liebe.«

»Du bist so süß«, sagte Jessica, beugte sich zu ihm und küsste ihn auf die Wange. »*Mir* würde es etwas ausmachen, wenn sich deine Eltern in dieser Sache nicht sicher wären. Du bist schließlich ihr einziger Sohn, also werden sie wohl ganz besonders auf dich achten wollen. Sie dürften wahrscheinlich sogar ein wenig nervös sein.«

»Meine Mutter macht nichts nervös, und wenn mein Dad dich erst einmal kennengelernt hat, wird es nicht mehr nötig sein, ihn zu überzeugen.«

»Ich wollte, ich hätte das Selbstvertrauen deiner Mutter.«

»Die gute Dame kann gar nicht anders. Sie ist auf die Roedean School gegangen, als sie den jungen Frauen dort noch nichts anderes beigebracht haben, als Mittel und Wege zu finden, wie man sich mit einem Adligen verlobt – und dann endet alles damit, dass sie den Fischpastetenkönig heiratet. Sie *muss* also einfach von der Vorstellung begeistert sein, dass unsere beiden Familien vereint werden.«

»Legt dein Vater Wert auf solche Dinge?«

»Ganz sicher nicht. Die Fabrikarbeiter nennen ihn Bob, womit meine Mutter gar nicht einverstanden ist. Außerdem haben sie ihn zum Präsidenten jeder möglichen Vereinigung im Umkreis von dreißig Meilen um unser Haus gemacht, vom Louth Snooker Club bis zur Cleethorpes Choral Society, und dabei ist der arme Mann farbenblind und völlig unfähig, auch nur einen Ton zu treffen.«

»Ich kann es gar nicht erwarten, ihn kennenzulernen«, sagte Jessica, als sie von der A1 abbogen und in Richtung Mablethorpe fuhren.

Obwohl Clive immer weiterplauderte, konnte er spüren, wie Jessica mit jeder Meile nervöser wurde, und als sie durch die Tore fuhren, die den Beginn der Ländereien um Mablethorpe Hall markierten, sagte sie zunächst überhaupt nichts mehr.

»Oh mein Gott«, entfuhr es Jessica schließlich, als sie der breiten Auffahrt folgten, die, so weit das Auge reichte, auf beiden Seiten von hohen, eleganten Ulmen gesäumt wurde. »Du hast mir gar nicht gesagt, dass ihr in einem Schloss wohnt.«

»Dad hat das Gut nur gekauft, weil es zuvor dem Earl of Mablethorpe gehörte, der versucht hat, um die Jahrhundertwende meinen Großvater aus dem Geschäft zu drängen. Abgesehen davon, dass er wahrscheinlich auch meine Mutter beeindrucken wollte.«

»Nun, ich bin beeindruckt«, sagte Jessica, als ein dreistöckiges Landhaus im Palladio-Stil vor ihnen auftauchte.

»Ja, ich muss zugeben, dass man schon ein paar Gläser Fischpastete verkaufen muss, um sich so einen Kasten leisten zu können.«

Jessica lachte, doch sie verstummte sogleich wieder, als sich die Eingangstür öffnete und ein Butler erschien, der von zwei Hausangestellten begleitet wurde, die die Stufen hinabeilten, um ihre Reisetaschen aus dem Kofferraum ihres Wagens zu holen.

»Ich habe nicht einmal genügend Gepäck für einen halben Hausangestellten dabei«, flüsterte Jessica.

Clive öffnete die Beifahrertür für sie, doch sie rührte sich nicht von der Stelle. Schließlich nahm er ihre Hand und führte sie die Stufen hinauf und durch die Eingangstür, wo Mr. und Mrs. Bingham sie in der Halle erwarteten.

Jessica hatte das Gefühl, ihr würden die Beine wegsacken, als sie zum ersten Mal Clives Mutter sah; diese Frau war so elegant, so kultiviert, so selbstsicher. Mrs. Bingham trat vor und begrüßte sie mit einem freundlichen Lächeln.

»Ich bin so froh, dass wir Sie endlich kennenlernen.« Die Worte sprudelten nur so aus ihrem Mund, und sie küsste Jessica auf beide Wangen. »Clive hat uns schon so viel von Ihnen erzählt.«

Clives Vater schüttelte ihr herzlich die Hand und sagte: »Ich muss gestehen, dass Clive nicht übertrieben hat. Sie sind schön wie ein Bild.«

Clive brach in Gelächter aus. »Ich hoffe nicht, Dad. Jessicas letztes Bild trägt den Titel *Smog zwei*.«

Jessica hielt sich an Clives Hand fest, während ihre Gastgeber sie in den Salon führten, und sie begann sich erst zu entspannen, als sie das Porträt von Clive, das sie kurz nach ihrer ersten Begegnung für ihn zum Geburtstag gemalt hatte, über dem Kaminsims hängen sah.

»Ich hoffe, Sie werden eines Tages auch ein Bild von mir malen.«

»Jessica macht so etwas nicht mehr, Dad.«

»Sehr gerne, Mr. Bingham.«

Als Jessica sich neben Clive auf das Sofa setzte, öffnete sich die Salontür. Der Butler erschien, gefolgt von einem Hausmädchen, das ein breites Silbertablett trug, auf dem eine silberne Teekanne und zwei große Teller mit Sandwichs standen.

»Gurken, Tomaten und Käse«, sagte der Butler.

»Aber keine Fischpastete, wie du siehst«, flüsterte Clive.

Nervös aß Jessica alles, was ihr angeboten wurde, während Mrs. Bingham über ihr Leben plauderte, in dem es so viel zu tun gab, dass sie nie einen freien Augenblick finden konnte. Sie schien gar nicht zu bemerken, dass Jessica Clives Vater auf der Rückseite ihrer Serviette zu skizzieren begann; sie hatte vor, die Zeichnung zu vervollständigen, wenn sie alleine in ihrem Schlafzimmer wäre.

»Heute werden wir nur im Kreis der Familie zu Abend essen«, sagte Mrs. Bingham und bot Jessica ein weiteres Sandwich an. »Aber für morgen habe ich eine kleine Feier geplant – lauter Freunde, die es gar nicht erwarten können, Ihre Bekanntschaft zu machen.«

Clive drückte Jessicas Hand, denn er wusste, wie sehr sie es hasste, im Mittelpunkt der Aufmerksamkeit zu stehen.

»Es ist sehr freundlich von Ihnen, sich all diese Mühe zu machen, Mrs. Bingham.«

»Bitte nennen Sie mich Priscilla. In unserem Haus geht es nicht besonders förmlich zu.«

»Und meine Freunde nennen mich Bob«, sagte Mr. Bingham und reichte ihr ein Stück Rührkuchen.

Als Jessica eine Stunde später ihr Zimmer gezeigt wurde, fragte sie sich, worüber sie sich eigentlich Sorgen gemacht hatte. Erst als sie sah, dass man ihre Kleider ausgepackt und in den Schrank gehängt hatte, wurde sie panisch.

»Wo liegt das Problem, Jess?«

»Ich komme gerade noch damit zurecht, dass ich mich heute zum Abendessen umziehen muss, aber es gibt nichts, das ich morgen bei der offiziellen Dinnerparty tragen könnte.«

»Darüber würde ich mir keine Sorgen machen, denn ich habe so das Gefühl, dass Mutter die Absicht hat, morgen mit dir einkaufen zu gehen.«

»Aber ich kann nicht zulassen, dass sie mir irgendetwas besorgt, wo ich ihr doch selbst noch überhaupt nichts geschenkt habe.«

»Sie will nur mit dir angeben, glaub mir, und das Ganze wird ihr viel mehr Spaß machen als dir. Betrachte es einfach als eine Kiste Fischpastete.«

Jessica lachte, und als sie nach dem Abendessen zu Bett gingen, war sie so entspannt, dass sie munter weiterplauderte.

»Das war gar nicht so schlecht, was?«, sagte Clive, als er ihr ins Schlafzimmer folgte.

»Es hätte gar nicht besser laufen können«, sagte sie. »Ich finde deinen Vater wirklich beeindruckend, und deine Mutter hat sich alle Mühe gegeben, dass ich mich ganz wie zu Hause fühle.«

»Hast du jemals in einem Bett mit Baldachin geschlafen?«, fragte er und nahm sie in die Arme.

»Nein, noch nie«, erwiderte Jessica und schob ihn weg. »Und wo schläfst du?«

»Im Zimmer gleich nebenan. Aber wie du sehen kannst, gibt es eine Verbindungstür. Denn hier hat einst die Mätresse des Grafen geschlafen. Also werde ich später zu dir kommen.«

»Nein, das wirst du nicht«, erwiderte Jessica in scherzhaftem Ton. »Obwohl mir die Vorstellung, die Mätresse eines Grafen zu sein, wirklich gefällt.«

»Dazu wird es nie kommen«, sagte Clive und ließ sich auf ein Knie sinken. »Du wirst dich schon damit zufriedengeben müssen, Mrs. Bingham, die Fischpastetenprinzessin zu sein.«

»Du willst mir doch nicht schon wieder einen Antrag machen, Clive, oder?«

»Jessica Clifton, ich bete dich an. Ich möchte den Rest meines Lebens mit dir verbringen, und deshalb hoffe ich, dass du mir die Ehre erweisen wirst, meine Frau zu werden.«

»Natürlich werde ich das«, antwortete Jessica, kniete nieder und schlang die Arme um ihn.

»Eigentlich müsstest du an dieser Stelle zögern und kurz darüber nachdenken.«

»Ich habe während der letzten sechs Monate kaum über etwas anderes nachgedacht.«

»Aber ich hatte den Eindruck …«

»Es lag niemals an dir, Dummkopf. Ich könnte dich nicht mehr lieben, als ich es jetzt schon tue, selbst wenn ich es wollte. Es ist nur so, dass …«

»Dass?«

»Wenn man eine Waise ist, dann muss man sich unweigerlich fragen …«

»Jess, manchmal bist du wirklich so dumm. Ich habe mich in *dich* verliebt, und es ist mir völlig gleichgültig, wer deine Eltern waren oder sind. Und jetzt lass mich los, denn ich habe eine kleine Überraschung für dich.«

Jessica löste die Arme von ihrem Verlobten, und Clive zog eine kleine rote Lederschachtel aus der Innentasche seines Jacketts. Jessica öffnete sie und lachte laut, als sie sah, dass sich ein kleines Glas Bingham's Fischpastete darin befand. *Die Pastete, die sogar Fischer essen.*

»Vielleicht solltest du einen Blick hineinwerfen«, schlug Clive vor.

Sie schraubte den Deckel auf und schob ihren Finger in die Pastete. »Igitt«, sagte sie, doch gleich darauf zog sie einen erlesenen viktorianischen Verlobungsring heraus, der mit Saphiren und Diamanten besetzt war. »Oh, ich wette, so einen findet man nicht in jedem Glas. Er ist so schön«, sagte Jessica, nachdem sie ihn sauber geleckt hatte.

»Er hat meiner Großmutter gehört. Betsy war ein typisches Mädchen aus der Gegend, aus Grimsby. Sie hat Großvater geheiratet, als er noch auf einem Fischkutter gearbeitet hat, lange bevor er so reich wurde.«

Jessica starrte noch immer den Ring an. »Er ist viel zu gut für mich.«

»Betsy hätte das nicht gefunden.«

»Aber was ist mit deiner Mutter? Was wird sie wohl denken, wenn sie ihn sieht?«

»Es war ihre eigene Idee«, sagte Clive. »Also lass uns nach unten gehen und ihnen die Neuigkeit mitteilen.«

»Noch nicht«, sagte Jessica und nahm ihn in die Arme.

24

Am nächsten Morgen machte Clive mit seiner Verlobten einen Spaziergang durch das Land um Mablethorpe Hall, doch sie sahen nur den Garten und den See, bevor Clives Mutter Jessica zu einer Einkaufstour nach Louth mitnahm.

»Denk immer daran: Jedes Mal, wenn die Ladenkasse klingelt, musst du dir einfach eine weitere Kiste Fischpastete vorstellen«, sagte Clive, als sich Jessica neben Priscilla in den Fond des Wagens setzte.

Als die beiden zu einem späten Mittagessen nach Mablethorpe Hall zurückkehrten, war Jessica mit Schachteln und Taschen beladen, die zwei Kleider, einen Kaschmirschal, ein Paar Schuhe und eine winzige schwarze Abendhandtasche enthielten.

»Für das Dinner heute Abend«, erklärte Priscilla.

Jessica hatte Mühe, sich vorzustellen, wie viele Kisten Fischpastete verkauft werden mussten, um die Rechnungen dafür zu bezahlen. Zwar war sie Priscilla für ihre Großzügigkeit sehr dankbar, doch als sie mit Clive in ihrem Zimmer alleine war, sagte sie mit fester Stimme zu ihm: »Das ist nicht das Leben, das ich mehr als ein paar Tage lang führen möchte.«

Nach dem Lunch zeigte Clive ihr den Rest der Ländereien, und sie schafften es gerade noch zum Nachmittagstee.

»Hört deine Familie eigentlich jemals auf zu essen?«, fragte

Jessica. »Ich weiß wirklich nicht, wie deine Mutter dabei so schlank bleibt.«

»Sie isst nicht. Sie stochert nur in ihrem Essen herum, hast du das noch nicht bemerkt?«

»Sollen wir die Gästeliste für das Dinner durchgehen?«, fragte Priscilla, nachdem der Tee serviert worden war. »Der Bischof von Grimsby und seine Frau Maureen.« Sie sah auf. »Natürlich hoffen wir alle, dass der Bischof die Zeremonie leiten wird.«

»Welche Zeremonie könnte das denn sein, meine Liebe?«, fragte Bob und zwinkerte Jessica zu.

»Ich würde mir wünschen, dass du mich nicht immer ›meine Liebe‹ nennen würdest«, sagte Priscilla. »Es ist so gewöhnlich«, fügte sie hinzu, bevor sie mit der Gästeliste fortfuhr. »Der Bürgermeister von Louth, Councillor Pat Smith. Ich mag es gar nicht, wenn man Vornamen abkürzt. Wenn mein Mann nächstes Jahr High Sheriff der Grafschaft wird, werde ich darauf bestehen, dass jeder ihn Robert nennt. Und schließlich noch meine alte Schulfreundin Lady Virginia Fenwick, die Tochter des Earl of Fenwick. Wir waren im selben Jahr Debütantinnen, weißt du?«

Jessica griff nach Clives Hand, um ihr Zittern unter Kontrolle zu bringen. Sie sagte kein Wort, bis sie wieder zusammen mit ihm in der Sicherheit ihres Zimmers war.

»Was ist los, Jess?«, fragte Clive.

»Weiß deine Mutter nicht, dass Lady Virginia Onkel Giles' erste Frau war?«

»Natürlich weiß sie das. Aber das ist doch schon so lange her. Wen kümmert das noch? Ehrlich gesagt bin ich überrascht, dass du dich überhaupt an sie erinnerst.«

»Ich bin ihr nur ein einziges Mal begegnet, bei der Beerdigung von Grandma Elizabeth, und ich erinnere mich nur noch daran, dass sie darauf bestanden hat, mit ›Lady Virginia‹ angesprochen zu werden.«

»Das ist immer noch so«, sagte Clive, der sich um einen unbeschwerten Tonfall bemühte. »Ich glaube, du wirst sehen, dass sie mit den Jahren ein wenig milder geworden ist, obwohl ich gestehen muss, dass sie in meiner Mutter das Schlechteste zum Vorschein bringt. Und ich weiß definitiv, dass Dad sie nicht ausstehen kann. Also sei nicht überrascht, wenn er irgendeine Ausrede findet, um zu verschwinden, wenn die beiden zusammen sind.«

»Ich mag deinen Vater«, sagte Jessica.

»Und er betet dich geradezu an.«

»Warum sagst du das?«

»Hör auf, nach Komplimenten zu angeln. Aber ich muss zugeben, dass er mir bereits gestanden hat: ›Wenn ich zwanzig Jahre jünger wäre, mein Junge, hättest du keine Chance.‹«

»Wie nett von ihm.«

»Das war keine Nettigkeit. Er hat es wirklich so gemeint.«

»Ich werde mich wohl besser umziehen, sonst komme ich noch zu spät zum Dinner«, sagte Jessica. »Ich weiß nicht, welches von den beiden Kleidern ich tragen soll«, fügte sie hinzu, als Clive in sein Zimmer ging. Sie probierte beide an, betrachtete sich jedes Mal lange im Spiegel und hatte sich trotzdem noch nicht entschieden, als Clive zurückkam und sie bat, ihm mit der Krawatte zu helfen.

»Welches Kleid soll ich anziehen?«, fragte sie ratlos.

»Das blaue«, sagte Clive, bevor er wieder in sein Zimmer zurückging.

»Wieder betrachtete sich Jessica im Spiegel und fragte sich, ob es jemals wieder eine Gelegenheit geben würde, bei der sie eines der beiden Kleider tragen könnte. Zum Studentenball ganz sicher nicht.

»Du siehst fantastisch aus«, sagte Clive, als er schließlich aus dem Badezimmer kam. »Was für ein Kleid!«

»Deine Mutter hat es ausgesucht«, sagte Jessica und drehte sich wirbelnd im Kreis.

»Dann sollten wir uns mal in Bewegung setzen. Ich habe schon einen Wagen in der Auffahrt gehört.«

Jessica drapierte sich den Kaschmirschal um die Schultern und warf einen letzten Blick in den Spiegel, bevor die beiden Hand in Hand die Treppe hinuntergingen. Gerade als sie den Salon betraten, erklang ein Klopfen an der Eingangstür.

»Du siehst himmlisch aus in diesem Kleid«, sagte Priscilla. »Und der Schal ist einfach perfekt. Findest du nicht auch, Robert?«

»Ja, einfach perfekt, meine Liebe«, sagte Bob.

Priscilla runzelte die Stirn, als der Butler die Tür öffnete und verkündete: »Der Bischof von Grimsby und Mrs. Hadley.«

»Mein Gott«, sagte Priscilla. »Wie wunderbar, dass Sie heute Zeit hatten, zu uns zu kommen. Ich möchte Ihnen Miss Jessica Clifton vorstellen, die sich soeben mit meinem Sohn verlobt hat.«

»Clive kann sich glücklich schätzen«, sagte der Bischof, doch Jessica konnte nur daran denken, wie sie ihn in seinem langen schwarzen Gehrock, dem klerikal purpurnen Hemd und dem schimmernd weißen Kollar zeichnen würde.

Wenige Minuten später erschien der Bürgermeister von Louth, und Priscilla bestand darauf, ihn als Councillor Patrick Smith vorzustellen. Als Priscilla das Zimmer verließ, um ihren letzten Gast zu begrüßen, flüsterte der Bürgermeister Jessica zu: »Nur meine Mutter und Priscilla nennen mit Patrick. Ich hoffe, dass Sie mich Pat nennen werden.«

Und dann hörte Jessica eine Stimme, die sie nie vergessen würde.

»Priscilla, Darling, es ist schon wieder viel zu lange her.«

»Viel zu lange, Darling«, bestätigte Priscilla.

»Man kommt einfach nicht so oft in den Norden, wie man sollte. Es gibt so viele Dinge, bei denen wir einander auf den neuesten Stand bringen müssen«, sagte Virginia, als sie ihre Gastgeberin in den Salon begleitete.

Nachdem Priscilla Virginia dem Bischof und dem Bürgermeister vorgestellt hatte, führte sie sie durch den Saal zu Jessica. »Und nun möchte ich dir Miss Jessica Clifton vorstellen, die sich soeben mit meinem Sohn Clive verlobt hat.«

»Guten Abend, Lady Virginia. Ich nehme nicht an, dass Sie sich an mich erinnern.«

»Wie könnte ich unsere Begegnung vergessen, obwohl Sie damals nur sieben oder acht Jahre alt waren?«, sagte Virginia und trat einen Schritt zurück. »Sehen Sie sich nur an. Sind Sie etwa nicht zu einer schönen jungen Frau herangewachsen? Wissen Sie, Sie erinnern mich so sehr an Ihre liebe Mutter.« Jessica war sprachlos, doch das schien für Virginia keine Rolle zu spielen. »Und ich höre so wundervolle Neuigkeiten über Ihre Arbeiten an der Slade. Wie stolz Ihre Eltern sein müssen.«

Erst später, sehr viel später, begann sich Jessica zu fragen, wie Lady Virginia etwas über ihre Arbeiten wissen konnte; zunächst ließ sie sich durch Kommentare wie *Welch ein atemberaubendes Kleid, so ein exquisiter Ring* und *Clive hat wirklich Glück gehabt* blenden.

»Noch ein Mythos hat sich schlagartig in Luft aufgelöst«, sagte Clive, als sie Arm in Arm in den Speisesaal gingen.

Jessica war nicht ganz überzeugt, und sie stellte mit Erleichterung fest, dass sie zwischen dem Bischof und dem Bürgermeister platziert worden war, während Lady Virginia am anderen Ende der Tafel rechts von Mr. Bingham und damit so weit entfernt von ihr saß, dass sie keine Konversation mit ihr machen musste. Nachdem der Hauptgang abgetragen worden war – es gab mehr Bedienstete als Gäste –, klopfte Mr. Bingham mit einem Löffel gegen sein Glas und erhob sich von seinem Platz am Kopfende des Tisches.

»Heute«, begann er, »heißen wir ein neues Mitglied in unserer Familie willkommen, eine ganz besondere junge Dame, die meinem Sohn eine große Ehre erwiesen hat, indem sie eingewilligt hat, seine Frau zu werden. Liebe Freunde«, sagte er und hob sein Glas, »auf Jessica und Clive.«

Alle standen auf und wiederholten die Worte »Jessica und Clive«, und sogar Lady Virginia hob ihr Glas. Jessica fragte sich, ob es möglich war, noch glücklicher zu sein.

Nachdem im Anschluss an das Dinner im Salon noch mehr Champagner getrunken worden war, entschuldigte sich der Bischof, indem er erklärte, er habe am nächsten Morgen eine Messe zu halten und müsse daher seine Predigt noch einmal durchgehen. Priscilla begleitete ihn und seine Frau zur Tür, und ein paar Minuten später bedankte sich der Bürgermeister bei seinen Gastgebern und gratulierte noch einmal dem glücklichen Paar.

»Gute Nacht, Pat«, sagte Jessica. Der Bürgermeister verabschiedete sich mit einem breiten Grinsen von ihr, bevor er aufbrach.

Nachdem der Bürgermeister gegangen war, kam Mr. Bingham in den Salon zurück und sagte zu seiner Frau: »Ich führe dann mal die Hunde aus und lasse euch beide allein. Da ihr euch so lange nicht gesehen habt, gibt es sicher viel zu besprechen.«

»Ich glaube, das ist das Stichwort, dass auch wir uns zurückziehen sollen«, sagte Clive. Er wünschte seiner Mutter und Lady Virginia eine gute Nacht und begleitete Jessica nach oben in ihr Zimmer.

»Welch ein Triumph«, sagte Clive, nachdem er die Schlafzimmertür geschlossen hatte. »Sogar Lady Virginia hast du anscheinend für dich gewonnen. Du siehst aber auch wirklich absolut hinreißend aus in diesem Kleid.«

»Das verdanke ich nur der Großzügigkeit deiner Mutter«, erwiderte Jessica und betrachtete sich noch einmal in dem langen Spiegel.

»Vergiss Großvaters Fischpastete nicht.«

»Aber wo ist der schöne Schal, den deine Mutter mir geschenkt hat?« Jessica sah sich im Zimmer um. »Ich habe ihn wohl im Salon liegen lassen. Ich gehe schnell nach unten und hole ihn.«

»Kann das nicht bis morgen warten?«

»Auf gar keinen Fall«, sagte Jessica. »Ich hätte ihn nie aus den Augen lassen sollen.«

»Pass nur auf, dass du dich von den beiden nicht in ein Gespräch verwickeln lässt. Wahrscheinlich planen sie unsere Hochzeit schon in allen Einzelheiten.«

»Es dauert nur einen kurzen Augenblick«, sagte Jessica, als sie leise vor sich hin summend das Zimmer verließ. Sie war nur noch wenige Meter von der Salontür entfernt, als sie das Wort *Mörderin* hörte und abrupt stehen blieb.

»Der Leichenbeschauer bezeichnete es als Tod durch Unfall, obwohl Sir Hugos Leiche in einer Blutlache gefunden wurde. In seinem Hals steckte ein Brieföffner.«

»Und du gehst wirklich davon aus, dass Sir Hugo Barrington ihr Vater ist?«

»Daran gibt es überhaupt keinen Zweifel. Ehrlich gesagt war sein Tod sogar eine Art Erleichterung für die Familie, denn er wäre in Kürze wegen Betrug vor Gericht gekommen. Wäre das geschehen, wäre die Firma zweifellos untergegangen.«

»Ich hatte absolut keine Ahnung davon.«

»Und das ist längst noch nicht alles, Darling, denn danach beging Jessicas Mutter Selbstmord, um nicht wegen des Mordes an Sir Hugo belangt zu werden.«

»Das kann ich gar nicht glauben. Sie kam mir so sehr wie eine anständige junge Frau vor.«

»Ich fürchte, es wird auch nicht besser, wenn man sich die Clifton-Seite der Familie näher ansieht. Harry Cliftons Mutter war eine stadtbekannte Prostituierte, weshalb er nie ganz sicher sein kann, wer sein Vater ist. Unter normalen Umständen hätte ich das alles nicht erwähnt«, fuhr Virginia fort, »aber im Augenblick kannst du wirklich keinen Skandal gebrauchen.«

»Im Augenblick?«, wiederholte Priscilla in fragendem Ton.

»Ja. Ich habe aus zuverlässiger Quelle erfahren, dass der Premierminister erwägt, Robert in den Adelsstand zu erheben, was natürlich bedeuten würde, dass du dann Lady Bingham wärst.«

Nach längerem Nachdenken sagte Priscilla: »Glaubst du, dass Jessica die Wahrheit über ihre Eltern kennt? Clive hat noch nie die geringste Andeutung darüber gemacht, dass es da irgendwo so etwas Skandalöses geben könnte.«

»Natürlich kennt sie sie. Aber sie hatte nie die Absicht, dir oder Clive etwas darüber zu erzählen. Das kleine Flittchen hat sicher gehofft, ihren goldenen Ring bereits zu tragen, wenn die ganze Angelegenheit publik wird. Hast du nicht bemerkt, wie sie Robert bereits um den Finger gewickelt hat? Ihm zu versprechen, sein Porträt zu malen, war nichts weniger als eine Meisterleistung.«

Jessica unterdrückte ein Schluchzen, drehte sich um und eilte die Treppe hinauf.

»Was um alles in der Welt ist los, Jess?«, fragte Clive, als sie ins Schlafzimmer gerannt kam.

»Lady Virginia hat deiner Mutter erzählt, dass ich die Tochter einer Mörderin bin … die meinen Vater umgebracht hat«, sagte sie schluchzend. »Und dass … dass meine Großmutter eine ehemalige Prostituierte ist und ich nur an deinem Geld interessiert bin.«

Clive nahm sie in die Arme und versuchte, sie zu beruhigen, doch sie war untröstlich. »Überlass das mir«, sagte er schließlich, ließ sie los und streifte einen Morgenmantel über. »Ich werde meiner Mutter sagen, dass es mir vollkommen gleichgültig ist, was Lady Virginia denkt, denn nichts wird mich daran hindern, dich zu heiraten.« Noch einmal nahm er sie in die Arme, dann verließ er das Schlafzimmer und ging nach unten in den Salon.

»Was sind das für Lügen, die Sie über meine Verlobte verbreiten«, fragte er und sah Virginia direkt ins Gesicht.

»Es ist nichts als die Wahrheit«, erwiderte Virginia ruhig. »Ich hielt es für besser, dass Ihre Mutter vor einer möglichen Hochzeit Bescheid weiß, denn hinterher wäre es zu spät.«

»Aber zu behaupten, dass Jessicas Mutter eine Mörderin ist …«

»Das ist nicht besonders schwierig nachzuprüfen.«

»Und dass ihre Großmutter eine Prostituierte war?«

»Das ist in Bristol allgemein bekannt.«

»Nun, mir ist das alles vollkommen gleichgültig«, sagte

Clive. »Ich bewundere Jess zutiefst, und was immer das ansonsten mit sich bringen mag, interessiert mich nicht, denn eines kann ich Ihnen versichern, Lady Virginia: Sie werden mich nicht davon abhalten, Jessica zu heiraten.«

»Clive, Darling«, sagte seine Mutter in ruhigem Ton. »Ich würde an deiner Stelle einen Moment lang über diese ganze Angelegenheit nachdenken, bevor du eine so übereilte Entscheidung triffst.«

»Ich brauche nicht darüber nachzudenken, ob ich das vollkommenste Wesen auf dieser Welt heiraten will.«

»Aber wovon willst du leben, wenn du diese Frau heiraten solltest?«

»Vierzehnhundert Pfund im Jahr dürften mehr als genug sein.«

»Aber davon kommen eintausend Pfund von deinem Vater, und wenn er hört …«

»Dann werden wir eben von meinem Gehalt leben. Andere Leute scheinen das ja auch zu schaffen.«

»Ist dir nie in den Sinn gekommen, Clive, wo diese vierhundert Pfund herkommen?«

»Durchaus. Von Curtis Bell & Getty, und ich habe mir jeden Penny davon verdient.«

»Glaubst du wirklich, dass diese Agentur dich eingestellt hätte, wenn sie nicht für den Werbeetat von Bingham's Fischpastete zuständig wäre?«

Clive verstummte für einen Moment. Schließlich sagte er: »Dann werde ich mir eben eine andere Stelle suchen müssen.«

»Und wo gedenkst du zu wohnen?«

»In meiner Wohnung natürlich.«

»Aber für wie lange? Du weißt doch, dass der Vertrag für die Wohnung am Glebe Place im September ausläuft. Ich weiß, dass dein Vater die Absicht hatte, den Vertrag zu erneuern, aber unter den gegebenen Umständen …«

»Du kannst diese verdammte Wohnung behalten, Mutter. Du wirst es nicht schaffen, dich zwischen mich und Jess zu drängen.« Er drehte beiden den Rücken zu, verließ das Zimmer und schloss die Tür leise hinter sich. Dann rannte er nach oben. Er wollte Jessica versichern, dass sich zwischen ihnen nichts geändert hatte, und ihr vorschlagen, sofort nach London zurückzufahren. Er sah in beiden Schlafzimmern nach, konnte sie jedoch nirgendwo finden. Auf ihrem Bett lagen die beiden Kleider, die kleine Abendhandtasche, ein Paar Schuhe, der Verlobungsring und eine Zeichnung, die seinen Vater darstellte. Clive rannte wieder nach unten, wo er seinen Vater in der Eingangshalle fand, der seinen Ärger kaum verbergen konnte.

»Hast du Jess gesehen?«

»Das habe ich. Aber ich fürchte, so sehr ich sie auch beschworen habe, konnte ich sie nicht davon überzeugen zu bleiben. Sie hat mir erzählt, was diese schreckliche Person gesagt hat. Wer könnte der armen jungen Frau einen Vorwurf machen, wenn sie angesichts dieser Umstände keine weitere Nacht unter unserem Dach mehr zubringen will? Ich habe Burrows gebeten, sie zum Bahnhof zu fahren. Zieh dich an und fahr ihr nach, Clive. Verlier sie nicht, denn du wirst nie wieder jemanden wie sie finden.«

Clive stürmte nach oben, während sein Vater in Richtung Salon ging.

»Hast du Virginias Neuigkeiten gehört, Robert?«, fragte Priscilla, als er das Zimmer betrat.

»Das habe ich allerdings«, sagte er und wandte sich Virginia zu. »Und jetzt hören Sie mir gut zu, Virginia. Sie werden dieses Haus unverzüglich verlassen.«

»Aber Robert, ich habe doch nur versucht, meiner lieben Freundin zu helfen.«

»Sie haben nichts dergleichen getan, und das wissen Sie auch ganz genau. Sie sind aus einem einzigen Grund hierhergekommen: um das Leben dieser jungen Frau zu ruinieren.«

»Aber Robert, Darling, Virginia ist meine beste Freundin.«

»Nur dann, wenn es ihr gerade passt. Versuch gar nicht erst, sie zu verteidigen, denn sonst kannst du gleich mit ihr gehen. Und dann wirst du sehr schnell herausfinden, was für eine gute Freundin sie ist.«

Virginia stand auf und ging langsam zur Tür. »Es tut mir leid, dir das sagen zu müssen, Priscilla, aber ich werde dich in Zukunft nicht mehr besuchen.«

»Dann hatte diese Sache wenigstens ein Gutes«, sagte Robert.

»Niemand hat es jemals gewagt, so mit mir zu sprechen«, erwiderte Virginia und wandte sich dem Mann zu, der so entschieden gegen sie auftrat.

»Tatsächlich? Vielleicht sollten Sie noch einmal Elizabeth Barringtons Testament lesen, denn diese Dame hat Sie zweifellos richtig eingeschätzt. Und jetzt verschwinden Sie, bevor ich Sie rauswerfe.«

Dem Butler gelang es gerade noch rechtzeitig, die Haustür zu öffnen, sodass Virginia ihren Weg ungehindert fortsetzen konnte.

Clive ließ seinen Wagen vor dem Bahnhof stehen und rannte über die Brücke in Richtung Bahnsteig drei. Er konnte den Pfiff des Stationsbeamten hören, und gerade als er die unterste Stufe erreichte, rollte der Zug an. Er sprintete ihm hinterher, als wolle er den Weltrekord über einhundert Meter brechen, doch als er das Ende des Bahnsteigs erreichte, war der Zug schon viel zu schnell geworden. Clive beugte sich vor, legte die Hände auf die Knie und versuchte, wieder zu Atem zu kommen. Nachdem der letzte Waggon verschwunden war, drehte er sich um und ging den Bahnsteig entlang zurück, und als er wieder bei seinem Wagen war, hatte er eine Entscheidung getroffen.

Er setzte sich hinter das Steuer, schaltete die Zündung ein und fuhr bis ans Ende der Straße. Wenn er nach rechts abbog, würde er in Kürze wieder Mablethorpe Hall erreichen. Er bog nach links ab, beschleunigte und folgte den Schildern Richtung A1. Er wusste, dass der Milchzug fast an jeder Station zwischen Louth und London hielt, also wäre er mit ein bisschen Glück bereits in der Wohnung, bevor Jessica ankäme.

Die Eingangstür zu öffnen bereitete dem Eindringling keine Probleme, und obwohl es sich um einen der besseren Häuserblocks handelte, war er nicht bedeutend genug, als dass man einen Nachtportier eingestellt hätte. Vorsichtig stieg der Mann die Treppe hinauf. Zwar erklang gelegentlich ein leises Knarren, doch es war kein Laut zu hören, der irgendjemanden um halb drei Uhr nachts geweckt hätte.

Als der Eindringling den Treppenabsatz im zweiten Stock erreicht hatte, fand er Wohnung Nummer vier sofort. Er sah sich auf dem Flur um. Nichts. Diesmal dauerte es etwas länger, bis er die beiden Schlösser geöffnet hatte. Als er in der Wohnung war, zog er leise die Tür hinter sich zu und schaltete das Licht ein, denn er musste nicht befürchten, gestört zu werden. Schließlich wusste er, wo *sie* dieses Wochenende verbrachte.

Er ging durch die ganze Wohnung und nahm sich Zeit,

sämtliche Gemälde, die er suchte, zu identifizieren: Sieben waren im vorderen Zimmer, drei im Schlafzimmer, eines in der Küche, und als Bonus lehnte ein großes Ölgemälde an der Wand neben der Eingangstür, das einen Aufkleber trug. *Smog zwei. Bis Donnerstag an die RA zu senden*. Er trug sämtliche Bilder ins Wohnzimmer, wo er sie in einer Reihe aufstellte. Sie waren nicht schlecht. Er zögerte einen kurzen Moment, bevor er ein Schnappmesser aus der Tasche zog und die Anweisungen seines Vaters ausführte.

Um 2:40 Uhr fuhr der Zug in den Bahnhof von St. Pancras ein, und zu diesem Zeitpunkt wusste Jessica ganz genau, was sie tun würde. Sie würde ein Taxi zu Clives Wohnung nehmen, ihre Sachen packen und Sebastian anrufen, um ihn zu fragen, ob sie ein paar Tage bei ihm wohnen könnte, während sie sich nach einer neuen Wohnung umsah.

»Alles in Ordnung mit Ihnen, Schätzchen?«, fragte der Fahrer, als sie sich auf die Rückbank des Taxis sinken ließ.

»Alles in Ordnung. Glebe Place Nummer zwölf, Chelsea«, brachte sie mühsam hervor. Es waren keine Tränen mehr in ihr, die sie noch hätte weinen können.

Als das Taxi vor dem Gebäudekomplex hielt, reichte Jessica dem Fahrer eine Zehn-Pfund-Note, was alles Geld war, das sie bei sich hatte, und sagte: »Würden Sie bitte so freundlich sein und hier warten. Ich werde mich beeilen.«

»Kein Problem, Schätzchen.«

Er hatte seinen Auftrag, den er durchaus genoss, fast schon erledigt, als er zu hören glaubte, dass ein Wagen vor dem Gebäude hielt.

Er legte das Messer auf einen Beistelltisch, trat ans Fenster und schob den Vorhang ein paar Zentimeter zur Seite. Dann beobachtete er, wie *sie* aus dem Taxi stieg und kurz mit dem Fahrer sprach. Rasch ging er durch das Zimmer, löschte das Licht und öffnete die Tür. Wieder sah er sich kurz auf dem Flur um. Nichts, wie schon zuvor. Im Laufschritt eilte er die Treppe hinab, und als er die Haustür öffnete, sah er, wie *sie* auf dem Weg zum Haus auf ihn zukam.

Jessica holte gerade einen Schlüssel aus ihrer Handtasche, als ein Mann an ihr vorbeistreifte. Sie sah auf, doch sie erkannte ihn nicht, was sie überraschte, da sie jeden Bewohner des Gebäudes zu kennen glaubte.

Sie schloss die Tür auf und ging die Treppe hinauf. Als sie den zweiten Stock erreicht hatte und die Tür zu Wohnung Nummer vier öffnete, fühlte sie sich ziemlich erschöpft. Zuerst würde sie Sebastian anrufen müssen, um ihm zu berichten, was geschehen war. Sie schaltete das Licht ein und ging auf das Telefon am anderen Ende des Wohnzimmers zu. In diesem Augenblick sah sie das erste ihrer Gemälde.

Zwanzig Minuten später hatte Clive Glebe Place erreicht. Noch immer hoffte er, vor Jessica in der Wohnung zu sein. Er sah auf und erkannte, dass das Licht im Schlafzimmer brannte. Sie muss zu Hause sein, dachte er erleichtert.

Er parkte seinen Wagen hinter einem Taxi, dessen Motor noch immer lief. Wartete der Fahrer auf sie? Hoffentlich nicht. Er schloss die Haustür auf und rannte die Treppe hoch. Die Wohnungstür stand weit offen, und er sah, dass alle Lichter brannten. Er trat ein, und als er einen Augenblick später die Bilder sah, fiel er auf die Knie. Heftige Übelkeit durchströmte ihn. Er starrte das Chaos an, das ihn umgab. Es sah aus, als hätte jemand immer wieder mit einem Messer auf Jessicas

Zeichnungen, Aquarelle und Ölgemälde eingestochen. Nur für *Smog zwei* galt das nicht: Bei diesem Bild war ein großes, ausgefranstes Loch aus der Mitte der Leinwand herausgeschnitten worden. Was hatte sie nur dazu gebracht, so etwas Irrationales zu tun?

»Jess!«, schrie er, doch niemand antwortete. Mühsam drückte er sich hoch und ging langsam ins Schlafzimmer, aber dort war sie nicht. In diesem Moment hörte er, dass irgendwo Wasser aus einem Hahn strömte. Er wirbelte herum und sah, dass unter der Badezimmertür eine seichte Pfütze hervorquoll. Er rannte hin, riss die Tür auf und starrte ungläubig auf seine geliebte Jess. Ihr Kopf trieb auf dem Wasser, und ihr Handgelenk, das zwei tiefe Schnitte zeigte, aus denen schon kein Blut mehr floss, hing schlaff über den Rand der Badewanne. Und dann sah er das Schnappmesser, das neben ihr auf dem Boden lag.

Vorsichtig hob er ihren leblosen Körper aus dem Wasser und brach mit ihr in den Armen auf dem Boden zusammen. Er weinte hemmungslos. Immer wieder ging ihm ein und derselbe Gedanke durch den Kopf: Wenn er auf dem Landgut doch nur nicht nach oben gegangen wäre, um sich umzuziehen, sondern sofort zum Bahnhof gefahren wäre, würde Jessica jetzt noch leben.

Das Letzte, woran er sich erinnerte, war, dass er den Verlobungsring aus seiner Tasche nahm und ihn ihr zurück auf den Finger schob.

25

Der Bischof von Bristol sah von der Kanzel hinab auf die dicht besetzten Kirchenbänke der St. Mary Redcliffe und hatte deutlich vor Augen, auf wie viele verschiedene Menschen Jessica Clifton in ihrem kurzen Leben einen großen Eindruck gemacht hatte. Auch von ihm selbst in seiner Funktion als Dekan von Truro hing schließlich eine Zeichnung in der Eingangshalle des Bischofspalasts. Voller Stolz hatte er sie dort anbringen lassen. Er sah auf seine Notizen.

»Wenn ein geliebter Mensch im Alter von mehr als siebzig oder achtzig Jahren stirbt«, begann er, »dann kommen wir zusammen und trauern um ihn. Voller Zuneigung, Respekt und Dankbarkeit erinnern wir uns an sein langes Leben, und wir teilen Anekdoten und glückliche Erinnerungen miteinander. Wir vergießen Tränen, natürlich tun wir das, doch gleichzeitig akzeptieren wir, dass dies der natürliche Lauf der Dinge ist. Aber wenn eine schöne junge Frau stirbt, die ein so seltenes Talent besaß, dass selbst die Älteren bereitwillig akzeptiert haben, dass sie nur aufgrund ihres Alters diesem talentierten Menschen keineswegs auch schon überlegen gewesen waren, dann vergießen wir unweigerlich viel mehr Tränen, denn wir müssen uns einfach fragen, was hätte sein können.«

Seit Emma die Nachricht erhalten hatte, hatte sie so viele Tränen vergossen, dass sie inzwischen körperlich und seelisch völlig erschöpft war. Unablässig stellte sie sich die Frage, ob sie etwas hätte tun können, um zu verhindern, dass ihre geliebte Tochter eines so grausamen und sinnlosen Todes hatte sterben müssen. Und natürlich gab es da etwas. Sie hätte Jessica die Wahrheit sagen sollen. Emma spürte, dass sie so viel Schuld auf sich geladen hatte wie jeder andere auch.

Harry, der neben ihr in der vordersten Bank saß, war in einer Woche um ein Jahrzehnt gealtert. Er hegte nicht den geringsten Zweifel daran, wen die größte Schuld traf. Jessicas Tod würde ihn auf alle Zeit daran erinnern, dass er ihr schon vor Jahren hätte sagen müssen, warum die Familie sie adoptiert hatte. Hätte er es getan, wäre sie noch am Leben.

Giles saß zwischen seinen Schwestern und hielt zum ersten Mal seit Jahren die Hände der beiden. Oder hielten sie die seinen? Grace, die jegliche öffentliche Zurschaustellung von Gefühlen ablehnte, weinte während der gesamten Zeremonie.

Sebastian, der auf der anderen Seite seines Vaters saß, hörte nicht auf die Predigt des Bischofs. Er glaubte nicht mehr an eine fürsorgliche, verständnisvolle Gottheit, die mit der einen Hand gab und mit der anderen nahm. Er hatte seine beste Freundin verloren – einen Menschen, den er zutiefst bewunderte –, und niemand würde jemals ihren Platz einnehmen.

Harold Guinzburg saß stumm im hinteren Bereich der Kirche. Als er Harry angerufen hatte, wusste er noch nicht, dass dessen Leben in einem einzigen Augenblick zerstört worden war. Der amerikanische Verleger hatte eigentlich beabsichtigt, ihm eine triumphale Neuigkeit mitzuteilen: Harrys jüngster Roman war auf Platz eins der Bestsellerliste der *New York Times* geklettert.

Harold musste ziemlich überrascht gewesen sein, als sein Autor nicht reagierte, aber er konnte schließlich nicht ahnen, dass dieser auf jene Art von banalem Flitter nichts mehr gab.

Harry hätte mit Freuden akzeptiert, dass von seinem Buch kein einziges Exemplar verkauft wurde, wenn Jessica jetzt neben ihm stehen und nicht viel zu früh zu Grabe getragen werden würde.

Nachdem die Beerdigung vorüber war und alle gegangen waren, um ihr eigenes Leben wieder aufzunehmen, fiel Harry auf die Knie und verharrte neben dem Grab. Seine Sünde würde ihm nicht so leicht vergeben werden. Er hatte sich bereits damit abgefunden, dass kein einziger Tag – und vielleicht nicht einmal eine einzige Stunde – vergehen würde, ohne dass Jessica plötzlich lachend, plaudernd, scherzend in seinen Gedanken auftauchte. Auch er konnte sich, genau wie der Bischof, nur fragen, was hätte sein können. Hätte sie Clive geheiratet? Wie wären seine Enkel gewesen? Hätte er noch miterleben dürfen, wie sie Mitglied der Royal Academy geworden wäre? Wie sehr wünschte er sich, dass *sie* neben seinem Grab knien und um *ihn* trauern würde.

»Vergib mir«, sagte er laut.

Er wusste, dass sie ihm vergeben hätte. Und das machte alles nur noch schlimmer.

CEDRIC HARDCASTLE

1964

26

»Mein ganzes Leben lang hat mich meine Umwelt als einen vorsichtigen, langweiligen und uninteressanten Menschen betrachtet. Oft habe ich mitbekommen, wie man mich als durch und durch solide beschrieben hat. ›Mit Hardcastle kannst du nicht viel falsch machen.‹ So war es schon immer. In der Schule war ich ein unauffälliges Mitglied der Mannschaft; nie hat man mich gebeten, ein Spiel zu eröffnen. Ich war immer Speerträger, nie König, und was Prüfungen angeht: Ich habe sie zwar immer bestanden, aber ich war nie unter den besten drei. Andere wären von den Worten, mit denen man mich beschrieb, verletzt gewesen oder hätten diese gar als eine Demütigung verstanden, doch ich fühlte mich geschmeichelt. Wenn man sich zum Ziel setzt, das Geld anderer Menschen auf ehrliche und kompetente Weise zu verwalten, dann sind das meiner Meinung nach genau die Qualitäten, die man von einem erwarten kann.

Jetzt im Alter bin ich, wenn überhaupt, nur noch vorsichtiger und noch langweiliger geworden, und das ist in der Tat der Ruf, den ich mit ins Grab nehmen möchte, wenn ich einstmals meinem Schöpfer gegenübertreten muss. Deshalb mag es für diejenigen, die sich um diesen Tisch versammelt haben, geradezu ein Schock sein, wenn sie hören, dass ich die Absicht habe, all jene Glaubenssätze, auf denen ich mein ganzes Leben aufgebaut habe, zu ignorieren. Und es mag Sie sogar noch mehr überraschen, wenn ich Sie auffordere, dasselbe zu tun.«

Keiner der sechs anderen Menschen am Tisch unterbrach ihn; sie alle achteten aufmerksam auf jedes Wort, das Cedric Hardcastle zu sagen hatte.

»Mit diesen Ausführungen im Hintergrund möchte ich jeden Einzelnen von Ihnen bitten, mir dabei zu helfen, einen bösartigen, verdorbenen und skrupellosen Menschen zu vernichten, sodass er, wenn wir mit ihm fertig sind, so vollständig zerschmettert ist, dass er nie wieder in der Lage sein wird, irgendjemandem zu schaden.

Aus der Ferne war es mir möglich, Don Pedro Martinez dabei zu beobachten, wie er alles tat, um zwei anständige Familien zu zerstören, die mir seit einiger Zeit nahestehen. Und ich muss Ihnen sagen, dass ich nicht länger gewillt bin, mich abseits zu halten und wie Pontius Pilatus meine Hände in Unschuld zu waschen und anderen die Schmutzarbeit zu überlassen.

Auf der anderen Seite dieser vorsichtigen, langweiligen und uninteressanten Münze ist die Gestalt eines Menschen eingeprägt, der sich in seinem langen Leben den Respekt der Finanzleute der City of London erworben hat. Jetzt habe ich die Absicht, mir diesen guten Ruf zunutze zu machen und Gegenleistungen einzufordern und Schulden einzutreiben, denn wie ein Eichhörnchen habe ich über Jahrzehnte hinweg dieses besondere Gut gehortet.

Deshalb habe ich kürzlich sehr viel Zeit damit verbracht, einen Plan zu entwickeln, um Martinez und seine Familie zu vernichten, doch alleine und ohne die Unterstützung anderer werde ich damit keinen Erfolg haben.«

Noch immer dachte keiner der um den Tisch Sitzenden

auch nur einen Augenblick daran, den Vorstandsvorsitzenden von Farthings zu unterbrechen.

»In den letzten Jahren habe ich gesehen, welchen Aufwand zu treiben und welche Umwege einzuschlagen dieser Mann bereit ist, wenn es darum geht, die Familien Clifton und Barrington zu zerstören, deren Mitglieder heute hier sitzen. Hautnah habe ich selbst seinen Versuch miterlebt, einen damals zunächst nur potenziellen Kunden dieser Bank, Mr. Morita von Sony International, dahingehend zu beeinflussen, Farthings als Mitbewerber um einen größeren Vertrag nicht mehr zu berücksichtigen – und zwar einzig und alleine deshalb, weil Sebastian Clifton zu jenem Zeitpunkt als mein persönlicher Assistent in der Bank gearbeitet hat. Wir haben diesen Vertrag schließlich bekommen, aber nur weil Mr. Morita den Mut hatte, sich Martinez zu widersetzen, während ich selbst überhaupt nichts tat. Vor einigen Monaten dann las ich in der *Times* einen Artikel über den vorgeblichen Pierre Bouchard und jenen geheimnisvollen Herzanfall, den Sir Giles Barrington zwar nie erlitten hatte und der ihn nichtsdestoweniger zwang, seine Kandidatur als Parteivorsitzender von Labour zurückzuziehen, und immer noch tat ich nichts. Vor Kurzem nahm ich schließlich teil an der Beerdigung einer unschuldigen, hochbegabten jungen Frau, die das Porträt von mir gezeichnet hat, das Sie alle an der Wand neben meinem Schreibtisch sehen können. Während ihrer Beerdigung kam ich zu dem Schluss, dass ich kein uninteressanter, langweiliger Mensch mehr bleiben kann, und wenn das bedeutet, dass ich mit einigen lebenslangen Gewohnheiten brechen muss, dann soll es eben so sein.

Während der letzten Wochen habe ich ohne Martinez' Wissen vertrauliche Gespräche mit seinen Bankiers, Börsenmaklern und Finanzberatern geführt. Sie alle glaubten, sich mit jenem langweiligen Menschen von Farthings zu unterhalten, der niemals auf die Idee käme, sich außerhalb seiner vorgezeichneten Route zu bewegen, ganz zu schweigen davon, dass er jemals irgendeine rote Linie überschreiten würde. Dabei habe ich herausgefunden, dass ein Spielertyp wie Martinez im Laufe der Jahre mehrfach große Risiken eingegangen ist, ohne jemals größeren Respekt für irgendwelche Gesetze zu zeigen. Wenn mein Plan Erfolg haben soll, wird es entscheidend darauf ankommen, in genau jenem Moment zur Stelle zu sein, wenn er das eine Risiko zu viel eingeht. Doch selbst wenn uns das gelingen sollte, könnte es sein, dass auch wir einige Risiken eingehen müssen, wenn wir ihn auf seinem eigenen Feld schlagen wollen.

Sie werden bemerkt haben, dass ich heute noch jemanden eingeladen habe – einen Menschen, auf dessen Leben Martinez bisher noch keinen Einfluss hatte. Mein Sohn Arnold ist Anwalt«, sagte Cedric und nickte dem jungen Mann zu, der wie eine jüngere Ausgabe seiner selbst aussah. »Genau wie ich gilt er als grundsolide, was auch der Grund dafür ist, warum ich ihn gebeten habe, als mein Gewissen und mein Lotse zu fungieren. Denn wenn ich zum ersten Mal in meinem Leben die Gesetze so weit beugen werde, bis sie fast brechen, werde ich jemanden brauchen, der gelegentlich an meine Stelle tritt und der den distanzierten und leidenschaftslosen Blick eines Menschen zu bewahren vermag, der nicht persönlich in diese Angelegenheit verwickelt ist. Einfach gesagt, mein Sohn wird uns als moralischer Kompass dienen.

Ich werde ihn nun bitten, Ihnen darzulegen, was ich mir vorstelle, damit Sie Ihrerseits keinerlei Zweifel über die Risiken hegen können, die Sie eingehen würden, sollten Sie sich gemeinsam mit mir auf dieses Abenteuer einlassen. Arnold.«

»Ladys und Gentlemen, mein Name ist Arnold Hardcastle, und zum großen Bedauern meines Vaters habe ich mich dafür entschieden, lieber Anwalt als Bankier zu werden. Wenn er sagt, dass ich, genau wie er, grundsolide bin, so betrachte ich das als Kompliment, denn wenn dieser Plan Erfolg haben soll, dann muss es jemanden geben, der genau dies ist. Nachdem ich mir die jüngsten von unserer Regierung verabschiedeten Gesetze zur Regulierung von Finanzgeschäften angesehen habe, glaube ich, einen Weg gefunden zu haben, wie der Plan meines Vaters funktionieren kann – ein Plan, der zwar treu dem Buchstaben des Gesetzes folgt, seinem Geist aber zweifellos widerspricht. Doch selbst angesichts dieser Einschränkung ist mir ein Problem aufgefallen, das sich möglicherweise als unüberwindlich herausstellen könnte. Unsere Aufgabe besteht nämlich darin, einen Menschen zu finden, den niemand an diesem Tisch jemals getroffen hat und der trotzdem genauso leidenschaftlich entschlossen ist, Don Pedro Martinez der Gerechtigkeit zuzuführen, wie jeder Einzelne von Ihnen.«

Zwar sagte auch jetzt keiner der übrigen Anwesenden auch nur ein Wort, doch alle sahen ihn ungläubig an.

»Ich habe meinem Vater den dringenden Rat gegeben, die ganze Angelegenheit fallen zu lassen, wenn es sich als unmöglich erweisen sollte, einen solchen Mann oder eine solche Frau zu finden«, fuhr Arnold Hardcastle fort. »Jeder von Ihnen müsste dann seiner eigenen Wege gehen, wobei ihm allerdings nichts anderes übrig bliebe, als für den Rest seines Lebens ständig einen Blick über die Schulter zu werfen, da er niemals sicher sein könnte, wann und wo Martinez als Nächstes zuschlagen wird.« Der Anwalt schloss seine Akte. »Wenn Sie irgendwelche Fragen haben, werde ich versuchen, sie zu beantworten.«

»Ich habe keine Frage«, sagte Harry, »aber ich verstehe einfach nicht, wie es unter den gegebenen Umständen möglich sein sollte, einen solchen Menschen zu finden. Jeder, den ich kenne und der Martinez' Wege gekreuzt hat, verachtet ihn ebenso sehr wie ich, und ich vermute, dass das für alle anderen an diesem Tisch gilt.«

»Dem kann ich nur zustimmen«, sagte Grace. »Ehrlich gesagt, würde ich am liebsten Streichhölzer ziehen, um herauszufinden, wer von uns ihn umbringen soll. Es würde mir nichts ausmachen, für ein paar Jahre ins Gefängnis zu gehen, wenn das bedeuten würde, dass wir uns damit diese widerliche Kreatur endlich vom Hals schaffen.«

»In einem solchen Fall könnte ich Ihnen nicht helfen«, sagte Arnold Hardcastle. »Ich bin Spezialist für Firmenrecht, kein Strafverteidiger, also müssten Sie einen anderen Anwalt finden. Sollten Sie sich jedoch dafür entscheiden, diesen Weg einzuschlagen, könnte ich Ihnen den einen oder anderen Namen empfehlen.«

Emma lachte zum ersten Mal seit Jessicas Tod. Arnold Hardcastle lachte nicht.

»Ich wette, es gibt mindestens ein Dutzend Menschen in Argentinien, die diese Anforderungen erfüllen«, sagte Sebastian. »Aber wie sollen wir sie finden, wenn wir nicht einmal wissen, um wen es sich dabei handelt?«

»Und wenn Sie sie finden würden«, erwiderte Arnold Hardcastle, »hätten Sie die Pläne meines Vaters zunichtegemacht, denn wenn die Sache vor Gericht käme, könnten Sie nicht behaupten, den Betreffenden nicht zu kennen.«

Ein längeres Schweigen folgte, das schließlich von Giles gebrochen wurde, der bis dahin noch nichts gesagt hatte. »Ich glaube, ich weiß, wer dafür infrage käme.« Mit einem einzigen Satz hatte er die Aufmerksamkeit aller am Tisch auf sich gezogen.

»Wenn das der Fall ist, Sir Giles, muss ich Ihnen eine Reihe von Fragen über diesen Gentleman stellen«, sagte Arnold Hardcastle. »Und auf jede einzelne von ihnen kann die Antwort nur *nein* lauten, wenn Ihre Überlegung vor dem Gesetz Bestand haben soll. Sollten Sie auch nur eine meiner Fragen mit *ja* beantworten, ist der Gentleman, der Ihnen vorschwebt, nicht dazu geeignet, den Plan meines Vaters auszuführen. Ist das klar?«

Giles nickte, während der Anwalt seine Akte erneut öffnete. Emma drückte ihrem Bruder die Daumen.

»Sind Sie diesem Mann jemals persönlich begegnet?«

»Nein.«

»Bestand zwischen Ihnen und ihm jemals eine Geschäftsbeziehung, sei es zu Ihren eigenen Gunsten oder zugunsten eines Dritten?«

»Nein.«

»Haben Sie jemals am Telefon mit ihm gesprochen?«

»Nein.«

»Oder ihm geschrieben?«

»Nein.«

»Würden Sie ihn wiedererkennen, wenn Sie ihm auf der Straße begegnen würden?«

»Nein.«

»Und schließlich, Sir Giles, hat er jemals zu Ihnen in Ihrer Funktion als Abgeordneter Kontakt aufgenommen?«

»Nein.«

»Vielen Dank, Sir Giles. Den ersten Teil des Tests haben Sie glänzend bestanden. Doch nun müssen wir uns einer weiteren Reihe von Fragen zuwenden, die genauso wichtig sind. Diesmal allerdings lautet die einzig akzeptable Antwort *ja*.«

»Ich verstehe«, sagte Giles.

»Hat dieser Mann einen guten Grund, Don Pedro Martinez genauso sehr zu verabscheuen wie Sie?«

»Ja, ich glaube schon.«

»Ist er so reich wie Martinez?«

»Aber gewiss doch.«

»Gilt er als ehrlich und integer?«

»Soweit ich mir bewusst bin, ja.«

»Und nun meine letzte und vielleicht wichtigste Frage: Glauben Sie, dass er bereit wäre, ein ernsthaftes Risiko einzugehen?«

»Zweifellos.«

»Da Sie alle meine Fragen auf zufriedenstellende Art beantwortet haben, Sir Giles, möchte ich Sie jetzt bitten, den Namen dieses Gentleman auf dem Notizblock vor sich niederzuschreiben, ohne dass irgendjemand am Tisch ihn sehen kann.«

Giles notierte einen Namen, riss das oberste Blatt vom Block ab, faltete es zusammen und reichte es dem Anwalt, der es seinerseits an seinen Vater weitergab.

Cedric Hardcastle entfaltete das Papier und betete, dass er dem betreffenden Mann noch nie begegnet war.

»Kennst du diesen Mann, Vater?«

»Ich kenne nur seine Reputation«, antwortete Cedric.

»Ausgezeichnet. Denn das bedeutet: Wenn er bereit ist, sich auf deinen Plan einzulassen, wird niemand hier an diesem Tisch das Gesetz brechen. Sie jedoch, Sir Giles«, sagte er, indem er sich wieder an den Abgeordneten für Bristol Docklands wandte, »dürfen zu keinem Zeitpunkt zu diesem Mann Kontakt aufnehmen und seinen Namen gegenüber einem Mitglied der Familien Barrington oder Clifton preisgeben, besonders nicht, wenn der Betreffende Aktien an Barrington Shipping hält. Sollten Sie das tun, könnte ein Gericht zur Ansicht kommen, dass Sie mit einer dritten Partei eine geheime Absprache getroffen haben, was einen Gesetzesverstoß bedeuten würde. Ist das klar?«

»Ja«, sagte Giles.

»Ich danke Ihnen, Sir«, erwiderte der Anwalt und schob seine Papiere zusammen. »Viel Glück, Vater«, flüsterte er, bevor er seine Aktentasche schloss und ohne ein weiteres Wort das Büro verließ.

»Wie kannst du so sicher sein, Giles«, fragte Emma, nachdem Arnold Hardcastle die Tür hinter sich geschlossen hatte, »dass dieser Mann, dem du nie begegnet bist, sich auf Mr. Hardcastles Pläne einlassen wird?«

»Nach Jessicas Beerdigung habe ich einen der Sargträger gefragt, wer der Mann war, der während der ganzen Trauerfeier geweint hat, als hätte er seine eigene Tochter verloren, und der gleich darauf davongeeilt ist. Diesen Namen hat mir der Sargträger gegeben.«

»Es gibt keinen Beweis dafür, dass Luis Martinez die junge Frau umgebracht hat«, sagte Sir Alan. »Wir wissen nur, dass er die Bilder zerstört hat.«

»Seine Fingerabdrücke waren auf dem Griff des Schnappmessers«, sagte der Colonel. »Für mich ist das Beweis genug.«

»Aber die Abdrücke von Jessica sind auch darauf, und jeder auch nur halbwegs fähige Anwalt wird ihn da raushauen.«

»Wir beide wissen, dass Martinez für ihren Tod verantwortlich ist.«

»Mag sein. Doch vor Gericht sieht die Sache schon ganz anders aus.«

»Sie wollen mir also zu verstehen geben, dass ich niemandem den Befehl erteilen kann, ihn umzubringen?«

»Noch nicht«, sagte der Kabinettssekretär.

Der Colonel nahm einen Schluck Bier und wechselte das Thema. »Wie ich sehe, hat Martinez seinen Chauffeur rausgeschmissen.«

»Niemand schmeißt Kevin Rafferty raus. Er geht, wenn sein Job beendet ist, oder wenn er nicht bezahlt wurde.«

»Und was ist es diesmal?«

»Sein Job muss beendet sein. Wenn es anders wäre, bräuchten Sie sich keine Gedanken darüber zu machen, Martinez umzubringen, denn Rafferty hätte das bereits für Sie erledigt.«

»Könnte es nicht sein, dass Martinez das Interesse daran verloren hat, die Barringtons zu vernichten?«

»Nein. Solange Fisher im Vorstand sitzt, können Sie davon ausgehen, dass Martinez noch immer vorhat, mit jedem einzelnen Mitglied der Familie abzurechnen, glauben Sie mir.«

»Und wie passt dabei Lady Virginia ins Bild?«

»Sie hat Sir Giles noch immer nicht verziehen, dass er sich beim Streit um das Testament seiner Mutter auf die Seite seines Freundes Harry Clifton geschlagen hat. Damals hatte Lady Barrington ihre Schwiegertochter mit ihrer Siamkatze Cleopatra verglichen und sie als ›schönes, gepflegtes, eitles, gerissenes und manipulatives Raubtier‹ bezeichnet. Bemerkenswert.«

»Sollen wir sie ebenfalls im Auge behalten?«

»Nein. Lady Fenwick würde selbst niemals das Gesetz brechen. Sie wird sich gegebenenfalls jemanden besorgen, der das für sie tut.«

»Sie sagen mir also, dass ich im Augenblick überhaupt nichts tun kann, außer Martinez von morgens bis abends zu überwachen und Ihnen Bericht zu erstatten?«

»Geduld, Colonel. Sie können sicher sein, dass er noch einen Fehler machen wird, und dann werde ich sehr gerne auf die besonderen Fähigkeiten Ihrer Kameraden zurückgreifen.« Sir Alan trank seinen Gin Tonic aus, stand auf und verließ unauffällig den Pub, ohne dem Colonel die Hand zu geben oder sich auf andere Weise zu verabschieden. Er ging durch Whitehall zur Downing Street und saß fünf Minuten später wieder hinter seinem Schreibtisch, wo er sich mit alltäglicheren Aufgaben beschäftigte.

Cedric Hardcastle überprüfte die Nummer, bevor er anrief. Er wollte nicht, dass seine Sekretärin wusste, mit wem er telefonierte. Er hörte den Klingelton und wartete.

»Bingham's Fischpastete. Wie kann ich Ihnen helfen?«

»Könnte ich Mr. Bingham sprechen?«

»Wen darf ich ihm melden?«

»Cedric Hardcastle von der Farthings Bank.«

»Bitte bleiben Sie am Apparat.«

Er hörte ein Klicken, und einen Augenblick später sagte jemand, dessen Akzent fast so breit war wie sein eigener: »Kümmere dich um die Pennys, und das Pfund sorgt für sich selbst.«

»Ich fühle mich geschmeichelt, Mr. Bingham«, sagte Cedric.

»Das brauchen Sie nicht. Sie führen eine verdammt anständige Bank. Nur schade, dass Sie auf der anderen Seite des Humber sind.«

»Mr. Bingham, ich brauche …«

»Bob. Niemand nennt mich Mr. Bingham, abgesehen vom Finanzamt und den Oberkellnern, wenn sie auf ein üppigeres Trinkgeld hoffen.«

»Bob, ich muss Sie in einer vertraulichen Angelegenheit

sprechen. Ich bin gerne bereit, zu Ihnen nach Grimsby zu kommen.«

»Dann muss es ja wirklich etwas Ernstes sein, denn es gibt nicht viele Menschen, die *gerne bereit* sind, nach Grimsby zu fahren«, erwiderte Bob. »Da ich annehme, dass Sie kein Fischpastetenkonto eröffnen wollen, würde ich Sie gerne fragen, worum es geht.«

Der uninteressante, langweilige Cedric hätte geantwortet, dass er es vorziehen würde, darüber nicht am Telefon, sondern nur persönlich mit Mr. Bingham zu sprechen. Der neue Cedric, der bereit war, Risiken einzugehen, sagte: »Bob, wie viel wäre es Ihnen wert, Lady Virginia Fenwick zu demütigen und damit durchzukommen?«

»Die Hälfte meines Vermögens.«

MAJOR ALEX FISHER

1964

27

Barclays Bank
Halton Road
Bristol
16. Juni 1964

Sehr geehrter Major Fisher,

heute Morgen haben wir zwei Schecks akzeptiert und einen Dauerauftrag ausgeführt. Der erste Scheck über 12 Pfund, 11 Shilling und 6 Pence wurde der West Country Building Society gutgeschrieben, der zweite über 3 Pfund, 4 Shilling und Pence Harvey's Weinhandlung. Der Dauerauftrag in Höhe von 1 Pfund galt der St. Bede's Old Boys' Society. Da diese Belastungen über Ihrem Kreditlimit von 500 Pfund liegen, müssen wir Sie bitten, keine weiteren Schecks auszustellen, bis das Konto wieder ausgeglichen ist.

Fisher sah von der Post auf seinem Schreibtisch hoch. Es gab mehr braune als weiße Umschläge. Mehrere Lieferanten erinnerten ihn daran, dass die Rechnung *innerhalb von 30 Tagen zahlbar* sei, und einer brachte sein Bedauern darüber zum Ausdruck, dass er sich gezwungen sah, die ganze Angelegenheit seinem Anwalt zu übergeben. Und es war auch keine Hilfe, dass Susan sich weigerte, seinen wertvollen Jaguar zurückzugeben, solange er mit den monatlichen Unterhaltszahlungen im Rückstand war, was nicht zuletzt deshalb so problematisch war, weil er ohne Auto nicht überleben konnte und deshalb einen gebrauchten Hillman Minx hatte kaufen müssen, was eine weitere Ausgabe darstellte.

Er legte die schmalen braunen Umschläge zur Seite und begann, die weißen zu öffnen: eine Einladung seiner Offizierskollegen des Royal Wessex zu einem Dinner in der Regimentsmesse, Smoking vorgeschrieben, Gastredner Field Marshal Sir Claude Auchinleck – er würde postwendend zusagen; ein Brief von Peter Maynard, dem Vorsitzenden der örtlichen Conservative Association, der ihn bat, eine Kandidatur bei den kommenden Wahlen zum Grafschaftsrat in Erwägung zu ziehen. Unzählige Wahlkampfveranstaltungen, bei denen man sich die selbstgefälligen Reden der Parteikollegen anhören musste, Spesenrechnungen, die ständig infrage gestellt wurden, und das Einzige, was man dabei gewinnen konnte, war die Tatsache, dass man in Zukunft als »Councillor« angesprochen wurde. Nein, danke. Er würde mit einer höflichen Absage antworten und erklären, dass er im Moment zu viele andere Verpflichtungen hatte. Er war gerade im Begriff, den letzten Umschlag aufzuschlitzen, als das Telefon klingelte.

»Major Fisher.«

»Alex«, schnurrte eine Stimme, die er nie vergessen würde.

»Lady Virginia. Welch angenehme Überraschung.«

»Virginia«, korrigierte sie ihn, was, wie er wusste, nur bedeuten konnte, dass sie etwas von ihm wollte. »Ich habe mich gerade gefragt, ob Sie irgendwann in den nächsten Wochen vielleicht in London zu tun haben.«

»Ich werde am Donnerstag in London sein, denn ich treffe … ich habe um zehn einen Termin am Eaton Square.«

»Nun, wie Sie wissen, wohne ich gleich um die Ecke in Cadogan Gardens. Warum schauen Sie nicht mal kurz auf einen Drink vorbei? Vielleicht so gegen Mittag? Es gibt da etwas, das in unser beider Interesse liegt und das Ihnen möglicherweise zusagen könnte.«

»Gut, Donnerstag um zwölf Uhr. Ich freue mich darauf, Sie zu sehen … Virginia.«

»Können Sie mir erklären, warum die Aktien des Unternehmens im Laufe des letzten Monats unaufhörlich gestiegen sind?«, wollte Don Pedro Martinez wissen.

»Die ersten Buchungen für die *Buckingham* laufen viel besser als erwartet«, antwortete Fisher. »Soweit ich weiß, gibt es für die Jungfernfahrt schon fast keine Plätze mehr.«

»Das sind gute Nachrichten, Major, denn ich möchte, dass es keine einzige leere Kabine gibt, wenn das Schiff Richtung New York in See sticht.« Fisher wollte gerade nach dem Grund fragen, als Don Pedro hinzufügte: »Und ist alles für die Schiffstaufe vorbereitet?«

»Ja. Sobald Harland & Wolff die Tests zur Seetüchtigkeit abgeschlossen haben und das Schiff offiziell übergeben wurde, soll das Datum der Zeremonie bekannt gegeben werden. Die Dinge könnten für die Firma im Moment gar nicht besser stehen.«

»Was nicht mehr lange so bleiben wird«, versicherte ihm Don Pedro. »Trotzdem müssen Sie die Vorstandsvorsitzende auch weiterhin loyal unterstützen, damit niemand in Ihre Richtung sehen wird, wenn der Ballon hochgeht.« Fisher lachte nervös. »Und vergessen Sie nicht, mich nach der nächsten Vorstandssitzung unverzüglich anzurufen, denn ich kann meinen nächsten Zug erst dann machen, wenn ich weiß, wann die Schiffstaufe stattfindet.«

»Warum ist das Datum so wichtig?«, fragte Fisher.

»Alles zu seiner Zeit, Major. Sobald ich alles vorbereitet habe, werden Sie der Erste sein, den ich informiere.« Von der Tür her erklang ein Klopfen, und gleich darauf schlenderte Diego ins Büro.

»Soll ich später wiederkommen?«, fragte er.

»Nein. Der Major wollte gerade gehen. Gibt es sonst noch etwas, Alex?«

»Nichts«, sagte Fisher, obwohl er sich fragte, ob er Don Pedro von seiner Verabredung mit Lady Virginia berichten sollte. Er entschied sich dagegen. Es wäre immerhin möglich, dass sein Treffen mit ihr nichts mit den Barringtons oder den Cliftons zu tun hatte. »Ich werde Sie anrufen, sobald ich das Datum kenne.«

»Das hoffe ich doch, Major.«

»Hat er irgendeine Ahnung davon, was du vorhast?«, fragte Diego, nachdem Fisher die Tür hinter sich geschlossen hatte.

»Nicht im Geringsten, und dabei soll es auch bleiben, wenn es nach mir geht. Er dürfte nämlich kaum so kooperativ sein, wenn er herausfindet, dass er kurz davorsteht, seinen Posten zu verlieren. Aber wir wollen uns wichtigeren Dingen zuwenden. Hast du das zusätzliche Geld bekommen, das ich benötige?«

»Ja, aber es war nicht leicht. Die Bank war einverstanden, deinen Kreditrahmen noch einmal um einhunderttausend zu erweitern, aber solange die Zinsen so hoch sind, bestehen sie auf einer zusätzlichen Sicherheit.«

»Sind meine Aktien denn als Sicherheit nicht genug? Der Kurs ist inzwischen fast schon wieder so hoch wie damals, als ich sie gekauft habe.«

»Vergiss nicht, dass du den Chauffeur bezahlen musstest.

Wir hatten nicht damit gerechnet, dass er uns so viel kosten würde.«

»Bastarde«, sagte Don Pedro, der seinen Söhnen nichts von Kevin Raffertys Drohung erzählt hatte, weshalb weder Luis noch Diego wussten, was geschehen wäre, wenn er nicht pünktlich bezahlt hätte. »Aber ich habe immer noch eine halbe Million für Notfälle im Safe.«

»Als ich das letzte Mal nachgesehen habe, waren es nur noch knapp über dreihunderttausend. So langsam frage ich mich, ob es wirklich sinnvoll ist, diese Vendetta gegen die Barringtons und die Cliftons fortzuführen, wenn die Möglichkeit besteht, dass wir am Ende bankrott sind.«

»Das steht nicht zu befürchten«, erwiderte Don Pedro. »Diese Leute haben nicht den Mumm, es mit mir aufzunehmen, wenn es wirklich hart auf hart kommt. Und du darfst nicht vergessen, dass wir bereits zwei Mal zugeschlagen haben.« Er lächelte. »Jessica Clifton war ein echter Bonus, und sobald ich alle meine Aktien verkauft habe, werde ich dafür sorgen, dass Mrs. Clifton mitsamt ihrer so kostbaren Familie katastrophal Schiffbruch erleidet. Es ist alles eine Frage des Timings«, sagte Don Pedro. »Und ich werde die Stoppuhr in der Hand haben.«

»Alex, wie nett von Ihnen, bei mir vorbeizuschauen. Es ist schon wieder viel zu lange her. Ich werde Ihnen einen Drink holen«, sagte Virginia und ging zum Barschrank. »Wenn ich mich richtig erinnere, trinken Sie am liebsten Gin Tonic.«

Major Fisher war beeindruckt, dass sie das noch wusste, denn die beiden hatten sich nicht mehr gesehen, seit Lady Virginia vor etwa neun Jahren dafür verantwortlich gewesen war, dass er seinen Platz im Vorstand verloren hatte. Er selbst erinnerte sich noch genau daran, wie sie bei ihrer letzten Begegnung erklärt hatte: *Wenn ich von Abschied spreche, dann meine ich Abschied*.

»Wie macht sich die Familie Barrington so, seit Sie wieder im Vorstand sitzen?«

»Die Firma hat die größten Schwierigkeiten anscheinend hinter sich, und die ersten Buchungen für die *Buckingham* laufen außerordentlich gut.«

»Ich habe selbst schon mit dem Gedanken gespielt, eine Kabine für die Jungfernfahrt nach New York zu buchen. Das würde sie ins Grübeln bringen.«

»Ich kann mir nicht vorstellen, dass man Sie zum Captain's Dinner bitten wird, wenn Sie das tatsächlich tun sollten«, sagte Fisher, der an der Idee Gefallen zu finden begann.

»Wenn wir in New York einlaufen, Darling, wird mein Tisch der einzige sein, an dem irgendjemand sitzen will.«

Fisher lachte. »Wollten Sie mich deswegen sprechen?«

»Nein. Es geht um etwas sehr viel Wichtigeres«, sagte Virginia und klopfte mit der flachen Hand aufs Sofa. »Kommen Sie, setzen Sie sich neben mich. Ich brauche Ihre Hilfe bei einem kleinen Projekt, das ich vorbereitet habe. Sie, Major, mit Ihrer Erfahrung als Soldat und Geschäftsmann, sind genau der Richtige, der es umsetzen kann.«

Fisher nippte an seinem Drink und hörte sich ungläubig an, was Virginia vorschlug. Eigentlich wollte er ihren Plan rundweg ablehnen, doch dann öffnete sie ihre Handtasche und nahm einen Scheck über zweihundertfünfzig Pfund heraus, den sie ihm überreichte. Er sah nur noch den Stapel brauner Umschläge vor sich. »Ich glaube nicht ...«

»Und es warten noch einmal zweihundertfünfzig auf Sie, sobald die Sache erledigt ist.«

Fisher sah einen Ausweg. »Nein, vielen Dank, Virginia«, sagte er mit fester Stimme. »Ich möchte die ganze Summe vorab. Vielleicht haben Sie vergessen, was das letzte Mal passiert ist, als wir eine ähnliche Abmachung hatten.«

Virginia zerriss den Scheck, und obwohl Fisher das Geld verzweifelt brauchte, fühlte er eine gewisse Erleichterung. Doch zu seiner Überraschung öffnete sie die Tasche noch einmal, nahm ihr Scheckbuch heraus und schrieb: *Zahlbar an Major A. Fisher, fünfhundert Pfund.*

Auf der Fahrt zurück nach Bristol dachte Alex mehrmals daran, den Scheck zu zerreißen, doch immer wieder kehrten seine Gedanken zurück zu den unbezahlten Rechnungen, der Drohung eines Lieferanten, das Geld einzuklagen, seinen festen monatlichen Ausgaben und den noch ungeöffneten braunen Umschlägen auf seinem Schreibtisch.

Nachdem er den Scheck bei seiner Bank eingereicht und seine Rechnungen bezahlt hatte, akzeptierte er, dass es kein Zurück mehr gab. Die nächsten beiden Tage verbrachte er damit, die ganze Operation durchzuplanen, als handle es sich um einen Feldzug.

Tag eins, Erkundung des Geländes in Bath.

Tag zwei, Vorbereitung in Bristol.

Tag drei, Ausführung in Bath.

Am Sonntag bedauerte er, dass er sich jemals in die Sache hatte hineinziehen lassen, und bemühte sich, nicht an Virginias Rache zu denken, mit der er unweigerlich würde rechnen müssen, sollte er die ganze Sache im letzten Moment abblasen, ohne Virginia das Geld zurückzahlen zu können.

Am Montagmorgen fuhr er die gut zwölf Meilen bis nach Bath. Er stellte seinen Wagen auf den städtischen Parkplatz, ging über die Brücke und am Freizeitgelände vorbei ins Stadtzentrum. Er brauchte keinen Stadtplan, da er bereits den größten Teil des Wochenendes damit verbracht hatte, sich jede Straße so gut einzuprägen, dass er seinen Weg sogar mit verbundenen Augen gefunden hätte. »Zeit, die man mit der Erkundung des Geländes verbringt, ist niemals verschwendet«, wie einer seiner ehemaligen Vorgesetzten immer zu sagen pflegte.

Er begann seine Suche in der Hauptstraße und machte nur halt, wenn er einen Lebensmittelladen oder einen der neuen Supermärkte fand. Dann ging er hinein und inspizierte sorgfältig die Regale, und wenn das Produkt, das er benötigte, dort verkauft wurde, erwarb er ein halbes Dutzend Exemplare davon. Nachdem er den ersten Teil der Operation abgeschlossen hatte, musste er nur noch eine weitere Einrichtung aufsuchen. Bei dieser handelte es sich um das Angel Hotel, wo er sich den Standort der öffentlichen Telefonzellen einprägte. Zufrieden mit seiner Arbeit, ging er zurück über die Brücke zum Parkplatz, stellte die beiden Einkaufstaschen in den Kofferraum seines Wagens und fuhr wieder nach Bristol.

Zu Hause parkte er den Wagen in der Garage und nahm die beiden Einkaufstaschen aus dem Kofferraum. Während des Abendessens, das aus einem Teller Heinz-Tomatensuppe und einem Wurstbrötchen bestand, ging er immer wieder durch, was er am folgenden Tag benötigen würde. In jener Nacht wachte er mehrmals auf.

Nach dem Frühstück setzte er sich an seinen Schreibtisch und las das Protokoll der letzten Vorstandssitzung durch, wobei er sich immer wieder sagte, dass er es nicht schaffen würde, die geplante Aktion wirklich durchzuführen.

Um halb elf ging er in die Küche, nahm eine leere Milchflasche vom Fensterbrett und spülte sie aus. Dann wickelte er die Flasche in ein Geschirrtuch, legte sie in die Spüle und nahm einen kleinen Hammer aus der obersten Schublade. Er zerschlug die Flasche und zertrümmerte die Scherben in immer kleinere Fragmente, bis am Ende nur noch eine Tasse voller winziger Glassplitter übrig war.

Nachdem er die Aktion beendet hatte, fühlte er sich erschöpft, und wie jeder Handwerker, der etwas auf sich hält, genehmigte er sich eine Pause. Er schenkte sich ein Glas Bier ein, bereitete sich ein Käse-Tomaten-Sandwich zu und setzte sich an den Küchentisch, um die Morgenzeitung zu lesen. Der Vatikan verlangte, dass die Pille verboten wurde.

Vierzig Minuten später machte er sich wieder an die Arbeit. Er stellte die beiden Einkaufstaschen auf die Arbeitsfläche der Spüle, nahm sechsunddreißig kleine Gläser heraus und stellte sie in drei ordentlichen Reihen auf, sodass sie aussahen wie Soldaten bei einer Parade. Dann schraubte er den Deckel des ersten Glases auf und schüttete einige Glassplitter auf dessen Inhalt, als wolle er diesen ein wenig würzen. Schließlich schraubte er den Deckel wieder zu und wiederholte das Ganze noch fünfunddreißig Mal, bevor er die kleinen Gläser wieder zurück in die Einkaufstaschen stellte und beide in das Regal unter der Spüle schob.

Er brachte einige Zeit damit zu, den Rest der winzigen Glassplitter wegzuspülen, bis er sicher sein konnte, dass nichts zurückgeblieben war. Er verließ das Haus und ging bis ans Ende der Straße, wo sich die örtliche Filiale von Barclays befand; dort tauschte er eine Ein-Pfund-Note in zwanzig Shillingstücke um. Auf dem Weg zurück in die Wohnung besorgte er sich ein Exemplar der *Bristol Evening News*. Sobald er wieder zu Hause war, machte er sich eine Tasse Tee. Er trug sie in sein Arbeitszimmer, setzte sich an seinen Schreibtisch und rief die Auskunft an. Er ließ sich fünf Nummern in London und eine in Bath geben.

Am Tag darauf stellte er die beiden Einkaufstaschen wieder in den Kofferraum seines Wagens und fuhr erneut nach Bath. Nachdem er sein Auto in der entlegensten Ecke des Parkplatzes abgestellt hatte, kehrte er mit den Einkaufstaschen ins Stadtzentrum zurück. Erneut betrat er die Läden, in denen er die kleinen Gläser gekauft hatte, und stellte, das genaue Gegenteil eines Ladendiebes, die Gläser wieder zurück in die Regale. Nachdem er das fünfunddreißigste Glas im letzten Geschäft zurückgestellt hatte, ging er mit dem letzten, das er noch besaß, zur Ladentheke und bat darum, den Geschäftsführer sprechen zu können.

»Gibt es ein Problem, Sir?«

»Ich will kein großes Theater machen, alter Junge«, sagte Alex, »aber gestern habe ich dieses Glas Bingham's Fischpastete gekauft – meine Lieblingsmarke«, fügte er hinzu, »und als ich nach Hause gekommen bin, habe ich Glassplitter darin gefunden.«

Der Geschäftsführer wirkte schockiert, als Alex den Deckel aufschraubte und ihn bat, den Inhalt zu überprüfen. Und er war geradezu entsetzt, als sein Finger, den er hineingesteckt hatte, beim Herausziehen voller Blut war.

»Ich bin niemand, der sich wegen jeder Kleinigkeit beklagt«, sagte Alex, »aber vielleicht wäre es sinnvoll, sich den Rest Ihres Bestandes anzusehen und den Lieferanten zu informieren.«

»Das werde ich sofort erledigen, Sir.« Er zögerte. »Möchten Sie sich offiziell beschweren?«, fragte er nervös.

»Nein, nein«, sagte Alex. »Ich bin sicher, dass das nur eine Ausnahme ist. Ich will Sie nicht in Schwierigkeiten bringen.«

Er schüttelte dem dankbaren Geschäftsführer die Hand und wollte gerade gehen, als der Mann sagte: »Das Mindeste, was wir tun können, Sir, ist, Ihnen Ihre Ausgabe zu erstatten.«

Alex wollte nicht lange im Laden bleiben, denn er fürchtete, dass jemand ihn wiedererkennen könnte, doch ihm war klar, dass es verdächtig aussehen würde, wenn er ging, ohne das Geld anzunehmen. Also wandte er sich um, als der Geschäftsführer die Kasse öffnete, einen Shilling herausnahm und ihn seinem Kunden gab.

»Vielen Dank«, sagte Alex, steckte das Geld ein und bewegte sich Richtung Ausgang.

»Entschuldigen Sie, dass ich Sie noch einmal belästigen muss, Sir, aber wären Sie so freundlich, den Beleg zu unterschreiben?«

Widerwillig drehte sich Alex ein zweites Mal um und kritzelte »Samuel Oakshott« auf die dafür vorgesehene Stelle, denn das war der erste Name, der ihm in den Sinn kam. Nachdem er endlich wieder im Freien war, machte er einen größeren Umweg zum Angel Hotel, als er ursprünglich geplant hatte. Vor dem Gebäude warf er einen Blick zurück, um sicher zu sein, dass ihm niemand gefolgt war. Zufrieden betrat er das Hotel, wo er unverzüglich zu einer der öffentlichen Telefonzellen ging und zwanzig Einshillingstücke auf die Ablage legte. Er nahm ein Blatt Papier aus seiner Gesäßtasche und wählte die erste Nummer auf der Liste.

»*Daily Mail*«, sagte eine Stimme. »Möchten Sie die Redaktion oder die Anzeigenabteilung?«

»Die Redaktion«, antwortete Alex. Man bat ihn zu warten, während er mit einer Reporterin aus der Nachrichtenredaktion verbunden wurde.

Mehrere Minuten lang sprach er mit der Dame über seine

bedauerliche Erfahrung mit Bingham's Fischpastete, seiner Lieblingsmarke.

»Werden Sie die Firma verklagen?«, fragte die Dame.

»Das weiß ich noch nicht«, sagte Alex. »Aber ich werde auf jeden Fall mit meinem Anwalt sprechen.«

»Und wie, sagten Sie, war Ihr Name, Sir?«

»Samuel Oakshott«, wiederholte er und lächelte angesichts der Vorstellung, wie sehr sein verstorbener Rektor missbilligt hätte, was er hier tat.

Danach rief Alex den *Daily Express*, den *News Chronicle*, den *Daily Telegraph*, die *Times* und – wenn schon, denn schon – das *Bath Echo* an. Sein letzter Anruf vor seiner Rückfahrt nach Bristol galt Lady Virginia, die sagte: »Ich wusste, dass ich mich auf Sie verlassen kann, Major. Wir müssen uns gelegentlich wiedertreffen. Es ist immer so angenehm, Sie zu sehen.«

Er steckte die übrigen Shillingstücke ein, verließ das Hotel und ging zum Parkplatz. Auf der Fahrt nach Bristol entschied er, dass es klug wäre, in nächster Zeit nicht wieder nach Bath zu kommen.

Am nächsten Morgen ließ sich Virginia alle Zeitungen mit Ausnahme des *Daily Worker* bringen.

Erfreut stellte sie fest, wie viel Platz die Redaktionen *Bingham's Fischpastetenskandal (Daily Mail)* widmeten. *Mr. Robert Bingham, der Vorstandsvorsitzende des Unternehmens, hat eine Erklärung veröffentlicht, in der er bestätigt, dass alle Vorräte an Bingham's Fischpastete aus den Regalen genommen wurden und erst wieder ersetzt werden sollen, nachdem eine Untersuchung die Vorgänge vollständig aufgeklärt hat* (The Times).

Ein Staatssekretär im Ministerium für Landwirtschaft, Fischereiwesen und Ernährung hat der Öffentlichkeit versichert, dass in

Kürze Beamte, die für die Lebensmittelsicherheit zuständig sind, eine Inspektion der Fabrik von Bingham's in Grimsby durchführen werden (Daily Express). *Kurz nach Börsenöffnung sind die Aktien von Bingham's um fünf Shilling gefallen* (Financial Times).

Als Virginia ihre Zeitungslektüre beendet hatte, blieb ihr nur noch zu hoffen, dass Robert Bingham ahnen würde, wer bei dieser ganzen Sache im Hintergrund die Fäden gezogen hatte. Wie sehr hätte sie es genossen, an jenem Morgen in Mablethorpe Hall zu frühstücken und sich Priscillas Ansichten über diesen unglücklichen Zwischenfall anzuhören. Sie sah auf die Uhr, und weil sie sicher sein konnte, dass Robert um diese Zeit bereits in der Firma war, griff sie zum Telefon und wählte eine Nummer in Lincolnshire.

»Liebste Priscilla«, schnurrte sie. »Ich wollte nur anrufen, um dir zu sagen, wie furchtbar leid es mir tut, von dieser unangenehmen Sache in Bath zu lesen. So ein Pech aber auch!«

»Wie nett von dir, dich bei mir zu melden, Darling«, sagte Priscilla. »In so einer Zeit erkennt man seine wahren Freunde.«

»Nun, du kannst sicher sein, dass ich immer am anderen Ende der Leitung sein werde, wenn du mich brauchst. Und richte Robert mein Mitgefühl und meine besten Wünsche aus. Ich hoffe, er ist nicht allzu enttäuscht darüber, dass er jetzt für eine Nobilitierung natürlich nicht mehr infrage kommen wird.«

28

Alle erhoben sich, als Emma am Kopfende des Tisches im Vorstandssaal Platz nahm. Schon seit einiger Zeit freute sie sich auf diesen Termin.

»Gentlemen, gestatten Sie mir, diese Sitzung mit der Information an den Vorstand zu beginnen, dass der Aktienpreis unseres Unternehmens gestern wieder seinen früheren Höchststand erreicht hat und wir unseren Aktionären zum ersten Mal seit drei Jahren eine Dividende auszahlen können.«

Ein gemurmeltes »Hört, hört« erklang, und auf den Gesichtern der Direktoren erschien ein Lächeln; nur ein Vorstandsmitglied lächelte nicht.

»Nachdem es uns nun endlich gelungen ist, die Vergangenheit hinter uns zu lassen, wollen wir in die Zukunft blicken. Gestern bekam ich vom Verkehrsministerium einen vorläufigen Bericht über die Seetüchtigkeit der *Buckingham*. Nach Durchführung einiger kleinerer Änderungen und einiger Tests zur Navigation sollte das Ministerium eigentlich in der Lage sein, uns bis zum Monatsende die uneingeschränkte Seetüchtigkeit zu bestätigen. Sobald wir im Besitz des entsprechenden Zertifikats sind, wird das Schiff Belfast mit Kurs auf Avonmouth verlassen. Ich habe die Absicht, Gentlemen, die nächste Vorstandssitzung auf der Brücke der *Buckingham* abzuhalten, damit wir alle einen Rundgang durch das Schiff machen können, um zu erfahren, wofür wir das Geld unserer Aktionäre ausgegeben haben.

Ich weiß, dass Sie ebenso erfreut sein werden zu hören, dass der Vorstandssekretär Anfang der Woche einen Anruf aus Clarence House erhalten hat, in dem ihm mitgeteilt wurde, dass Ihre Majestät, die Königinmutter, sich einverstanden erklärt hat, am 21. September die Schiffstaufe durchzuführen. Gentlemen, es wäre keine Übertreibung zu behaupten, dass die nächsten drei Monate zu den größten Herausforderungen in der Geschichte unseres Unternehmens zählen werden, denn obwohl wir bei den Buchungen für die Jungfernfahrt außerordentlich erfolgreich sind und wir nur noch wenige Kabinen zur Verfügung haben, wird sich die Zukunft unseres Unternehmens erst auf lange Sicht entscheiden. Und zu diesem Thema werde ich gerne Ihre Fragen beantworten. Admiral?«

»Chairman, gestatten Sie mir, der Erste zu sein, der Ihnen gratuliert. Und obwohl sicher noch eine weite Strecke vor uns liegt, bevor wir ruhigere Gewässer erreichen werden, möchte ich betonen, dass heute der für mich befriedigendste Tag der ganzen zweiundzwanzig Jahre ist, die ich diesem Vorstand angehöre. Ich muss jedoch kurz auf das zu sprechen kommen, was wir bei der Marine die ›Kurse zum Wind‹ nennen. Haben Sie sich bereits für einen Kapitän entschieden, nachdem drei mögliche Kandidaten vom Vorstand für diese Aufgabe bestätigt worden waren?«

»Ja, Admiral, das habe ich. Die Wahl fiel auf Captain Nicolas Turnbull RN, der bis vor Kurzem als Erster Offizier auf der *Queen Mary* gedient hat. Es ist ein Glücksfall für uns, dass wir uns die Dienste eines so erfahrenen Offiziers sichern konnten, wobei es möglicherweise eine Hilfe war, dass er in Bristol geboren wurde und aufgewachsen ist. Auch die Posten für die übrigen Offiziere konnten wir alle besetzen. Viele dieser Männer haben bereits mit Captain Turnbull zusammengearbeitet, entweder in der Royal Navy oder erst kürzlich bei Cunard.«

»Was ist mit der übrigen Besatzung?«, fragte Anscott. »Immerhin ist das ein Kreuzfahrtschiff und kein Schlachtschiff.«

»Allerdings, Mr. Anscott. Ich bin davon überzeugt, dass wir vom Maschinenraum bis zum Grill Room ausgezeichnetes Personal gefunden haben. Ein paar Stellen sind noch unbesetzt, doch da wir für jeden Posten mindestens zehn Bewerbungen bekommen, können wir es uns erlauben, äußerst wählerisch zu sein.«

»Wie sieht das Zahlenverhältnis zwischen Passagieren und Besatzung aus?«, fragte Dobbs.

Zum ersten Mal musste Emma einen Blick auf die Notizen werfen, die vor ihr lagen. »Die Crew besteht aus fünfundzwanzig Offizieren, zweihundertfünfzig einfachen Seeleuten, dreihundert Stewards und sonstigen für die Versorgung der Passagiere zuständigen Angestellten sowie dem Schiffsarzt und der Krankenschwester. Das Schiff ist in drei Klassen unterteilt: die erste Klasse, die zweite Klasse und die Touristenklasse. In der ersten Klasse gibt es Plätze für 102 Passagiere, wobei der Preis für eine Kabine zwischen fünfundvierzig und sechzig Pfund liegt; letztere Zahl bezieht sich auf das Penthouse bei der Jungfernfahrt nach New York. Hinzu kommen zweihundertzweiundvierzig Plätze in der zweiten Klasse zu jeweils etwa dreißig Pfund und schließlich noch dreihundertsechzig Plätze in der Touristenklasse zu jeweils zehn Pfund bei drei Plätzen pro Kabine. Weitere Details finden Sie unter Abschnitt zwei Ihrer blauen Mappe mit Informationsmaterial.«

»Zur Schiffstaufe am 21. September dürfte es ein großes Interesse bei der Presse geben«, sagte Fisher, »was ebenso für die Jungfernfahrt im Monat darauf gelten dürfte. Wer wird für die Öffentlichkeitsarbeit zuständig und unser Verbindungsmann zur Presse sein?«

»Wir haben uns für J. Walter Thompson entschieden, der den mit Abstand besten Eindruck auf uns gemacht hat«, sagte Emma. »Es wurde bereits dafür gesorgt, dass ein Fernsehteam der BBC bei einem der Tests zur Seetüchtigkeit an Bord ist und dass ein Porträt von Captain Turnbull in der *Sunday Times* erscheint.«

»Zu meiner Zeit gab es so etwas nicht«, schnaubte der Admiral.

»Aus gutem Grund. Damals sollte der Feind nicht wissen, wo Sie sind, doch heute wollen wir nicht nur, dass unsere Passagiere zu uns finden, sondern dass sie überdies das Gefühl haben, in den allersichersten Händen zu sein.«

»Wie viel Prozent der Kabinen müssen belegt sein, damit wir unsere Unkosten decken können?«, fragte Cedric Hardcastle, der ganz offensichtlich nicht an Öffentlichkeitsarbeit interessiert war, sondern daran, was der Firma unterm Strich blieb.

»Sechzig Prozent, wenn wir nur die laufenden Kosten in Betracht ziehen. Doch wenn sich, wie Ross Buchanan das in seiner Zeit als Vorstandsvorsitzender geplant hatte, unsere Investition im Laufe von zehn Jahren amortisieren soll, werden wir in diesem ganzen Zeitraum eine Belegung von sechsundachtzig Prozent benötigen. Es gibt also keinen Grund, sich schon jetzt selbstzufrieden zurückzulehnen, Mr. Hardcastle.«

Alex notierte sich alle Daten und Zahlen, die seiner Meinung nach für Don Pedro interessant sein konnten, obwohl er immer noch nicht wusste, warum diese so wichtig waren und was Don Pedro mit der Wendung *wenn der Ballon hochgeht* gemeint hatte.

Noch eine ganze Stunde lang beantwortete Emma weitere Fragen, und Alex musste – auch wenn er dies Don Pedro gegenüber niemals zugegeben hätte – sich zähneknirschend eingestehen, dass Emma zweifellos ausgezeichnet vorbereitet war.

Nachdem sie die Sitzung mit den Worten »Ich erwarte Sie dann alle auf der Aktionärsversammlung am 24. August« beendet hatte, eilte Alex aus dem Sitzungssaal und verließ rasch das Gebäude. Vom Fenster im obersten Stock aus sah Emma, wie er vom Gelände fuhr, und ihr wurde erneut bewusst, dass sie in ihrer Wachsamkeit ihm gegenüber niemals nachlassen durfte.

Alex parkte vor dem Lord Nelson und ging zur Telefonzelle. Vier Pennys hatte er bereits vorbereitet. »Die Königinmutter wird am 21. September die Schiffstaufe vollziehen, und die Jungfernfahrt nach New York soll noch immer wie geplant am 29. Oktober stattfinden.«

»Ich erwarte Sie morgen Vormittag um zehn Uhr in meinem Büro«, war alles, was Don Pedro sagte, bevor die Verbindung wieder beendet wurde.

Alex hätte ihm gerne gesagt: »Tut mir leid, alter Junge, aber das schaffe ich nicht. Um diese Zeit habe ich einen viel wichtigeren Termin«, aber er wusste, er würde am folgenden Tag eine Minute vor zehn vor dem Haus am Eaton Square Nummer 44 stehen.

Arcadia Mansions Nr. 24
Bridge Street
Bristol

Sehr geehrte Mrs. Clifton,

mit dem größten Bedauern sehe ich mich gezwungen, meinen Rücktritt von meinem Posten als Direktor ohne Exekutivgewalt im Vorstand von Barrington Shipping einzureichen. Zu einer Zeit, als meine Vorstandskollegen sich für den Bau der Buckingham *ausgesprochen haben, waren Sie nachdrücklich gegen dieses Vorhaben und haben Ihrerseits dagegen gestimmt. Wie ich jetzt, zugegeben erst im Nachhinein, erkennen muss, war Ihre Einschätzung zutreffend. Sie haben damals darauf hingewiesen, dass das Risiko, so viele Mittel des Unternehmens für ein einziges Vorhaben zu binden, sich als eine Entscheidung erweisen könnte, die wir alle noch bereuen würden. Inzwischen ist Ross Buchanan nach mehreren Rückschlägen von seinem Posten zurückgetreten – und zwar meiner Meinung nach durchaus zu Recht –, und Sie haben seinen Platz eingenommen. Ich muss gestehen, dass Sie sich seither geradezu mannhaft geschlagen haben, wenn es darum ging, das Unternehmen solvent zu halten. Als Sie jedoch letzte Woche den Vorstand darüber informiert haben, dass ohne eine Kabinenauslastung von sechsundachtzig Prozent über die nächsten zehn Jahre hinweg eine Amortisierung unserer ursprünglichen Investition nicht möglich sein wird, wurde mir klar, dass das Projekt – und mit ihm möglicherweise die gesamte Firma – zum Untergang verurteilt ist.*

Natürlich hoffe ich, dass sich meine Einschätzung als falsch erweisen wird, denn ich würde es sehr bedauern, miterleben zu müssen, wie ein so altes und respektables Unternehmen wie Barrington's scheitert und, was der Himmel verhüten möge, bankrottgehen könnte. Weil ich jedoch glaube, dass eine solche Möglichkeit durchaus besteht, fühle ich mich verpflichtet, meiner Verantwortung gegenüber den Aktionären nachzukommen; es bleibt mir somit keine andere Wahl, als von meinem Posten zurückzutreten.

Hochachtungsvoll,

Alex Fisher (Major a. D.)

»Und Sie erwarten von mir, dass ich diesen Brief am 21. August, also genau drei Tage vor der Aktionärsversammlung, an Mrs. Clifton schicke?«

»Ja, genau das erwarte ich von Ihnen«, sagte Don Pedro.

»Aber wenn ich das tue, wird der Aktienkurs einbrechen. Es könnte sogar das Ende der Firma bedeuten.«

»Sie begreifen schnell, Major.«

»Aber Sie selbst haben über zwei Millionen Pfund in Aktien von Barrington's investiert. Sie würden ein Vermögen verlieren.«

»Nicht, wenn ich meine Aktien wenige Tage, bevor dieser Brief an die Presse geht, verkaufe.« Alex war sprachlos. »Ah«, sagte Don Pedro, »der Groschen ist gefallen. Ich verstehe natürlich, dass das für Sie, Major, auf persönlicher Ebene keine gute Nachricht ist, da Sie damit nicht nur Ihre einzige Einkommensquelle verlieren werden, sondern es Ihnen angesichts Ihres Alters möglicherweise nicht mehr so leichtfallen wird, eine neue Beschäftigung zu finden.«

»Das ist noch milde ausgedrückt«, sagte Alex. »Wenn ich das hier abschicke«, fügte er hinzu und wedelte mit dem Brief vor Don Pedros Gesicht hin und her, wird kein Unternehmen jemals wieder in Betracht ziehen, mich in seinen Vorstand aufzunehmen, und ich könnte sogar niemandem einen Vorwurf daraus machen.«

»Deshalb halte ich es nur für fair«, fuhr Don Pedro fort, ohne den Ausbruch seines Gegenübers zu beachten, »Ihnen eine angemessene Kompensation für Ihre Loyalität zukommen zu lassen, besonders da Sie eine so kostspielige Scheidung hinter sich haben. In Anbetracht dieser Umstände beabsichtige ich, Ihnen fünftausend Pfund in bar auszuzahlen, von denen weder Ihre Frau noch das Finanzamt jemals etwas zu erfahren brauchen.«

»Das ist überaus großzügig«, sagte Alex.

»Das sehe ich genauso. Die Auszahlung hängt jedoch davon ab, dass Sie diesen Brief der Vorstandsvorsitzenden am Freitag vor der Aktionärsversammlung aushändigen, denn wie man mir versichert, dürften die Samstags- und Sonntagszeitungen sehr daran interessiert sein, sich in aller Ausführlichkeit einer solchen Nachricht zu widmen. Sie müssen also am Freitag für Interviews zur Verfügung stehen, um Ihrer Besorgnis über die Zukunft von Barrington's Ausdruck zu verleihen, sodass jeder Journalist nur eine Frage auf den Lippen haben dürfte, wenn Mrs. Clifton am darauffolgenden Montagmorgen die Aktionärsversammlung eröffnen wird.«

»Wie lange kann die Firma noch darauf hoffen weiterzuexistieren?«, sagte Alex. »Und unter den gegebenen Umständen frage ich mich, ob Sie mir zwei- oder dreitausend Pfund vorab auszahlen könnten, wodurch dann nur noch der Rest zu begleichen wäre, wenn ich den Brief abgeschickt und mich um die Presseinterviews gekümmert habe …«

»Kommt nicht infrage, Major. Sie schulden mir immer noch eintausend Pfund für die Stimme Ihrer Frau bei der Wahl des Vorstandsvorsitzenden von Barrington's.«

»Ist Ihnen klar, Mr. Martinez, welchen Schaden dies für Barrington Shipping bedeuten würde?«

»Ich bezahle Sie nicht dafür, mir Ratschläge zu geben, Mr. Ledbury. Führen Sie einfach meine Anweisungen aus. Wenn Sie das nicht können, werde ich mir jemanden suchen, der sich dazu in der Lage sieht.«

»Aber es ist überaus wahrscheinlich, dass Sie sehr viel Geld verlieren werden, wenn ich mich genau an diese Anweisungen halte.«

»Es ist mein Geld, das ich dann verlieren würde. Außerdem liegt der Kurs von Barrington's im Augenblick über dem, was ich ursprünglich für die Aktien bezahlt habe, weshalb ich zuversichtlich bin, einen Großteil meines Geldes wiederzubekommen. Schlimmstenfalls verliere ich eben ein paar Pfund.«

»Aber wenn Sie mir gestatten würden, die Aktien über einen längeren Zeitraum hinweg zu verkaufen – sagen wir, im Laufe von sechs Wochen oder vielleicht sogar ein paar Monaten –, wäre es wahrscheinlicher, dass Sie Ihre ursprüngliche Investition wieder hereinbekommen und dabei sogar noch einen kleinen Gewinn machen.«

»Ich gebe mein Geld aus, wie es mir passt.«

»Aber es ist meine treuhänderische Pflicht, die Position der Bank zu schützen, besonders in Anbetracht der Tatsache, dass Ihr Konto gegenwärtig um einen Betrag von 1735000 Pfund überzogen ist.«

»Meine Aktien dienen Ihnen als Sicherheit, da diese beim gegenwärtigen Kurs über zwei Millionen Pfund wert sind.«

»Dann gestatten Sie mir wenigstens, Verbindung zur Familie Barrington aufzunehmen und anzufragen, ob …«

»Unter gar keinen Umständen werden Sie Kontakt zu irgendeinem Mitglied der Familien Barrington oder Clifton aufnehmen«, schrie Don Pedro. »Sobald die Börse am Montag, dem 17. August, öffnet, werden Sie alle meine Aktien auf den Markt bringen und jeden Preis akzeptieren, den man Ihnen zu diesem Zeitpunkt anbieten wird. Meine Anweisungen könnten nicht klarer sein.«

»Wo werden Sie sich an jenem Tag aufhalten, Mr. Martinez, für den Fall, dass ich mit Ihnen Kontakt aufnehmen muss?«

»Genau dort, wo man jeden Gentleman zu finden erwarten würde: auf Moorhuhnjagd in Schottland. Es wird keine Möglichkeit geben, mich zu kontaktieren, und ebendies ist der Grund, warum ich mich für einen solchen Ort entschieden habe. Er ist so entlegen, dass man dort nicht einmal die Morgenzeitungen ausliefert.«

»Wenn das Ihre Anweisungen sind, Mr. Martinez, werde ich einen Brief in diesem Sinne aufsetzen lassen, wodurch etwaige spätere Missverständnisse ausgeschlossen sind. Ich werde ihn heute Nachmittag per Boten am Eaton Square vorbeibringen lassen, damit Sie ihn unterzeichnen können.«

»Ich werde ihn mit dem größten Vergnügen unterzeichnen.«

»Und sobald diese Transaktion abgeschlossen ist, Mr. Martinez, möchten Sie vielleicht in Erwägung ziehen, Ihr Konto bei einer anderen Bank führen zu lassen.«

»Wenn Sie, Mr. Ledbury, Ihren Job dann immer noch haben, werde ich genau das tun.«

29

Susan Fisher parkte den Wagen in einer Seitenstraße und wartete. Sie wusste, dass die Einladung zum Regimentstreffen auf halb acht lautete – mit offiziellem Beginn des Dinners um acht –, und weil sie überdies wusste, dass ein Feldmarschall der Ehrengast war, vertraute sie darauf, dass Alex nicht zu spät kommen würde.

Genau zehn Minuten nach sieben hielt ein Taxi vor dem Haus, in dem sie gewohnt hatte, als sie noch verheiratet gewesen war. Alex erschien wenige Augenblicke später. Er trug einen Smoking mit drei deutlich sichtbaren Weltkriegsorden. Susan fiel auf, dass seine Krawatte schief hing und einer der Zierknöpfe seines Frackhemds fehlte. Sie konnte ein Lachen kaum unterdrücken, als sie seine Slipper sah. *Diese* Schuhe würden gewiss kein Leben lang halten. Alex stieg in den Fond des Taxis, das sich auf den Weg in Richtung Wellington Road machte.

Susan wartete noch ein paar Minuten, bevor sie mit dem Wagen über die Straße fuhr, ausstieg und die Garage öffnete. Dann parkte sie den Jaguar Mark II darin. Die Scheidungsvereinbarung verlangte von ihr, dass sie das Auto zurückgab, das Alex' ganzen Stolz darstellte, doch sie hatte sich geweigert, bis er die monatlichen Unterhaltszahlungen leistete und die ausstehenden Summen nachgezahlt hatte. Susan hatte erst an diesem Morgen klären können, dass auch Alex' letzter Scheck gedeckt war, obwohl sie sich immer noch fragte, woher das Geld kommen mochte. Alex' Anwalt hatte angedeutet, sie solle das Auto zurückgeben, während er am Regimentsdinner teilnahm, was einer der wenigen Vorschläge war, auf die sich beide Seiten einigen konnten.

Sie stieg aus dem Wagen, öffnete den Kofferraum und nahm ein Teppichmesser und einen Farbtopf heraus. Nachdem sie den Topf auf den Boden gestellt hatte, ging Susan zur Vorderseite des Wagens und rammte das Messer in einen der Reifen. Sie trat einen Schritt zurück und wartete darauf, bis das zischende Geräusch verklungen war, bevor sie zum nächsten Reifen ging. Als alle vier Reifen platt waren, wandte sie sich dem Farbtopf zu.

Sie hebelte den Deckel auf, stellte sich auf die Zehenspitzen und goss die zähflüssige Farbe langsam auf das Wagendach. Nachdem sie sich davon überzeugt hatte, dass im Topf kein Tropfen zurückgeblieben war, trat sie erneut einen Schritt zurück und genoss den Anblick der Farbe, die langsam über die Seitenfenster sowie über die Front- und die Heckscheibe hinabrann. Wenn Alex vom Dinner zurückkäme, würde alles längst getrocknet sein. Susan hatte beträchtliche Zeit darauf verwandt, den Farbton zu finden, der am besten zur renngrünen Lackierung passte, und sich schließlich für Zartlila entschieden. Das Ergebnis war sogar noch überzeugender, als sie für möglich gehalten hatte.

Es war ihre Mutter gewesen, die viele Stunden damit zugebracht hatte, das Kleingedruckte der Scheidungsvereinbarung zu studieren. Sie hatte Susan darauf hingewiesen, dass diese sich zwar bereit erklärt hatte, das Auto zurückzugeben, dass jedoch nirgendwo vom Zustand, in welchem der Wagen sich befinden sollte, die Rede war.

Susan brauchte eine Weile, um sich vom Anblick in der

Garage loszureißen und hinauf in den dritten Stock zu gehen, wo sie beabsichtigte, die Autoschlüssel auf Alex' Schreibtisch im Arbeitszimmer zurückzulassen. Ihre einzige Enttäuschung war, dass Sie Alex' Gesichtsausdruck nicht würde sehen können, wenn er am Morgen das Garagentor öffnete.

Susan öffnete die Wohnungstür mit ihrem alten Schlüssel, erfreut darüber, dass Alex das Schloss nicht ausgetauscht hatte. Sie ging in sein Arbeitszimmer und legte die Autoschlüssel auf den Schreibtisch. Sie wollte bereits wieder gehen, als sie den in Alex' unverwechselbarer Handschrift abgefassten Brief auf der Schreibtischunterlage sah. Sie konnte ihrer Neugierde nicht widerstehen, beugte sich vor und überflog die privaten und vertraulichen Zeilen. Dann setzte sie sich auf Alex' Stuhl und las den Brief noch einmal ganz langsam. Sie konnte nicht glauben, dass Alex seinen Vorstandssitz bei Barrington's aufgrund irgendeines Prinzips aufgeben würde, denn er hatte keine Prinzipien. Außerdem war dieser Posten, von einer lächerlichen Armeepension abgesehen, seine einzige Einkommensquelle. Wovon gedachte er also zu leben? Und was noch wichtiger war: Wie wollte er ohne sein reguläres Direktorengehalt ihren monatlichen Unterhalt bezahlen?

Susan las den Brief ein drittes Mal, wobei sie sich fragte, ob sie irgendetwas übersah. Sie verstand nicht, warum das Schreiben auf den 21. August datiert war. Warum sollte man, wenn man die Absicht hatte, von einem Posten aus *prinzipiellen* Gründen zurückzutreten, vierzehn Tage warten, bevor man seine Haltung bekannt gab?

Als Susan wieder zu Hause in Burnham-on-Sea war, lauschte Alex gerade aufmerksam den Ausführungen des Feldmarschalls, und sie hatte noch immer keine Antwort auf ihre Frage gefunden.

Sebastian ging langsam durch die Bond Street. Er bewunderte die vielen Waren in den Auslagen der Schaufenster und fragte sich, ob er sich jemals irgendetwas davon würde leisten können.

Mr. Hardcastle hatte ihm kürzlich eine Lohnerhöhung gegeben. Jetzt bekam er zwanzig Pfund pro Woche, was ihn, wie es unter den Finanzleuten der City hieß, zu einem »Tausend-Pfund-pro-Jahr-Mann« machte, und er hatte sogar einen neuen Titel. Er war jetzt »Associate Director«, wobei Titel im Bankwesen allerdings nicht viel bedeuteten, solange man nicht gerade Vorstandsvorsitzender war.

In der Ferne sah er das Schild eines Kunsthändlers, das in einer leichten Brise hin und her schwang: *Agnew's Fine Art Dealers, gegründet 1817*. Sebastian hatte noch nie eine private Kunstgalerie betreten, und er war nicht einmal sicher, ob ein solches Haus für die Öffentlichkeit zugänglich war. Zusammen mit Jessica hatte er die Royal Academy, die Tate und die National Gallery besucht, und sie hatte ununterbrochen geredet, während sie ihn von einem Raum in den anderen zog. Wie sehr wünschte er sich, dass sie bei ihm wäre und ihm auf die Nerven ginge. Kein Tag, keine Stunde verging, in der er sie nicht vermisste.

Er schob die Tür zur Galerie auf und trat ein. Einen Augenblick lang stand er einfach nur da und sah sich in dem gewaltigen Raum um, dessen Wände mit den kostbarsten Gemälden bedeckt waren. Einige der Künstler – Constable, Munnings und Stubbs – erkannte er. Plötzlich und scheinbar aus dem Nichts erschien *sie*, und sie sah noch schöner aus als an jenem Abend in der Slade, als er sie zum ersten Mal gesehen und Jessica alle Preise des Abschlussjahrgangs gewonnen hatte.

Seine Kehle war trocken, als sie auf ihn zukam. Wie sprach man eine Göttin an? Sie trug ein einfaches, aber elegantes gelbes Kleid, und ihr Haar besaß jenen natürlichen Blondton, für den jede Frau außer einer Schwedin ein Vermögen bezahlt hätte – und viele bemühten sich tatsächlich darum. Heute war das Haar förmlich und professionell hochgesteckt, sodass es nicht wie damals auf ihre nackten Schultern fiel. Er wollte ihr sagen, dass er nicht gekommen war, um sich die Bilder anzuschauen, sondern nur, um sie zu treffen. Doch das war als Gesprächseröffnung furchtbar schwach, und es stimmte nicht einmal.

»Kann ich Ihnen helfen?«, fragte sie.

Die erste Überraschung bestand darin, dass sie Amerikanerin war und somit nicht Mr. Agnews Tochter sein konnte, wie er ursprünglich angenommen hatte.

»Ja«, sagte er. »Ich habe mich gefragt, ob Sie irgendwelche Bilder einer Künstlerin namens Jessica Clifton haben?«

Die junge Frau wirkte überrascht, doch sie lächelte und sagte: »Ja, die haben wir in der Tat. Wenn Sie mir bitte folgen wollen.«

Bis ans Ende der Welt. Eine noch schrecklichere Bemerkung, die er glücklicherweise jedoch nicht ausgesprochen hatte. Einige Männer glauben, dass eine Frau von hinten genauso gut aussehen kann wie von vorn. Auch Sebastian war dieser Ansicht, als er der jungen Amerikanerin nach unten in einen zweiten großen Raum folgte, in dem sich weitere, gleichermaßen faszinierende Bilder befanden. Dank Jessica erkannte er einen Manet, einen Tissot und mehrere Werke von Jessicas Lieblingskünstlerin Berthe Morisot. An einem solchen Ort hätte Jessica gar nicht mehr zu reden aufgehört.

Die Göttin schloss eine Tür auf, die Sebastian zuvor nicht

bemerkt hatte und die in ein kleines Nebenzimmer führte. Beide traten ein, und Sebastian sah, dass der Raum voller vertikaler Rollregale war. Die junge Frau zog eines davon heraus. Eine Seite davon war Jessicas Ölgemälden gewidmet. Er starrte die neun Werke an, die mit Preisen bei der Abschlussfeier ausgezeichnet worden waren. Und er sah zum ersten Mal ein Dutzend Zeichnungen und Aquarelle, die er noch nicht kannte und die gleichermaßen beeindruckend waren. Begeisterung erfüllte ihn, doch schon einen Augenblick später sackten ihm die Beine weg. Er griff nach dem Regal, um sich abzustützen.

»Ist alles in Ordnung mit Ihnen?«, fragte die junge Frau, und ihre zuvor so professionelle Stimme klang jetzt freundlicher und sanfter.

»Bitte entschuldigen Sie.«

»Möchten Sie sich vielleicht setzen?«, fragte sie, griff nach einem Stuhl und stellte ihn neben Sebastian. Als er sich setzte, hielt sie ihn am Arm, und er selbst hätte sie seinerseits am liebsten für immer festgehalten. Warum verlieben sich Männer so rasch und so rückhaltlos, während Frauen viel vorsichtiger und vernünftiger sind?, fragte er sich. »Ich werde Ihnen ein Glas Wasser holen«, sagte sie, und bevor er etwas erwidern konnte, war sie verschwunden.

Wieder sah er sich Jessicas Bilder an und versuchte zu entscheiden, ob es eins gab, das ihm am besten gefiel, und er fragte sich, ob er es sich leisten konnte, sollte dies der Fall sein. Schließlich kam die junge Frau mit einem Glas Wasser zurück; ein älterer Mann, an den er sich noch vom Abend an der Slade erinnerte, begleitete sie.

»Guten Abend, Mr. Agnew«, sagte Sebastian und stand auf. Der Besitzer der Galerie schien überrascht, denn offensichtlich wusste er nicht, woher der junge Mann ihn kannte. »Wir haben uns an der Slade gesehen, Sir, als Sie zur Abschlussfeier gekommen sind.«

Zunächst wirkte Agnew noch immer verwirrt, doch dann sagte er: »Ah, genau. Jetzt erinnere ich mich. Sie sind Jessicas Bruder.«

Sebastian kam sich wie ein kompletter Narr vor, als er wieder auf den Stuhl zurücksank und sein Gesicht mit den Händen bedeckte. Die junge Frau trat zu ihm und legte ihm eine Hand auf die Schulter.

»Jessica war einer der liebenswertesten Menschen, die mir je begegnet sind«, sagte sie. »Es tut mir so leid.«

»Und mir tut es leid, dass ich mich hier zum Narren mache. Ich wollte eigentlich nur wissen, ob Sie einige Bilder von ihr haben, die zum Verkauf stehen.«

»Alles in dieser Galerie steht zum Verkauf«, sagte Agnew munter, indem er versuchte, die Stimmung ein wenig aufzuheitern.

»Wie viel kosten sie?«

»Alle?«

»Alle.«

»Ehrlich gesagt habe ich noch keinen Preis festgelegt, da wir gehofft hatten, Jessica würde eines Tages zu den Künstlern gehören, deren Werk wir regelmäßig vertreten, doch unglücklicherweise … Immerhin kann ich Ihnen sagen, was ich dafür bezahlt habe: achtundfünfzig Pfund.«

»Und wie viel sind sie wert?«

»Genauso viel, wie jemand bereit ist, für sie zu bezahlen«, erwiderte Agnew.

»Ich würde jeden Penny, den ich habe, für sie geben.«

Mr. Agnews Miene strahlte Hoffnung aus. »Und wie viel ist jeder Penny, Mr. Clifton?«

»Ich habe mir heute Morgen meinen Kontostand geben lassen, weil ich wusste, dass ich Sie aufsuchen würde.« Beide starrten ihn an. »Zurzeit befinden sich auf meinem Konto sechsundvierzig Pfund, zwölf Shilling und sechs Pence. Aber weil ich selbst bei der Bank arbeite, darf ich mein Konto nicht überziehen.«

»Dann beträgt der Preis sechsundvierzig Pfund, zwölf Shilling und sechs Pence, Mr. Clifton.«

Wenn es einen Menschen im Raum gab, der noch überraschter wirkte als Sebastian, dann war das die Galerieassistentin, denn sie hatte noch nie erlebt, dass Mr. Agnew ein Bild für weniger verkaufte, als er selbst dafür bezahlt hatte.

»Aber es gibt eine Bedingung.«

Sebastian fragte sich, ob Mr. Agnew seine Meinung so rasch geändert hatte. »Und welche wäre das, Sir?«

»Wenn Sie sich jemals entschließen, die Werke Ihrer Schwester zu verkaufen, müssen Sie sie mir zum gleichen Preis anbieten, den Sie selbst dafür bezahlt haben.«

»Abgemacht, Sir«, sagte Sebastian, und die beiden Männer schlugen ein. »Aber ich werde sie nie verkaufen«, fügte er hinzu. »Niemals.«

»In diesem Fall werde ich Miss Sullivan bitten, Ihnen eine Rechnung über sechsundvierzig Pfund, zwölf Shilling und sechs Pence auszustellen.« Die junge Frau deutete ein Nicken an und verließ den Raum. »Ich habe wirklich nicht die Absicht, Sie schon wieder in Tränen ausbrechen zu lassen, junger Mann, aber ich muss Ihnen gestehen, dass man in meinem Beruf schon von Glück spechen kann, wenn man einem Talent wie Jessica zwei- oder vielleicht dreimal im Leben begegnet.«

»Es ist sehr freundlich von Ihnen, das zu sagen, Sir«, erwiderte Sebastian, als Miss Sullivan mit dem Rechnungsbuch zurückkam.

»Und jetzt entschuldigen Sie mich bitte«, sagte Mr. Agnew. »Nächste Woche werden wir eine größere Ausstellung eröffnen, und ich habe immer noch nicht alle Preise festgelegt.«

Sebastian stellte einen Scheck über sechsundvierzig Pfund, zwölf Shilling und sechs Pence aus, riss ihn aus dem Scheckbuch und reichte ihn der Galerieassistentin.

»Wenn ich sechsundvierzig Pfund, zwölf Shilling und sechs Pence hätte«, sagte sie, »hätte ich die Bilder auch gekauft. Oh, entschuldigen Sie«, fügte sie rasch hinzu, als Sebastian erneut den Kopf senkte. »Möchten Sie sie mitnehmen oder später wiederkommen?«

»Ich werde morgen wiederkommen – das heißt, wenn Sie am Samstag geöffnet haben.«

»Ja, wir haben am Samstag geöffnet«, sagte sie, »aber ich habe ein paar Tage frei, also werde ich Mrs. Clark bitten, sich um Sie zu kümmern.«

»Wann arbeiten Sie wieder?«

»Am Donnerstag.«

»Dann werde ich am Donnerstagvormittag kommen.«

Sie lächelte, als sie ihn die Treppe hinaufführte, und diesmal war ihr Lächeln anders als zuvor.

Erst jetzt sah Sebastian die Statue, die in einer gegenüberliegenden Ecke der Galerie stand. »*Der Denker*«, sagte er. Sie nickte. »Für einige ist diese Statue Rodins bedeutendstes Werk. Aber wussten Sie, dass sie ursprünglich *Der Dichter* hieß?« Die junge Frau schien überrascht. »Und wenn ich mich richtig erinnere, muss dieser Guss von Alexis Rudier angefertigt worden sein, wenn dieses Exemplar noch zu Lebzeiten des Künstlers entstanden ist.«

»Jetzt geben Sie aber an.«

»Ich bekenne mich schuldig«, gab Sebastian zu. »Aber ich habe einen sehr guten Grund, mich gerade an dieses besondere Stück zu erinnern.«

»Jessica?«

»Nein, diesmal nicht. Darf ich Sie nach der Nummer des Abgusses fragen?«

»Fünf. Von neun Exemplaren.«

Sebastian bemühte sich, ruhig zu bleiben, denn er wollte gerne die Antworten auf einige weitere Fragen hören, ohne die junge Frau misstrauisch zu machen. »Wer ist der Besitzer?«

»Ich habe keine Ahnung. Wir führen das Werk im Katalog als ›aus dem Besitz eines Gentleman‹ stammend.«

»Was bedeutet das?«

»Der fragliche Gentleman möchte nicht, dass allgemein bekannt wird, dass er sich von seiner Sammlung zu trennen gedenkt. So bekommen wir viele unserer Kunden, durch die drei großen Ds: *death, divorce, debt* – Tod, Scheidung, Schulden. Aber ich muss Sie warnen. Sie werden Mr. Agnew nicht dazu bringen, dass er Ihnen den *Denker* für sechsundvierzig Pfund, zwölf Shilling und sechs Pence verkauft.«

Sebastian lachte. »Wie viel soll sie denn kosten?«, fragte er und berührte den abgewinkelten rechten Arm der Statue.

»Mr. Agnew hat noch nicht alle Stücke der Sammlung ausgezeichnet, aber ich kann Ihnen einen Katalog und eine Einladung zur Privatausstellung am 17. August geben, wenn Sie möchten.«

»Vielen Dank«, sagte Sebastian, als sie ihm den Katalog reichte. »Ich freue mich schon darauf, Sie am Donnerstag wiederzusehen.« Sie lächelte. »Es sei denn …«, sagte er zögernd, aber sie half ihm nicht, »es sei denn, Sie haben morgen Abend noch nichts vor und würden mit mir essen gehen.«

»Einfach unwiderstehlich«, erwiderte sie. »Aber es wäre wohl besser, wenn ich das Restaurant aussuche.«

»Warum?«

»Weil ich weiß, wie viel noch auf Ihrem Konto ist.«

30

»Aber warum sollte er seine Kunstsammlung verkaufen wollen?«, fragte Cedric.

»Anscheinend braucht er das Geld.«

»Das ist ja wohl offensichtlich, Seb, aber ich verstehe nicht, *wozu* er das Geld braucht.« Wieder blätterte Cedric im Katalog, aber selbst als er *Ein Markt bei der Eremitage bei Pontoise* von Camille Pissarro erreicht hatte, ein Werk, das auf dem hinteren Deckblatt abgebildet war, war er genauso ratlos wie zuvor. »Vielleicht wird es Zeit, einen Gefallen einzufordern.«

»Was schwebt Ihnen vor?«

»*Wer*, nicht was«, sagte Cedric. »Ein gewisser Mr. Stephen Ledbury, der Direktor der Midland Bank, St. James's.«

»Was ist so besonders an ihm?«

»Er ist Martinez' Bankier.«

»Woher wissen Sie das?«

»Wenn man fast fünf Jahre lang bei den Besprechungen des Vorstands neben Major Fisher gesessen hat, bekommt man erstaunlich viele Dinge mit, sofern man nur Geduld hat und bereit ist, einem einsamen Menschen zuzuhören.« Cedric wählte seine Sekretärin an. »Könnten Sie mich bitte mit Stephen Ledbury von der Midland verbinden?« Er wandte sich wieder an Sebastian. »Seit ich herausgefunden habe, dass Ledbury Martinez' Bankier ist, habe ich ihm immer wieder den einen oder anderen Tipp zukommen lassen. Vielleicht hat er jetzt ja auch etwas für mich.«

Das Telefon auf Cedrics Schreibtisch klingelte. »Mr. Ledbury ist am Apparat.«

»Vielen Dank«, sagte Cedric und wartete auf das Klicken, bevor er den Lautsprecherknopf drückte. »Guten Tag, Stephen.«

»Guten Tag, Cedric. Was kann ich für Sie tun?«

»Ich glaube, es geht eher darum, was ich für Sie tun kann, alter Junge.«

»Ein neuer guter Tipp?«, fragte Ledbury hoffnungsvoll.

»Er fällt diesmal wohl mehr in die Kategorie, Ihnen Rückendeckung zu geben. Mir ist zu Ohren gekommen, dass einer Ihrer weniger erfreulichen Kunden seine gesamte Kunstsammlung bei Agnew's in der Bond Street zum Verkauf anbietet. Der Katalog behauptet, dass die Sammlung ›aus dem Besitz eines Gentleman‹ stammt, was ganz eindeutig eine unzutreffende Bezeichnung ist. Ich nehme an, aus irgendeinem Grund wollte Ihr Kunde nicht, dass Sie davon erfahren.«

»Wie kommen Sie darauf, dass dieser besondere Gentleman ein Konto bei uns hat?«

»Ich sitze neben seinem Repräsentanten im Vorstand von Barrington Shipping.«

Eine lange Pause entstand, bevor Ledbury schließlich sagte: »Ah, und Sie behaupten, er hat seine ganze Sammlung bei Agnew's zum Verkauf angeboten?«

»Von Manet bis Rodin. Ich sehe mir gerade den Katalog an, und ich kann mir kaum vorstellen, dass noch irgendetwas an den Wänden seines Hauses am Eaton Square hängt. Möchten Sie, dass ich Ihnen den Katalog vorbeibringen lasse?«

»Nein, machen Sie sich keine Mühe, Cedric. Agnew's liegt

nur ein paar Hundert Meter entfernt die Straße hoch. Ich werde selbst vorbeischauen und mir einen Katalog holen. Es war sehr freundlich von Ihnen, mir das zu sagen, aber jetzt stehe ich schon wieder in Ihrer Schuld. Wenn es also irgendetwas gibt, mit dem ich mich revanchieren kann …«

»Nun, jetzt, wo Sie es erwähnen, Stephen. Es gibt tatsächlich eine Kleinigkeit, die Sie für mich tun könnten, da ich Sie gerade am Telefon habe.«

»Nur raus damit.«

»Sollte Ihr Gentleman jemals beschließen, seine Barrington-Aktien zu verkaufen, wüsste ich einen Kunden, der möglicherweise interessiert wäre.«

Wieder folgte ein langes Schweigen, bevor Ledbury fragte: »Ist dieser Kunde vielleicht ein Mitglied der Familien Barrington oder Clifton?«

»Nein. Ich vertrete keine der beiden Familien. Ich glaube, sie sind bei Barclays in Bristol. Mein Kunde kommt aus Nordengland.«

Erneut folgte ein langes Schweigen. »Wo werden Sie am Montagmorgen, dem 17. August, um neun Uhr morgens sein?«

»An meinem Schreibtisch«, sagte Cedric.

»Gut. Es könnte ja sein, dass ich eine Minute nach neun an jenem Morgen anrufen und in der Lage sein werde, Ihnen für die vielen Dinge, die Sie für mich getan haben, etwas zurückzugeben.«

»Das ist sehr freundlich von Ihnen, Stephen, aber jetzt sollten wir vielleicht zu wichtigeren Themen kommen. Was macht ihr Golfhandicap?«

»Es steht immer noch bei elf, aber ich habe das Gefühl, dass es mit dem Beginn der nächsten Saison bei zwölf stehen wird. Ich werde wohl nicht jünger.«

»Das wird keiner von uns«, sagte Cedric. »Viel Erfolg am Wochenende, und ich freue mich schon darauf, von Ihnen in« – er warf einen Blick auf den Kalender – »zehn Tagen zu hören.« Er drückte den Knopf an der Seite des Telefons und sah über seinen Schreibtisch hinweg zu seinem jüngsten Associate Director. »Sagen Sie mir, was Sie aus dieser Unterhaltung erfahren haben, Seb.«

»Dass Martinez möglicherweise seine gesamten Barrington-Aktien am 17. August um neun Uhr morgens auf den Markt bringen wird.«

»Genau eine Woche bevor Ihre Mutter bei der Aktionärsversammlung den Vorsitz führen wird.«

»Oh, verdammt«, sagte Sebastian.

»Es freut mich, dass Sie verstanden haben, was Martinez vorhat. Aber vergessen Sie nie, Seb, dass es bei vielen Gesprächen etwas zunächst scheinbar völlig Belangloses gibt, das Ihnen genau die Information verschafft, nach der Sie gesucht haben. Mr. Ledbury hat mir freundlicherweise gleich zwei dieser kleinen Schmuckstücke zukommen lassen.«

»Was war das erste?«

Cedric warf einen Blick auf seinen Notizblock und las vor: »*Machen Sie sich keine Mühe, Cedric. Agnew's liegt nur ein paar Hundert Meter entfernt die Straße hoch. Ich werde selbst vorbeischauen und mir einen Katalog holen*. Was sagt uns das?«

»Dass er nicht wusste, dass Martinez seine Kunstsammlung verkaufen will.«

»So viel ist offensichtlich. Aber noch wichtiger ist, dass ihm der Verkauf aus irgendeinem Grund Sorgen bereitet, sonst hätte er irgendeinen Mitarbeiter geschickt. Aber nein: *Ich werde selbst vorbeischauen und mir einen Katalog holen*.«

»Und das zweite?«

»Er wollte wissen, ob unsere Bank die Familien Barrington oder Clifton vertritt.«

»Warum ist das von Bedeutung?«

»Weil die Unterhaltung abrupt ein Ende gefunden hätte, hätte ich mit *ja* geantwortet. Ich bin sicher, dass Ledbury die Anweisung erhalten hat, die Aktien am 17. zu verkaufen – aber nicht an ein Mitglied der beiden Familien.«

»Und warum ist das so wichtig?«

»Weil Martinez nicht will, dass die Familie weiß, was er vorhat. Offensichtlich hofft er, einen Großteil seiner Investitionen bei Barrington's unmittelbar vor der Aktionärsversammlung wieder hereinzubekommen. Er scheint davon überzeugt zu sein, dass der Kurs bis zum Zeitpunkt der Versammlung zusammenbrechen wird, ohne dass er selbst dabei allzu viel Geld verliert. Wenn er das Timing richtig hinbekommt, wird jeder Börsenhändler versuchen, Barrington-Aktien zum Schleuderpreis loszuwerden, was zur Folge haben wird, dass die Journalisten bei der Aktionärsversammlung nur eine einzige Frage stellen werden: Steht das Unternehmen vor dem Bankrott? Dann wird es nicht die Nachricht über die Taufe der *Buckingham* durch die Königinmutter sein, die es am folgenden Tag auf die Titelseiten schafft.«

»Können wir irgendetwas tun, um das zu verhindern?«, fragte Sebastian.

»Ja. Aber wir müssen dafür sorgen, dass unser Timing noch besser ist als das von Martinez.«

»Aber irgendetwas passt da nicht zusammen. Wenn Martinez durch den Verkauf der Aktien fast das gesamte Geld, das er investiert hat, wieder zurückbekommt, warum muss er dann auch noch seine Kunstsammlung verkaufen?«

»Ich stimme Ihnen zu. Das bleibt vorerst sein Geheimnis.

Aber ich habe so das Gefühl, dass sich auch alles Übrige klären wird, wenn wir dieses Rätsel gelöst haben. Es könnte ja sein, dass wir ein paar Puzzleteile zusammenfügen können, wenn Sie der Dame, die Sie morgen Abend zum Essen ausführen werden, die richtige Frage stellen. Aber vergessen Sie nicht, was ich gerade gesagt habe: Eine scheinbar nebensächliche Bemerkung erweist sich oft als ebenso wertvoll wie eine Antwort auf eine direkte Frage. Übrigens, wie heißt die junge Dame eigentlich?«

»Das weiß ich nicht«, sagte Sebastian.

Susan Fisher saß in der fünften Reihe der gut besuchten Veranstaltung und hörte aufmerksam zu, was Emma Clifton über ihr Leben als Vorstandsvorsitzende einer großen Reederei zu sagen hatte, während sie die Ansprache beim Jahrestreffen der Red Maids' Old Girls' Association hielt. Obwohl Emma noch immer eine gut aussehende Frau war, konnte Susan die kleinen Fältchen um ihre Augen erkennen, und ihr war klar, dass Emmas dichtes schwarzes Haar, um das ihre Mitschülerinnen sie einst beneidet hatten, inzwischen ein wenig Nachhilfe brauchte, um seinen dunklen Glanz zu behalten, wenn der Tribut, den Trauer und Stress zweifellos gefordert hatten, nicht allzu sichtbar werden sollte.

Treffen ehemaliger Schülerinnen hatte Susan schon immer besucht, aber besonders gefreut hatte sie sich auf die heutige Zusammenkunft, denn sie erinnerte sich noch gut an Emma Barrington und bewunderte sie sehr. Emma war diejenige Schülerin gewesen, die die Schule nach außen vertreten hatte, sie hatte einen Studienplatz in Oxford bekommen, und sie war die erste Vorstandsvorsitzende einer Aktiengesellschaft im Land.

Es gab jedoch etwas, das sie an Emmas Rede nicht verstand.

Alex' Brief, in dem er ankündigte, dass er von seinem Posten zurücktreten werde, schien anzudeuten, dass das Unternehmen eine Reihe von Fehlentscheidungen getroffen hatte und möglicherweise vor dem Bankrott stand, während Emma erklärte, die ersten Buchungen für die *Buckingham* seien ein uneingeschränkter Erfolg und Barrington's blicke in eine strahlende Zukunft. Sie konnten nicht beide zugleich recht haben, und Susan zweifelte nicht im Geringsten daran, wem sie glauben wollte.

Während des Empfangs nach der Rede war es für Susan unmöglich, auch nur in Emmas Nähe zu gelangen, denn diese war von alten Freunden und neuen Bewunderern umringt. Susan wollte sich nicht in die Schlange einreihen und unterhielt sich stattdessen mit einigen anderen ehemaligen Mitschülerinnen. Dabei vermied sie es nach besten Kräften, Fragen über Alex zu beantworten, wann immer das Thema ihrer Ehe aufkam. Nach einer Stunde beschloss Susan aufzubrechen, denn sie hatte versprochen, pünktlich wieder in Burnham-on-Sea zu sein, um für ihre Mutter das Abendessen zu kochen.

Sie verließ gerade die Aula der Schule, als hinter ihr jemand sagte: »Hallo, Susan.« Sie drehte sich um und sah überrascht, dass Emma Clifton auf sie zukam.

»Ohne Sie hätte ich diese Rede nicht halten können. Das war sehr mutig von Ihnen, denn ich kann mir gut vorstellen, was Alex zu sagen hatte, als er an jenem Nachmittag nach Hause gekommen ist.«

»Ich habe nicht darauf gewartet, das herauszufinden«, sagte Susan, »denn ich hatte bereits beschlossen, ihn zu verlassen. Und nachdem ich jetzt gehört habe, wie gut es dem Unternehmen geht, bin ich umso glücklicher, dass ich Sie unterstützt habe.«

»Wir haben noch sechs Monate an Tests vor uns«, gab

Emma zu. »Wenn wir die bestanden haben, werde ich selbst viel beruhigter sein.«

»Ich bin sicher, dass Sie die Tests bestehen werden«, sagte Susan. »Es tut mir nur leid, dass Alex zu einem so bedeutenden Zeitpunkt in der Geschichte des Unternehmens von seinem Posten zurücktreten will.«

Emma, die auf dem Weg zu ihrem Auto war, blieb abrupt stehen und wandte sich zu Susan um. »Alex denkt daran, sich zurückzuziehen?«

»Ich dachte, Sie wüssten das.«

»Ich hatte keine Ahnung«, erwiderte Emma. »Wann hat er Ihnen das gesagt?«

»Das hat er gar nicht. Ich habe zufällig einen Brief auf seinem Schreibtisch gesehen, in dem er davon spricht, seinen Posten aufzugeben. Das hat mich überrascht, denn ich weiß, wie viel ihm daran liegt, dem Vorstand anzugehören. Aber der Brief war erst auf den 21. August datiert. Vielleicht steht sein Entschluss ja noch nicht ganz fest.«

»Ich sollte mich wohl besser mit ihm unterhalten.«

»Nein, bitte tun Sie das nicht«, bat Susan in beschwörendem Ton. »Ich hätte den Brief eigentlich gar nicht sehen sollen.«

»Dann werde ich kein Wort sagen. Können Sie sich an den Grund erinnern, den er genannt hat?«

»Ich kann mich nicht an seine genauen Worte erinnern, aber es ging darum, dass seine erste Pflicht den Aktionären gilt und dass es eine prinzipielle Frage sei, sie wissen zu lassen, dass die Firma möglicherweise vor dem Bankrott steht. Aber nachdem ich Ihre Rede gehört habe, ergibt das alles keinen Sinn mehr.«

»Wann werden Sie Alex wiedersehen?«

»Ich hoffe, überhaupt nie mehr«, sagte Susan.

»Kann diese Sache dann unter uns bleiben?«

»Ja, bitte. Er soll nicht herausfinden, dass ich mit Ihnen über den Brief gesprochen habe. Das möchte ich nicht.«

»Ich auch nicht«, sagte Emma.

»Wo werden Sie am Montag, dem 17., um neun Uhr morgens sein?«

»Dort, wo ich um neun Uhr morgens immer bin: Ich werde die zweitausend Gläser Fischpastete im Auge behalten, die pro Stunde aus unserer Anlage kommen. Wo sollte ich denn Ihrer Meinung nach sein?«

»In der Nähe eines Telefons, denn ich werde Sie anrufen und Ihnen raten, eine beträchtliche Summe in eine Reederei zu investieren.«

»Dann haben Sie inzwischen alles für Ihren kleinen Plan beisammen?«

»Noch nicht ganz«, erwiderte Cedric. »Es sind noch einige Feinabstimmungen nötig, und selbst wenn die erledigt sind, muss mein Timing absolut makellos sein.«

»Wenn Sie das schaffen, wird Lady Virginia dann verärgert sein?«

»Sie wird rasen vor Wut, Darling.«

Bingham lachte. »Dann werde ich am Montag eine Minute vor neun neben dem Telefon stehen.« Er warf einen Blick auf seinen Taschenkalender. »Am 17. August.«

»Hast du dich für das billigste Essen auf der Karte entschieden, weil ich die Rechnung bezahle?«

»Nein, natürlich nicht«, sagte Sebastian. »Tomatensuppe und Kopfsalat haben mir schon immer am besten geschmeckt.«

»Dann lass mich raten, was dir am zweitbesten schmecken

könnte«, sagte Samantha und sah hoch zum Kellner. »Wir nehmen beide den San Daniele mit Melone und dann zwei Steaks.«

»Wie möchten Sie Ihr Steak, Madam?«

»Medium, bitte.«

»Und Sie, Sir?«

»Wie möchte ich mein Steak, Madam?«, fragte Sebastian im gleichen Ton wie der Kellner und lächelte Samantha an.

»Er ist ebenfalls ein Medium-Typ.«

»Also …«

»Wie …«

»Nein, du zuerst«, sagte sie.

»Also, was bringt eine junge Amerikanerin nach London?«

»Mein Vater ist im diplomatischen Dienst. Er wurde kürzlich hierher versetzt, und ich dachte, ein Jahr in London würde mir vielleicht Spaß machen.«

»Und was macht deine Mutter, Samantha?«

»Sam. Jeder außer meiner Mutter nennt mich Sam. Mein Vater hatte sich einen Jungen gewünscht.«

»Nun, das ist auf spektakuläre Weise misslungen.«

»Du kannst das Flirten wohl nicht lassen?«

»Und deine Mutter?«, wiederholte Sebastian.

»Sie ist altmodisch. Sie kümmert sich einfach um meinen Vater.«

»Genau so jemanden suche ich.«

»Viel Glück.«

»Warum eine Kunstgalerie?«

»Ich habe an der Georgetown Kunstgeschichte studiert und dann beschlossen, mir ein Jahr freizunehmen.«

»Und was hast du als Nächstes vor?«

»Im September mit meiner Doktorarbeit anzufangen.«

»Über welches Thema?«

»Rubens: Künstler oder Diplomat?«

»War er nicht beides?«

»Du wirst ein paar Jahre warten müssen, bis du das erfährst.«

»Welche Universität?«, fragte Sebastian in der Hoffnung, dass sie nicht schon in ein paar Wochen wieder nach Amerika zurückgehen würde.

»London oder Princeton. Man hat mir einen Studienplatz an beiden angeboten, aber ich habe mich noch nicht entschieden. Und du?«

»Mir hat keine von beiden einen Platz angeboten.«

»Nein, du Dummkopf, was machst du?«

»Ich habe angefangen, in einer Bank zu arbeiten, nachdem ich ein Jahr pausiert habe«, sagte er, als der Kellner zurückkam und zwei Teller mit Schinken und Melone vor sie stellte.

»Dann warst du nie auf einer Universität?«

»Das ist eine lange Geschichte«, sagte Sebastian. »Vielleicht erzähle ich sie dir ein anderes Mal«, fügte er hinzu, während er darauf wartete, dass sie nach Messer und Gabel greifen würde.

»Ah, du gehst also davon aus, dass es ein nächstes Mal geben wird?«

»Absolut. Ich muss ohnehin am Donnerstag in die Galerie kommen, um Jessicas Bilder abzuholen, und für den Montag darauf hast du mich zur Vorstellung der Kunstsammlung des unbekannten Gentleman eingeladen. Oder weißt du inzwischen, um wen es sich handelt?«

»Nein, das weiß nur Mr. Agnew. Ich kann dir nur sagen, dass der Gentleman nicht zur Eröffnung kommt.«

»Offensichtlich will er nicht, dass irgendjemand erfährt, wer er ist.«

»Oder wo er ist«, sagte Samantha. »Wir können ihn nicht einmal darüber informieren, wie der Verkauf gelaufen ist, denn er wird ein paar Tage lang nicht hier sein. Er geht zur Jagd nach Schottland.«

»Das wird ja immer merkwürdiger«, sagte Sebastian, als die leeren Teller abgeräumt wurden.

»Und was macht dein Vater so?«

»Er ist Geschichtenerzähler.«

»Sind das nicht die meisten Männer?«

»Ja, aber er bekommt Geld dafür.«

»Dann muss er sehr erfolgreich sein.«

»Nummer eins auf der Bestsellerliste der *New York Times*«, sagte Sebastian stolz.

»Harry Clifton, natürlich!«

»Hast du die Bücher meines Vaters gelesen?«

»Nein, habe ich nicht, wie ich gestehen muss. Aber meine Mutter verschlingt sie geradezu. Ich habe ihr *William Warwick und das zweischneidige Schwert* zu Weihnachten geschenkt«, sagte sie, als die beiden Steaks serviert wurden. »Verdammt«, fügte sie hinzu, »ich habe vergessen, den Wein zu bestellen.«

»Wasser tut's auch«, sagte Sebastian.

Samantha ignorierte ihn. »Eine halbe Flasche Fleurie«, sagte sie zum Kellner.

»Du musst immer alle rumkommandieren.«

»Warum sagt man von einer Frau, sie würde alle rumkommandieren, wenn man in derselben Situation von einem Mann behaupten würde, dass er Entschlossenheit, ein beherrschendes Auftreten und Führungsstärke zeigt?«

»Du bist Feministin!«

»Warum auch nicht«, sagte Samantha, »nach allem, was ihr in den letzten eintausend Jahren angerichtet habt?«

»Hast du jemals *Der Widerspenstigen Zähmung* gelesen?«, fragte Sebastian grinsend.

»Geschrieben von einem Mann vor vierhundert Jahren, als eine Frau noch nicht einmal die Titelrolle spielen durfte. Wenn Kate heute leben würde, wäre sie wahrscheinlich Premierministerin.«

Sebastian brach in lautes Gelächter aus. »Du solltest meine Mutter kennenlernen, Samantha. Genauso wie du kommandiert sie … pardon, sie ist genauso entschlussfreudig wie du.«

»Ich habe dir schon gesagt, dass nur meine Mutter mich Samantha nennt. Und mein Vater, wenn er sich über mich geärgert hat.«

»Ich mag deine Mutter jetzt schon.«

»Und was ist mit deiner Mutter?«

»Ich bewundere meine Mutter zutiefst.«

»Nein, du Dummkopf, was macht sie?«

»Sie arbeitet für eine Reederei.«

»Klingt interessant. Was macht sie da denn so?«

»Sie arbeitet im Vorstand«, antwortete er, als Samantha den Wein probierte.

»Genau diesen Wein hat er gewollt«, sagte sie zum Kellner, der ihnen beiden einschenkte. Sie hob ihr Glas. »Wie sagt man in England?«

»*Cheers*«, antwortete Sebastian. »Und in Amerika?«

»*Here's looking at you, kid.*«

»Als Humphrey Bogart bist du ziemlich schlecht.«

»Dann erzähl mir von Jessica. Konnte man schon immer sehen, wie begabt sie war?«

»Nein, eigentlich nicht, denn es gab von Anfang an niemanden, mit dem man sie hätte vergleichen können. Jedenfalls nicht, bis sie auf die Slade ging.«

»Ich glaube, das hat sich nicht einmal dann geändert«, sagte Samantha.

»Hast du dich schon immer für Kunst interessiert?«

»Anfangs wollte ich Künstlerin werden, doch die Götter haben anders entschieden. Wolltest du schon immer Bankier werden?«

»Nein. Ich hatte eigentlich vor, in den diplomatischen Dienst zu gehen wie dein Vater, aber am Ende wurde nichts daraus.«

Der Kellner kam wieder an ihren Tisch. »Wünschen Sie ein Dessert, Madam?«, fragte er, als er die leeren Teller abtrug.

»Nein, danke«, sagte Sebastian. »Das kann sie sich nicht leisten.«

»Aber vielleicht hätte ich ja gerne ...«

»Sie hätte gerne die Rechnung«, sagte Sebastian.

»Ja, Sir.«

»Wer kommandiert jetzt andere herum?«, fragte Samantha.

»Findest du nicht, dass die Gespräche bei einer ersten Verabredung immer ein wenig seltsam sind?«

»Ist das hier etwa eine richtige erste Verabredung?«

»Das hoffe ich doch«, sagte Sebastian und fragte sich, ob er es wagen sollte, ihre Hand zu berühren.

Samantha lächelte ihn so warmherzig an, dass er den Mut fand fortzufahren: »Darf ich dir eine persönliche Frage stellen?«

»Ja, natürlich.«

»Hast du einen Freund?«

»Ja, den habe ich«, antwortete sie in recht ernstem Ton.

Sebastian konnte seine Enttäuschung nicht verbergen. »Erzähl mir von ihm«, brachte er mühsam hervor, als der Kellner mit der Rechnung wiederkam.

»Er kommt am Donnerstag in die Galerie, um ein paar Bilder abzuholen, und für den Montag darauf habe ich ihn zur Ausstellungseröffnung der Sammlung von Mr. Unbekannt eingeladen. Ehrlich gesagt hoffe ich«, sagte sie und nahm die Rechnung entgegen, »dass er bis dahin genug auf seinem Konto hat, um *mich* einzuladen.«

Sebastian errötete, als sie dem Kellner zwei Pfund gab und sagte: »Der Rest ist für Sie.«

»So eine Art der Verabredung habe ich noch nie erlebt«, gestand Sebastian.

Samantha lächelte, beugte sich über den Tisch und nahm seine Hand. »Ich auch nicht«, sagte sie.

SEBASTIAN CLIFTON

1964

31

Sonntagabend

Cedric ließ seinen Blick über den Tisch schweifen. Er sprach jedoch erst, nachdem alle Platz genommen hatten.

»Es tut mir leid, dass ich Sie so kurzfristig hierherbitten musste, aber Martinez lässt mir keine andere Wahl.« Mit einem Schlag war jeder wach und konzentriert. »Ich habe gute Gründe zur Annahme«, fuhr Cedric fort, »dass Martinez vorhat, seinen gesamten Besitz an Barrington-Aktien zum Börsenbeginn morgen in einer Woche auf den Markt zu bringen. Er hofft, dabei so viel wie möglich von seiner ursprünglichen Investition zurückzubekommen, solange der Kurs so hoch ist wie jetzt, und gleichzeitig wird er mit dieser Aktion versuchen, das Unternehmen zu vernichten. Er wird das genau eine Woche vor der Aktionärsversammlung tun, wenn es besonders wichtig ist, dass die Öffentlichkeit uns ihr Vertrauen schenkt. Sollte sein Plan gelingen, könnte Barrington's innerhalb weniger Tage bankrott sein.«

»Ist das legal?«, fragte Harry.

Cedric wandte sich an seinen Sohn, der zu seiner Rechten saß. »Er würde nur dann gegen das Gesetz verstoßen«, sagte Arnold, »wenn er beabsichtigt, die Aktien zu einem geringeren Preis zurückzukaufen, doch ganz offensichtlich hat er das nicht vor.«

»Aber könnte es tatsächlich sein, dass der Kurs so stark

sinkt? Martinez ist schließlich der Einzige, der seinen gesamten Aktienbestand verkauft.«

»Wenn irgendein Aktionär, der einen Repräsentanten im Vorstand des entsprechenden Unternehmens sitzen hat, über eine Million Aktien ebendieses Unternehmens ohne Vorwarnung oder Erklärung auf den Markt wirft, würden die Finanzleute in der City das Schlimmste annehmen, und es könnte zu einer regelrechten Stampede kommen, weil jeder die Aktie plötzlich loswerden will. Der Kurs würde sich innerhalb weniger Stunden halbieren, vielleicht sogar innerhalb von Minuten.« Cedric hielt inne, bis jeder die Bedeutung seiner Worte begriffen hatte. Dann fügte er hinzu: »Wir sind jedoch noch nicht geschlagen, denn es gibt etwas, das für uns arbeitet.«

»Und was wäre das?«, fragte Emma, die sich bemühte, ruhig zu bleiben.

»Wir wissen genau, was er vorhat, und dadurch können wir ihn auf seinem eigenen Terrain schlagen. Aber wenn wir das tun wollen, müssen wir schnell sein, und wir können nur dann auf Erfolg hoffen, wenn jeder an diesem Tisch bereit ist, meine Empfehlungen zu akzeptieren und die Risiken einzugehen, die damit verbunden sind.«

»Bevor Sie uns Ihre Absichten darlegen«, sagte Emma, »möchte ich die Anwesenden darüber informieren, dass das nicht das Einzige ist, was Martinez für die betreffende Woche geplant hat.« Cedric lehnte sich zurück. »Major Alex Fisher wird am Freitag von seinem Posten als Direktor ohne Exekutivgewalt zurücktreten, genau drei Tage vor der Aktionärsversammlung.«

»Ist das so schlimm?«, fragte Giles. »Schließlich hat Fisher dich oder das Unternehmen nie wirklich unterstützt.«

»Unter normalen Umständen würde ich dir zustimmen, Giles, doch in seinem Brief, den ich zwar noch nicht erhalten habe, von dem ich jedoch weiß, dass er auf den Freitag vor der Aktionärsversammlung datiert ist, behauptet Fisher, dass ihm keine andere Wahl bleibt, als sich von seinem Posten zurückzuziehen, weil er glaubt, dass das Unternehmen kurz vor dem Bankrott steht und er verpflichtet ist, die Interessen der Aktionäre zu schützen.«

»Das wäre für ihn ja etwas ganz Neues«, sagte Giles. »Aber wie auch immer. Eine solche Aussage über die Firma ist einfach nicht wahr und dürfte deshalb leicht zu widerlegen sein.«

»Das sollte man eigentlich meinen, Giles«, erwiderte Emma. »Aber wie viele deiner Kollegen im Unterhaus sind immer noch davon überzeugt, dass du in Brüssel einen Herzanfall hattest, obwohl du das schon Tausende Male dementiert hast?« Giles schwieg.

»Woher wissen Sie, dass Fisher von seinem Posten zurücktreten wird, wenn Sie den Brief noch gar nicht bekommen haben?«, fragte Cedric.

»Ich kann diese Frage nicht beantworten, aber ich kann Ihnen versichern, dass meine Quelle absolut zuverlässig ist.«

»Also hat Martinez vor, am Montag zuzuschlagen, indem er seinen gesamten Aktienbesitz verkauft«, sagte Cedric, »um uns dann am folgenden Freitag mit Fishers Rücktritt den zweiten Schlag zu versetzen.«

»Worauf mir dann keine andere Wahl bliebe«, sagte Emma, »als die Schiffstaufe durch die Königinmutter zu verschieben, vom Zeitpunkt der Jungfernfahrt ganz zu schweigen.«

»Spiel, Satz und Sieg Martinez«, sagte Sebastian.

»Was raten Sie uns, Cedric?«, fragte Emma, indem sie ihren Sohn ignorierte.

»Ihm in die Eier zu treten«, sagte Giles, »und zwar am besten dann, wenn er es nicht erwartet.«

»Ich hätte es nicht besser formulieren können«, erwiderte Cedric, »und ehrlich gesagt habe ich genau das vor. Gehen wir also davon aus, dass Martinez plant, seine Aktien in acht Tagen auf den Markt zu bringen, und dass Fisher vier Tage später von seinem Posten zurücktreten wird, was, wie Martinez wohl hofft, das Unternehmen vernichten und Emma zwingen wird, als Vorstandsvorsitzende zurückzutreten. Um diesem Plan etwas entgegenzusetzen, müssen *wir* den ersten Treffer landen, und unser Schlag muss völlig überraschend kommen. Ich habe deshalb vor, alle meine eigenen dreihundertachtzigtausend Aktien zu verkaufen, und zwar noch diesen Freitag und zu jedem Preis, den ich bekommen kann.«

»Aber wie würde uns das helfen?«, fragte Giles.

»Ich hoffe, dass dadurch der Kurs bis zum Montag einbricht, sodass Martinez ein Vermögen verlieren wird, wenn er seine Aktien am Montagmorgen um neun zum Verkauf anbietet. Das ist der Zeitpunkt, an dem ich ihm in die Eier treten will, denn ich habe für seine eine Million Aktien bereits einen Käufer, der dafür den neuen, niedrigeren Preis bezahlen wird. Dadurch sollten die Aktien nicht länger als ein paar Minuten auf dem Markt sein.«

»Ist das der Mann, den niemand von uns kennt und der Martinez ebenso sehr hasst wie wir?«, fragte Harry.

Arnold Hardcastle legte seinem Vater die Hand auf den Arm und flüsterte: »Du solltest diese Frage nicht beantworten, Pop.«

»Selbst wenn Sie das durchziehen«, sagte Emma, »werde ich der Presse und den Aktionären eine Woche später bei unserer Hauptversammlung immer noch erklären müssen, warum der Kurs eingebrochen ist.«

»Dazu wird es nicht kommen, wenn ich sofort, nachdem Martinez' Aktien gekauft wurden, meinerseits aggressiv zu kaufen beginne und nicht eher damit aufhöre, bis der Kurs wieder so hoch ist wie jetzt.«

»Aber Sie haben uns doch gesagt, dass dies gegen das Gesetz ist.«

»Mit dem Wort *ich* meinte ich eigentlich …«

»Sag jetzt nichts mehr, Pop«, unterbrach ihn Arnold mit fester Stimme.

»Aber wenn Martinez herausfindet, was Sie vorhaben …«, begann Emma.

»Wir werden dafür sorgen, dass das nicht geschieht«, erwiderte Cedric. »Und dazu werden wir uns genau an den Zeitplan halten, den Seb uns jetzt erklären wird.«

Sebastian stand auf, und es kam ihm so vor, als sehe er sich dem strengsten Premierenpublikum im West End gegenüber. »Martinez beabsichtigt, über das Wochenende zur Moorhuhnjagd nach Schottland zu fahren, und wird erst Dienstagmorgen wieder nach London zurückkehren.«

»Wie kannst du dir da so sicher sein, Seb?«, fragte sein Vater.

»Weil am Montagnachmittag seine gesamte Kunstkollektion bei Agnew's zum Verkauf steht und er dem Besitzer der Galerie gesagt hat, er könne nicht zugegen sein, weil er dann noch nicht wieder zurück in London sei.«

»Ich finde es seltsam«, sagte Emma, »dass er genau an dem Tag, an dem er alle Aktien des Unternehmens losschlagen und seine Kunstsammlung verkaufen will, nicht vor Ort sein möchte.«

»Das ist einfach zu erklären«, erwiderte Cedric. »Wenn es so aussieht, als ob Barrington's in Schwierigkeiten gerät, will er so weit weg wie möglich sein, am besten irgendwo, wo niemand Kontakt zu ihm aufnehmen kann, damit ganz alleine Sie mit der Pressemeute und den wütenden Aktionären zurechtkommen müssen.«

»Wissen wir, wo er sich in Schottland aufhalten wird?«, fragte Giles.

»Im Augenblick noch nicht«, antwortete Cedric, »aber gestern Abend habe ich Ross Buchanan angerufen. Er selbst ist ein ausgezeichneter Schütze, und er hat mir versichert, dass es nördlich der Grenze nur etwa sechs Hotels und die entsprechenden Jagdeinrichtungen gibt, die Martinez als gut genug ansehen würde, um dort seine brillante Aktion zu feiern. Ross wird sie alle in den nächsten Tagen besuchen, um herauszufinden, wo Martinez gebucht hat.«

»Gibt es etwas, das wir tun können, um Sie zu unterstützen?«, fragte Harry.

»Verhalten Sie sich einfach ganz normal. Das gilt besonders für Sie, Emma. Es muss so aussehen, als würden Sie sich ausschließlich mit der Vorbereitung der Aktionärsversammlung und der Taufe der *Buckingham* beschäftigen. Überlassen Sie Seb und mir die Feinheiten der Operation.«

»Aber selbst wenn es Ihnen gelingt, den Coup mit den Aktien durchzuziehen«, sagte Giles, »bleibt immer noch das Problem mit Fishers Rücktritt.«

»Ich habe bereits einen Plan in die Wege geleitet, mit dem ich mich um Fisher kümmern werde.«

Alle sahen ihn erwartungsvoll an.

»Sie werden uns nicht erzählen, was Sie vorhaben, nicht wahr?«, sagte Emma schließlich.

»Nein«, erwiderte Cedric. »Mein Anwalt«, fügte er hinzu und legte die Hand auf den Arm seines Sohnes, »hat mir davon abgeraten.«

32

Dienstagnachmittag

Cedric hob den Hörer des Telefons auf seinem Schreibtisch ab, und augenblicklich erkannte er den leichten schottischen Akzent.

»Martinez hat von Freitag, dem 14., bis Montag, dem 17. August, drei Zimmer in der Glenleven Lodge gebucht.«

»Das hört sich so an, als liege die Lodge ziemlich weit weg.«

»Sie liegt mitten im Nirgendwo.«

»Was haben Sie noch herausgefunden?«

»Er und seine beiden Söhne besuchen Glenleven zweimal im Jahr, im März und im August. Sie haben immer dieselben Zimmer im zweiten Stock, und sie nehmen ihre Mahlzeiten immer in Don Pedros Suite zu sich, nie im Speisesaal.«

»Haben Sie herausgefunden, wann die drei erwartet werden?«

»Aye. Am Donnerstag nehmen sie den Nachtzug nach Edinburgh. Der Fahrer des Hotels wird sie gegen halb sechs am nächsten Morgen abholen und zum Frühstück nach Glenleven bringen. Don Pedro bevorzugt Räucherheringe, dunklen Toast und bittere Orangenmarmelade.«

»Ich bin beeindruckt. Was mussten Sie alles tun, um das herauszufinden?«

»Ich bin über dreihundert Meilen durch die Highlands gefahren und habe mir mehrere Hotels und Lodges angesehen. Nach ein paar Gläsern in der Hotelbar des Glenleven kenne ich sogar seinen Lieblingscocktail.«

»Also werde ich mit ein bisschen Glück von Freitagmorgen, wenn der Fahrer der Lodge sie abgeholt hat, bis zum Dienstagabend, wenn alle drei wieder zurück in London sind, freie Hand haben.«

»Es sei denn, es geschieht etwas Unvorhergesehenes.«

»Was regelmäßig der Fall ist. Wir haben keinen Grund zur Annahme, dass es diesmal anders sein wird.«

»Ich bin sicher, Sie haben recht«, sagte Ross Buchanan. »Genau deshalb werde ich am Freitagmorgen am Bahnhof Waverley sein und Sie anrufen, sobald die drei sich nach Glenleven auf den Weg machen. Dann müssen Sie nur noch darauf warten, dass die Börse um neun Uhr öffnet, damit Sie anfangen können, Ihre Aktien zu verkaufen.«

»Werden Sie selbst nach Glenleven zurückkehren?«

»Ja. Ich habe ein Zimmer in der Lodge gebucht, aber Jean wird erst irgendwann am Freitagnachmittag einchecken. Danach, so hoffe ich, werden wir ein ruhiges Wochenende in den Highlands verbringen. Ich werde mich nur im Notfall bei Ihnen melden. Ansonsten hören Sie erst wieder am Dienstagmorgen von mir, wenn ich gesehen habe, wie die drei den Zug nach London bestiegen haben.«

»Wenn es für Martinez zu spät sein wird, noch irgendwie in die Ereignisse einzugreifen.«

»So lautet jedenfalls Plan A.«

»Wir sollten kurz darüber nachdenken, was schiefgehen könnte«, sagte Diego, indem er sich an seinen Vater wandte.

»Woran denkst du?«, fragte Don Pedro.

»Dass die Gegenseite irgendwie herausgefunden hat, was wir vorhaben, und nur darauf wartet, dass wir in Schottland festsitzen, um deine Abwesenheit auszunutzen.«

»Aber wir haben doch immer dafür gesorgt, dass alles innerhalb der Familie bleibt«, sagte Luis.

»Ledbury gehört nicht zur Familie, und er weiß, dass wir am Montagmorgen unsere Aktien verkaufen werden. Fisher gehört nicht zur Familie, und nachdem er seinen Rücktritt eingereicht hat, wird er sich uns gegenüber nicht mehr verpflichtet fühlen.«

»Bist du sicher, dass du nicht überreagierst?«, fragte Don Pedro.

»Vielleicht mache ich das ja tatsächlich. Aber ich würde es immer noch vorziehen, erst einen Tag später zu euch nach Glenleven zu kommen. Dadurch werde ich wissen, wo die Barrington-Aktie zum Börsenschluss am Freitagabend steht. Wenn der Kurs immer noch höher ist als das, was wir ursprünglich dafür bezahlt haben, werde ich viel beruhigter mit der Tatsache umgehen können, dass wir am Montagmorgen eine Million Aktien auf den Markt bringen.«

»Du wirst einen Tag weniger jagen können.«

»Das ist immer noch besser, als zwei Millionen Pfund zu verlieren.«

»Klingt vernünftig. Ich werde dafür sorgen, dass dich der Fahrer gleich als Erstes am Samstagmorgen vom Bahnhof Waverley abholt.«

»Warum halten wir uns nicht alle Optionen offen«, sagte

Diego, »und sorgen dafür, dass niemand ein falsches Spiel mit uns treibt?«

»Was schlägst du vor?«

»Ruf die Bank an und sag Ledbury, dass du dich anders entschieden hast und deine Aktien am Montag doch nicht verkaufen willst.«

»Aber ich habe keine andere Wahl, wenn mein Plan Aussicht auf Erfolg haben soll.«

»Wir werden die Aktien verkaufen. Ich werde bei einem anderen Börsenmakler die entsprechende Order platzieren, unmittelbar bevor ich am Freitagabend nach Schottland aufbreche, und das auch nur dann, wenn die Aktien ihren Kurs gehalten haben. So können wir gar nicht verlieren.«

Donnerstagmorgen

Tom parkte den Daimler vor Agnew's in der Bond Street.

Cedric hatte Sebastian eine Stunde freigegeben, um Jessicas Bilder abzuholen, und ihm sogar gestattet, seinen Wagen zu benutzen, damit er umso schneller wieder im Büro zurück sein konnte. Sebastian rannte fast in die Galerie.

»Guten Morgen, Sir.«

»*Guten Morgen, Sir*? Bist du nicht die Dame, mit der ich am Samstagabend essen gegangen bin?«

»Ja, aber in der Galerie ist das Vorschrift«, flüsterte Samantha. »Mr. Agnew schätzt es gar nicht, wenn die Angestellten ein allzu vertrautes Verhältnis zu den Kunden haben.«

»Guten Morgen, Miss Sullivan. Ich bin gekommen, um meine Bilder abzuholen«, sagte Sebastian, indem er sich bemühte, wie ein gewöhnlicher Kunde zu klingen.

»Gewiss, Sir. Wenn Sie bitte mit mir kommen wollen?«

Er folgte ihr schweigend nach unten, wo sie die Tür zum Lagerraum aufschloss. Dort lehnten mehrere fein säuberlich verpackte Bilder an einer Wand. Samantha nahm zwei, Sebastian drei. Sie trugen sie nach oben, verließen die Galerie und legten die Bilder in den Kofferraum des Wagens.

Als sie wieder zurück in das Gebäude kamen, trat Mr. Agnew aus seinem Büro.

»Guten Morgen, Mr. Clifton.«

»Guten Morgen, Sir. Ich bin gerade gekommen, um meine Bilder abzuholen.«

Mr. Agnew nickte, während Sebastian Samantha die Treppe nach unten folgte. Als er sie eingeholt hatte, trug sie bereits zwei weitere Bilder. Noch immer waren zwei Gemälde übrig, doch Sebastian nahm nur eines, denn er wollte einen Vorwand haben, noch einmal mit Samantha nach unten zu kommen. Als er das Erdgeschoss erreichte, war Mr. Agnew nirgendwo zu sehen.

»Haben Sie es nicht geschafft, die letzten beiden gleichzeitig zu tragen?«, fragte Samantha. »Sie sind so schwach.«

»Ja, ich habe tatsächlich ein Bild zurückgelassen«, sagte Sebastian grinsend.

»Dann werde ich wohl besser gehen und es holen.«

»Und ich werde wohl besser mit Ihnen kommen und Ihnen helfen.«

»Wie freundlich von Ihnen, Sir.«

»Es ist mir ein Vergnügen, Miss Sullivan.«

Sobald die beiden wieder im Lagerraum waren, schloss Sebastian die Tür.

»Bist du frei zum Dinner heute Abend?«

»Ja, aber du musst mich hier abholen. Wir haben immer

noch nicht alle Bilder für die Ausstellung am nächsten Montag aufgehängt, weshalb ich wohl kaum vor acht hier wegkommen werde.«

»Ich werde um acht vor der Tür warten«, sagte er, legte ihr den Arm um die Hüfte und beugte sich vor.

»Miss Sullivan?«

»Ja, Sir«, sagte Samantha. Sie öffnete rasch die Tür und eilte nach oben.

Sebastian folgte ihr und versuchte, möglichst lässig auszusehen, als ihm plötzlich einfiel, dass keiner von ihnen das letzte Gemälde mitgenommen hatte. Er stürmte nach unten, nahm es an sich und rannte sofort wieder nach oben, wo er sah, wie Mr. Agnew mit Samantha sprach. Sie drehte sich nicht zu ihm um, als er vorbeiging.

»Vielleicht könnten wir die Liste durchgehen, die Sie für Ihren Kunden erstellt haben.«

»Ja, Sir.«

Tom legte gerade das letzte Bild in den Kofferraum, als Samantha zu Sebastian hinaus auf den Bürgersteig trat.

»Der Wagen gefällt mir«, sagte sie, »und natürlich auch, dass ein Chauffeur dabei ist. Nicht schlecht für jemanden, der es sich nicht leisten kann, eine Verkäuferin zum Essen auszuführen.«

Tom grinste und salutierte ironisch vor ihr, bevor er sich wieder hinter das Steuer setzte.

»Unglücklicherweise kann ich weder auf das eine noch auf den anderen Anspruch erheben«, sagte Sebastian. »Das Auto gehört meinem Chef, und ich durfte es nur ausleihen, weil ich ihm gesagt habe, dass ich eine Verabredung mit einer schönen jungen Frau habe.«

»So umwerfend war diese Verabredung nicht.«

»Heute Abend werde ich mir mehr Mühe geben.«

»Ich freue mich darauf, Sir.«

»Ich wünschte nur, die Möglichkeit hätte sich eher ergeben, aber diese Woche …« Er schloss den Kofferraum, ohne näher auszuführen, was ein früheres Treffen unmöglich gemacht hatte. »Vielen Dank für Ihre Hilfe, Miss Sullivan.«

»Es war mir ein Vergnügen, Sir. Ich hoffe, dass wir Sie auch in Zukunft bei uns begrüßen dürfen.«

Donnerstagnachmittag

»Cedric, hier ist Stephen Ledbury von der Midland.«

»Guten Morgen, Stephen.«

»Ich habe gerade einen Anruf von dem fraglichen Gentleman bekommen. Er hat mir erklärt, er habe sich umentschieden und wolle seine Barrington-Aktien nun doch nicht verkaufen.«

»Hat er einen Grund genannt?«, fragte Cedric.

»Er hat mir gesagt, er glaube inzwischen wieder auf lange Sicht an die Zukunft des Unternehmens und ziehe es deswegen vor, die Aktien zu halten.«

»Vielen Dank, Stephen. Bitte lassen Sie es mich wissen, wenn sich irgendetwas Neues ergibt.«

»Das werde ich gewiss tun, denn ich stehe noch immer in Ihrer Schuld.«

»Oh nein, ganz und gar nicht«, sagte Cedric, ohne genauer darauf einzugehen. Er legte den Hörer zurück und schrieb die drei Worte auf, die ihm alles verrieten, was er wissen musste.

Donnerstagabend

Kurz nach sieben erreichte Sebastian den Bahnhof King's Cross. Er stieg die Treppe zur ersten Etage hinauf und zog sich in den Schatten der großen, nach allen vier Seiten ausgerichteten Uhr zurück. Von dort aus war es ihm möglich, den *Night Scotsman* ununterbrochen im Auge zu behalten, der auf Bahnsteig fünf darauf wartete, einhundertdreißig Schlafwagenpassagiere nach Edinburgh zu bringen.

Cedric Hardcastle hatte ihm gesagt, er müsse sicher sein, dass alle drei fraglichen Personen den Zug bestiegen hätten, bevor er es riskieren konnte, seine eigenen Aktien auf den Markt zu bringen. Sebastian beobachtete, wie Don Pedro Martinez mit der protzig zur Schau gestellten Selbstgefälligkeit eines Potentaten aus dem Nahen Osten nur wenige Minuten vor der Abfahrt des Zuges den Bahnsteig betrat; sein Sohn Luis begleitete ihn. Die beiden gingen zum gegenüberliegenden Ende des Zuges und stiegen in eines der Erster-Klasse-Abteile. Warum war Diego nicht bei ihnen?

Nur wenige Minuten später blies ein Bahnmitarbeiter in seine Pfeife, schwenkte schwungvoll die grüne Fahne, und der *Night Scotsman* begann seine Reise mit nur zwei Mitgliedern der Familie Martinez an Bord. Als Sebastian die weiße Rauchwolke nicht mehr sehen konnte, die aus dem Schornstein des Zuges kam, rannte er zum nächsten Telefon und rief Mr. Hardcastle auf dessen privatem Anschluss an.

»Diego ist nicht im Zug.«

»Sein zweiter Fehler«, sagte Cedric. »Ich möchte, dass Sie unverzüglich zurück ins Büro kommen. Es hat sich da noch etwas anderes ergeben.«

Sebastian hätte Mr. Hardcastle gerne gesagt, dass er eine

Verabredung mit einer schönen jungen Frau hatte, doch dies war nicht der richtige Zeitpunkt, um anzudeuten, dass es für ihn auch noch ein Privatleben gab. Er wählte die Galerie an, schob vier Pennys in den Schlitz, drückte Taste A und wartete, bis er die unverwechselbare Stimme von Mr. Agnew am anderen Ende der Leitung hörte.

»Könnte ich bitte mit Miss Sullivan sprechen?«

»Miss Sullivan arbeitet nicht mehr bei uns.«

Donnerstagabend

Sebastian konnte an nichts anderes mehr denken, als Tom ihn zurück zur Bank fuhr. Was konnte Mr. Agnew mit dem Satz »Miss Sullivan arbeitet nicht mehr bei uns« gemeint haben? Warum sollte Samantha eine Stelle aufgeben, die ihr so sehr gefiel? Man hatte sie doch gewiss nicht entlassen? Vielleicht war sie krank geworden; heute Morgen war sie jedenfalls noch in der Galerie gewesen. Als Tom den Wagen vor dem Haupteingang von Farthings parkte, hatte Sebastian das Rätsel noch immer nicht gelöst. Schlimmer noch, er hatte keine Möglichkeit, zu ihr Kontakt aufzunehmen.

Er nahm den Aufzug in den obersten Stock und ging auf kürzestem Weg zum Büro des Vorstandsvorsitzenden. Er klopfte an, trat ein und platzte mitten in eine Besprechung.

»Tut mir leid, ich …«

»Nein, kommen Sie nur herein, Seb«, sagte Cedric. »Sie erinnern sich gewiss noch an meinen Sohn«, fügte er hinzu, als Arnold mit energischen Schritten auf Sebastian zuging.

Während die beiden sich die Hand gaben, flüsterte Arnold: »Antworten Sie ausschließlich auf die Fragen, die man Ihnen stellt. Sagen Sie von sich aus überhaupt nichts.« Erst jetzt sah Sebastian, dass sich noch zwei weitere Männer im Büro befanden. Keinem von ihnen war er je zuvor begegnet, und sie reichten ihm auch nicht die Hand.

»Arnold ist hier, um Sie juristisch zu vertreten«, sagte Cedric. »Ich habe dem Detective Inspector bereits gesagt, dass es meiner Überzeugung nach eine ganz simple Erklärung geben muss.«

Sebastian hatte keine Ahnung, wovon Mr. Hardcastle sprach.

Der ältere der beiden Unbekannten trat einen Schritt vor. »Ich bin Detective Inspector Rossindale. Ich arbeite auf dem Revier in der Savile Row und habe ein paar Fragen an Sie, Mr. Clifton.«

Aus den Romanen seines Vaters wusste Sebastian, dass Detective Inspectors sich nicht mit Kleinkriminaliät befassten. Er nickte und hielt sich ansonsten an Arnolds Anweisung, indem er kein Wort sagte.

»Haben Sie heute Agnew's Gallery in der Bond Street besucht?«

»Ja, das habe ich.«

»Und welchem Zweck diente dieser Besuch?«

»Um einige Bilder abzuholen, die ich letzte Woche gekauft habe.«

»Und dabei hat Ihnen eine gewisse Miss Sullivan geholfen?«

»Ja.«

»Und wo sind die Bilder jetzt?«

»Sie sind im Kofferraum von Mr. Hardcastles Wagen. Ich hatte die Absicht, sie später am Abend in meine Wohnung zu bringen.«

»Tatsächlich? Und wo ist dieser Wagen jetzt?«

»Er steht vor dem Haupteingang der Bank.«

Der Detective Inspector wandte sich an Cedric. »Dürfte ich mir Ihre Autoschlüssel ausleihen, Sir?«

Cedric sah zu Arnold, der nickte. »Mein Chauffeur hat die Schlüssel. Er wartet unten, um mich nach Hause zu fahren.«

»Mit Ihrer Erlaubnis, Sir, werde ich nach unten gehen und nachsehen, ob die Gemälde wirklich dort sind, wo sie laut Mr. Clifton sein sollen.«

»Wir haben nichts dagegen einzuwenden«, sagte Arnold.

»Sergeant Webber, Sie werden hierbleiben«, sagte Rossindale, »und sicherstellen, dass Mr. Clifton diesen Raum nicht verlässt.« Der junge Beamte nickte.

»Was zum Teufel geht hier vor?«, fragte Sebastian, nachdem der Detective Inspector das Büro verlassen hatte.

»Sie schlagen sich tapfer«, sagte Arnold. »Aber ich denke, es könnte unter den gegebenen Umständen vernünftig sein, wenn Sie jetzt nichts mehr sagen«, fügte er hinzu, indem er den jungen Polizisten direkt ansah.

»Ich jedoch«, sagte Cedric, der zwischen Sebastian und dem Polizisten stand, »möchte den Meisterkriminellen bitten, mir zu bestätigen, dass nur zwei Personen den Zug genommen haben.«

»Ja. Don Pedro und Luis. Diego war nirgendwo zu sehen.«

»Sie spielen uns direkt in die Hände«, sagte Cedric, als Rossindale mit drei flachen Paketen zurückkam. Einen Augenblick später folgten ein weiterer Sergeant sowie ein Costable, die zusammen die anderen sechs Pakete trugen. Die Polizeibeamten lehnten die Pakete an die Wand.

»Sind das die neun Pakete, die Sie mit Miss Sullivans Hilfe aus der Galerie abgeholt haben?«, fragte der Detective Inspector.

»Ja«, sagte Sebastian, ohne zu zögern.

»Habe ich Ihre Erlaubnis, sie zu öffnen?«

»Ja, natürlich.«

Die drei Polizisten begannen, das braune Papier abzuwickeln, das die Bilder umhüllte. Plötzlich schnappte Sebastian nach Luft, deutete auf eines der Gemälde und sagte. »Das hat meine Schwester nicht gemalt.«

»Es ist wirklich großartig«, sagte Arnold.

»Dazu kann ich mich nicht äußern«, erwiderte Rossindale. »Aber ich kann bestätigen«, fügte er hinzu, indem er einen Blick auf das Etikett auf der Rückseite warf, »dass es nicht von Jessica Clifton gemalt wurde, sondern von jemandem namens Raffael, und damit, laut Mr. Agnew, mindestens einhunderttausend Pfund wert ist.« Sebastian wirkte verwirrt, sagte jedoch nichts. »Und wir haben Grund zur Annahme«, fuhr Rossindale fort, wobei er sich Sebastian zuwandte, »dass Sie mit Miss Sullivans Unterstützung dieses wertvolle Kunstwerk unter dem Vorwand gestohlen haben, die Gemälde Ihrer Schwester abzuholen.«

»Aber das ergibt doch überhaupt keinen Sinn«, sagte Arnold, bevor Sebastian darauf reagieren konnte.

»Wie bitte, Sir?«

»Denken Sie doch einmal darüber nach, Detective Inspector. Wenn mein Mandant, wie Sie behaupten, mit Miss Sullivans Hilfe den Raffael aus Agnew's Gallery gestohlen hätte, würden Sie dann erwarten, das Gemälde mehrere Stunden später im Kofferraum des Autos seines Arbeitgebers zu finden? Oder wollen Sie etwa andeuten, dass der Chauffeur des Vorstandsvorsitzenden ebenfalls in die Sache verwickelt ist, und möglicherweise sogar der Vorsitzende selbst?«

»Mr. Clifton«, sagte Rossindale und warf einen Blick in sein Notizbuch, »hat zugegeben, dass er die Absicht hatte, die Bilder später am Abend in seine Wohnung zu bringen.«

»Könnte es nicht sein, dass ein Raffael in der Wohnung eines Junggesellen in Fulham ein wenig deplatziert wirkt?«

»Diese Angelegenheit hat nichts Lächerliches an sich, Sir. Mr. Agnew, der den Diebstahl gemeldet hat, ist ein hoch angesehener Kunsthändler aus dem West End, und …«

»Es ist kein Diebstahl, Detective Inspector, es sei denn, Sie können beweisen, dass das Bild mit der Absicht, den Besitzer zu berauben, mitgenommen wurde. Und da sie meinen Mandanten noch nicht einmal nach seiner Version der Geschichte gefragt haben, sehe ich nicht, wie Sie zu einer solchen Schlussfolgerung kommen können.«

Der Beamte wandte sich an Sebastian, der die Bilder zählte.

»Ich bekenne mich schuldig«, sagte Sebastian. Der Detective lächelte. »Aber nicht des Diebstahls, sondern der hoffnungslosen Verliebtheit.«

»Vielleicht möchten Sie uns das erklären?«

»Bei der Abschlussausstellung in der Slade gab es neun Bilder von meiner Schwester Jessica Clifton, und nur acht davon sind hier. Wenn sich also noch ein weiteres in der Galerie befindet, dann, mea culpa, habe ich das falsche an mich genommen, und ich entschuldige mich für das, was nichts weiter als ein einfaches Versehen ist.«

»Ein Einhunderttausend-Pfund-Versehen«, sagte Rossindale.

»Ohne mich dem Vorwurf der Leichtfertigkeit aussetzen zu wollen, Detective Inspector«, sagte Arnold, »möchte ich doch darauf hinweisen, dass ein Meisterkrimineller in der Regel am Tatort keinen Hinweis zurücklässt, der direkt zu ihm führt.«

»Wir wissen keineswegs, ob es sich wirklich so verhält, Mr. Hardcastle.«

»Dann würde ich vorschlagen, dass wir alle zur Galerie fahren, um nachzusehen, ob sich das fehlende Werk von Jessica Clifton, dessen Besitzer mein Mandant ist, noch immer dort befindet.«

»Ich werde mehr brauchen als das, um mich von seiner Unschuld zu überzeugen«, sagte Rossindale. Er packte Sebastian mit festem Griff am Arm, führte ihn aus dem Büro und ließ ihn erst wieder los, als sich der junge Mann im Polizeiwagen befand und rechts und links jeweils ein stämmiger Constable neben ihm saß.

Sebastian konnte nur daran denken, was Samantha wohl durchmachen musste. Auf dem Weg in die Galerie fragte er den Detective Inspector, ob sie auch dort sein würde.

»Miss Sullivan befindet sich gegenwärtig auf dem Polizeirevier in der Savile Row und wird von einem meiner Beamten verhört.«

»Aber sie ist unschuldig«, sagte Sebastian. »Wenn es irgendjemanden gibt, dem man einen Vorwurf machen kann, so bin ich das.«

»Ich muss Sie daran erinnern, Sir, dass ein Gemälde im Wert von einhunderttausend Pfund aus einer Galerie verschwunden ist, in der diese Dame gearbeitet hat – ein Gemälde, das nun im Kofferraum eines Wagens sichergestellt wurde, in welchem Sie selbst es deponiert haben.«

Sebastian dachte an Arnolds Rat und sagte kein Wort mehr. Zwanzig Minuten später hielt das Polizeifahrzeug vor Agnew's Gallery. Der Wagen des Vorstandsvorsitzenden von Farthings, auf dessen Rückbank Cedric und Arnold saßen, folgte kurz darauf.

Der Detective Inspector stieg aus dem Wagen, ohne den Raffael loszulassen, während ein anderer Beamter an der Galerietür klingelte. Rasch erschien Mr. Agnew, der aufschloss und das Meisterwerk so liebevoll betrachtete, als sei ein verlorenes Kind zu ihm nach Hause zurückgekehrt.

Als Sebastian erklärte, was geschehen sein musste, sagte Mr. Agnew: »Das sollte nicht schwer zu beweisen sein – so oder so.« Ohne noch etwas hinzuzufügen, führte er die Anwesenden ins Untergeschoss, wo er die Tür zum Lagerraum aufschloss. Dort waren mehrere Werke zur Lieferung an die Kunden vorbereitet worden.

Sebastian hielt den Atem an, als Mr. Agnew sorgfältig jedes Etikett musterte, bis er auf ein Paket stieß, das mit Jessica Cliftons Name gekennzeichnet war.

»Könnten Sie es bitte freundlicherweise auspacken?«, fragte Rossindale.

»Aber gewiss doch«, erwiderte Mr. Agnew. Überaus behutsam streifte er das Packpapier ab und zeigte Sebastian das Gemälde.

Arnold konnte nicht mehr aufhören zu lachen. »Der Titel lautet zweifellos *Porträt eines Meisterkriminellen*.«

Sogar der Detective Inspector gestattete sich ein schiefes Lächeln, doch er betonte Arnold gegenüber: »Wir dürfen nicht vergessen, dass Mr. Agnew Anzeige erstattet hat.«

»Die ich natürlich zurückziehe, denn mir ist klar, dass hier nie die Absicht vorlag, etwas zu stehlen. Tatsächlich«, sagte er und wandte sich an Sebastian, »muss ich mich bei Ihnen und Samantha entschuldigen.«

»Soll das heißen, dass sie ihre Stelle wiederbekommt?«

»Selbstverständlich nicht«, erwiderte Agnew entschieden. »Mir ist klar, dass sie in keine kriminelle Handlung verwickelt war, doch das ändert nichts daran, dass sie grob fahrlässig oder schlichtweg dumm gehandelt hat, und dumm ist sie nicht, wie wir beide wissen, Mr. Clifton.«

»Aber ich war es, der das falsche Bild mitgenommen hat.«

»Und Samantha war es, die zugelassen hat, dass Sie es aus dem Gebäude entfernen.«

Sebastian runzelte die Stirn. »Mr. Rossindale, kann ich mit Ihnen auf das Polizeirevier kommen? Ich hatte ursprünglich vorgehabt, Samantha heute Abend zum Dinner einzuladen.«

»Ich sehe keinen Grund, warum Sie das nicht immer noch tun sollten.«

»Vielen Dank für Ihre Hilfe, Arnold«, sagte Sebastian und gab dem Anwalt die Hand. Dann wandte er sich an Cedric und fügte hinzu: »Es tut mir leid, dass ich Ihnen so viele Unannehmlichkeiten gemacht habe, Sir.«

»Seien Sie einfach morgen früh um sieben wieder im Büro, denn gewiss haben Sie nicht vergessen, wie wichtig der morgige Tag für uns alle ist. Und gestatten Sie mir hinzuzufügen, Seb, dass Sie sich wahrlich eine bessere Woche hätten aussuchen können, um einen Raffael zu stehlen.«

Alle lachten, außer Mr. Agnew, der das Meisterwerk noch immer fest in seinen Händen hielt. Schließlich stellte er es zurück in den Lagerraum, schloss die Tür zwei Mal ab und führte alle wieder nach oben. »Vielen Dank, Detective Inspector«, sagte er, als Rossindale die Galerie verließ.

»Es war mir ein Vergnügen, Sir. Ich bin froh, dass die ganze Angelegenheit so gut ausgegangen ist.«

Als Sebastian in das Polizeifahrzeug stieg, sagte der Detective Inspector: »Ich werde Ihnen verraten, warum ich so sehr davon überzeugt war, dass Sie das Gemälde gestohlen haben, junger Mann. Ihre Freundin hat die ganze Schuld auf sich genommen. Wenn so etwas vorkommt, soll üblicherweise der eigentliche Täter geschützt werden.«

»Ich bin nicht sicher, ob sie noch meine Freundin ist, nach allem, was sie wegen mir durchmachen musste.«

»Ich werde dafür sorgen, dass sie so schnell wie möglich entlassen wird«, sagte Rossindale. »Wir müssen nur noch den üblichen Papierkram erledigen«, fügte er hinzu, als der Wagen vor dem Polizeirevier in der Savile Row hielt. Sebastian folgte den Polizisten in das Gebäude.

»Bringen Sie Mr. Clifton runter zu den Zellen, während ich die Unterlagen fertig mache.«

Der junge Sergeant führte Sebastian die Treppe hinab, schloss eine Tür auf und trat beiseite, sodass Sebastian die Zelle betreten konnte. Samantha saß zusammengekauert auf dem hinteren Ende einer dünnen Matratze und hatte die Knie unter das Kinn gezogen.

»Seb! Haben sie dich auch festgenommen?«

»Nein«, sagte er und nahm sie zum ersten Mal in die Arme. »Sie würden uns wohl kaum in derselben Zelle unterbringen, wenn sie uns für die englische Version von Bonnie und Clyde halten würden. Nachdem Mr. Agnew Jessicas Gemälde im Lagerraum gefunden hatte, konnte er akzeptieren, dass ich einfach nur das falsche Paket mitgenommen habe, und er hat die Anzeige zurückgezogen. Aber ich fürchte, du hast deine Stelle verloren, und das nur wegen mir.«

»Ich kann ihm keinen Vorwurf machen«, sagte Samantha. »Ich hätte mich konzentrieren und nicht flirten sollen. Aber ich frage mich so langsam, wie weit du wohl noch gehen wirst, nur um mich nicht zum Dinner ausführen zu müssen.« Sebastian löste die Umarmung und sah ihr in die Augen. Dann küsste er sie sanft.

»Angeblich erinnert sich eine Frau immer an den ersten Kuss des Mannes, in den sie sich verliebt hat, und ich muss zugeben, dass es ziemlich schwierig werden dürfte, diesen Kuss zu vergessen«, sagte sie, als die Zellentür aufschwang.

»Sie können jetzt gehen, Miss«, sagte der junge Sergeant. »Bitte entschuldigen Sie das Missverständnis.«

»Es war nicht Ihr Fehler«, sagte Samantha. Der Sergeant führte die beiden nach oben und hielt ihnen die Eingangsür des Polizeireviers auf.

Sebastian trat hinaus auf den Bürgersteig und nahm gerade Samanthas Hand, als ein dunkelblauer Cadillac vor dem Gebäude vorfuhr.

»Oh, verdammt«, sagte Samantha. »Das habe ich ganz vergessen. Die Polizei hat mir erlaubt, einen Anruf zu machen, und ich habe die Botschaft angerufen. Dort haben sie mir gesagt, dass meine Eltern in der Oper sind und man sie in der Pause benachrichtigen würde. Oh, verdammt«, wiederholte sie, als Mr. und Mrs. Sullivan aus dem Wagen stiegen.

»Was ist los, Samantha?«, fragte Mr. Sullivan, nachdem er seine Tochter auf die Wange geküsst hatte.

»Es tut mir leid«, sagte sie. »Es war alles nur ein schreckliches Missverständnis.«

»Da bin ich aber wirklich erleichtert«, erwiderte ihre Mutter. Dann sah sie zu dem Mann, der die Hand ihrer Tochter hielt, und fragte: »Und wer ist das?«

»Oh, das ist Sebastian Clifton. Er ist der Mann, den ich heiraten werde.«

33

Freitagmorgen

»Sie hatten recht. Diego wird den Nachtzug nehmen, der heute Abend in King's Cross startet, sodass er morgen früh bei seinem Vater und Luis in der Glenleven Lodge sein wird.«

»Wie können Sie da so sicher sein?«

»Die Rezeptionistin hat meiner Frau gesagt, dass ihn ein Wagen morgen früh abholen und direkt zum Frühstück in die Lodge bringen wird. Ich könnte morgen nach Edinburgh fahren und die Sache überprüfen.«

»Das ist nicht nötig. Seb wird heute Abend noch einmal in King's Cross sein, um sich davon zu überzeugen, dass Diego tatsächlich im Zug sitzt. Vorausgesetzt, dass Seb nicht festgenommen wird, weil er einen Raffael gestohlen hat.«

»Habe ich Sie richtig verstanden?«, fragte Ross Buchanan.

»Darüber reden wir ein anderes Mal, denn ich versuche immer noch herauszufinden, wie ein Plan B aussehen könnte.«

»Nun, Sie können jedenfalls nicht riskieren, auch nur einen Teil Ihrer Aktien zu verkaufen, solange Diego noch in London ist. Denn wenn der Kurs plötzlich nachgibt, wird Don Pedro wissen, was wir vorhaben, und seine Aktien gar nicht erst auf den Markt bringen.«

»Dann gebe ich mich geschlagen, denn es hat keinen Sinn, Martinez' Aktien zum vollen Preis zu kaufen.«

»Sie müssen sich keineswegs geschlagen geben. Ich habe mehrere Ideen, die Sie meiner Meinung nach in Erwägung ziehen sollten. Jedenfalls dann, wenn Sie immer noch bereit sind, ein verdammt hohes Risiko einzugehen.«

»Ich höre«, sagte Cedric, griff nach einem Füllfederhalter und schlug seinen Notizblock auf.

»Am Montagmorgen um acht, also eine Stunde vor Börsenbeginn, könnten Sie alle führenden Makler in der City kontaktieren, um ihnen mitzuteilen, dass Sie interessiert daran sind, Barrington-Aktien zu kaufen. Wenn etwa eine Million Martinez-Aktien um neun auf den Markt kommen, wird man Sie als Ersten anrufen, denn bei einem Geschäft diesen Ausmaßes wird die Kommission enorm sein.«

»Aber wenn der Aktienkurs noch immer auf dem Höhepunkt ist, wird als Einziger Martinez davon profitieren.«

»Ich sagte doch, ich habe mehrere Ideen«, entgegnete Ross.

»Entschuldigung«, sagte Cedric.

»Nur weil die Börse bei uns am Freitagnachmittag um vier schließt, bedeutet das nicht, dass Sie Ihre Aktien nicht verkaufen können. Die Börse in New York wird dann noch fünf Stunden geöffnet haben, die in L.A. acht. Und wenn Sie bis dahin noch nicht alle Aktien losgeworden sind: Sydney öffnet Sonntag um Mitternacht. Sollten Sie danach immer noch ein paar Aktien übrig haben, wird Hongkong gerne dabei behilflich sein, diese an den Mann zu bringen. Wenn also die Börse in London um neun Uhr am Montagmorgen wieder öffnet, dann vermute ich, dass Barrington-Aktien zum halben Kurs ihres heutigen Werts bei Börsenschluss gehandelt werden.«

»Brillant«, sagte Cedric. »Nur dass ich keine Aktienhändler in New York, Los Angeles, Sydney oder Hongkong kenne.«

»Sie brauchen nur einen einzigen«, erwiderte Ross. »Abe

Cohen, von Cohen, Cohen & Yablon. Genau wie Sinatra arbeitet er nur nachts. Sagen Sie einfach, dass Sie dreihundertachtzigtausend Barrington-Aktien besitzen, die Sie bis Montagmorgen Londoner Zeit nicht mehr besitzen wollen, und er wird das ganze Wochenende wach bleiben, um sich seine Kommission zu verdienen. Doch Vorsicht. Wenn Martinez herausfindet, was Sie vorhaben, und seine Aktien am Montagmorgen nicht auf den Markt bringt, dann werden Sie ein kleines Vermögen verlieren, und er kann einen weiteren Sieg verbuchen.«

»Ich weiß, dass er sie am Montagmorgen auf den Markt bringen wird«, erwiderte Cedric, »denn er hat Stephen Ledbury gegenüber behauptet, dass der einzige Grund, warum er die Aktien nun doch nicht verkaufen will, darin besteht, dass er inzwischen wieder ›auf lange Sicht‹ an die Zukunft des Unternehmens glaubt. Und wenn es eine Sache gibt, von der er, wie ich mit Sicherheit sagen kann, ganz gewiss nicht überzeugt ist, dann ist es diese.«

»Ein solches Risiko würde ein Schotte, der etwas auf sich hält, niemals eingehen.«

»Aber es ist ein Risiko, das ein vorsichtiger, langweiliger, uninteressanter Yorkshire-Mann beschlossen hat einzugehen.«

Freitagnacht

Sebastian wusste nicht einmal, ob er ihn wiedererkennen würde. Schließlich war es über sieben Jahre her, seit er Diego das letzte Mal in Buenos Aires begegnet war. Er erinnerte sich, dass Diego mindestens ein paar Zentimeter größer als Bruno und deutlich schlanker als Luis war, den er am Tag zuvor gesehen hatte. Diegos Äußeres war immer elegant: zweireihige

Anzüge aus der Savile Row, breite, farbige Seidenkrawatten und jede Menge Gel im Haar.

Sebastian war eine Stunde vor Abfahrt des Zuges in King's Cross, wo er unverzüglich seinen Posten im Schatten der großen, nach allen vier Seiten ausgerichteten Uhr bezog.

Der *Night Scotsman* stand schon bereit, um die Schlafwagenpassagiere an Bord zu nehmen. Einige wenige waren bereits eingetroffen. Es waren Reisende, die lieber ein wenig zusätzliche Zeit einplanten, anstatt das Risiko einzugehen, zu spät zu kommen. Diego hingegen, so vermutete Sebastian, war jemand, der erst im letzten Augenblick kommen würde, weil er keine Minute verschwenden wollte.

Während Sebastian wartete, wandten sich seine Gedanken Samantha und der letzten Woche zu, die die schönste seines Lebens gewesen war. Wie war es möglich, dass er so viel Glück hatte? Er ertappte sich dabei, dass er lächelte, wann immer er an Samantha dachte. Sie waren an jenem Abend noch ausgegangen, und wieder hatte er nicht bezahlt: Sie hatten ein protziges Restaurant in Mayfair namens Scott's besucht, in dem die Speisekarten keine Preise enthielten. Doch Mr. und Mrs. Sullivan hatten unbedingt wissen wollen, wer der Mann war, den ihre Tochter, wie sie selbst erklärt hatte, heiraten würde, auch wenn diese Bemerkung nur eine scherzhafte Provokation gewesen war.

Sebastian war zunächst nervös gewesen, denn immerhin war er der Grund dafür, warum Samantha von der Polizei festgenommen worden war und ihre Stelle verloren hatte. Als jedoch das Dessert serviert wurde – und diesmal bekam Sebastian tatsächlich eines –, hatte sich das Missverständnis, wie es jetzt allgemein genannt wurde, von einem Melodram in eine Farce verwandelt.

Sebastian begann sich zu entspannen, als Mrs. Sullivan ihm erzählte, wie gerne sie Bristol besuchen würde, um die Stadt kennenzulernen, in der Detective Sergeant William Warwick arbeitete. Er versprach, ihr den »Warwick Walk« zu zeigen, und als die leeren Teller abgetragen wurden, zweifelte er nicht mehr daran, dass Mrs. Sullivan weitaus vertrauter mit den Arbeiten seines Vaters war als er selbst. Nachdem sie sich von Samanthas Eltern verabschiedet hatten, schlenderten sie zurück zu ihrer Wohnung in Pimlico, wobei sie so langsam gingen wie zwei Verliebte, die nicht wollen, dass der Abend jemals endet.

Jetzt hielt sich Sebastian unverwandt im Schatten der Uhr, die gerade die volle Stunde zu schlagen begann.

»Auf Bahnsteig drei steht bereit der Zug nach Edinburgh, Abfahrt 22:35 Uhr, keine Zwischenaufenthalte«, verkündete eine halb erstickt klingende Stimme, die sich anhörte, als bewerbe sich der Mann, der den Text vorlas, als Nachrichtensprecher bei der BBC. »Die erste Klasse befindet sich am vorderen Ende des Zuges, die dritte Klasse am hinteren Ende. Der Speisewagen befindet sich in der Mitte des Zuges.« Sebastian zweifelte nicht im Geringsten daran, in welcher Klasse Diego fahren würde.

Er versuchte, nicht mehr an Samantha zu denken und sich zu konzentrieren, was ihm nicht leichtfiel. Fünf Minuten vergingen, dann zehn, dann fünfzehn, und obwohl inzwischen ein stetiger Strom von Reisenden auf Bahnsteig drei eintraf, war Diego bisher nirgendwo zu sehen. Sebastian wusste, dass Cedric Hardcastle an seinem Schreibtisch saß und ungeduldig auf den Anruf wartete, der ihm bestätigen würde, dass Diego den Nachtzug genommen hatte. Erst dann konnte er Abe Cohen das Startzeichen geben.

Sollte Diego jedoch nicht auftauchen, würde Cedric das Unternehmen abbrechen; das ganze Spiel wäre die Kerze nicht wert, wie Sherlock Holmes gerne sagte. Cedric konnte nicht riskieren, mit dem Verkauf seiner Aktien zu beginnen, solange Diego noch in London war, denn sollte er es doch tun, wäre es am Ende Don Pedro, der die Kerze ausblasen würde.

Zwanzig Minuten. Und obwohl sich auf dem Bahnsteig jetzt die letzten Passagiere einfanden, die von zahlreichen Trägern umgeben waren, welche das schwere Gepäck auf ihren Sackkarren transportierten, war Diego noch immer nirgendwo zu sehen. Sebastian wollte fast verzweifeln, als er bemerkte, wie ein Bahnmitarbeiter aus dem letzten Waggon stieg, die grüne Fahne in der einen und die Trillerpfeife in der anderen Hand. Seb sah auf zu dem mächtigen Minutenzeiger, der alle sechzig Sekunden ein kleines Stück weiterrückte. 22:22 Uhr. Sollte sich die ganze Arbeit, die Cedric in dieses Unternehmen gesteckt hatte, als umsonst erweisen? »Man muss bereit sein zu akzeptieren, dass nur ein Projekt von fünfen Erfolg hat, denn das genügt schon, um auf lange Sicht über die Runden zu kommen«, hatte Cedric einmal zu Sebastian gesagt. Fiel die jetzige Aktion in die »Vier-von-fünf-Kategorie«? Unwillkürlich musste er an Ross Buchanan denken. Wartete Buchanan in der Glenleven Lodge ebenfalls auf jemanden, der nicht kam? Und dann dachte er an seine Mutter, die mehr als alle anderen Beteiligten zu verlieren hatte.

Plötzlich erschien ein Mann auf dem Bahnsteig, der sofort Sebastians ganze Aufmerksamkeit auf sich zog. Er trug einen Koffer, doch Sebastian konnte nicht sicher sein, ob es sich um Diego handelte, denn der elegante braune Filzhut und der hochgeklappte Samtkragen seines langen schwarzen Mantels verdeckten sein Gesicht. Mit raschen Schritten ging der Mann an der dritten Klasse vorbei auf das vordere Ende des Zuges zu, was Sebastian wieder ein wenig hoffen ließ.

Ein Gepäckträger kam ihm auf dem Bahnsteig entgegen, der die Türen zu den Erster-Klasse-Abteilen eine nach der anderen zuschlug: Rumms! Rumms! Rumms! Als er den Reisenden auf sich zukommen sah, blieb er stehen und hielt ihm eine Tür auf. Sebastian trat aus dem Schatten der Uhr und versuchte, einen besseren Blick auf das Objekt seines Interesses zu bekommen. Der Mann mit dem Koffer wollte gerade in den Zug steigen, als er sich noch einmal umdrehte und einen Blick auf die Bahnhofsuhr warf. Er zögerte, Sebastian erstarrte, und dann verschwand der Mann im Zug. Der Träger schlug die Tür zu.

Diego war unter den letzten Passagieren gewesen, die den Zug bestiegen hatten. Sebastian rührte sich nicht von der Stelle, während er zusah, wie der *Night Scotsman* aus dem Bahnhof rollte, langsam Fahrt aufnahm und seine lange Reise nach Edinburgh begann.

Er schauderte, als er einen kurzen Augenblick der Beklemmung empfand. Natürlich konnte Diego ihn auf diese Entfernung nicht erkannt haben, ganz abgesehen davon, dass es Sebastian war, der nach *ihm* Ausschau hielt und nicht umgekehrt. Er ging zu den Telefonzellen am gegenüberliegenden Ende der Bahnhofshalle; die Münzen hatte er schon vorbereitet. Er wählte direkt den Anschluss auf dem Schreibtisch des Vorsitzenden an. Nach nur einem Klingeln erklang die vertraute, ein wenig schroff klingende Stimme aus der Leitung.

»Er hätte fast den Zug verpasst, ist dann aber noch im allerletzten Augenblick gekommen. Jetzt ist er auf dem Weg nach Edinburgh.« Sebastian hörte einen lange aufgestauten Seufzer der Erleichterung.

»Ich wünsche Ihnen ein schönes Wochenende, mein Junge«,

sagte Cedric. »Sie haben es sich wirklich verdient. Sorgen Sie nur dafür, dass Sie am Montagmorgen um acht wieder im Büro sind, denn ich habe eine besondere Aufgabe für Sie. Und versuchen Sie, am Wochenende Kunstgalerien aus dem Weg zu gehen.«

Sebastian lachte, legte den Hörer auf und gestattete sich, in Gedanken wieder zu Samantha zurückzukehren.

Sofort nachdem Cedric das Gespräch mit Sebastian beendet hatte, wählte er die Nummer, die Ross Buchanan ihm gegeben hatte. Eine Stimme am anderen Ende der Leitung sagte: »Cohen.«

»Der Verkauf kann beginnen. Wo lag der Kurs bei Börsenschluss in London?«

»Bei zwei Pfund und acht Shilling«, erwiderte Cohen. »Er ist heute um einen Shilling gestiegen.«

»Gut. Dann werde ich dreihundertachtzigtausend Aktien auf den Markt bringen, und ich will, dass Sie sie zum bestmöglichen Preis verkaufen. Aber vergessen Sie nicht: Wenn die Londoner Börse am Montagmorgen wieder öffnet, soll sich kein einziges Papier mehr in meinem Besitz befinden.«

»Verstanden, Mr. Hardcastle. Wie oft soll ich mich das Wochenende über bei Ihnen melden?«

»Um acht am Samstagmorgen und um dieselbe Zeit am Montagmorgen.«

»Es ist wirklich ein Glück, dass ich kein orthodoxer Jude bin«, sagte Cohen.

34

Samstag

In dieser Nacht sollten sich gleich mehrere Dinge ereignen, die es zuvor noch nie so gegeben hatte.

Sebastian führte Samantha in ein chinesisches Restaurant in Soho aus, und diesmal war er es, der die Rechnung bezahlte. Nach dem Dinner gingen sie zum Leicester Square, wo sie sich in die Schlange der Wartenden vor einem Kino einreihten. Samantha mochte den Film sehr, den Sebastian ausgesucht hatte, und als die beiden das Odeon verließen, gestand sie ihm, dass sie noch nie von Ian Fleming, Sean Connery oder auch nur James Bond gehört hatte, bevor sie nach England gekommen war.

»Wo hast du bisher denn dein Leben verbracht?«, fragte Sebastian in scherzhaftem Ton.

»In Amerika, wie Katharine Hepburn, Jimmy Stewart und ein junger Schauspieler namens Steve McQueen, der Hollywood gerade im Sturm erobert.«

»Ich habe noch nie von ihm gehört«, sagte Sebastian und nahm ihre Hand. »Haben wir überhaupt irgendetwas gemeinsam?«

»Jessica«, sagte sie sanft.

Sebastian lächelte, als sie plaudernd Hand in Hand durch die Straßen zu ihrer Wohnung in Pimlico gingen.

»Hast du schon jemals von den Beatles gehört?«

»Ja, natürlich. John, Paul, George und Ringo.«

»Den Goons?«

»Nein.«

»Dann sind dir auch noch nie Bluebottle und Moriarty begegnet?«

»Ich dachte, Moriarty sei Sherlock Holmes' Nemesis.«

»Nein, er ist Bluebottles Gegenpart.«

»Aber hast *du* schon von Little Richard gehört?«, fragte sie.

»Nein, aber von Cliff Richard.«

Gelegentlich blieben sie stehen, um einander zu küssen, und als sie Samanthas Wohnblock erreicht hatten, zog sie einen Schlüssel hervor und gab Sebastian einen letzten sanften Kuss: einen Gutenachtkuss.

Sebastian hätte sich noch gerne von ihr auf einen Kaffee hereinbitten lassen, doch sie sagte nur: »Wir sehen uns morgen.« Zum ersten Mal in seinem Leben hatte Sebastian es nicht eilig.

Don Pedro und Luis waren im Moor auf der Jagd, als Diego in der Glenleven Lodge ankam. Er bemerkte den älteren Herrn nicht, der einen Kilt trug, in einem hochlehnigen Ledersessel saß, den *Scotsman* las und so aussah, als gehöre er zum Inventar.

Eine Stunde später, nachdem Diego ausgepackt, ein Bad genommen und sich umgezogen hatte, kam er in Knickerbockern, braunen Lederstiefeln und Sherlock-Holmes-Mütze wieder nach unten, wobei er sich ganz offensichtlich bemühte, englischer als ein Engländer auszusehen. Ein Land Rover stand bereit, um ihn in die Hügel zu bringen, damit er sich für den heutigen Jagdausflug seinem Vater und seinem Bruder anschließen konnte. Nachdem er die Lodge verlassen hatte, saß Ross Buchanan noch immer in seinem hochlehnigen Sessel, und wäre Diego ein wenig aufmerksamer gewesen, hätte er bemerkt, dass Buchanan anscheinend noch immer dieselbe Seite derselben Zeitung las.

»Wie standen die Barrington-Aktien bei Börsenschluss?«, war das Erste, was Don Pedro seinen Sohn fragte, als dieser aus dem Auto stieg.

»Zwei Pfund und acht Shilling.«

»Um einen Shilling gestiegen. Du hättest also schon gestern kommen können.«

»In der Regel steigen Aktien an einem Freitag nicht«, war alles, was Diego sagte, bevor er sich von seinem Jagdassistenten das Gewehr reichen ließ.

Emma verbrachte den größten Teil des Samstagmorgens damit, den ersten Entwurf der Rede zu schreiben, die sie in neun Tagen bei der Aktionärsversammlung halten würde. Dabei musste sie vorerst mehrere Stellen leer lassen, die sie erst im Laufe der Woche würde ausfüllen können; der eine oder andere Abschnitt würde sogar erst wenige Stunden vor Eröffnung der Versammlung fertig werden.

Sie war dankbar für alles, was Cedric für sie tat, doch es wäre ihr lieber gewesen, hätte sie selbst viel direkter in das Drama eingreifen können, das sich in London und Schottland abspielte.

Harry war an diesem Morgen nicht zu Hause, denn er entwarf die Handlung für seinen neuen Roman. Während andere Männer ihre Samstage damit verbrachten, im Winter zum Fußball und im Sommer zum Kricket zu gehen, machte Harry lange Spaziergänge auf dem Gut der Familie und beschäftigte sich in Gedanken mit seinem Buch, damit er am Montagmorgen, wenn er erneut den Stift in die Hand nahm, wissen würde, wie William Warwick seinen aktuellen Fall lösen konnte. Harry und Emma aßen im Manor House zu Abend und gingen zu Bett, nachdem sie sich eine Episode von *Dr. Finlay's Casebook* angesehen hatten. Emma war immer noch damit beschäftigt, ihre Rede einzuüben, als sie schließlich einschlief.

Giles hielt am Samstagmorgen seine wöchentliche Abgeordnetensprechstunde, in der er sich diesmal die Klagen von achtzehn Wählern anhörte. Die vorgetragenen Punkte reichten vom Versagen des Stadtrats, einen Mülleimer leeren zu lassen, bis zur Frage, was ein so feiner Pinkel wie der ehemalige Eton-Schüler Sir Alec Douglas-Home eigentlich von den Problemen eines einfachen Arbeiters verstand.

Nachdem der letzte Wähler gegangen war, führte Giles' Wahlkampfleiter den Abgeordneten auf ein Glas Ale und ein Stück Blätterteiggebäck mit Fleischfüllung in das Nova Scotia, einen Pub, der diese Woche an der Reihe war, damit auch noch andere Wähler Giles zu Gesicht bekamen. Mindestens zwanzig weitere von ihnen empfanden es als ihre heilige Pflicht, dem für sie zuständigen Abgeordneten ihre Ansichten über eine schier unendliche Reihe von Themen mitzuteilen, bevor Giles und Griff nach Ashton Gate aufbrechen konnten, um sich ein noch vor Saisonbeginn stattfindendes Freundschaftsspiel von Bristol City und den Bristol Rovers anzusehen, das 0:0 endete und überhaupt nicht in freundschaftlichem Geist ausgetragen wurde.

Mehr als sechstausend Anhänger beider Mannschaften ließen sich das Spiel nicht entgehen, und als der Schiedsrichter die Partie abpfiff, konnte keiner der Besucher mehr darüber im Zweifel sein, welches Team Sir Giles unterstützte, denn er trug seinen rot-weiß gestreiften Wollschal für alle gut sichtbar. Allerdings erinnerte Griff ihn auch immer wieder daran, dass neunzig Prozent seiner Wähler für Bristol City waren.

Als die beiden das Stadion verließen, wurden ihnen zahlreiche, nicht immer freundliche Kommentare zugerufen, und schließlich sagte Griff: »Wir sehen uns später.«

Giles fuhr zurück nach Barrington Hall, wo er mit Gwyneth, die inzwischen bereits deutlich sichtbar schwanger war, zu Abend aß. Sie sprachen nicht über Politik. Giles wäre am liebsten bei ihr geblieben, doch um kurz nach neun hörte er einen Wagen in der Auffahrt. Er küsste seine Frau und ging nach draußen, wo der Leiter seines Wahlkampfteams bereits vor der Tür stand.

Griff fuhr ihn zum Club der Hafenarbeiter, wo Giles ein paar Runden Snooker spielte sowie eine Runde Darts, die er verlor. Er spendierte mehrere Lokalrunden, denn da der nächste Wahltermin noch nicht feststand, konnte das nicht als Bestechung gewertet werden.

Als Griff den Abgeordneten in jener Nacht wieder nach Barrington Hall fuhr, erinnerte er ihn daran, dass er am folgenden Morgen drei Gottesdienste besuchen musste, wo er mitten unter jenen Wählern sitzen würde, die weder seine Sprechstunde noch das Lokalderby noch den Club der Hafenarbeiter besucht hatten. Es war kurz vor Mitternacht, als Giles zu Bett ging; Gwyneth schlief bereits tief und fest.

Grace verbrachte den Samstag damit, die Hausarbeiten ihrer Studentinnen zu lesen, von denen einige inzwischen endlich begriffen hatten, dass sie in weniger als einem Jahr ihren Prüfern gegenübertreten mussten. Emily Gallier, eine ihrer intelligentesten Studentinnen, die bisher gerade so viel getan hatte, um mitzukommen, geriet jetzt in Panik. Sie machte sich

Hoffnungen, den Stoff von drei Jahren in drei Semester packen zu können. Grace hatte kein Verständnis für sie. Sie griff zur Arbeit von Elizabeth Rutledge, einer weiteren intelligenten jungen Frau, die jedoch seit ihrem ersten Tag in Cambridge nicht mehr zu arbeiten aufgehört hatte. Auch Elizabeth war in Panik, denn sie fürchtete, keinen so erstklassigen Abschluss zu schaffen, wie alle von ihr erwarteten. Für sie hatte Grace großes Verständnis. Schließlich hatte sie im Jahr vor ihrem Abschluss unter denselben Zweifeln gelitten.

Grace ging kurz nach eins ins Bett, nachdem sie die letzte Arbeit benotet hatte. Sie hatte einen ruhigen Schlaf.

Cedric saß bereits eine Stunde lang an seinem Schreibtisch, als das Telefon klingelte. Er hob ab und war nicht überrascht, dass sich Abe Cohen am anderen Ende der Leitung meldete, denn überall in der Stadt begannen die Uhren acht zu schlagen.

»Es ist mir gelungen, einhundertsechsundachtzigtausend Aktien in New York und Los Angeles zu verkaufen, wobei der Preis von zwei Pfund und acht Shilling auf ein Pfund und achtzehn Shilling gefallen ist.«

»Kein schlechter Anfang, Mr. Cohen.«

»Zwei Gelegenheiten weg, zwei bleiben noch, Mr. Hardcastle. Ich werde Sie am Montagmorgen um acht anrufen und Sie wissen lassen, wie viele Aktien die Australier genommen haben.«

Cedric verließ sein Büro erst kurz nach Mitternacht, und als er in seiner Londoner Wohnung war, verzichtete er auf den Anruf zuhause, denn er wusste, dass Beryl bereits schlafen würde. Sie hatte schon längst akzeptiert, dass ihr Mann nur eine einzige Geliebte hatte: die Farthings Bank. Unruhig wälzte sich Cedric in seinem Bett hin und her, während er über die nächsten sechsunddreißig Stunden nachdachte. Ihm wurde bewusst, warum er während der letzten vierzig Jahre niemals ein Risiko eingegangen war.

Ross und Jean Buchanan brachen nach dem Mittagessen zu einem langen Spaziergang in den Highlands auf.

Sie kamen gegen fünf zurück, und Ross nahm, wie er es im Stillen nannte, seinen Wachdienst wieder auf. Die einzige Änderung bestand darin, dass er diesmal eine alte Ausgabe des *Country Life* las. Er bewegte sich nicht von der Stelle, bis er gesehen hatte, dass Don Pedro mit seinen beiden Söhnen zurückkehrte. Don Pedro und Luis wirkten ziemlich selbstzufrieden, doch Diego schien über irgendetwas nachzugrübeln. Die drei gingen nach oben in Don Pedros Suite und tauchten den ganzen Abend über nicht mehr auf.

Ross und Jean aßen im Speisesaal zu Abend und gingen gegen zwanzig vor zehn die Treppe zu ihrem Zimmer hinauf, wo jeder von ihnen wie üblich noch eine halbe Stunde im Bett las: sie Georgette Heyer, er Alistair MacLean. Nachdem er mit seinem üblichen »Gute Nacht, mein Liebling« das Licht gelöscht hatte, fiel Ross in einen tiefen Schlaf. Schließlich brauchte er nur darauf zu achten, dass die drei Mitglieder der Familie Martinez nicht vor Montagmorgen nach London fuhren.

Als Don Pedro und seine Söhne sich an jenem Abend in der Suite zum Dinner setzten, war Diego ungewöhnlich schweigsam.

»Bist du sauer, weil du weniger Vögel geschossen hast als ich?«, neckte ihn sein Vater.

»Irgendetwas stimmt nicht«, erwiderte Diego, »aber ich kann einfach nicht genau sagen, was.«

»Dann wollen wir mal hoffen, dass du es bis morgen früh rausgefunden hast, damit wir alle die Jagd genießen können.«

Nachdem das Geschirr kurz nach halb zehn abgetragen worden war, verließ Diego seinen Bruder und seinen Vater und zog sich in sein Zimmer zurück. Er lag im Bett und versuchte, seine Ankunft im Bahnhof King's Cross vor seinem geistigen Auge durchzuspielen, indem er sie sich gleichsam ansah, als betrachte er Bild für Bild eines Schwarz-Weiß-Films. Aber er war so erschöpft, dass auch er bald darauf in einen tiefen Schlaf fiel.

Fünfundzwanzig Minuten nach sechs erwachte er mit einem Ruck. Vor seinem inneren Auge hatte er ein einziges Bild.

35

Sonntagabend

Als Ross am Sonntagnachmittag mit Jean von ihrem gemeinsamen Spaziergang zurückkehrte, freute er sich auf ein heißes Bad, eine Tasse Tee und einige Butterkekse, bevor er seinen Wachdienst wieder aufnehmen würde.

Während die beiden die Auffahrt zu Glenleven hinaufschlenderten, war er nicht überrascht zu sehen, wie der Fahrer der Lodge mehrere Gepäckstücke in den Kofferraum eines Wagens lud, denn es war nicht ungewöhnlich, dass viele Gäste unmittelbar nach ihrem Jagdwochenende wieder abreisten. Ross war nur an einem einzigen, ganz besonderen Gast interessiert, und da dieser nicht vor Dienstag aufbrechen würde, dachte er nicht weiter darüber nach.

Sie gingen gerade die Treppe hinauf zu ihrem Zimmer im ersten Stock, als Diego Martinez zwei Stufen auf einmal nehmend an ihnen vorbeistürmte, als komme er zu spät zu einem wichtigen Termin.

»Oh, ich habe meine Zeitung auf dem Tisch in der Halle vergessen«, sagte Ross. »Geh schon mal rauf, Jean, ich komme gleich nach.«

Ross drehte sich um, ging die Treppe hinab und versuchte, nicht in Diegos Richtung zu starren, der sich mit der Rezeptionistin unterhielt. Langsam zog er sich in den Tea Room zurück, als Diego aus der Lodge marschierte und auf der Rückbank des wartenden Autos Platz nahm. Ross machte kehrt und eilte in Richtung Haupteingang. Er sah gerade noch, wie der Wagen in der Auffahrt verschwand. Er rannte zurück ins Gebäude und ging direkt zur Rezeption. Die junge Frau schenkte ihm ein warmherziges Lächeln.

»Guten Tag, Mr. Buchanan. Wie kann ich Ihnen helfen?«

Das war nicht der beste Zeitpunkt für ein harmloses Geplauder. »Ich habe gerade gesehen, dass Mr. Diego Martinez weggefahren ist. Meine Frau und ich wollten ihn einladen, heute mit uns zu Abend zu essen. Erwarten Sie ihn später zurück?«

»Nein, Sir. Bruce fährt ihn nach Edinburgh, wo er den Nachtzug nach London nehmen will. Aber die Herren Don Pedro und Luis Martinez werden bis Dienstag bei uns sein. Wenn Sie das Dinner also mit ihnen …«

»Ich muss einen dringenden Anruf machen.«

»Ich fürchte, die Leitung funktioniert nicht, Mr. Buchanan. Und wie ich Mr. Martinez schon erklärt habe, wird sie wahrscheinlich auch vor morgen nicht wieder in Ordnung sein.«

Ross, der eigentlich ein höflicher Mensch war, wandte sich wortlos ab und eilte in Richtung Eingangstür. Er rannte aus der Lodge, sprang in seinen Wagen und trat eine unvorhergesehene Reise an. Er machte keinen Versuch, Diego einzuholen, denn er wollte nicht, dass Diego wusste, dass er verfolgt wurde.

Seine Gedanken rasten. Zuerst musste er sich mit den praktischen Problemen beschäftigen. Sollte er anhalten und Cedric anrufen, um ihm mitzuteilen, was geschehen war? Er entschied sich dagegen, denn das Wichtigste war, den Zug nach London nicht zu verpassen. Wenn er im Bahnhof Waverley noch genügend Zeit hatte, würde er anrufen und Cedric warnen, dass Diego einen Tag früher nach London zurückkehrte.

Seine nächste Überlegung war, sich die Tatsache zunutze zu machen, dass er dem Vorstand von British Railways angehörte, und zu verhindern, dass man Diego eine Fahrkarte ausstellte. Doch das würde ihm nicht helfen, denn dann würde Diego ein Zimmer in einem Hotel in Edinburgh nehmen und seinen Makler anrufen, bevor die Börse am nächsten Morgen öffnete. Dabei würde er herausfinden, dass der Kurs der Barrington-Aktien über das Wochenende stark gefallen war, wodurch ihm mehr als genug Zeit bliebe, den Plan zu stoppen, die Aktien seines Vaters auf den Markt zu bringen. Nein, das Beste wäre, Diego in den Zug steigen zu lassen und sich erst dann damit zu beschäftigen, was als Nächstes zu tun war – auch wenn er nicht die leiseste Ahnung hatte, was das sein könnte.

Sobald er die Hauptstraße nach Edinburgh erreicht hatte, fuhr Ross mit konstanten sechzig Meilen pro Stunde. Es würde kein Problem sein, ein Schlafwagenabteil im Zug zu bekommen, denn für die Direktoren von BR war immer eines reserviert. Er konnte nur hoffen, dass keiner seiner Vorstandskollegen in dieser Nacht ebenfalls nach London fahren wollte.

Er fluchte, weil er den Umweg um die Firth of Forth Road Bridge herum nehmen musste, denn die Brücke würde erst wieder in einer Woche geöffnet werden. Als er die Außenbezirke der Stadt erreicht hatte, war er einer Lösung der Frage, wie er mit Diego umgehen sollte, sobald sie beide im Zug waren, noch keinen Schritt näher gekommen. Er hätte sich gewünscht, dass Harry Clifton neben ihm sitzen würde. Der Schriftsteller hätte inzwischen schon mindestens ein Dutzend verschiedener Szenarien entwickelt, und bei einem ähnlichen Problem in einem Roman hätte er Diego schlichtweg aus dem Weg geräumt.

Das heftige Vibrieren des Motors riss ihn abrupt aus seinen Tagträumen. Er warf einen Blick auf die Tankanzeige und sah, dass ein rotes Lämpchen blinkte. Wieder stieß er einen Fluch aus, schlug gegen das Lenkrad und begann, nach einer Tankstelle Ausschau zu halten. Nach etwa einer Meile verwandelte sich das heftige Vibrieren des Motors in ein Stottern, und der Wagen wurde immer langsamer, bis er schließlich langsam am Straßenrand ausrollte und stehen blieb. Ross hatte noch vierzig Minuten bis zur Abfahrt des Zuges nach London. Er sprang aus dem Auto und rannte los, bis er, völlig außer Atem, vor einem Wegweiser anhalten musste, der verkündete: *Stadtzentrum 3 Meilen*. Die Zeiten, in denen er drei Meilen in weniger als vierzig Minuten laufen konnte, waren schon lange vorüber.

Er blieb am Straßenrand stehen und versuchte, als Anhalter mitgenommen zu werden. Er wusste, wie seltsam er in seiner grünen Tweedjacke, dem Kilt des Buchanan-Clans und den langen grünen Strümpfen aussah, als er sich um etwas bemühte, das er seit seiner Zeit an der St. Andrews University nicht mehr getan hatte und bei dem er schon damals nicht allzu erfolgreich gewesen war.

Nach einiger Zeit änderte er seine Taktik und machte sich auf die Suche nach einem Taxi. Dies erwies sich in jenem Teil der Stadt an einem Sonntagabend als eine weitere undankbare Aufgabe. Endlich jedoch fand er seine Rettung in Gestalt eines roten Busses, der direkt auf ihn zuhielt und dessen Aufschrift vorne am Fahrzeug kühn »Stadtzentrum« verkündete. Als der Bus an ihm vorbeifuhr, drehte Ross sich um und rannte so schnell, wie er noch nie gerannt war, in Richtung Bushaltestelle. Er hoffte und betete, dass der Fahrer Mitleid mit ihm haben und warten würde. Seine Gebete wurden erhört, er stieg ein und sackte auf dem vordersten Sitz zusammen.

»Wohin?«, fragte der Busfahrer.

»Waverley Station«, erwiderte Ross keuchend.

»Das macht dann sechs Pence.«

Ross öffnete seine Brieftasche und reichte dem Mann eine Zehn-Shilling-Note.

»Kannichnichrausgebm.«

Ross kramte in seinen Taschen nach Kleingeld, doch er hatte alle Münzen im Zimmer in der Glenleven Lodge gelassen. Und das war nicht das Einzige, was dort zurückgeblieben war.

»Behalten Sie das Wechselgeld.«

Der überraschte Busfahrer steckte die Zehn-Shilling-Note ein und zog es vor, lieber nicht darauf zu warten, dass der Reisende seine Meinung änderte. Schließlich fiel Weihnachten normalerweise nicht in den August.

Der Bus war nur ein paar Hundert Meter gefahren, als Ross eine Tankstelle sah: *Macphersons, vierundzwanzig Stunden geöffnet*. Wieder fluchte er. Und bald darauf fluchte er ein viertes Mal, denn er hatte vergessen, dass Busse in regelmäßigen Abständen anhalten und einen nicht auf kürzestem Weg dorthin bringen, wohin man will. An jeder Haltestelle und an jeder roten Ampel sah er auf die Uhr, doch die Zeiger bewegten sich nicht langsamer und der Bus nicht schneller. Als der Bahnhof endlich in Sichtweite kam, blieben Ross noch acht Minuten. Nicht genug, um Cedric anzurufen. Während er aus dem Bus stieg, nahm der Fahrer Haltung an und salutierte, als sei Ross ein General auf Inspektionsbesuch.

Rasch betrat Ross den Bahnhof und eilte zu jenem Zug, mit dem er schon häufig gefahren war. Genau genommen hatte er diese Reise sogar schon so oft gemacht, dass er jetzt eigentlich ein Abendessen hätte zu sich nehmen können, um sich dann in aller Ruhe ein Glas zu gönnen und danach die gut dreihundertdreißig Meilen lange, von einem leisen Rattern der Schienen begleitete Fahrt in tiefem Schlaf hinter sich zu bringen.

Doch er ahnte bereits, dass er diese Nacht nicht schlafen würde.

Ein weiteres Mal wurde vor ihm salutiert, als er die Barriere zum Bahnsteig erreichte. Diesmal fiel der Gruß sogar noch schwungvoller aus, denn die Schaffner in Waverley waren stolz darauf, jeden einzelnen Direktor des Unternehmens bereits auf dreißig Schritte Entfernung zu erkennen.

»Guten Abend, Mr. Buchanan«, sagte der Schaffner. »Ich war mir gar nicht bewusst, dass Sie heute mit uns reisen.« Das hatte ich ursprünglich auch gar nicht vor, wollte Ross antworten, doch stattdessen erwiderte er nur den Gruß des Mannes, ging zum anderen Ende des Bahnsteigs und stieg wenige Minuten vor der Abfahrt in den Zug.

Als er durch den Korridor auf das Abteil zuging, das den Direktoren zur Verfügung stand, sah er den Chief Steward auf sich zukommen. »Guten Abend, Angus.«

»Guten Abend, Mr. Buchanan. Ich sehe gar nicht, dass Ihr Name unter unseren Gästen in der ersten Klasse verzeichnet ist.«

»Das ist korrekt«, sagte Ross. »Es war eine Entscheidung in letzter Minute.«

»Ich fürchte, das Direktorenabteil« – Ross' Herz sank – »wurde noch nicht hergerichtet, doch wenn Sie vielleicht im Speisewagen etwas trinken möchten, sorge ich dafür, dass es unverzüglich vorbereitet wird.«

»Danke, Angus, genau das werde ich tun.«

Der erste Gast, den Ross sah, als er den Speisewagen betrat, war eine attraktive junge Frau, die an der Bar saß. Sie kam ihm auf vage Art vertraut vor. Er bestellte einen Whiskey-Soda und nahm auf dem Hocker neben ihr Platz. Er dachte an Jean und fühlte sich schuldig, weil er sie ohne eine Erklärung zurückgelassen hatte. Jetzt gab es keine Möglichkeit mehr für ihn, ihr vor morgen früh zu sagen, wo er sich befand. Dann dachte er an etwas anderes, das er ebenfalls zurückgelassen hatte: seinen Wagen. Er hatte, und das war besonders schlimm, sich nicht einmal notiert, wo er ihn abgestellt hatte.

»Guten Abend, Mr. Buchanan«, sagte die junge Frau, womit sie Ross überraschte. Er betrachtete sie genauer, erkannte sie aber immer noch nicht wieder. »Ich bin Kitty«, sagte sie und reichte ihm ihre behandschuhte Hand. »Ich sehe Sie regelmäßig in diesem Zug, aber das ist auch kein Wunder, da Sie einer der Direktoren von British Railways sind.«

Ross lächelte und nippte an seinem Drink. »Und was machen Sie so, dass Sie regelmäßig nach London und wieder zurück fahren müssen?«

»Ich bin freiberuflich tätig«, sagte Kitty.

»Und welcher Art sind Ihre Geschäfte?«, fragte Ross, als der Steward neben ihn trat.

»Ihr Abteil ist vorbereitet, Sir. Wenn Sie mir bitte folgen wollen.«

Ross leerte sein Glas. »Es war schön, Sie zu sehen, Kitty.«

»Ebenso, Mr. Buchanan.«

»Was für eine bezaubernde junge Dame, Angus«, sagte Ross, als er dem Steward zu seinem Abteil folgte. »Sie wollte mir gerade erzählen, warum sie so häufig mit diesem Zug fährt.«

»Ich selbst weiß das leider gar nicht, Sir.«

»Ich bin sicher, dass Sie das sehr wohl wissen, Angus, denn es gibt gewiss nichts, das Sie *nicht* über den *Night Scotsman* wissen.«

»Nun, sagen wir einfach, sie ist bei einigen unserer Stammgäste sehr beliebt.«

»Wollen Sie damit etwa andeuten …?«

»Aye, Sir. Sie pendelt zwei- bis dreimal die Woche zwischen beiden Städten. Sie ist sehr diskret, und ...«

»Angus! Wir betreiben den *Night Scotsman* und keinen Nachtclub.«

»Wir alle müssen unseren Lebensunterhalt verdienen, Sir, und wenn es für Kitty gut läuft, profitieren alle davon.«

Ross brach in lautes Gelächter aus. »Weiß irgendeiner der anderen Direktoren über Kitty Bescheid?«

»Der eine oder andere. Sie berechnet ihnen einen Sonderpreis.«

»Beherrschen Sie sich, Angus.«

»Entschuldigen Sie, Sir.«

»Und jetzt sollten Sie sich wieder an Ihre Arbeit machen. Ich möchte die Buchungen für alle Passagiere in der ersten Klasse sehen. Es könnte jemand im Zug sein, mit dem ich gerne zu Abend essen würde.«

»Natürlich, Sir.« Angus streifte ein Blatt von seinem Klemmbrett und reichte es Ross. »Ich habe Ihnen Ihren üblichen Tisch für das Dinner reserviert.«

Ross fuhr mit dem Finger die Liste hinab und sah, dass ein Mr. D. Martinez in Wagen Nummer vier reiste. »Ich würde mich gerne mit Kitty unterhalten«, sagte er, als er Angus die Liste zurückgab. »Ohne dass irgendjemand etwas davon mitbekommen muss.«

»Diskretion ist mein zweiter Vorname«, sagte Angus und unterdrückte ein Lächeln.

»Es ist nicht das, was Sie denken.«

»Das ist es nie, Sir.«

»Und ich möchte, dass Sie meinen Platz im Speisewagen Mr. Martinez geben, der ein Abteil in Wagen vier hat.«

»Aye, Sir«, sagte Angus völlig verblüfft.

»Ich werde Ihr kleines Geheimnis für mich behalten, wenn Sie dasselbe mit meinem tun, Angus.«

»Das würde ich gerne tun, Sir, wenn ich auch nur die geringste Ahnung hätte, worin Ihr Geheimnis besteht.«

»Das werden Sie erfahren, wenn wir London erreicht haben.«

»Ich werde Kitty holen, Sir.«

Ross versuchte, seine Gedanken zu ordnen, während er auf Kitty wartete. Was er vorhatte, war kaum mehr als eine Art Hinhaltetaktik, doch dies würde ihm vielleicht genügend Zeit verschaffen, damit er etwas Wirkungsvolleres planen konnte. Die Tür zu seinem Abteil glitt auf, und Kitty trat ein.

»Wie schön, Sie wiederzusehen, Mr. Buchanan«, sagte sie, als sie sich ihm gegenübersetzte und ihre Beine so übereinanderschlug, dass der obere Rand ihrer Strümpfe sichtbar wurde. »Kann ich etwas für Sie tun?«

»Das hoffe ich doch«, sagte Ross. »Was verlangen Sie üblicherweise?«

»Es kommt darauf an, was Sie von mir wollen.« Ross sagte ihr genau, was er von ihr wollte.

»Das macht dann fünf Pfund, Sir, alles in allem.«

Ross griff nach seiner Brieftasche, nahm eine Fünf-Pfund-Note heraus und reichte sie ihr.

»Ich werde mein Bestes tun«, versprach Kitty, zog ihren Rock noch ein wenig weiter hoch, schob den Geldschein unter den Rand eines Strumpfs und verschwand ebenso diskret, wie sie gekommen war.

Ross drückte den roten Knopf neben der Tür, und wenige Augenblicke später erschien der Steward.

»Haben Sie meinen Tisch für Mr. Martinez reserviert?«

»Aye. Und ich habe Ihnen einen Platz am anderen Ende des Speisewagens besorgt.«

»Danke, Angus. Ich möchte, dass Kitty gegenüber Mr. Martinez platziert wird und dass alles, was sie isst und trinkt, mir auf die Rechnung gesetzt wird.«

»Gewiss, Sir. Und was ist mit Mr. Martinez?«

»Seine Speisen wird er selbst bezahlen, aber ich möchte, dass ihm die besten Weine und Spirituosen angeboten werden und man ihm zu verstehen gibt, dass sämtliche Getränke aufs Haus gehen.«

»Sollen diese auch auf Ihre Rechnung gesetzt werden?«

»Ja, aber das braucht er nicht zu wissen. Es wäre mir, ehrlich gesagt, am liebsten, wenn Mr. Martinez heute Nacht tief und fest schläft.«

»Ich glaube, ich fange an zu verstehen, Sir.«

Nachdem der Steward gegangen war, fragte sich Ross, ob Kitty Erfolg haben würde. Wenn es ihr gelang, Martinez so betrunken zu machen, dass er bis um neun Uhr am nächsten Morgen in seinem Abteil blieb, hätte sie ihre Aufgabe hervorragend erledigt, und Ross würde ihr dann nur zu gerne weitere fünf Pfund zukommen lassen. Besonders gefiel ihm die Vorstellung, dass sie ihn mit Handschellen an die vier Pfosten seines Bettes fesseln und das *Bitte nicht stören*-Schild an die Tür hängen würde. Niemand würde misstrauisch werden, denn man musste den Zug erst um halb zehn verlassen, und viele Passagiere schätzten die Möglichkeit, auszuschlafen und bei einem späten Frühstück geräucherten Schellfisch zu genießen.

Kurz nach acht verließ Ross sein Abteil und machte sich auf den Weg zum Speisewagen, wo er ohne innezuhalten an Kitty vorbeiging, die Diego Martinez gegenübersaß. Dabei hörte er, wie der Chefsommelier sie durch die Weinkarte führte.

Angus hatte Ross einen Platz am gegenüberliegenden Ende des Wagens gegeben, wo er mit dem Rücken zu Martinez saß.

Obwohl er mehr als einmal versucht war, sich umzudrehen, folgte er nicht dem Beispiel von Lots Frau und widerstand. Nachdem er seinen Kaffee getrunken und auf das Glas Cognac verzichtet hatte, das er sonst immer zu sich nahm, unterschrieb er die Rechnung und ging zurück in sein Abteil. Als er an seinem üblichen Tisch vorbeikam, stellte er erfreut fest, dass dort niemand mehr saß. Er war so zufrieden mit sich, dass er fast durch seinen Waggon stolziert wäre.

Sein Triumphgefühl löste sich in Luft auf, als er die Tür zu seinem Abteil öffnete und sah, dass Kitty darin saß.

»Was machen Sie denn hier? Ich dachte …«

»Es ist mir nicht gelungen, sein Interesse zu wecken, Mr. Buchanan«, antwortete sie. »Und glauben Sie bloß nicht, ich hätte von Bondage bis Schulmädchenröcken nicht alles versucht. Es fing schon damit an, dass er nicht trinkt. Hat irgendetwas mit Religion zu tun. Und lange bevor das Hauptgericht serviert wurde, war klar, dass es nicht *Frauen* sind, die er erregend findet. Es tut mir leid, Sir, aber vielen Dank für das Dinner.«

»Ich danke Ihnen, Kitty. Ich bin Ihnen sogar überaus dankbar«, sagte er und sank auf den Sitz ihr gegenüber.

Kitty hob den Rock, zog die Fünf-Pfund-Note unter ihrem Strumpf hervor und reichte sie ihm.

»Aber nicht doch«, sagte er entschieden. »Die haben Sie sich verdient.«

»Ich könnte ja immer noch …«, sagte sie, schob eine Hand unter seinen Kilt und ließ ihre Finger langsam seinen Oberschenkel hinaufwandern.

»Nein, vielen Dank, Kitty«, sagte er und verdrehte in gespieltem Entsetzen die Augen. Genau in diesem Augenblick hatte er eine zweite Idee. Er gab Kitty die Fünf-Pfund-Note zurück.

»Sie sind doch keiner von den wirklich seltsamen Typen, Mr. Buchanan, oder?«

»Nun, ich muss zugeben, Kitty, dass das, was ich Ihnen vorschlagen möchte, ziemlich seltsam ist.«

Aufmerksam hörte sie sich an, worum er sie bat. »Wann soll ich es tun?«

»So zwischen drei und halb vier.«

»Wo?«

»Ich würde vorschlagen, im Waschraum.«

»Und wie oft?«

»Ich denke, ein Mal müsste genügen.«

»Und ich werde keine Schwierigkeiten bekommen, Mr. Buchanan, oder? Denn dieser Zug ist eine feste Einkommensquelle für mich, und die meisten Gentlemen aus der ersten Klasse sind nicht besonders anspruchsvoll.«

»Sie haben mein Wort, Kitty. Das Ganze ist eine einmalige Sache, und niemand muss jemals erfahren, dass Sie darin verwickelt waren.«

»Sie sind ein wahrer Gentleman, Mr. Buchanan«, sagte sie und gab ihm einen Kuss auf die Wange, bevor sie das Abteil verließ.

Ross wusste nicht, was noch alles hätte geschehen können, wäre Kitty noch ein oder zwei Minuten länger geblieben. Er drückte auf die Klingel, um den Steward zu rufen.

»Ich hoffe, es war alles zu Ihrer Zufriedenheit, Sir.«

»Das weiß ich noch nicht.«

»Kann ich sonst noch etwas für Sie tun, Sir?«

»Ja, Angus. Ich brauche ein Exemplar der Vorschriften zum Zugbetrieb.«

»Ich werde nachsehen, ob ich eins finden kann«, erwiderte Angus, der reichlich verwirrt zu sein schien.

Als er zwanzig Minuten später zurückkehrte, trug er ein dickes rotes Buch bei sich, das so aussah, als wären seine Seiten nicht allzu oft umgeblättert worden. Ross setzte sich für eine ausgedehnte Lektüre im Bett zurecht. Zunächst sah er das Register durch, mit dessen Hilfe er drei Abschnitte fand, die er so gründlich studieren musste, als bereite er sich wieder an der St. Andrews auf eine Prüfung vor. Um drei hatte er alle relevanten Passagen gelesen und angestrichen. Die nächsten dreißig Minuten bemühte er sich darum, sie auswendig zu lernen.

Um Punkt 3:30 Uhr schloss er das dicke Buch, lehnte sich zurück und wartete. Es wäre ihm nie in den Sinn gekommen, dass Kitty ihn im Stich lassen würde. 3:30, 3:35, 3:40. Plötzlich gab es einen so heftigen Ruck, dass er fast aus seinem Bett geschleudert wurde. Ein lautes Quietschen der Räder erklang, als der Zug innerhalb weniger Augenblicke langsamer wurde und schließlich zum Stehen kam. Ross trat hinaus auf den Korridor und sah, wie der Chief Steward auf ihn zueilte.

»Probleme, Angus?«

»Irgendein Arschloch, wenn Sie meine Ausdrucksweise entschuldigen wollen, Sir, hat die Notbremse gezogen.«

»Halten Sie mich auf dem Laufenden.«

»Aye, Sir.«

Ross sah alle paar Minuten auf die Uhr, als könne er durch seinen bloßen Willen die Zeit zwingen, schneller abzulaufen. Inzwischen standen eine ganze Reihe von Passagieren auf dem Korridor und versuchten herauszufinden, was vor sich ging, doch es dauerte weitere vierzehn Minuten, bevor der Chief Steward zurückkam.

»Jemand hat die Notbreme im Waschraum gezogen, Mr. Buchanan. Wahrscheinlich hat er sie mit der Kette der Spülung verwechselt. Aber wenn es uns gelingt, innerhalb der nächsten zwanzig Minuten weiterzufahren, hält sich der Schaden in Grenzen.«

»Warum innerhalb der nächsten zwanzig Minuten?«, fragte Ross in unschuldigem Ton.

»Wenn wir länger auf der Strecke liegen bleiben, wird uns der *Newcastle Flyer* überholen, und dann sind wir aufgeschmissen.«

»Warum das denn?«

»Wir würden ihm hinterherfahren müssen, und dann würden wir zu spät kommen, denn der *Flyer* hält an acht Stationen zwischen hier und London. Das ist uns das letzte Mal vor ein paar Jahren passiert, als ein kleines Kind die Notbremse gezogen hat. Als wir in King's Cross ankamen, lagen wir über eine Stunde hinter dem regulären Fahrplan zurück.«

»Nur eine Stunde?«

»Aye. Wir kamen erst vierzig Minuten nach acht in London an. Und das wollen wir doch nicht, Sir, oder? Also werde ich, wenn Sie gestatten, dafür sorgen, dass wir uns bald wieder auf den Weg machen.«

»Einen Moment, Angus. Haben Sie die Person identifiziert, die die Notbremse gezogen hat?«

»Nein, Sir. Sie muss sofort verschwunden sein, nachdem sie ihren Fehler bemerkt hat.«

»Nun, Angus, ich bedaure, Sie darauf hinweisen zu müssen, dass Sie laut Vorschrift 43b der Bahnstatuten verpflichtet sind herauszufinden, wer für die Betätigung der Notbremse verantwortlich ist und warum der Betreffende das getan hat, bevor der Zug wieder starten kann.«

»Aber das könnte ewig dauern, Sir, und ich zweifle daran, dass wir es überhaupt herausfinden können.«

»Wenn es keinen akzeptablen Grund für die Betätigung der Notbremse gab, hat der Betreffende eine Strafe von fünf Pfund zu bezahlen und muss den Behörden gemeldet werden.«

»Lassen Sie mich raten, Sir.«

»Vorschrift 47c.«

»Gestatten Sie mir die Bemerkung, wie sehr ich Ihre Weitsicht bewundere, die Sie in die Lage versetzt hat, mich wenige Stunden, bevor jemand die Notbremse betätigt hat, um die Vorschriften zum Zugbetrieb zu bitten.«

»Ja, welch glücklicher Zufall, nicht wahr? Trotzdem bin ich davon überzeugt, dass der Vorstand von uns erwarten würde, dass wir uns entsprechend der Regularien verhalten, wie unangenehm dies auch sein mag.«

»Wenn Sie es sagen, Sir.«

»Ja, genau das sage ich.«

Immer wieder sah Ross besorgt aus dem Fenster, und er lächelte erst, als der *Newcastle Flyer* zwanzig Minuten später vorbeischoss und sie mit zwei langen Signaltönen aus seiner Pfeife grüßte. Doch selbst dann, wenn sie, wie Angus vorhergesagt hatte, erst gegen zwanzig vor neun in King's Cross ankämen, bliebe Diego noch mehr als genügend Zeit, eine Telefonzelle im Bahnhof aufzusuchen, seinen Makler anzurufen und den geplanten Verkauf der Aktien seines Vaters noch vor Börsenöffnung um neun zurückzuziehen.

»Alles erledigt«, sagte Angus. »Ich würde den Zugführer gerne bitten weiterzufahren, denn einer unserer Passagiere hat bereits damit gedroht, British Railways zu verklagen, wenn wir nicht vor neun in London sind.«

Ross brauchte nicht zu fragen, von welchem Passagier diese Drohung kam. »Lassen Sie weiterfahren, Angus«, sagte er widerstrebend und schloss die Tür zu seinem Abteil. Er wusste nicht, was er sonst noch tun konnte, um den Zug für mindestens weitere zwanzig Minuten aufzuhalten.

Der *Night Scotsman* hatte mehrere unvorhergesehene Zwischenstopps, denn der *Newcastle Flyer* machte in Durham, Darlington, York und Doncaster halt, wo zahlreiche bisherige Passagiere aus- und ebenso zahlreiche neue Passagiere zustiegen.

Irgendwann klopfte es an die Tür, und der Steward trat ein.

»Was gibt's, Angus?«

»Der Mann, der so ein Riesentheater gemacht hat, weil er unbedingt pünktlich in London sein will, möchte wissen, ob er den Zug verlassen kann, wenn der *Flyer* in Peterborough hält.«

»Nein, das kann er nicht, denn für diesen Zug ist kein regulärer Halt in Peterborough vorgesehen. Ganz abgesehen davon, dass wir ein gutes Stück außerhalb des Bahnhofs stehen werden und er sich deshalb bei einem solchen Versuch in Lebensgefahr begeben würde.«

»Vorschrift 49c?«

»Sollte er also versuchen, diesen Zug zu verlassen, ist es Ihre Pflicht, ihn notfalls mit Gewalt daran zu hindern. Vorschrift 49f. Wir wollen doch nicht«, fügte Ross hinzu, »dass der arme Mann dabei umkommt.«

»Wirklich nicht, Sir?«

»Wie viele Zwischenstopps gibt es noch nach Peterborough?«

»Keinen mehr, Sir.«

»Wann werden wir Ihrer Meinung nach in King's Cross eintreffen?«

»Gegen zwanzig vor neun. Spätestens um drei viertel neun.«

Ross stieß einen tiefen Seufzer aus. »So nah und doch so fern«, murmelte er leise vor sich hin.

»Entschuldigen Sie, wenn ich Sie das frage, Sir«, sagte

Angus, »aber wann *sollte* der Zug denn in London ankommen, wenn es nach Ihnen ginge?«

Ross unterdrückte ein Lächeln. »Ein paar Minuten nach neun wäre schlichtweg perfekt.«

»Ich werde sehen, was ich tun kann«, erwiderte der Chief Steward und verließ das Abteil.

Während der restlichen Fahrt behielt der Zug seine übliche Geschwindigkeit bei, doch plötzlich blieb er ohne Vorwarnung wenige Hundert Meter außerhalb des Bahnhofs King's Cross stehen.

»Hier spricht der Steward«, meldete sich eine Stimme über die Lautsprecheranlage. »Wir entschuldigen uns für die verspätete Ankunft des *Night Scotsman*, zu der es nur aufgrund von Umständen kommen konnte, die sich unserer Kontrolle entziehen. Wir hoffen, dass unsere Reisenden den Zug in wenigen Minuten verlassen können.«

Ross fragte sich, wie es Angus gelungen war, die Fahrt um viele weitere Minuten zu verlängern. Er trat hinaus auf den Korridor und sah, wie der Steward sich bemühte, eine Gruppe aufgebrachter Passagiere zu beruhigen.

»Wie haben Sie das geschafft, Angus?«, flüsterte er.

»Anscheinend wartet ein anderer Zug auf unserem Bahnsteig, der erst fünf Minuten nach neun in Richtung Durham abfahren wird. Deshalb fürchte ich, dass die Passagiere unseren Zug erst gegen Viertel nach neun verlassen können. Es tut mir leid, Ihnen Unannehmlichkeiten bereiten zu müssen«, fügte er mit lauterer Stimme hinzu.

»Vielen Dank, Angus.«

»Es war mir ein Vergnügen, Sir. Oh nein!«, rief Angus und eilte ans Fenster. »Er ist es!«

Ross sah hinaus und erkannte, dass Diego Martinez die

Schienen entlang in Richtung Bahnhof rannte. Er sah auf die Uhr. Es war 8:53 Uhr.

Montagmorgen

An diesem Morgen war Cedric um kurz nach sieben in sein Büro gekommen und seither ununterbrochen auf und ab gegangen, während er darauf wartete, dass das Telefon klingelte. Doch erst um acht kam ein Anruf. Es war Abe Cohen.

»Es ist mir gelungen, das ganze Paket loszuschlagen, Mr. Hardcastle«, sagte Cohen. »Den letzten Rest konnte ich in Hongkong an den Mann bringen. Ehrlich gesagt kann sich niemand erklären, warum der Preis so niedrig ist.«

»Wo lag der Kurs denn am Ende?«, fragte Cedric.

»Bei einem Pfund und acht Shilling.«

»Es könnte nicht besser sein, Abe. Ross hatte recht, Sie sind einfach der Beste.«

»Vielen Dank, Sir. Ich kann nur hoffen, dass es für Sie irgendeinen Sinn ergibt, so viel Geld zu verlieren.« Und bevor Cedric etwas erwidern konnte, fügte er hinzu: »Ich bin weg. Ich werde jetzt erst mal schlafen.«

Cedric sah auf die Uhr. Die Börse würde in fünfundvierzig Minuten öffnen. An der Tür erklang ein leises Klopfen, und Sebastian trat ein mit einem Tablett, auf dem sich Kaffee und Kekse befanden. Er nahm Platz auf einem Stuhl, der dem Schreibtisch des Bankchefs gegenüberstand.

»Wie ist es gelaufen?«, fragte Cedric.

»Ich habe vierzehn der führenden Aktienhändler angerufen und ihnen mitgeteilt, dass wir die Absicht haben, Barrington-Aktien zu kaufen, sofern diese angeboten werden.«

»Gut«, sagte Cedric und sah ein weiteres Mal auf die Uhr. »Da Ross nicht angerufen hat, sind wir wohl immer noch im Spiel.« Er nahm einen Schluck Kaffee und warf auch danach alle paar Minuten einen Blick auf die Uhr.

Als überall in der Square Mile hundert verschiedene Uhren neun zu schlagen begannen, stand Cedric auf und lauschte dem typischen Klang der City. Sebastian blieb sitzen und starrte das Telefon an, als könne er es durch bloße Willenskraft läuten lassen. Drei Minuten nach neun reagierte jemand auf seinen stummen Befehl. Cedric stürzte sich auf den Hörer, der ihm in der Hand hin und her hüpfte. Fast hätte er ihn fallen lassen.

»Capels ist am Apparat«, sagte seine Sekretärin. »Soll ich durchstellen?«

»Ja, sofort bitte.«

»Guten Morgen, Mr. Hardcastle. Hier ist David Alexander von Capels. Ich weiß, dass wir nicht Ihr üblicher Makler sind, aber ich habe gerüchteweise gehört, dass Sie beabsichtigen, Barrington-Aktien zu kaufen, also dachte ich mir, ich informiere Sie darüber, dass wir eine große Verkaufsorder vorliegen haben. Unser Kunde hat uns die Anweisung gegeben, die Papiere zum aktuellen Kurs abzugeben. Ich möchte Sie deshalb fragen, ob Sie noch interessiert sind.«

»Könnte sein«, sagte Cedric, der sich bemühte, ruhig zu bleiben.

»Es gibt jedoch eine Bedingung, die an den Verkauf dieser Aktien geknüpft ist«, sagte Alexander.

»Und welche könnte das wohl sein?«, fragte Cedric, der die Bedingung sehr wohl kannte.

»Wir sind nicht autorisiert, an irgendjemanden zu verkaufen, der die Familien Barrington oder Clifton repräsentiert.«

»Mein Kunde stammt aus Lincolnshire, und ich kann Ihnen

versichern, dass er mit keiner der beiden Familien in der Vergangenheit in Verbindung stand und auch jetzt nicht mit ihnen in Verbindung steht.«

»Dann möchte ich diesen Handel gerne mit Ihnen abschließen, Sir.«

Cedric fühlte sich wie ein Teenager, der kurz davorsteht, sein erstes Geschäft unter Dach und Fach zu bringen. »Wie liegt der Kurs denn, Mr. Alexander?«, fragte er und war froh, dass der Makler von Capels nicht sehen konnte, wie ihm der Schweiß über die Stirn rann.

»Bei einem Pfund und neun Shilling. Die Aktie ist seit Börsenbeginn um einen Shilling gestiegen.«

»Und wie viele Aktien möchten Sie uns anbieten?«

»Wir haben eine Million und zweihunderttausend Stück in unseren Büchern, Sir.«

»Ich nehme das ganze Paket.«

»Habe ich Sie korrekt verstanden, Sir?«

»Das haben Sie ganz zweifellos.«

»Dann wäre das hiermit eine Kauforder über eine Million und zweihunderttausend Aktien von Barrington Shipping zu jeweils einem Pfund und neun Shilling. Akzeptieren Sie diese Transaktion, Sir?«

»Ja, das tue ich«, erwiderte der Vorstandsvorsitzende der Farthings Bank, wobei er sich alle Mühe gab, so pompös wie möglich zu klingen.

»Dann gilt der Kauf als abgeschlossen, Sir. Die Aktien werden ab sofort von der Farthings Bank gehalten. Ich werde Ihnen noch heute Vormittag die Unterlagen rüberschicken, damit Sie sie unterschreiben können.« Die Verbindung war beendet.

Cedric sprang auf und ab und riss die Fäuste hoch, als hätte

Huddersfield Town gerade die Fußballmeisterschaft gewonnen. Gerne hätte Sebastian sich ihm angeschlossen, doch da klingelte das Telefon bereits wieder.

Er nahm ab, hörte einen Augenblick lang zu und reichte den Hörer dann rasch an Cedric weiter.

»Es ist David Alexander. Er sagt, es sei dringend.«

DIEGO MARTINEZ

1964

36

Montagmorgen, 8:53 Uhr

Diego Martinez warf einen Blick auf seine Uhr. Er konnte es sich nicht erlauben, noch länger zu warten. Im Korridor standen die anderen Passagiere dicht an dicht, und er sah nach rechts und links, um sicher zu sein, dass der Steward nicht in der Nähe war. Dann zog er das Fenster herab, tastete von außen nach dem Griff und öffnete die Tür. Er sprang aus dem Zug und landete auf den Schienen.

Jemand rief: »Das können Sie nicht tun!«

Er verschwendete keine Zeit damit, den Rufer darauf hinzuweisen, dass er es bereits getan hatte.

Er begann, auf den hell erleuchteten Bahnhof zuzurennen, und musste bereits mehrere Hundert Meter geschafft haben, als der Bahnsteig vor ihm auftauchte. Die erstaunten Gesichter der Reisenden, die ihm aus den Zugfenstern nachstarrten, konnte er nicht sehen, denn er stürmte ohne innezuhalten an ihnen vorbei.

»Das muss eine Sache auf Leben und Tod sein«, spekulierte einer der Passagiere.

Diego rannte weiter, bis er das andere Ende des Bahnsteigs erreicht hatte. Noch in der Bewegung zog er seine Brieftasche, und als er die Barriere erreichte, hielt er die Fahrkarte längst in der Hand. Der Schaffner sah zu ihm auf und sagte: »Der

Night Scotsman soll doch frühestens in fünfzehn Minuten eintreffen.«

»Wo ist das nächste Telefon?«, schrie Diego.

»Gleich da drüben«, erwiderte der Schaffner und deutete auf eine Reihe roter Telefonzellen. »Sie können es gar nicht verfehlen.«

Diego hetzte durch den gut besuchten Bahnhof, während er gleichzeitig versuchte, eine Handvoll Münzen aus seiner Hosentasche zu ziehen. Vor den sechs Telefonzellen blieb er stehen. Drei waren besetzt. Er öffnete eine Tür und musterte sein Kleingeld. Er hatte keine vier Pennys: Einer fehlte ihm.

»Lesen Sie alles darüber!«

Er wirbelte herum, sah einen Zeitungsjungen und rannte auf ihn zu; er trat direkt an die Spitze einer langen Schlange, reichte dem Jungen eine halbe Krone und sagte: »Ich brauche einen Penny.«

»Kein Problem, Chef«, sagte der Zeitungsjunge. Er nahm an, dass der Herr, der es so eilig hatte, dringend auf die Toilette musste, weshalb er ihm rasch einen Penny reichte. Diego stürmte zurück zu den Telefonzellen, ohne darauf zu achten, wie der Junge rief: »Sie haben Ihr Wechselgeld vergessen, Sir. Und was ist mit Ihrer Zeitung?« Er riss die Tür der ersten Telefonzelle auf, sah sich jedoch einem Schild mit der Aufschrift »Außer Betrieb« gegenüber, woraufhin er sich in die nächste Zelle drängte, gerade als eine erschrockene Frau die Tür öffnete. Er nahm den Hörer ab, schob die vier Pennys in den schwarzen Apparat und wählte CITY 416. Nur wenige Augenblicke später hörte er das Klingeln.

»Nimm ab, nimm ab, nimm ab!«, schrie er. Schließlich meldete sich eine Stimme am anderen Ende der Leitung.

»Capel & Company. Wie kann ich Ihnen helfen?«

Diego drückte Knopf A und hörte, wie die Münzen in den Apparat fielen. »Verbinden Sie mich mit Mr. Alexander.«

»Welcher Mr. Alexander? A., D. oder W?«

»Bleiben Sie dran«, sagte Diego. Er legte den Hörer auf den Apparat, zog Mr. Alexanders Karte aus seiner Brieftasche und griff sofort wieder nach dem Hörer. »Sind Sie noch da?«

»Ja, Sir.«

»David Alexander.«

»Er ist im Augenblick nicht erreichbar. Kann ich Sie zu einem anderen unserer Broker durchstellen?«

»Nein. Verbinden Sie mich sofort mit David Alexander«, verlangte Diego.

»Aber er telefoniert gerade mit einem anderen Kunden.«

»Holen Sie ihn trotzdem an den Apparat. Das ist ein Notfall.«

»Es ist mir nicht gestattet, einen Anruf zu unterbrechen, Sir.«

»Sie können und Sie werden ihn unterbrechen, Sie dumme Gans, wenn Sie morgen noch Ihren Job haben wollen.«

»Wen soll ich melden?«, fragte eine zitternde Stimme.

»Stellen Sie mich einfach durch«, schrie Diego. Er hörte ein Klicken.

»Sind Sie immer noch dran, Mr. Hardcastle?«

»Nein, das ist er nicht. Hier ist Diego Martinez, Mr. Alexander.«

»Ah, guten Morgen, Mr. Martinez. Sie könnten zu keinem besseren Zeitpunkt anrufen.«

»Sagen Sie nicht, dass Sie die Barrington-Aktien meines Vaters verkauft haben.«

»Doch, genau das habe ich. Gerade bevor Sie in die Leitung kamen. Sie werden sicher erfreut sein zu erfahren, dass ein Kunde die eine Million und zweihunderttausend Papiere erworben hat. Unter normalen Umständen hätte es zwei, vielleicht sogar drei Wochen gedauert, um sie alle zu verkaufen. Und ich habe sogar einen Shilling über dem Kurs bei Börsenbeginn bekommen.«

»Für wie viel haben Sie sie verkauft?«

»Für ein Pfund und neun Shilling. Ich habe die Verkaufsorder vor mir.«

»Aber bei Börsenschluss am Freitagnachmittag stand die Aktie bei zwei Pfund und acht Shilling.«

»Das ist korrekt, aber es scheint über das Wochenende jede Menge Bewegung bei dieser Aktie gegeben zu haben. Ich nahm an, dass Sie sich dessen bewusst sind, und genau deswegen war ich auch so froh darüber, die Papiere so rasch aus den Büchern zu bekommen.«

»Warum haben Sie nicht versucht, Kontakt zu meinem Vater aufzunehmen und ihn darüber zu informieren, dass der Kurs so dramatisch eingebrochen ist?«

»Ihr Vater hat uns unmissverständlich klargemacht, dass er über das Wochenende nicht erreichbar ist und vor morgen früh nicht nach London zurückkehren wird.«

»Aber Sie haben doch gesehen, in welchem Umfang der Preis abgesackt ist. Warum haben Sie da nicht Ihren gesunden Menschenverstand benutzt und gewartet, bis Sie mit ihm gesprochen haben?«

»Ich habe die schriftliche Anweisung Ihres Vaters vor mir liegen, Mr. Martinez. Sie könnte nicht klarer sein. Sein gesamtes Paket an Barrington-Aktien sollte heute Morgen zu Börsenbeginn auf den Markt gebracht werden.«

»Hören Sie mir zu, Alexander, hören Sie mir genau zu. Ich weise Sie an, den Verkauf zu annullieren und die Aktien zurückzuholen.«

»Ich fürchte, das kann ich nicht tun, Sir. Sobald eine Transaktion abgeschlossen wurde, gibt es keine Möglichkeit mehr, das Geschäft rückgängig zu machen.«

»Wurden die Papiere schon unterzeichnet?«

»Nein, Sir. Aber das wird bis zum Geschäftsschluss heute Abend geschehen.«

»Dann machen Sie die Papiere nicht fertig. Sagen Sie demjenigen, der die Aktien gekauft hat, dass es sich um ein Versehen handelt.«

»So laufen die Finanzgeschäfte in der City aber nicht, Mr. Martinez. Sobald sich beide Parteien auf eine Transaktion geeinigt haben, gibt es kein Zurück mehr, sonst wäre der Markt ständig in Aufruhr.«

»Alexander, ich sage Ihnen, Sie werden diesen Verkauf rückgängig machen, oder ich verklage Ihr Unternehmen wegen Fahrlässigkeit.«

»Und ich sage Ihnen, Mr. Martinez, dass ich vor den Börsenrat zitiert und meine Handelslizenz verlieren würde, sollte ich so etwas tun.«

Diego änderte seine Taktik. »Wurden die Aktien an ein Mitglied der Familien Barrington oder Clifton verkauft?«

»Nein, das wurden sie nicht, Sir. Wir haben die Anweisungen Ihres Vaters bis ins Kleinste befolgt.«

»Wer hat sie dann gekauft?«

»Der Vorstandsvorsitzende einer angesehenen Bank aus Yorkshire, im Namen eines seiner Kunden.«

Diego kam zu dem Schluss, dass es Zeit wurde, diejenige Vorgehensweise zu wählen, die bisher noch immer funktioniert hatte. »Wenn Sie die Order versehentlich verlegen würden, Mr. Alexander, gebe ich Ihnen einhunderttausend Pfund.«

»Wenn ich das tun würde, Mr. Martinez, würde ich nicht

nur meine Lizenz verlieren, sondern auch ins Gefängnis kommen.«

»Aber Sie bekämen das Geld in bar. Niemand würde etwas davon wissen.«

»Ich würde es wissen«, sagte Alexander, »und ich werde meinem Vater und meinem Bruder bei der nächsten Sitzung unserer Partner davon berichten. Ich denke, ich muss meine Position unmissverständlich klarmachen, Mr. Martinez. Dieses Unternehmen wird in Zukunft weder mit Ihnen noch mit irgendeinem anderen Mitglied Ihrer Familie Geschäfte machen. Guten Tag, Sir.«

Die Leitung war tot.

»Wollen Sie die gute oder die schlechte Nachricht zuerst hören?«

»Die gute. Ich bin Optimist.«

»Wir haben es durchgezogen. Sie sind jetzt stolzer Besitzer von einer Million und zweihunderttausend Aktien der Barrington Shipping Company.«

»Und was ist die schlechte Nachricht?«

»Ich brauche einen Scheck über 1740000 Pfund. Aber es dürfte Sie freuen zu hören, dass die Aktie um vier Shilling gestiegen ist, seit Sie sie gekauft haben, also haben Sie bereits jetzt einen stattlichen Gewinn gemacht.«

»Ich bin Ihnen wirklich dankbar, Cedric. Und wie besprochen werde ich alle etwaigen Verluste ersetzen, die Ihnen über das Wochenende entstanden sind. Das ist nur fair. Also, was passiert als Nächstes?«

»Ich werde Sebastian Clifton, einen unserer Associate Directors, morgen zu Ihnen nach Grimsby hochschicken, damit Sie die Papiere unterzeichnen können. Bei einer so großen

Summe möchte ich die Unterlagen nicht den Unberechenbarkeiten der Post anvertrauen.«

»Wenn er Jessicas Bruder ist, kann ich gar nicht erwarten, ihn kennenzulernen.«

»Das ist er allerdings. Er sollte morgen so gegen Mittag bei Ihnen sein. Er wird die Papiere zurück nach London bringen, wenn Sie sie unterschrieben haben.«

»Sagen Sie ihm, dass ihm, genau wie zuvor Ihnen, eine echte Gourmet-Erfahrung bevorsteht: die besten Fish and Chips auf der ganzen Welt, serviert in den Seiten des *Grimsby Evening Telegraph* vom Vortag. Ich werde ihn doch nicht in eines dieser neumodischen Restaurants mitnehmen, in denen es Tischtücher und Teller gibt.«

»Was gut genug für mich war, wird auch gut genug für ihn sein«, erwiderte Cedric. »Ich freue mich schon darauf, Sie nächsten Montag bei der Aktionärsversammlung zu sehen.«

»Wir haben immer noch ein paar andere Probleme«, sagte Sebastian, nachdem Cedric den Hörer aufgelegt hatte.

»Und die wären?«

»Obwohl der Preis der Barrington-Aktie bereits wieder steigt, dürfen wir nicht vergessen, dass Fisher den Brief, in dem er seinen Rücktritt ankündigt, am Freitag der Presse übergeben wird. Wenn ein Vorstandsmitglied zu verstehen gibt, dass das Unternehmen kurz vor dem Bankrott stehen könnte, dürfte das den Kurs wieder ins Taumeln bringen.«

»Genau das ist einer der Gründe, warum Sie morgen nach Grimsby fahren werden«, sagte Cedric. »Fisher hat um zwölf einen Termin bei mir, während Sie die besten Fish and Chips im ganzen Land genießen werden. Mit ein wenig Erbsenmus als Beilage, versteht sich.«

»Und was ist der andere Grund – außer dem, mir ein gutes Essen zu verschaffen?«, fragte Sebastian.

»Ich kann Sie vorübergehend nicht hier haben, wenn ich Fisher treffe. Ihre Anwesenheit würde ihm verraten, wem gegenüber ich in Wahrheit loyal bin.«

»Er wird nicht leicht unterzukriegen sein«, warnte Sebastian. »Mein Onkel Giles hat das schon bei mehr als einer Gelegenheit erleben müssen.«

»Ich will ihn nicht unterkriegen«, erwiderte Cedric. »Ganz im Gegenteil. Ich will ihn aufbauen. Sonst noch irgendwelche Probleme?«

»Genau genommen drei: Don Pedro Martinez, Diego Martinez und, in einem etwas geringeren Ausmaß, Luis Martinez.«

»Ich weiß aus sicherer Quelle, dass die drei am Ende sind. Don Pedro Martinez steht kurz vor dem Ruin, Diego kann jeden Augenblick wegen versuchter Bestechung verhaftet werden, und Luis schafft es nicht einmal, sich die Nase zu putzen, wenn ihm sein Vater kein Taschentuch reicht. Nein, ich glaube, es wird nicht mehr lange dauern, bis diese drei Gentlemen die Heimreise nach Argentinien antreten werden. Und zwar auf Nimmerwiedersehen.«

»Ich habe immer noch das Gefühl, dass Don Pedro seine Rache bis zum letzten Augenblick, den er noch hier ist, weiterverfolgen will.«

»Ich glaube nicht, dass er es wagen würde, sich im Moment den Familien Barrington oder Clifton zu nähern.«

»Ich habe dabei auch gar nicht an meine Familie gedacht.«

»Um mich brauchen Sie sich keine Sorgen zu machen«, sagte Cedric. »Ich kann auf mich selbst aufpassen.«

»An Sie dachte ich auch nicht.«

»An wen dann?«

»Samantha Sullivan.«

»Ich glaube nicht, dass er bereit wäre, ein solches Risiko einzugehen.«

»Martinez denkt nicht wie Sie.«

Montagabend

Don Pedro war so wütend, dass es einige Zeit dauerte, bis er die Sprache wiederfand.

»Wie konnten sie damit durchkommen?«, wollte er wissen.

»Nachdem ich nach Börsenschluss am Freitag in Richtung Schottland aufgebrochen bin«, sagte Diego, »hat jemand damit angefangen, in New York und Los Angeles eine große Anzahl von Barrington-Aktien zu verkaufen. Zu Börsenbeginn in Sydney heute Morgen hat er den Verkauf fortgesetzt, und danach konnte er in Hongkong die letzten Aktien an den Mann bringen, während wir alle geschlafen haben.«

»In jeder Hinsicht geschlafen«, erwiderte Don Pedro. Wieder folgte ein langes Schweigen, das niemand zu unterbrechen gedachte. »Wie viel habe ich verloren?«, fragte er schließlich.

»Über eine Million Pfund.«

»Hast du herausgefunden, wer die Aktien verkauft hat?« Don Pedro spuckte die Worte geradezu aus. »Ich wette, es war genau derselbe, der heute Morgen meine Aktien zum halben Preis erworben hat.«

»Ich vermute, es muss jemand mit Namen Hardcastle gewesen sein, denn ein Mann, der so heißt, war in der Leitung, als ich David Alexanders Gespräch unterbrochen habe.«

»Cedric Hardcastle«, sagte Don Pedro. »Er ist ein Bankier

aus Yorkshire, der im Vorstand von Barrington's sitzt und die Vorsitzende loyal unterstützt. Das wird er bereuen.«

»Vater, wir sind hier nicht in Argentinien. Du hast fast alles verloren, und die Behörden haben uns bereits im Auge und suchen nur nach einem Vorwand, um dich abzuschieben. Vielleicht wäre es jetzt an der Zeit, diese Vendetta ruhen zu lassen.«

Diego sah, wie die Hand auf ihn zuschoss, aber er zuckte nicht mit der Wimper.

»Du sagst deinem Vater nicht, was er tun kann und was nicht. Ich werde diese Sache ruhen lassen, wenn es mir passt, vorher nicht. Ist das klar?« Diego nickte. »Gibt es sonst noch etwas?«

»Ich bin mir nicht absolut sicher, aber ich glaube, dass ich Sebastian Clifton im Bahnhof King's Cross gesehen habe, als ich in den Zug gestiegen bin. Er war allerdings ein ganzes Stück weit von mir entfernt.«

»Warum hast du das nicht überprüft?«

»Weil es kurz vor Abfahrt des Zuges war, und …«

»Sie haben sogar gewusst, dass sie ihren Plan nicht durchziehen können, solange du nicht den *Night Scotsman* nimmst. Gerissen«, sagte Don Pedro. »Sie müssen also jemanden in Glenleven gehabt haben, der jeden unserer Schritte beobachtet hat. Denn wie hätten sie sonst wissen können, dass du früher zurück nach London gefahren bist?«

»Ich bin sicher, dass mir niemand gefolgt ist, als ich das Hotel verlassen habe. Das habe ich mehrfach überprüft.«

»Aber es muss einfach jemand gewusst haben, dass du in diesem Zug warst. Es kann kein Zufall sein, dass der *Night Scotsman* ausgerechnet in der Nacht, in der du damit fährst, zum ersten Mal seit Jahren anderthalb Stunden Verspätung hat. Ist dir auf der Fahrt irgendetwas Ungewöhnliches aufgefallen?«

»Da war diese Hure namens Kitty, die versucht hat, mich aufzugabeln, und dann hat jemand die Notbremse gezogen …«

»Zu viele Zufälle.«

»Später konnte ich sehen, wie sie mit dem Chief Steward getuschelt hat. Danach ging er lächelnd davon.«

»Eine Prostituierte und ein Steward können den *Night Scotsman* nicht auf eigene Faust anderthalb Stunden lang aufhalten. Nein, jemand, der wirklich etwas zu sagen hat, muss im Zug gewesen sein und die Fäden gezogen haben.« Eine weitere lange Pause. »Ich glaube, sie wussten, was wir vorhaben, aber ich werde verdammt noch mal dafür sorgen, dass sie nicht mitbekommen, wie wir den nächsten Schlag vorbereiten. Um das zu schaffen, müssen wir genauso gut organisiert sein wie sie.«

Diego verzichtete darauf, in dieser einseitigen Unterhaltung seine Ansichten zu äußern.

»Wie viel Bargeld habe ich noch?«

»Um die dreihunderttausend, als ich das letzte Mal nachgesehen habe«, antwortete Karl.

»Dazu kommt das, was meine Kunstsammlung in der Bond Street einbringen wird. Der Verkauf hat gestern Abend begonnen, und Agnew hat mir versichert, dass er wohl mehr als eine Million einbringen wird. Also habe ich noch immer mehr als genug Mittel, um es mit ihnen aufzunehmen. Vergesst nie, dass es keine Rolle spielt, wie viele kleinere Scharmützel man verliert, solange man nur die Entscheidungsschlacht gewinnt.«

Diego hielt es nicht für angebracht, seinen Vater daran zu erinnern, welcher der beiden Generäle bei Waterloo diese Ansicht geäußert hatte.

Don Pedro schloss die Augen, lehnte sich in seinem Sessel

zurück und schwieg. Wieder versuchte niemand, ihn in seinen Gedanken zu unterbrechen. Plötzlich öffnete er die Augen und setzte sich kerzengerade auf.

»Hört mir alle genau zu«, sagte er und fixierte seinen jüngeren Sohn. »Luis, du bist dafür verantwortlich, die Akte Sebastian Clifton auf den neuesten Stand zu bringen.«

»Vater«, begann Diego, »man hat uns gewarnt, dass …«

»Halt's Maul. Wenn du nicht zu meinem Team gehören willst, kannst du jetzt sofort gehen.« Diego rührte sich nicht von der Stelle, doch die Beleidigung schmerzte ihn mehr als der Schlag ins Gesicht. Don Pedro wandte sich wieder an Luis. »Ich will wissen, wo er wohnt, wo er arbeitet und wer seine Freunde sind. Glaubst du, dass du das schaffen kannst?«

»Ja, Vater«, sagte Luis.

Diego zweifelte nicht daran, dass sein Bruder jetzt mit dem Schwanz wedeln würde, wenn er einen gehabt hätte.

»Diego«, sagte Don Pedro und wandte sich an seinen älteren Sohn. »Du gehst nach Bristol und stattest Fisher einen Besuch ab. Komm unangekündigt. Es ist besser, ihn zu überraschen. Inzwischen ist es noch wichtiger, dass er Mrs. Clifton am Freitagmorgen den Brief übergibt, in dem er seinen Rückzug aus dem Vorstand erklärt, und dass er das Schreiben dann der Presse zukommen lässt. Ich will, dass alle leitenden Wirtschaftsredakteure der landesweiten Zeitungen eine Kopie bekommen, und ich erwarte von Fisher, dass er sich bereithält, mit jedem Journalisten zu sprechen, der ein Interview mit ihm machen möchte. Nimm eintausend Pfund mit. Nichts hilft Fisher besser dabei, sich zu konzentrieren, als der Anblick von Bargeld.«

»Vielleicht haben sie ja schon versucht, ihn auf ihre Seite zu ziehen«, wagte Diego zu bemerken.

»Dann nimm zweitausend mit. Und Karl«, sagte er und wandte sich seinem treuesten Verbündeten zu. »Nimm den Nachtzug nach Edinburgh und finde diese Hure. Sorg dafür, dass sie eine Nacht erlebt, die sie nie wieder vergessen wird, wenn du sie gefunden hast. Es ist mir egal, wie du das anstellst, aber ich muss wissen, wer dafür verantwortlich ist, dass der Zug anderthalb Stunden Verspätung hatte. Wir treffen uns alle morgen Abend wieder. Bis dahin werde ich die Gelegenheit nutzen und bei Agnew's vorbeischauen, um zu sehen, wie der Verkauf bisher gelaufen ist.« Don Pedro hielt kurz inne, bevor er hinzufügte: »Ich habe so das Gefühl, dass wir jede Menge Bargeld brauchen werden für das, was ich vorhabe.«

37

Dienstagmorgen

»Ich habe ein Geschenk für dich.«

»Lass mich raten.«

»Nein, du wirst warten müssen und es dir erst später ansehen können.«

»Ah, dann ist es also ein Warten-und-erst-später-ansehen-können-Geschenk.«

»Ja. Ich muss zugeben, dass ich es genau genommen noch gar nicht habe, aber …«

»Aber jetzt, nachdem du deinen Spaß mit mir gehabt hast, werde ich mich eher auf das *Warten* einstellen müssen als auf das Sehen.«

»So langsam kapierst du es. Aber ich kann zu meiner Verteidigung sagen, dass ich es heute eigentlich abholen wollte, und zwar bei …«

»Tiffany's?«

»Na ja, eigentlich nicht.«

»Asprey's?«

»Nicht unbedingt.«

»Cartier?«

»Das wäre meine zweite Wahl gewesen.«

»Und was war deine erste?«

»Bingham's.«

»Bingham's in der Bond Street?«

»Nein, Bingham's in Grimsby.«

»Und wofür ist Bingham's berühmt? Diamanten? Pelze? Parfüm?«, fragte sie hoffnungsvoll.

»Fischpastete.«

»Ein Glas oder zwei?«

»Für den Anfang erst mal eins. Ich muss erst noch sehen, wie sich diese Beziehung entwickelt.«

»Ich vermute, mit mehr darf eine arbeitslose Verkäuferin auch nicht rechnen«, sagte Samantha und stieg aus dem Bett. »Wenn ich mir vorstelle, dass ich einmal davon geträumt habe, eine ausgehaltene Frau zu sein.«

»Das kommt später, wenn ich der Vorstandsvorsitzende der Bank bin«, sagte Sebastian und folgte ihr ins Bad.

»Vielleicht möchte ich ja nicht so lange warten«, sagte Samantha und trat in die Dusche. Sie wollte gerade den Vorhang zuziehen, als Sebastian neben ihr erschien.

»Für uns beide ist hier drin nicht genügend Platz«, sagte sie.

»Hast du schon mal jemanden unter der Dusche geliebt?«

»Wart's ab. Du wirst schon sehen.«

»Major, wie schön von Ihnen, dass Sie die Zeit gefunden haben, mich aufzusuchen.«

»Nicht der Rede wert, Hardcastle. Ich war ohnehin geschäftlich in London, also macht es keine besonderen Umstände.«

»Kann ich Ihnen einen Kaffee bringen lassen, alter Junge?«

»Schwarz, ohne Zucker, vielen Dank«, sagte Fisher und setzte sich auf den Stuhl gegenüber dem Schreibtisch des Bankchefs.

Cedric drückte eine Taste an seinem Telefon. »Miss Clough,

zwei Kaffee, bitte, schwarz, ohne Zucker. Und vielleicht ein paar Kekse. Spannende Zeiten, finden Sie nicht auch, Fisher?«

»Woran genau denken Sie dabei?«

»Natürlich an die Taufe der *Buckingham* durch die Königinmutter nächsten Monat. Und an die Jungfernfahrt, die wohl eine ganz neue Ära für das Unternehmen einleiten wird.«

»Das wollen wir doch hoffen«, sagte Fisher. »Obwohl noch immer mehrere Hürden zu nehmen sind, bevor ich wirklich davon überzeugt bin.«

»Was genau der Grund dafür ist, warum ich mich mit Ihnen unterhalten wollte, alter Junge.«

Von der Tür her erklang ein leises Klopfen, und Miss Clough betrat das Büro mit einem Tablett in der Hand, auf dem zwei Tassen Kaffee standen. Eine stellte sie vor den Major, die andere vor ihren Chef, und einen Teller mit einigen kleinen Teekuchenstücken platzierte sie genau zwischen den beiden.

»Zunächst möchte ich Ihnen sagen, wie bedauernswert ich es fand, als ich hörte, dass Mr. Martinez beschlossen hat, seinen gesamten Besitz an Barrington-Aktien zu verkaufen. Ich habe mich gefragt, ob Sie vielleicht etwas über die Gründe wissen, die ihn dazu veranlasst haben, eine solche Entscheidung zu treffen.«

Abrupt stellte Fisher seine Tasse zurück auf die Untertasse, wobei er einige Tropfen verschüttete. »Ich hatte keine Ahnung«, murmelte er.

»Das tut mir leid, Alex. Ich hatte angenommen, er hätte sie darüber informiert, bevor er eine so unwiderrufliche Entscheidung treffen würde.«

»Wann ist das passiert?«

»Gestern Morgen. Gleich zu Börsenbeginn. Deshalb habe ich Sie auch unverzüglich angerufen.« Fisher sah aus wie ein in Panik erstarrter Fuchs im Scheinwerferlicht eines näher kommenden Autos. »Sehen Sie, es gibt da eine Sache, die ich gerne mit Ihnen diskutieren würde.« Fisher war immer noch sprachlos, wodurch es Cedric möglich wurde, die Pein des Majors noch ein wenig zu verlängern. »Ich werde im Oktober fünfundsechzig, und obwohl ich nicht die Absicht habe, als Vorstandsvorsitzender dieser Bank zurückzutreten, plane ich, ein paar meiner eher nachgeordneten Tätigkeiten nicht mehr weiterzuverfolgen. Zu diesen gehört mein Direktorenposten bei Barrington's.« Fisher vergaß den Kaffee und folgte gebannt jedem von Cedrics Worten. »Deshalb habe ich beschlossen, mich aus dem Vorstand zurückzuziehen und meinen Platz einem jüngeren Mann zu überlassen.«

»Es tut mir leid, das zu hören«, sagte Fisher. »Ich war immer der Ansicht, dass Sie unsere Diskussionen mit Ihrer Erfahrung und Ihrer Ernsthaftigkeit außerordentlich bereichert haben.«

»Es ist sehr freundlich von Ihnen, so etwas zu sagen, und in der Tat ist genau diese Angelegenheit der Grund, warum ich mit Ihnen sprechen wollte.« Fisher lächelte. Er fragte sich, ob es vielleicht möglich wäre … »Ich habe Sie während der letzten fünf Jahre aufmerksam beobachtet, Alex, und was mich am meisten beeindruckt hat, war Ihre loyale Unterstützung unserer gegenwärtigen Vorstandsvorsitzenden. Dies verdient umso mehr Hochachtung, als Sie ursprünglich gegen sie kandidiert hatten und damals nur deshalb unterlegen waren, weil der scheidende Vorstandsvorsitzende die entscheidende Stimme gegen Sie abgab.«

»Man darf niemals zulassen, dass persönliche Gefühle mit dem in Konflikt kommen, was das Beste für das Unternehmen ist.«

»Ich hätte es selbst nicht besser sagen können, Alex, und

deshalb hatte ich auch gehofft, ich könnte Sie davon überzeugen, meinen Sitz im Vorstand zu übernehmen, da Sie inzwischen ja nicht mehr die Interessen von Mr. Martinez vertreten.«

»Das ist ein überaus großzügiges Angebot, Cedric.«

»Nein, in Wahrheit ist es ziemlich selbstsüchtig, denn wenn Sie sich in der Lage sehen würden, eine solche Aufgabe zu übernehmen, würde dies dazu beitragen, Stabilität und Kontinuität bei Barrington's ebenso zu gewährleisten wie bei der Farthings Bank.«

»Ja, das sehe ich ein.«

»Zusätzlich zu den eintausend Pfund, die Sie pro Jahr als Direktor von Barrington's erhalten, würde Farthings Ihnen weitere eintausend Pfund bezahlen, um die Interessen der Bank zu vertreten. Schließlich brauche ich alle Informationen über jede Vorstandssitzung, wozu Sie nach London kommen und in der Stadt übernachten müssten. Für alle Ihre Ausgaben käme natürlich die Bank auf.«

»Das ist wirklich sehr großzügig von Ihnen, Cedric, aber ich brauche etwas Zeit, um darüber nachzudenken«, sagte der Major, der sich offensichtlich mit einem uneingestandenen Problem herumschlug.

»Aber natürlich«, erwiderte Cedric, der sehr genau wusste, worin das Problem bestand.

»Wann brauchen Sie meine Entscheidung?«

»Ende der Woche. Ich würde es vorziehen, wenn diese Angelegenheit bis zur Aktionärsversammlung am nächsten Montag über die Bühne gebracht wäre. Ursprünglich hatte ich die Absicht, meinen Sohn Arnold zu bitten, meinen Posten zu übernehmen, aber da wusste ich noch nicht, dass Sie möglicherweise zur Verfügung stehen würden.«

»Ich werde Ihnen bis Freitag Bescheid geben.«

»Das ist sehr freundlich von Ihnen, Alex. Ich werde sofort einen Brief aufsetzen und noch heute Abend in die Post geben lassen, in dem ich Ihnen mein Angebot bestätige.«

»Vielen Dank, Cedric. Ich werde wirklich gründlich darüber nachdenken.«

»Ausgezeichnet. Und nun möchte ich Sie nicht länger aufhalten, denn wenn ich mich recht erinnere, erwähnten Sie, dass Sie noch einen Termin in Westminster haben.«

»Ja, allerdings«, erwiderte Fisher, der langsam aufstand und Cedric die Hand schüttelte, welcher ihn bis zur Tür begleitete.

Danach kehrte Cedric an seinen Schreibtisch zurück, setzte sich und begann, den Brief an den Major zu schreiben, wobei er sich fragte, ob sein Angebot verlockender wäre als dasjenige, welches Martinez dem Major zweifellos machen würde.

Der rote Rolls-Royce hielt vor Agnew's Gallery. Don Pedro trat auf den Bürgersteig und sah im Schaufenster das Ganzkörperporträt von Mrs. Kathleen Newton, der schönen Geliebten von Tissot, ausgestellt. Er lächelte, als er den roten Punkt entdeckte.

Ein noch breiteres Lächeln erschien auf seinem Gesicht, nachdem er die Galerie betreten hatte. Für dieses Lächeln war nicht der Anblick so vieler wunderbarer Gemälde und Skulpturen verantwortlich, sondern die Überfülle roter Punkte, die auf den Rahmen oder Sockeln dieser Werke klebten.

»Kann ich Ihnen helfen, Sir?«, fragte eine Dame mittleren Alters.

Don Pedro fragte sich, was aus der schönen jungen Frau geworden war, die ihn bei seinem letzten Besuch in der Galerie empfangen hatte.

»Ich möchte Mr. Agnew sprechen.«

»Ich weiß nicht, ob er uns im Augenblick zur Verfügung stehen kann. Vielleicht darf ich Ihnen ja helfen.«

»Mir wird er zur Verfügung stehen«, erwiderte Don Pedro. »Immerhin ist das meine Veranstaltung hier«, fügte er hinzu und hob die Arme, als wolle er eine Gemeinde von Gläubigen segnen.

Die Dame zog sich rasch zurück, klopfte wortlos an die Tür von Mr. Agnews Büro und verschwand darin. Kurz darauf erschien der Besitzer der Galerie.

»Guten Tag, Mr. Martinez«, sagte Agnew ein wenig steif, was Don Pedro im Stillen als englische Zurückhaltung abtat.

»Dass der Verkauf gut läuft, sehe ich, aber wie viel haben Sie bisher eingenommen?«

»Vielleicht sollten wir in mein Büro gehen. Dort wären wir ungestört.«

Don Pedro folgte Agnew quer durch die Galerie, wobei er die roten Punkte zählte. Er wartete jedoch damit, seine Frage ein zweites Mal zu stellen, bis sich die Bürotür hinter ihm geschlossen hatte.

»Wie viel haben Sie bisher eingenommen?«

»Etwas über einhundertsiebzigtausend Pfund am Eröffnungsabend, und heute Morgen hat sich ein Gentleman zwei weitere Stücke reservieren lassen, den Bonnard und den Utrillo, was uns deutlich über zweihunderttausend Pfund bringt. Darüber hinaus haben wir eine Anfrage der National Gallery bezüglich des Raffael bekommen.«

»Gut, denn ich brauche sofort einhunderttausend.«

»Ich fürchte, das wird nicht möglich sein, Mr. Martinez.«

»Warum nicht? Es ist mein Geld.«

»Ich habe mehrere Tage lang versucht, mit Ihnen Kontakt aufzunehmen, aber Sie waren in Schottland auf der Jagd.«

»Warum kann ich mein Geld nicht haben?«, fragte Don Pedro. Jetzt war sein Ton drohend.

»Letzten Freitag hat uns ein gewisser Mr. Ledbury von der Midland Bank, St. James's, aufgesucht. Er befand sich in Begleitung des Anwalts der Bank, welcher uns angewiesen hat, sämtliche Erlöse, die bei diesem Verkauf erzielt werden, direkt an die Bank zu überweisen.«

»Er hat nicht das Recht, so etwas zu tun. Die Sammlung gehört mir.«

»Die Bank hat uns Unterlagen vorgelegt, die zeigen, dass Sie selbst der Bank die gesamte Sammlung als Sicherheit für einen Kredit überschrieben haben. Jedes Stück war dabei einzeln aufgeführt.«

»Aber ich habe diesen Kredit gestern zurückgezahlt.«

»Gestern Abend, kurz vor Eröffnung der Ausstellung, kam der Anwalt der Bank noch einmal zu uns. Er hatte einen Gerichtsbeschluss dabei, der mir verbietet, irgendjemandem außer der Bank Geld auszuzahlen. Ich fürchte, ich muss Sie darauf hinweisen, Mr. Martinez, dass dies nicht der Art entspricht, wie wir es bei Agnew's vorziehen, unser Geschäft zu führen.«

»Ich werde unverzüglich eine Freigabe erwirken. Wenn ich zurückkomme, erwarte ich, dass ein Scheck über einhunderttausend Pfund für mich bereitliegt.«

»Dann erwarte ich Sie zu diesem späteren Zeitpunkt, Mr. Martinez.«

Grußlos und ohne irgendjemandem die Hand zu geben verließ Don Pedro die Galerie. Mit energischen Schritten marschierte er in Richtung St. James's, wobei ihm der Rolls-Royce im Abstand von wenigen Metern folgte. Als er die Bank erreicht hatte, trat er ein und ging direkt auf das Büro des Direktors zu, ohne dass jemand die Gelegenheit hatte, ihn zu fragen, wer er war oder wen er sprechen wollte. Am Ende des Flurs klopfte er nicht an, sondern stürmte direkt ins Zimmer, wo Mr. Ledbury hinter seinem Schreibtisch saß und seiner Sekretärin gerade etwas diktierte.

»Guten Tag, Mr. Martinez«, sagte Ledbury, und es klang fast, als habe er ihn erwartet.

»Raus!«, sagte Don Pedro und deutete auf die Sekretärin, die den Raum sofort verließ, ohne auch nur zum Direktor aufzusehen.

»Was soll das für ein Spiel sein, dass Sie hier treiben, Ledbury? Ich komme gerade von Agnew's. Der Besitzer der Galerie weigert sich, mir Geld aus dem Verkauf meiner eigenen Kunstsammlung auszuzahlen, und sagt, dass Sie dafür verantwortlich sind.«

»Ich fürchte, es ist nicht mehr Ihre Kunstsammlung«, erwiderte Ledbury. »Sie ist es schon eine ganze Weile lang nicht mehr. Sie haben offensichtlich vergessen, dass Sie sie der Bank überschrieben haben, nachdem wir Ihnen ein weiteres Mal eine Erhöhung Ihres Kreditrahmens gewährt haben.« Er schloss die oberste Schublade eines kleinen grünen Schranks auf und entnahm ihr eine Akte.

»Aber was ist mit dem Geld aus dem Verkauf meiner Barrington-Aktien? Die brachten unterm Strich über drei Millionen.«

»Wonach Sie Ihr Konto« – Ledbury blätterte in seinen Unterlagen – »zum gestrigen Geschäftsschluss noch immer um einen Betrag von 772450 Pfund überzogen haben. Um Ihnen eine neuerliche Verlegenheit dieser Art zu ersparen, möchte ich Sie daran erinnern, dass Sie uns vor Kurzem ebenfalls Ihren persönlichen Besitz als Sicherheit überlassen haben, wozu auch Ihr Landsitz und Ihr Haus am Eaton Square Nummer 44 gehören. Darüber hinaus muss ich Sie darauf hinweisen, dass wir Sie um die Entscheidung bitten werden, von welchem dieser beiden Gebäude Sie sich zuerst trennen wollen, sollte der Erlös aus dem Verkauf Ihrer Kunstsammlung nicht hinreichend sein, um Ihren gegenwärtigen Überziehungsbetrag auszugleichen.«

»Das können Sie nicht tun.«

»Doch, Mr. Martinez, das kann ich, und wenn es nötig sein sollte, werde ich es tun. Und wenn Sie mich das nächste Mal sprechen möchten«, sagte Ledbury, während er zur Tür ging, »könnten Sie vielleicht so freundlich sein, sich von meiner Sekretärin einen Termin geben zu lassen. Ich möchte Sie daran erinnern, dass das eine Bank ist, kein Kasino.« Er öffnete die Tür. »Guten Tag, Sir.«

Don Pedro schlich den Flur entlang und durch die Schalterhalle hinaus auf den Bürgersteig, wo sein Rolls-Royce auf ihn wartete. Er fragte sich, ob ihm wenigstens das Auto noch gehörte.

»Bring mich nach Hause«, sagte er.

Als sie das Ende von St. James's erreicht hatten, bog der Rolls-Royce nach links ab, folgte Piccadilly und fuhr an der U-Bahn-Station Green Park vorbei, aus der gerade ein Strom von Menschen nach oben kam. Unter ihnen befand sich ein junger Mann, der die Straße überquerte, nach links abbog und auf die Albemarle Street zuging.

Als Sebastian Agnew's Gallery zum dritten Mal in weniger als einer Woche betrat, hatte er die Absicht, nur einige Augenblicke zu bleiben, um Jessicas Bild abzuholen. Er hätte es zwar schon mitnehmen können, als die Polizei ihn zur Galerie begleitet hatte, doch damals hatte ihn der Gedanke an Samantha, die in einer Zelle saß, zu sehr abgelenkt.

Auch diesmal gab es eine Ablenkung, aber heute war dafür keine Dame in Not, sondern die Qualiät der Bilder verantwortlich, die hier gezeigt wurden. Er blieb stehen und bewunderte Raffaels *Madonna de Bogotá*, die wenige Stunden lang in seinem Besitz gewesen war, und versuchte sich vorzustellen, wie es sein musste, wenn man einen Scheck über einhunderttausend Pfund ausstellte, von dem man sicher sein konnte, dass er nicht platzen würde. Es amüsierte ihn zu sehen, dass Rodins *Denker* mit einhundertfünfzigtausend Pfund ausgezeichnet war. Er erinnerte sich nur zu gut daran, dass Don Pedro die Statue bei Sotheby's für einhundertzwanzigtausend Pfund ersteigert hatte, was zu jenem Zeitpunkt eine Rekordsumme für einen Rodin gewesen war. Aber schließlich hatte Don Pedro damals fälschlicherweise geglaubt, die Statue enthielte acht Millionen Pfund in falschen Fünf-Pfund-Noten. Genau damit hatten Sebastians Probleme angefangen.

»Willkommen zurück, Mr. Clifton.«

»Ich fürchte, ich habe schon wieder einen Fehler gemacht. Ich habe vergessen, das Bild meiner Schwester mitzunehmen.«

»In der Tat. Ich habe meine Assistentin gerade gebeten, es zu holen.«

»Vielen Dank, Sir«, sagte Sebastian, als Samanthas Nachfolgerin mit einem sperrigen Paket erschien. Sie übergab das Bild an Mr. Agnew, welcher das Etikett sorgfältig las, bevor er das Werk an Sebastian weiterreichte.

»Hoffen wir, dass es diesmal kein Rembrandt ist«, sagte Sebastian, der ein schiefes Grinsen nicht unterdrücken konnte. Weder Mr. Agnew noch seine Assistentin schenkten ihm ein Lächeln. Stattdessen sagte Mr. Agnew nur: »Vergessen Sie unsere Abmachung nicht.«

»Aber wenn ich das Bild nun nicht verkaufe, sondern es jemandem schenke, habe ich unsere Vereinbarung dann auch gebrochen?«

»Wen gedachten Sie denn zu beschenken?«

»Sam. Das ist meine Art, sie um Entschuldigung zu bitten.«

»Dann habe ich nichts dagegen«, sagte Agnew. »Denn ich bin sicher, dass Miss Sullivan genauso wenig wie Sie jemals in Erwägung ziehen wird, das Werk zu verkaufen.«

»Vielen Dank, Sir«, erwiderte Sebastian. Und dann fügte er mit einem Blick auf den Raffael hinzu: »Eines Tages wird dieses Bild mir gehören.«

»Das hoffe ich doch«, sagte Agnew. »Denn auf genau diese Art verdienen wir unser Geld.«

Als Sebastian die Galerie verließ, war es ein so schöner Abend, dass er beschloss, zu Fuß nach Pimlico zu gehen und Samantha das »Warten-und-erst-später-ansehen-können-Geschenk« zu geben. Während er durch den St. James's Park schlenderte, dachte er an seinen Besuch in Grimsby einige Stunden zuvor. Er mochte Mr. Bingham. Er mochte dessen Fabrik. Und er mochte die Arbeiter. Es waren, wie Cedric Hardcastle das nannte, wirkliche Menschen, die wirkliche Arbeit verrichteten.

Mr. Bingham hatte fünf Minuten gebraucht, um alle Papiere zu unterschreiben, und dann hatten sie dreißig Minuten damit verbracht, zwei Portionen der besten Fish and Chips im ganzen Universum zu verschlingen, die in den Seiten des *Grimsby Evening Telegraph* vom Vortag serviert wurden. Kurz bevor Sebastian wieder aufgebrochen war, hatte Mr. Bingham ihm ein Glas Fischpastete geschenkt und ihm angeboten, er könne in Mablethorpe Hall übernachten.

»Das ist sehr freundlich von Ihnen, Sir, aber Mr. Hardcastle möchte diese Unterlagen noch vor Geschäftsschluss heute Abend auf seinem Schreibtisch haben.«

»Durchaus verständlich, aber ich habe so das Gefühl, dass wir beide uns ohnehin öfter sehen werden, nachdem ich jetzt einen Sitz im Vorstand von Barrington's habe.«

»Sie werden dem Vorstand von Barrington's angehören, Sir?«

»Das ist eine lange Geschichte. Ich werde sie Ihnen erzählen, wenn ich Sie ein bisschen besser kenne.«

In diesem Augenblick begriff Sebastian, dass Bob Bingham der geheimnisvolle Unbekannte war, der nicht erwähnt werden durfte, bevor die Transaktion vollständig abgeschlossen war.

Er konnte es gar nicht erwarten, Samantha das Geschenk zu geben. Als er ihren Wohnblock erreicht hatte, öffnete er die Eingangstür mit dem Schlüssel, den sie ihm am Morgen gegeben hatte.

Ein Mann, der sich im Schatten auf der anderen Straßenseite verbarg, notierte sich die Adresse. Weil Clifton selbst aufgeschlossen hatte, nahm er an, dass dies dessen Wohnung war. Beim Abendessen würde der Mann seinem Vater berichten, wer die Barrington-Aktien gekauft hatte, ihm den Namen der Bank aus Yorkshire nennen, die die Transaktion abgewickelt hatte, und ihm mitteilen, wo Sebastian Clifton wohnte. Er würde ihm sogar sagen, was Clifton zu Mittag gegessen hatte. Er rief ein Taxi, um sich zum Eaton Square bringen zu lassen.

»Stopp!«, rief Luis plötzlich, als er die Werbetafel sah. Er sprang aus dem Taxi, rannte zum Zeitungsjungen und ließ sich ein Exemplar der *London Evening News* geben. Lächelnd las er die Überschrift *Frau nach Sprung aus dem Night Scotsman im Koma*, bevor er wieder ins Taxi stieg. Offensichtlich hatte nicht nur er die Anweisungen seines Vaters ausgeführt.

38

Mittwochabend

Der Kabinettssekretär hatte alle Varianten durchgespielt und am Ende die perfekte Möglichkeit gefunden, wie er sich mit einem einzigen meisterhaften Zug aller vier fraglichen Personen gleichzeitig entledigen konnte.

Sir Alan Redmayne glaubte an den Rechtsstaat. Schließlich war dieser das Fundament jeder Demokratie. Wann immer er also darauf angesprochen wurde, erklärte Sir Alan ganz im Sinne Winston Churchills, dass die Demokratie als Regierungsform zwar ihre Nachteile besaß, in der Summe jedoch das Beste darstellte, was die Menschen bisher entwickelt hatten. Hätte er jedoch freie Hand gehabt, hätte er für eine menschenfreundliche Diktatur plädiert. Dabei gab es nur ein einziges Problem: Diktatoren waren ihrem Wesen nach nicht menschenfreundlich. Das lag einfach nicht in ihrer Natur. Diejenige Person, die seiner Meinung nach in Großbritannien einem menschenfreundlichen Diktator am nächsten kam, war der Kabinettssekretär.

Wenn dies Argentinien gewesen wäre, hätte Sir Alan Colonel Scott-Hopkins einfach befohlen, Don Pedro Martinez, Diego Martinez, Luis Martinez und ganz gewiss auch Karl Lunsdorf umzubringen, und dann hätte er ihre Akten geschlossen. Doch wie so viele Kabinettssekretäre vor ihm war er nicht umhingekommen, einen Kompromiss zu finden, und so musste er sich mit einer Entführung, zwei Abschiebungen und einem Bankrotteur zufriedengeben, dem nichts anderes übrig bliebe, als in seine Heimat zurückzukehren, um nie wieder nach England zu kommen.

Unter normalen Umständen hätte Sir Alan darauf gewartet, dass das Gesetz seinen Lauf nahm. Doch unglücklicherweise hatte keine Geringere als die Königinmutter seine Optionen eingeschränkt.

In den Hofmitteilungen hatte er an diesem Morgen gelesen, dass Ihre Majestät großzügig die Einladung von Mrs. Harry Clifton, der Vorstandsvorsitzenden von Barrington Shipping, akzeptiert hatte, am Montag, dem 21. September, die MV *Buckingham* zu taufen, wodurch dem Kabinettssekretär nur noch wenige Wochen blieben, seinen Plan durchzuführen. Denn er zweifelte nicht im Geringsten daran, dass Don Pedro Martinez für diesen Tag etwas ganz anderes als eine Taufe vorgesehen hatte.

In einem ersten Schritt in jenen absehbar arbeitsreichen Tagen würde er dafür sorgen, dass Karl Lunsdorf vollständig aus der Gleichung genommen wurde. Sein letztes unverzeihliches Verbrechen im *Night Scotsman* war sogar nach Lunsdorfs eigenen widerlichen Maßstäben verabscheuungswürdig. Diego und Luis Martinez konnten warten, bis sie an der Reihe waren, denn Sir Alan hatte bereits mehr als genug Beweise gegen sie in der Hand, um sie beide festnehmen zu lassen. Und er war überzeugt davon, dass Don Pedros Söhne das Land innerhalb weniger Tage verlassen würden, sobald sie wieder auf Kaution frei wären. Er würde die Polizei anweisen, sie nicht aufzuhalten, sobald sie im Flughafen auftauchten, denn sie würden sich der Tatsache bewusst sein, dass es ihnen unmöglich wäre, jemals wieder nach Britannien zu kommen, sollten sie nicht die Absicht haben, dort eine lange Gefängnisstrafe abzusitzen.

Ja, sie konnten wirklich warten. Karl Otto Lunsdorf, um ihm den vollen Namen zu geben, der in seiner Geburtsurkunde stand, konnte das nicht.

Obwohl aus der Beschreibung des Chief Stewards des *Night Scotsman* eindeutig hervorging, dass Lunsdorf – Sir Alan schlug eine Seite in der Akte um – Miss Kitty Parsons, eine bekannte Prostituierte, mitten in der Nacht aus dem fahrenden Zug geworfen hatte, würde kein Gericht den Aspekt der berechtigten Zweifel an der Schuld des ehemaligen SS-Offiziers einfach beiseitewischen können, solange die arme Frau noch im Koma lag. Trotzdem hatten sich die Räder der Justiz natürlich schon in Bewegung gesetzt.

Sir Alan machte sich nichts aus Cocktailpartys, und obwohl er jeden Tag ein Dutzend Einladungen erhielt, die von der Gartenparty der Königin bis zu einem Besuch der königlichen Loge in Wimbledon reichten, schrieb er in neun von zehn Fällen mit seinem Füllfederhalter das Wort *Nein* an den oberen rechten Rand der Karte und überließ es seiner Sekretärin, sich einen überzeugenden Grund für seine Absage auszudenken. Als er jedoch vom Außenministerium die Einladung zum Empfang des neuen israelischen Botschafters erhielt, hatte Sir Alan *Ja, wenn ich frei bin* in die obere rechte Ecke geschrieben.

Der Kabinettssekretär hatte kein besonderes Interesse daran, den Botschafter zu treffen, den er bereits als Mitglied mehrerer Delegationen kennengelernt hatte. Doch auf der Party würde es einen Gast geben, mit dem er ein paar persönliche Worte wechseln wollte.

Kurz nach sechs verließ Sir Alan sein Büro in der Downing Street und ging hinüber ins Außenministerium. Nachdem er dem neuen Botschafter seine Glückwünsche ausgesprochen und mit mehreren Anwesenden, die auf sein Wohlwollen hofften, einige Nettigkeiten ausgetauscht hatte, streifte er sicher und geschickt mit dem Glas in der Hand durch den gut besuchten Saal, bis er den Mann entdeckte, auf den er es abgesehen hatte.

Simon Wiesenthal unterhielt sich gerade mit dem Oberrabiner, als Sir Alan hinzutrat. Er wartete geduldig, bis Sir Israel Brodie ein Gespräch mit der Frau des Botschafters begann, bevor er der plaudernden Menge den Rücken zuwandte, um deutlich zu machen, dass er nicht gestört werden wollte.

»Dr. Wiesenthal, ich kann Ihnen gar nicht sagen, wie sehr ich Ihre Bemühungen bewundere, diejenigen Nazis aufzuspüren, die in den Holocaust verwickelt waren.« Wiesenthal deutete eine Verbeugung an. »Ich frage mich«, sagte der Kabinettssekretär und senkte seine Stimme, »ob Ihnen der Name Karl Otto Lunsdorf etwas sagt.«

»Leutnant Lunsdorf war einer von Himmlers engsten Mitarbeitern«, sagte Wiesenthal. »Er war Verhöroffizier in Himmlers privatem Stab. Ich besitze zahllose Akten über ihn, Sir Alan, aber ich fürchte, er konnte wenige Tage vor Einmarsch der Alliierten in Berlin aus Deutschland fliehen. Das Letzte, was ich von ihm gehört habe, ist, dass er sich in Buenos Aires aufhalten soll.«

»Ich glaube, so weit weg ist er gar nicht«, flüsterte Sir Alan. Wiesenthal trat noch etwas näher an ihn heran, senkte den Kopf und hörte aufmerksam zu.

»Danke, Sir Alan«, sagte Wiesenthal, nachdem der Kabinettssekretär ihm die entscheidenden Informationen mitgeteilt hatte. »Ich werde mich sofort mit dieser Sache beschäftigen.«

»Sie wissen, wo Sie mich finden, wenn es irgendetwas gibt, womit ich Ihnen helfen kann, inoffiziell, versteht sich«, sagte Sir Alan, als der Vorsitzende der Vereinigung der Freunde Israels zu ihnen trat.

Sir Alan stellte sein leeres Glas auf eines der Tabletts, die ein Kellner vorbeitrug, lehnte das Angebot einer Wurst am Stock ab, verabschiedete sich von dem neuen Botschafter und ging zurück in sein Büro. Er setzte sich an seinen Schreibtisch, um seinen Plan noch einmal durchzugehen, wobei er darauf achtete, dass jedes »i« seinen Punkt und jedes »t« seinen Querstrich hatte. Er war sich bewusst, dass sein größtes Problem die zeitlichen Abläufe waren, besonders weil er darauf hoffte, Diego und Luis sofort am Tag nach Lunsdorfs Verschwinden festnehmen zu lassen.

Als er schließlich nach Mitternacht beim letzten »t« den Querstrich anbrachte, kam der Kabinettssekretär zu dem Schluss, dass er alles in allem doch eine menschenfreundliche Diktatur vorgezogen hätte.

Major Alex Fisher legte die beiden Briefe nebeneinander auf seinen Schreibtisch: sein eigenes Schreiben, in dem er ankündigte, sich aus dem Vorstand von Barrington's zurückziehen zu wollen, und den Brief von Cedric Hardcastle, der an diesem Morgen eingetroffen war und ihm die Möglichkeit bot, auch weiterhin einen Sitz im Vorstand einzunehmen. Ein glatter Übergang, wie Hardcastle das genannt hatte, mit einer ausgezeichneten Perspektive auf lange Sicht.

Noch immer war Alex hin- und hergerissen, als er die Vorzüge und Nachteile der beiden Alternativen erwog. Sollte er Hardcastles großzügiges Angebot annehmen und weiterhin dem Vorstand bei einem Gehalt von zweitausend Pfund pro

Jahr plus Spesen angehören, wobei ihm genügend freie Zeit bliebe, um eigene, andere Interessen zu verfolgen?

Für den Fall jedoch, dass er sich von seinem Posten im Vorstand zurückzog, hatte Don Pedro ihm fünftausend Pfund in bar versprochen. Alles in allem war Hardcastles Angebot attraktiver. Aber dann bliebe zweifellos das Problem, dass Don Pedro sich rächen würde, wenn er ihre Abmachung im letzten Augenblick platzen ließe – wie Miss Kitty Parsons erst kürzlich leidvoll hatte erfahren müssen.

Es klopfte an der Tür, und das kam überraschend für Alex, denn er erwartete niemanden. Er war sogar noch überraschter, als er öffnete und sah, dass Diego Martinez vor ihm stand.

»Guten Morgen«, sagte Alex, als habe er ihn erwartet. »Kommen Sie herein«, fügte er hinzu, weil er nicht wusste, was er sonst sagen sollte. Er führte Diego in die Küche, denn er wollte nicht, dass dieser die beiden Briefe auf dem Schreibtisch im Arbeitszimmer sah. »Was führt Sie nach Bristol?«, fragte er, und weil er sich daran erinnerte, dass Diego keinen Alkohol trank, füllte er einen Kessel mit Wasser und stellte ihn auf den Herd.

»Mein Vater hat mich gebeten, Ihnen das hier zu geben«, sagte Diego und legte einen dicken Umschlag auf den Küchentisch. »Sie brauchen nicht nachzuzählen. Es sind die zweitausend, um die Sie ihn im Voraus gebeten haben. Sie können den Rest am Montag abholen, wenn Sie den Brief mit Ihrer Rücktrittserklärung eingereicht haben.«

Alex traf eine Entscheidung: Angst war stärker als Gier. Er griff nach dem Umschlag und steckte ihn ein, bedankte sich jedoch nicht.

»Darüber hinaus hat mich mein Vater darum gebeten, Sie auch noch an eine weitere Sache zu erinnern. Er erwartet, dass

Sie der Presse zur Verfügung stehen, nachdem Sie Ihre Rücktrittserklärung abgegeben haben.«

»Selbstverständlich«, erwiderte Alex. »Sobald ich Mrs. Clifton – es fiel ihm immer noch schwer, sie die Vorstandsvorsitzende zu nennen – »den Brief übergeben habe, werde ich wie vereinbart die entsprechenden Telegramme abschicken und nach Hause zurückkehren, um an meinem Schreibtisch alle möglicherweise eingehenden Anrufe zu beantworten.«

»Gut«, sagte Diego, als das Wasser im Kessel kochte. »Dann sehen wir Sie also am Montagnachmittag am Eaton Square, und wenn die Berichterstattung über die Aktionärsversammlung günstig – oder ich sollte wohl besser sagen: ungünstig – ausgefallen ist«, er lächelte, »werden Sie die anderen dreitausend bekommen.«

»Möchten Sie keinen Kaffee?«

»Nein. Ich habe das Geld und die Botschaft meines Vaters überbracht. Er wollte nur sicher sein, dass Sie Ihre Meinung inzwischen nicht geändert haben.«

»Warum sollte er so etwas denken?«

»Das weiß ich auch nicht«, erwiderte Diego. »Aber vergessen Sie nicht«, fügte er hinzu und warf einen Blick auf das Foto von Miss Kitty Parsons auf der Titelseite des *Telegraph*, »dass nicht ich es sein werde, der das nächste Mal im Zug nach Bristol sitzen wird, wenn irgendetwas schiefgeht.«

Nachdem Diego gegangen war, kehrte Alex in sein Arbeitszimmer zurück, zerriss Cedric Hardcastles Brief und ließ die Fetzen in den Papierkorb fallen. Er brauchte nicht zu antworten. Hardcastle würde wissen, wie er sich entschieden hatte, wenn er am Samstag die Zeitung aufschlug und darin Alex' Brief mit der Rücktrittserklärung las.

Er aß bei Carwardine's zu Mittag und verbrachte den Rest

des Tages damit, mehrere kleine, zum Teil schon lange überfällige Schulden zu begleichen, die er bei den örtlichen Lieferanten hatte. Als er nach Hause zurückkehrte, zählte er das Geld, das sich noch im Umschlag befand, und sah, dass er immer noch 1.265 Pfund in neuen Fünf-Pfund-Noten besaß. Hinzu kämen am Montag die dreitausend Pfund, sofern die Zeitungen genügend Interesse an seiner Geschichte zeigten. Nachts lag er wach im Bett und lernte einige Sätze auswendig, bei denen sich, so hoffte er, die Redakteure die Lippen lecken würden. *Ich fürchte, die* Buckingham *wird Schiffbruch erleiden, noch bevor sie zu ihrer Jungfernfahrt in See sticht. Einer Frau den Vorstandsvorsitz zu übertragen war auf unverantwortliche Weise riskant, und ich glaube nicht, dass sich das Unternehmen jemals wieder von dieser Entscheidung erholen wird. Natürlich habe ich alle meine Aktien verkauft. Ich ziehe einen kleineren Verlust einem Totalausfall vor.*

Am folgenden Morgen rief Alex nach einer schlaflosen Nacht das Büro der Vorstandsvorsitzenden an und vereinbarte einen Termin mit ihr um zehn Uhr am Freitagmorgen. Den ganzen Tag über fragte er sich, ob er die richtige Entscheidung getroffen hatte. Doch er wusste, wenn er jetzt, nachdem er das Geld dieses Menschen angenommen hatte, einen Rückzieher machen würde, stünde als nächster Besucher Karl vor der Tür, und Karl würde ganz sicher nicht nach Bristol kommen, um ihm die restlichen dreitausend Pfund auszuhändigen.

Trotzdem begann Alex zu dämmern, dass er möglicherweise den größten Fehler seines Lebens gemacht haben könnte. Er hätte die ganze Angelegenheit gründlich überdenken sollen. Sobald irgendeine Zeitung seinen Brief publiziert hatte, würde ihm kein Unternehmen mehr einen Sitz im Vorstand anbieten.

Er fragte sich, ob es zu spät war, sich noch umzuentscheiden.

Würde Hardcastle ihm eintausend Pfund im Voraus geben, sodass er Martinez den vollen Betrag zurückzahlen könnte, wenn er dem Bankier alles erzählen würde? Er würde ihn am nächsten Morgen unverzüglich anrufen. Er stellte einen Kessel mit Wasser auf den Herd und schaltete das Radio ein, ohne zunächst genau darauf zu achten, was gesprochen wurde. Erst als der Name von Kitty Parsons fiel, drehte er den Apparat lauter und hörte, wie der Nachrichtensprecher sagte: »Ein Vertreter von British Railways hat bestätigt, dass Miss Parsons im Laufe der Nacht verstorben ist, ohne zuvor noch einmal das Bewusstsein erlangt zu haben.«

39

Donnerstagmorgen

Alle vier wussten, dass sie die Operation nur dann würden durchführen können, wenn es regnete. Sie wussten auch, dass es nicht nötig war, der Zielperson zu folgen, denn am Donnerstag kaufte der Mann regelmäßig bei Harrods ein, und diese Gewohnheit änderte er nie.

Wenn es am Donnerstag regnete, würde er seinen Regenmantel und seinen Schirm an der Garderobe im Erdgeschoss des Kaufhauses abgeben. Dann würde er zwei Abteilungen aufsuchen: die Tabakwarenabteilung, wo er eine Kiste der von Don Pedro bevorzugten Montecristo-Zigarren besorgen würde, und die Halle mit den Nahrungsmitteln, wo er die Vorräte für das Wochenende einkaufen würde. Obwohl die vier alle Abläufe gründlich recherchiert hatten, mussten sie immer noch sicherstellen, dass sie ihrem Plan auf die Sekunde genau folgten. Sie hatten jedoch einen Vorteil: Bei einem Deutschen konnte man sich immer darauf verlassen, dass er sich exakt an den Zeitplan hielt.

Kurz nach zehn Uhr vormittags verließ Lunsdorf das Haus am Eaton Square Nummer 44. Er trug einen langen schwarzen Regenmantel und hielt einen Schirm in der Hand. Er sah zum Himmel hoch, spannte den Schirm auf und ging dann mit entschlossenen Schritten in Richtung Knightsbridge. Heute war nicht die Zeit für einen Schaufensterbummel. Lunsdorf hatte bereits entschieden, dass er ein Taxi zurück zum Eaton Square nehmen würde, sollte es nach Erledigung seiner Einkäufe noch immer regnen. Sogar darauf waren die vier vorbereitet.

Nachdem Lunsdorf Harrods betreten hatte, ging er unverzüglich auf die Garderobe zu, wo er der Frau hinter dem Tresen seinen Schirm und seinen Regenmantel reichte. Die Frau gab ihm dafür ein kleines rundes Plättchen, das mit einer Zahl versehen war. Dann ging er an der Parfüm- und Schmuckabteilung vorbei zur Tabakwarenabteilung. Niemand folgte ihm. Nachdem er die übliche Kiste Zigarren erworben hatte, ging er in die Halle mit den Nahrungsmitteln, wo er vierzig Minuten damit zubrachte, mehrere Einkaufstaschen zu füllen. Kurz nach elf ging er zur Garderobe zurück, wo er einen Blick durch das Fenster warf und sah, dass es – wie die Briten das mit einer typischen Redewendung ihrer Sprache nannten – *Katzen und Hunde regnete*. Er fragte sich, ob es dem Portier gelingen würde, ihm ein Taxi zu rufen. Er stellte seine Taschen ab und reichte der Frau hinter dem Tresen das kleine runde Messingplättchen. Sie verschwand in der Garderobe und kam einen Augenblick später mit einem rosafarbenen Damenschirm zurück.

»Der gehört mir nicht«, sagte Lunsdorf.

»Bitte entschuldigen Sie, Sir«, sagte die Garderobendame. Sie wirkte nervös und eilte sofort wieder in den rückwärtig gelegenen Raum. Als sie wiederkam, hielt sie eine Fuchsstola in der Hand.

»Sieht die etwa so aus, als ob sie mir gehören würde?«, wollte Lunsdorf wissen.

Erneut ging die Frau nach hinten, und dieses Mal dauerte es eine ganze Weile, bis sie wiederkam. Jetzt hatte sie einen leuchtend gelben Südwester dabei.

»Sind Sie vollkommen verblödet?«, schrie Lunsdorf. Die Angestellte errötete und rührte sich nicht mehr, als sei sie gelähmt. Eine ältere Frau trat an ihre Stelle.

»Ich muss mich entschuldigen, Sir. Vielleicht möchten Sie selbst nach hinten kommen und mir Ihren Mantel und Ihren Schirm zeigen«, sagte sie und hob die Klappe, die üblicherweise die Mitarbeiter von den Kunden trennte. Eigentlich hätte ihm der Fauxpas auffallen müssen, den sie damit begangen hatte.

Doch Lunsdorf folgte ihr nach hinten, und es dauerte nur wenige Augenblicke, bis er seinen Mantel auf einer der langen Garderobenstangen hängen sah. Er beugte sich gerade nach vorn, um seinen Schirm aufzuheben, als er einen Schlag gegen seinen Hinterkopf spürte. Seine Knie knickten ein, und er sank zu Boden, als drei Männer hinter den dort hängenden Kleidern hervorsprangen. Corporal Crann packte Lunsdorfs Arme und fesselte sie rasch auf dem Rücken des Mannes, während Sergeant Roberts ihm einen Knebel in den Mund schob und Captain Hartley seine Beine fesselte.

Nur einen Moment später erschien Colonel Scott-Hopkins, der eine grüne Leinenjacke trug und einen großen, mit Rollen versehenen Wäschekorb aus Weidengeflecht schob. Er hielt den Deckel des Korbs hoch, während seine drei Kameraden Lunsdorf hineinhievten. Sogar gekrümmt und mit angewinkelten Armen und Beinen fand Lunsdorf kaum Platz darin. Captain Hartley warf den Regenmantel und den Schirm hinein, dann schlug Crann den Deckel zu und zurrte die Lederriemen fest.

»Vielen Dank, Rachel«, sagte der Colonel, als die Garderobendame ihm die Tresenklappe hochhielt, damit er den Korb hindurchschieben konnte.

Corporal Crann eilte nach draußen auf die Brompton Road

und ging den anderen voraus. Roberts folgte nur einen Schritt dahinter. Der Colonel hielt erst inne, als er den Wäschekorb zu einem Kleintransporter von Harrods gerollt hatte, der mit offenen Hecktüren neben dem Eingang parkte. Hartley und Roberts hoben den Korb an, der schwerer war als erwartet, und schoben ihn in den Transporter. Der Colonel setzte sich nach vorn neben Crann, während Hartley und Roberts ins Heck des Transporters sprangen und die Türen zuzogen.

»Los geht's«, sagte der Colonel.

Crann fädelte sich auf der mittleren Fahrspur in den Vormittagsverkehr ein, der sich langsam durch die Brompton Road in Richtung A4 schob. Er wusste genau, welcher Route er folgen musste, denn am Tag zuvor war er die Strecke schon einmal abgefahren – der Colonel bestand auf solchen Dingen.

Vierzig Minuten später ließ Crann die Scheinwerfer des Transporters zwei Mal aufleuchten, als sie den Begrenzungszaun eines verlassenen Flugplatzes erreicht hatten. Er musste kaum langsamer werden, bevor das Tor aufschwang und er zur Startbahn weiterfahren konnte, wo eine Frachtmaschine mit den bekannten blau-weißen Insignien mit abgesenkter Ladeluke auf die Männer wartete.

Noch bevor der Transporter vollständig zum Stehen kam, waren Hartley und Roberts bereits aus dem Heck auf den Asphalt gesprungen. Der Wäschekorb wurde aus dem Wagen gezogen, die Ladeluke hinaufgerollt und in den Bauch des Flugzeugs geschoben. Ruhig verließen Hartley und Roberts die Maschine, sprangen zurück in den Transporter und zogen rasch die Türen hinter sich zu.

Die ganze Zeit über hatte der Colonel alles aufmerksam im Auge behalten, und dank der Planung des Kabinettssekretärs würde er keinem wachsamen Zollbeamten erklären müssen, was sich im Wäschekorb befand oder wohin dieser geflogen werden sollte. Er setzte sich wieder auf den Beifahrersitz des Transporters. Der Motor lief noch immer, und Crann fuhr rasch davon, während sein Vorgesetzter noch die Wagentür schloss.

Als der Transporter das offene Tor im Begrenzungszaun erreichte, begann sich die Ladeluke der Frachtmaschine zu schließen, und als er die Hauptstraße erreichte, rollte das Flugzeug bereits die Startbahn entlang. Die vier Männer sahen nicht, wie die Maschine abhob, denn sie fuhren nach Osten, während das Flugzeug in Richtung Süden flog. Vierzig Minuten später stand der Kleintransporter von Harrods wieder vor dem Kaufhaus. Die ganze Operation hatte nur wenig mehr als anderthalb Stunden gedauert. Der reguläre Fahrer des Wagens wartete am Straßenrand, bis sein Van zurückgebracht wurde. Er war spät dran, doch er würde die Zeit im Laufe des Nachmittags wiedergutmachen, ohne dass sein Vorgesetzter etwas davon mitbekommen würde.

Crann trat auf den Bürgersteig und reichte dem Mann die Schlüssel. »Danke, Joseph«, sagte er und gab seinem ehemaligen SAS-Kollegen die Hand.

Hartley, Crann und Roberts machten sich auf verschiedenen Wegen auf in Richtung Chelsea Barracks, während Colonel Scott-Hopkins zurück ins Kaufhaus ging und sich direkt zu den Garderoben begab. Die beiden Garderobendamen standen noch immer hinter ihrem Tresen.

»Vielen Dank, Rachel«, sagte er ein weiteres Mal, als er die Harrods-Jacke auszog, sie ordentlich zusammenfaltete und über den Tresen schob.

»Es war mir ein Vergnügen, Colonel«, erwiderte die leitende Garderobenangestellte.

»Dürfte ich noch erfahren, was Sie mit den Einkäufen des Gentleman gemacht haben?«

»Rebecca hat seine Einkaufstaschen an unsere Fundstelle weitergegeben. Das ist die Regel in unserem Haus, wenn wir nicht wissen, ob der Kunde zurückkehrt. Aber die hier haben wir für Sie aufbewahrt«, sagte sie und zog einen kleinen Behälter unter dem Tresen hervor.

»Das ist überaus aufmerksam von Ihnen, Rachel«, sagte der Colonel, als sie ihm die Kiste Montecristo-Zigarren reichte.

Als das Flugzeug landete, wartete bereits ein Empfangskomitee geduldig darauf, dass sich die Ladeluke senkte.

Vier junge Soldaten betraten die Maschine und rollten den Wäschekorb ohne viel Aufhebens die Rampe hinab vor den Vorsitzenden des Empfangskomitees. Ein Offizier trat nach vorn, löste die Lederschlaufen und hob den Deckel, wodurch eine ziemlich mitgenommene, an Händen und Füßen gefesselte Gestalt sichtbar wurde.

»Nehmt ihm den Knebel ab und löst seine Fesseln«, sagte ein Mann, der fast vierundzwanzig Jahre lang auf diesen Augenblick gewartet hatte. Er sprach erst wieder, als der Gefangene sich so weit erholt hatte, dass er aus dem Korb steigen und auf den Asphalt treten konnte. »Wir sind uns nie zuvor begegnet, Leutnant Lunsdorf«, sagte Simon Wiesenthal. »Trotzdem möchte ich der Erste sein, der Sie in Israel willkommen heißt.«

Sie gaben einander nicht die Hand.

40

Freitagmorgen

Don Pedro war noch immer benommen. So viel war in so kurzer Zeit geschehen.

Um fünf war er durch ein lautes, unablässiges Klopfen an der Haustür geweckt worden und hatte verwirrt feststellen müssen, dass Karl nicht reagierte. Er nahm an, dass einer seiner Söhne spät nach Hause gekommen war und wieder einmal seinen Schlüssel vergessen hatte. Er stand auf, streifte einen Morgenmantel über und nahm sich vor, Diego oder Luis deutlich zu machen, was er davon hielt, so früh am Morgen geweckt zu werden. Als er die Tür öffnete, stürmte ein halbes Dutzend Polizisten ins Haus, rannte nach oben und nahm Diego und Luis fest, die beide in ihren Betten schliefen. Nachdem man ihnen gestattet hatte, sich anzuziehen, wurden sie in einem Polizeifahrzeug abgeführt. Warum war Karl nicht hier und half ihm? Oder hatte man ihn etwa auch festgenommen?

Don Pedro eilte nach oben, riss die Tür zu Karls Zimmer auf und sah, dass dieser nicht in seinem Bett geschlafen hatte. Langsam ging er wieder nach unten in sein Arbeitszimmer und rief seinen Anwalt auf dessen Privatanschluss an, wobei er immer wieder Flüche ausstieß und mehrfach mit der Faust auf den Schreibtisch schlug, während er darauf wartete, dass am anderen Ende der Leitung jemand abnahm.

Schließlich meldete sich eine schläfrige Stimme. Der Anwalt hörte aufmerksam zu, als sein Mandant unzusammenhängend beschrieb, was sich gerade ereignet hatte. Jetzt war Mr. Everard hellwach und hatte bereits eines seiner Beine aus dem Bett geschoben. »Ich melde mich unverzüglich bei Ihnen, sobald ich weiß, wohin die beiden gebracht wurden und was ihnen vorgeworfen wird«, sagte er. »Sprechen Sie mit niemandem über diese Angelegenheit, bevor ich wieder Kontakt zu Ihnen aufgenommen habe.«

Wieder schlug Don Pedro mit der Faust auf seinen Schreibtisch und stieß mit lauter Stimme Obszönitäten aus, doch es war niemand mehr da, der ihn gehört hätte.

Der erste Anruf kam vom *Evening Standard.*

»Kein Kommentar«, bellte Don Pedro und knallte den Hörer auf die Gabel. Er folgte dem Rat seines Anwalts und blieb ebenso knapp gegenüber der *Daily Mail*, dem *Mirror*, dem *Express* und der *Times*. Er hätte das Telefon nicht einmal abgenommen, wenn er nicht so verzweifelt darauf gewartet hätte, wieder von Everard zu hören. Schließlich meldete sich der Anwalt kurz nach acht und teilte ihm mit, wo Diego und Luis festgehalten wurden, und er verbrachte die nächsten Minuten damit, Don Pedro nachdrücklich klarzumachen, wie ernst die Vorwürfe waren. »Ich werde versuchen, sie auf Kaution freizubekommen«, sagte er. »Aber ich bin nicht allzu optimistisch.«

»Und was ist mit Karl?«, wollte Don Pedro wissen. »Haben die Ihnen gesagt, wo er ist und was man ihm vorwirft?«

»Sie behaupten, sie wüssten nichts von ihm.«

»Halten Sie die Augen offen«, verlangte Don Pedro. »Irgendjemand muss wissen, wo er ist.«

Um neun zog Alex Fisher einen zweireihigen Nadelstreifenanzug, eine Krawatte in den Farben seines Regiments und ein brandneues Paar schwarzer Schuhe an. Er ging nach unten ins Arbeitszimmer und las ein letztes Mal den Brief, in dem er seinen Rückzug aus dem Vorstand erklärte, bevor er den Umschlag zuklebte und an Mrs. Harry Clifton, The Barrington Shipping Company, Bristol, adressierte.

Er dachte an das, was er während der nächsten Tage tun musste, wenn er seine Vereinbarung mit Don Pedro erfüllen und dafür die restlichen dreitausend Pfund erhalten wollte. Zunächst würde er um zehn im Büro von Barrington Shipping sein, um Mrs. Clifton den Brief auszuhändigen. Danach würde er die Redaktionen von zwei Lokalzeitungen aufsuchen, die *Bristol Evening Post* und die *Bristol Evening World*, um den zuständigen Redakteuren Kopien des Briefes zu übergeben. Schon früher hatten es Briefe von ihm auf die Titelseite geschafft.

Seine nächste Station wäre die Post, wo er Telegramme an die leitenden Redakteure landesweit verbreiteter Zeitungen schicken würde, die eine einfache Botschaft enthielten: »Major Alex Fisher zieht sich aus dem Vorstand von Barrington Shipping zurück und fordert die Vorsitzende auf, ihren Posten zur Verfügung zu stellen, da er fürchtet, dass das Unternehmen auf den Bankrott zusteuert.«

Alex verließ seine Wohnung um kurz nach halb zehn und fuhr in Richtung Hafen, wobei er sich langsam durch den dichten Verkehr schob. Er freute sich nicht darauf, Mrs. Clifton den Brief zu übergeben, weshalb er wie ein Bote, der die Scheidungspapiere überbringen muss, mit ausdrucksloser Miene erscheinen und rasch wieder gehen würde.

Er hatte bereits entschieden, dass er ein paar Minuten zu

spät kommen und Mrs. Clifton warten lassen würde. Als er durch die Tore auf den Hafenvorplatz fuhr, wurde ihm plötzlich klar, wie sehr er diesen Ort vermissen würde. Er schaltete den Home Service der BBC ein, um die wichtigsten Schlagzeilen zu hören. In Brighton hatte die Polizei siebenunddreißig Mods und Rocker verhaftet, denen sie Störung der öffentlichen Ordnung vorwarf. Nelson Mandela trat seine lebenslange Haftstrafe in einem südafrikanischen Gefängnis an, und zwei Männer waren festgenommen worden in Nummer 44 Eaton … Er schaltete das Radio aus, als er seinen Parkplatz erreicht hatte. Nummer 44 Eaton …? Rasch schaltete er das Radio wieder ein, doch der Sprecher beschäftigte sich bereits mit den Einzelheiten zu den anderen Nachrichten, und Alex musste sich die Details zu den Auseinandersetzungen zwischen Mods und Rockern am Strand von Brighton anhören. Er gab der Regierung dafür die Schuld, denn diese hatte die Wehrpflicht abgeschafft. »Nelson Mandela, der Führer des ANC, hat seine lebenslange Haftstrafe wegen Sabotage und Verschwörung zum Sturz der Regierung Südafrikas angetreten.«

»Von diesem Bastard werden wir nie wieder etwas hören«, sagte Alex voller Überzeugung.

»In den frühen Morgenstunden hat die Metropolitan Police ein Haus am Eaton Square gestürmt und zwei Männer mit argentinischen Pässen festgenommen. Sie sollen noch heute dem Haftrichter am Chelsea Magistrates Court vorgeführt werden …«

Als Don Pedro kurz nach halb zehn das Haus am Eaton Square Nummer 44 verließ, wurde er von einem Blitzlichtgewitter empfangen, das ihn fast blendete. Eilig zog er sich in die relative Anonymität eines Taxis zurück.

Fünfzehn Minuten später, als das Taxi den Chelsea Magistrates Court erreicht hatte, warteten bereits noch mehr Kameras auf ihn. Er schob sich ohne innezuhalten und auch nur eine einzige Frage zu beantworten durch die Menge der Reporter in Richtung Gericht Nummer vier.

Als er den Gerichtssaal betrat, kam Mr. Everard auf ihn zu und erklärte ihm das Verfahren, das sogleich stattfinden würde. Dann erläuterte er die Vorwürfe im Detail und betonte ein weiteres Mal, dass er in der Frage, ob man einen der beiden jungen Männer auf Kaution freilassen würde, nicht besonders zuversichtlich war.

»Irgendetwas Neues von Karl?«

»Nein«, flüsterte Everard. »Seit er gestern Morgen zu Harrods gegangen ist, hat ihn niemand mehr gesehen oder etwas von ihm gehört.«

Don Pedro runzelte die Stirn und setzte sich in die erste Reihe, während Everard zur Anwaltsbank zurückkehrte. Am anderen Ende der Bank saß ein noch sehr junger, unerfahrener Mann, der eine kurze schwarze Robe trug und einige Papiere durchsah. Wenn die Anklage nicht noch etwas Besseres vorzuweisen hatte, durfte Don Pedro sich Hoffnungen machen.

Nervös und erschöpft sah er sich im fast leeren Gerichtssaal um. Auf der einen Seite saß ein halbes Dutzend Journalisten mit aufgeklappten Notizblöcken und erhobenen Stiften wie eine Meute Bluthunde, die nur darauf warteten, sich auf einen verwundeten Fuchs zu stürzen. Hinter ihm saßen im rückwärtigen Teil des Saals vier Männer, die er alle vom Sehen her kannte. Er nahm an, dass sie genau wussten, wo Karl war.

Don Pedro wandte sich wieder nach vorn zum Tisch des Richters um, wo gerade einige Gerichtsmitarbeiter dafür sorgten, dass alles an Ort und Stelle war, bevor die einzige Person erscheinen würde, die das Verfahren eröffnen konnte. Um Punkt zehn Uhr betrat ein großer, dünner Mann in einer schwarzen Robe den Gerichtssaal. Sofort erhoben sich die beiden Anwälte an der Bank der Anklage und der Verteidigung und verbeugten sich respektvoll. Der Richter erwiderte den Gruß und nahm hinter seinem Tisch Platz, der in der Mitte des Podiums stand.

Nachdem er sich gesetzt hatte, sah er sich zunächst lange im Gerichtssaal um. Wenn ihn das große Presseaufgebot bei der heutigen Verhandlung überraschte, so zeigte er das mit keiner Miene. Er nickte dem Gerichtsangestellten zu, lehnte sich zurück und wartete. Kurz darauf erschien der erste Angeklagte aus einer Zelle unter dem Gerichtssaal und nahm auf der Anklagebank Platz. Don Pedro starrte Luis an. Er hatte bereits beschlossen, was zu tun war, sollte der Junge auf Kaution freikommen.

»Verlesen Sie die Anklage«, sagte der Richter und sah zum Gerichtsangestellten hinab.

Der Mann verbeugte sich, drehte sich zu dem Angeklagten um und verkündete mit Stentorstimme: »Die Anklage lautet, dass Sie, Luis Martinez, in ein Privatgebäude eingedrungen sind, nämlich in Wohnung Nummer 4, Glebe Place 12, London SW3, und zwar in der Nacht des 6. Juni 1964, und dort mehrere Gegenstände aus dem Besitz von Miss Jessica Clifton zerstört haben. Plädieren Sie auf schuldig oder nicht schuldig?«

»Nicht schuldig«, murmelte der Angeklagte.

Der Richter kritzelte zwei Worte auf seinen Notizblock, während der Anwalt der Verteidigung aufstand.

»Ja, Mr. Everard?«, sagte der Richter.

»Euer Ehren, mein Mandant ist ein Mann von makellosem Charakter und hervorragendem Ruf, und da dies die erste

Straftat ist, die man ihm zur Last legt, und er nicht vorbestraft ist, möchten wir eine Freilassung auf Kaution beantragen.«

»Mr. Duffield«, sagte der Richter und wandte sich an den jungen Mann am anderen Ende der Bank. »Möchten Sie Einspruch gegen den Antrag der Verteidigung einlegen?«

»Kein Einspruch, Euer Ehren«, erwiderte der Anwalt der Anklage, wobei er sich kaum von seinem Platz erhob.

»Dann setze ich eine Kaution von eintausend Pfund fest, Mr. Everard.« Der Richter machte eine weitere Notiz auf seinem Block. »Ihr Mandant wird am 22. Oktober erneut vor Gericht erscheinen, um sich der genannten Anklage zu stellen. Ist das klar, Mr. Everard?«

»Ja, Euer Ehren, ich danke Ihnen«, sagte der Anwalt und deutete eine Verbeugung an.

Luis verließ die Anklagebank. Er war offensichtlich unsicher, was er als Nächstes tun sollte. Everard nickte in Richtung Don Pedro, und Luis setzte sich neben ihn in die erste Reihe. Keiner von beiden sagte ein Wort. Einen Augenblick später erschien Diego, begleitet von einem Polizeibeamten. Er nahm auf der Anklagebank Platz und wartete auf die Verlesung der gegen ihn erhobenen Vorwürfe.

»Die Anklage lautet, dass Sie, Diego Martinez, den Versuch unternommen haben, einen Börsenmakler der City zu bestechen, um ihn dazu zu bringen, gegen die vorgeschriebene Art und Weise, in der solche Handelsabschlüsse zu tätigen sind, zu verstoßen. Plädieren Sie auf schuldig oder nicht schuldig?«

»Nicht schuldig«, sagte Diego mit fester Stimme.

Wieder war Mr. Everard rasch auf den Beinen. »Auch hier, Euer Ehren, handelt es sich um einen erstmaligen Vorwurf, und wiederum hat mein Mandant keine Vorstrafen. Deshalb zögere ich nicht, auch für ihn eine Freilassung auf Kaution zu beantragen.«

Mr. Duffield erhob sich am anderen Ende der Bank, und noch bevor der Richter nachfragen konnte, verkündete er: »Die Krone erhebt in diesem Fall keinen Einspruch gegen eine Freilassung auf Kaution.«

Everard war verwirrt. Warum widersprach die Krone nicht? Es war alles viel zu leicht – oder hatte er etwas nicht mitbekommen?

»Dann bestimme ich hiermit eine Kaution von zweitausend Pfund«, sagte der Richter, »und verweise den Fall an den High Court. Die Verhandlung wird auf den nächsten freien Termin im Gerichtskalender festgesetzt.«

»Ich danke Ihnen, Euer Ehren«, sagte Everard. Diego verließ die Anklagebank und ging hinüber zu seinem Vater und seinem Bruder. Wortlos verließen die drei das Gerichtsgebäude, wobei keiner von ihnen auf eine der hartnäckig vorgebrachten Fragen der Reporter antwortete. Diego winkte ein Taxi heran, und schweigend setzten sie sich auf die Rückbank. Niemand sagte ein Wort, bis Don Pedro die Tür des Hauses am Eaton Place Nummer 44 hinter sich geschlossen hatte und sie alle in seinem Arbeitszimmer saßen.

Während der nächsten Stunden diskutierten sie über die Möglichkeiten, die ihnen noch blieben. Am frühen Nachmittag waren sie sich einig, wie sie vorgehen wollten, und sie beschlossen, ihren Plan sofort in die Tat umzusetzen.

Alex sprang aus seinem Wagen und rannte fast in Richtung Barrington House. Er nahm den Aufzug in den obersten Stock, wo er auf das Büro der Vorstandsvorsitzenden zuging. Eine

Sekretärin, die ihn ganz offensichtlich erwartet hatte, führte ihn direkt zu ihrer Chefin.

»Es tut mir leid, dass ich mich verspätet habe, Chairman«, sagte Alex ein wenig außer Atem.

»Guten Morgen, Major«, sagte Emma, ohne aufzustehen. »Nach Ihrem Anruf wusste mir meine Sekretärin gestern nur zu sagen, dass Sie mich sprechen wollten, um mir eine persönliche Angelegenheit von einiger Bedeutung zu erläutern. Natürlich habe ich mich gefragt, was das wohl sein könnte.«

»Es ist nichts, worüber Sie sich Sorgen machen müssten«, erwiderte Alex. »Ich wollte Ihnen nur versichern, dass der Vorstand trotz unserer Differenzen in der Vergangenheit in diesen schwierigen Zeiten niemand Besserem den Vorsitz hätte übertragen können, und ich bin stolz darauf, dass ich die Möglichkeit hatte, mit Ihnen zusammenzuarbeiten.«

Emma antwortete nicht sofort. Sie fragte sich, was ihn dazu gebracht hatte, seine Absichten zu ändern.

»In der Tat, wir hatten unsere Differenzen in der Vergangenheit, Major«, sagte Emma, die ihm noch immer keinen Stuhl anbot, »weshalb ich fürchte, dass sich der Vorstand erst noch daran gewöhnen muss, in Zukunft ohne Sie auszukommen.«

»Vielleicht nicht«, sagte Alex und bedachte sie mit einem warmen Lächeln. »Offensichtlich haben Sie die entscheidende Nachricht noch nicht gehört.«

»Was für eine Nachricht könnte das denn sein?«

»Cedric Hardcastle hat mich gebeten, seinen Platz im Vorstand einzunehmen, wodurch sich dann eigentlich nichts geändert hätte.«

»Dann sind Sie es, der die entscheidende Nachricht offensichtlich noch nicht gehört hat.« Sie griff nach einem Brief auf ihrem Schreibtisch und hob ihn hoch. »Mr. Hardcastle hat kürzlich alle Aktien verkauft, die er an diesem Unternehmen gehalten hatte, und ist als Direktor zurückgetreten. Damit ist er nicht mehr befugt, jemanden für den Vorstand zu benennen.«

Alex stotterte: »Aber er hat mir gesagt ...«

»Mit großem Bedauern habe ich seinen Rückzug zur Kenntnis genommen, und ich beabsichtige, ihm einen Brief zu schreiben, in welchem ich ihm versichere, wie sehr ich seine loyale und uneingeschränkte Unterstützung, die er dem Unternehmen gegenüber immer gezeigt hat, zu schätzen weiß, und ich werde überdies zum Ausdruck bringen, wie schwierig es sein wird, ihn im Vorstand zu ersetzen. In einem Postskriptum werde ich ihm mitteilen, dass ich darauf hoffe, er werde an der Taufe der *Buckingham* teilnehmen und sich uns auf der Jungfernfahrt nach New York anschließen.«

»Aber ...«, versuchte es Alex erneut.

»Wohingegen Ihnen, Major Fisher«, sagte Emma, »keine andere Möglichkeit bleibt, als ebenfalls von Ihrem Direktorenposten zurückzutreten, da auch Mr. Martinez alle Aktien, die er an diesem Unternehmen einst hielt, inzwischen verkauft hat. Und im Gegensatz zu Mr. Hardcastles Rückzug nehme ich den Ihren nur zu gerne zur Kenntnis. Ihr Beitrag zu diesem Unternehmen war über Jahre hinweg von Rachsucht geprägt, auf fundamentale Weise unangemessen und geschäftsschädigend, und ich darf hinzufügen, dass ich keinerlei Wert darauf lege, Sie bei der Taufzeremonie zu sehen, und dass *Sie* sicherlich keine Einladung erhalten werden, sich uns auf der Jungfernfahrt anzuschließen. Offen gestanden wird das Unternehmen ohne Sie viel besser dastehen.«

»Aber ich ...«

»Und wenn der Brief, in welchem Sie Ihren Rücktritt erklären, nicht bis heute um fünf auf meinem Schreibtisch liegt, sehe ich keine andere Möglichkeit, als eine öffentliche Erklärung darüber abzugeben, warum Sie *in Wahrheit* kein Mitglied dieses Vorstands mehr sind.«

Don Pedro ging quer durch das Zimmer zum Safe, der inzwischen nicht mehr hinter einem Gemälde versteckt war, gab den sechsstelligen Code ein, brachte das Drehschloss in die richtige Position und zog die schwere Tür auf. Er nahm zwei Pässe heraus, die noch keine Aus- oder Einreisestempel trugen, sowie einen dicken Packen neuer Fünf-Pfund-Noten, die er gleichmäßig auf seine beiden Söhne verteilte. Kurz nach fünf verließen Diego und Luis getrennt das Haus, wobei sie verschiedene Richtungen einschlugen. Sie wussten, dass sie einander erst wieder hinter Gittern oder in Buenos Aires sehen würden.

Don Pedro setzte sich alleine in sein Arbeitszimmer und dachte über die Wege nach, die ihm noch offenstanden. Um sechs schaltete er die Vorabendnachrichten ein, obwohl er mit der Demütigung rechnen musste, mit anzusehen, wie er und seine Söhne von einer Reportermeute gehetzt aus dem Gericht eilten. Doch die Hauptnachricht kam nicht aus Chelsea, sondern aus Tel Aviv, und sie zeigte auch nicht Diego und Luis, sondern den SS-Leutnant Karl Lunsdorf, der, ein Schild mit einer Nummer um den Hals, in Gefängniskleidung den Fernsehkameras vorgeführt wurde. Don Pedro schrie den Bildschirm an: »Ich bin noch nicht geschlagen, ihr Bastarde!« Ein lautes Klopfen an der Tür unterbrach sein Toben. Er sah auf die Uhr. Seine Jungs waren vor noch nicht einmal einer Stunde gegangen. War etwa einer von ihnen schon festgenommen worden? Sollte dies der Fall sein, so wusste er, um welchen der beiden es sich höchstwahrscheinlich handeln würde. Er verließ das Arbeitszimmer, ging durch die Eingangshalle und öffnete vorsichtig die Tür.

»Sie hätten meinen Rat annehmen sollen, Mr. Martinez«, sagte Colonel Scott-Hopkins. »Aber das haben Sie nicht getan, und jetzt wird man Leutnant Lunsdorf als Kriegsverbrecher vor Gericht stellen. Ich würde Ihnen also nicht raten, Tel Aviv zu besuchen, obwohl Sie sicherlich einen interessanten Entlastungszeugen abgeben würden. Ihre Söhne sind auf dem Weg nach Buenos Aires, und um der beiden willen kann ich nur hoffen, dass keiner von ihnen jemals wieder einen Fuß in dieses Land setzt, denn sollten sie eine solche Dummheit begehen, können Sie sich darauf verlassen, dass wir unsere Augen kein zweites Mal zudrücken werden. Was nun Sie betrifft, Mr. Martinez, Sie haben Ihren Aufenthalt hier, ehrlich gestanden, über die Maßen ausgedehnt, und ich würde vorschlagen, dass es auch für Sie an der Zeit ist, nach Hause zu gehen. Sagen wir, innerhalb der nächsten achtundzwanzig Tage, was meinen Sie? Sollten Sie meinen Rat auch diesmal ignorieren … nun, wir wollen einfach hoffen, dass wir uns nie wieder begegnen«, fügte der Colonel hinzu, bevor er sich umdrehte und in der Abenddämmerung verschwand.

Don Pedro schlug die Tür zu und ging zurück in sein Arbeitszimmer. Über eine Stunde lang saß er an seinem Schreibtisch, bevor er eine Nummer wählte, die man ihm nicht erlaubt hatte aufzuschreiben und die er, wie man ihm nachdrücklich klargemacht hatte, nur ein einziges Mal anrufen durfte.

Als das Telefon nach dem dritten Klingeln abgehoben wurde, war er nicht überrascht, dass niemand sprach. Alles, was Don Pedro sagte, war: »Ich brauche einen Chauffeur.«

HARRY UND EMMA

1964

41

»Letzte Nacht habe ich die Rede gelesen, die Joshua Barrington bei der ersten Aktionärsversammlung seines neu gegründeten Unternehmens im Jahr 1839 gehalten hat. Damals saß Königin Victoria noch auf dem Thron, und im britischen Empire ging die Sonne niemals unter. Er berichtete den siebenunddreißig Anwesenden in der Temperance Hall in Bristol, dass der Umsatz von Barrington Shipping im ersten Jahr 420 Pfund, 10 Shilling und 4 Pence betrug und er einen Gewinn von 33 Pfund, 4 Shilling und 2 Pence verkünden durfte. Er versprach seinen Aktionären, dass er im nächsten Jahr ein besseres Ergebnis würde vorweisen können.

Heute wende ich mich in der Colston Hall bei der einhundertfünfundzwanzigsten Aktionärsversammlung an über eintausend Barrington-Aktionäre. Dieses Jahr betrug unser Umsatz 21 422 760 Pfund, und wir konnten einen Gewinn von 691 472 Pfund ausweisen. Königin Elizabeth II. sitzt auf dem Thron, und obwohl wir nicht mehr die halbe Welt beherrschen mögen, sind die Schiffe von Barrington's noch immer auf allen Meeren unterwegs. Doch genau wie Sir Joshua habe auch ich die Absicht, im nächsten Jahr ein besseres Ergebnis vorzuweisen.

Das Unternehmen erwirtschaftet seinen Gewinn noch immer dadurch, dass wir Waren und Passagiere in alle Teile des Globus befördern. Überall, im Osten wie im Westen, treiben wir Handel. Wir haben zwei Weltkriege überstanden und sind dabei, unseren Platz in einer neuen Weltordnung zu finden. Natürlich dürfen wir voller Stolz auf unser Kolonialreich zurückblicken, doch wir müssen zugleich bereit sein, in die Nesseln der Möglichkeiten zu greifen.«

Harry, der in der ersten Reihe saß, betrachtete amüsiert, wie Giles eifrig die Worte seiner Schwester mitschrieb, und er fragte sich, wie lange es wohl gehen würde, bis dieselben Formulierungen im Unterhaus zu hören wären.

»Vor sechs Jahren hat mein Vorgänger Ross Buchanan eine dieser Möglichkeiten ergriffen, als er, mit der Unterstützung des Vorstands, die Entscheidung traf, dass Barrington's den Bau der MV *Buckingham* in Auftrag geben sollte – eines Luxusliners, der das erste Schiff einer neuen Flotte, der Palace Line, werden soll. Obwohl wir in den letzten Jahren viele Hindernisse zu überwinden hatten, sind wir inzwischen nur noch wenige Wochen von der Taufe dieses herrlichen Schiffs entfernt.«

Emma drehte sich um und sah auf zu einer großen Leinwand hinter ihr, und wenige Sekunden später erschien darauf ein Bild der *Buckingham*, das die Anwesenden zunächst nach Luft schnappen und dann ausgiebig applaudieren ließ. Zum ersten Mal konnte sie sich entspannen, und als der Beifall verklang, wandte sie sich wieder ihrem Redemanuskript zu.

»Ich bin stolz darauf, Ihnen mitteilen zu können, dass Ihre Majestät die Königinmutter sich bereit erklärt hat, die *Buckingham* zu taufen, wenn sie am 21. September Avonmouth besuchen wird. Wenn Sie jetzt unter Ihren Sitzen nachsehen wollen, finden Sie dort eine Broschüre, in der alle Einzelheiten dieses bemerkenswerten Schiffs aufgeführt sind. Vielleicht gestatten Sie mir, Sie auf einige ganz besondere Merkmale hinzuweisen.

Der Vorstand hat Harland & Wolff ausgewählt, um das

Schiff zu bauen. Die Leitung hatte der hervorragende Schiffsarchitekt Rupert Cameron inne, der von den Marineingenieuren von John Biles & Co. in Zusammenarbeit mit der dänischen Firma Burmeister & Wain unterstützt wurde. Das Ergebnis ist das erste Schiff der Welt mit einem Dieselantrieb.

Die *Buckingham* verfügt über zwei Motoren, ist einhundertdreiundachtzig Meter lang und vierundzwanzig Meter breit und erreicht eine Geschwindigkeit von bis zu zweiunddreißig Knoten. In der ersten Klasse bietet sie Platz für einhundertundzwei Passagiere, in der zweiten Klasse für zweihundertzweiundvierzig und in der Touristenklasse für dreihundertsechzig. Es gibt einen umfangreichen Laderaum, der sowohl für die Fahrzeuge der Reisenden als auch für kommerzielle Fracht vorgesehen ist, je nachdem, welches Ziel das Schiff ansteuert. Die Besatzung besteht aus fünfhundertsiebenundsiebzig Männern und Frauen unter der Leitung von Kapitän Nicholas Turnbull RN sowie der Schiffskatze Perseus.

Ich würde Ihre Aufmerksamkeit nun gerne auf eine einzigartige Innovation lenken, die nur von den Reisenden auf der *Buckingham* genossen werden kann und die gewiss den Neid unserer Konkurrenten wecken wird. Die *Buckingham* wird den Reisenden nicht wie alle anderen Luxuspassagierschiffe eine Möglichkeit bieten, bei gutem Wetter an Deck zu gehen. Für uns ist das ein Merkmal, das der Vergangenheit angehört, und deshalb haben wir das erste richtige Sonnendeck gebaut, das über einen Swimmingpool verfügt; und wir bieten unseren Gästen die Wahl zwischen zwei verschiedenen Restaurants.« Das Bild, das jetzt auf der Leinwand erschien, löste eine neue Runde Beifall aus.

»Ich kann nicht behaupten«, fuhr Emma fort, »dass der Bau eines Luxusliners von dieser Qualität nicht teuer war. Offen gestanden werden wir in der Gesamtabrechnung bei knapp über achtzehn Millionen Pfund liegen, und diese Summe hat, wie Sie aus meinem letztjährigen Bericht wissen, unsere Rücklagen stark angegriffen. Doch dank des Weitblicks von Ross Buchanan wurde mit Harland & Wolff schon früh ein zweiter Vertrag zum Bau eines Schwesterschiffs, der SS *Balmoral*, aufgesetzt, der für siebzehn Millionen Pfund zu leisten ist, vorausgesetzt das Projekt wird innerhalb von zwölf Monaten nach Erteilung des Seetauglichkeitszertifikats der *Buckingham* bestätigt.

Wir haben die *Buckingham* vor zwei Wochen übernommen, wodurch uns noch fünfzig Wochen zur Verfügung stehen, bevor wir eine Entscheidung darüber treffen müssen, ob wir diese Option wahrnehmen wollen oder nicht. Bis dahin müssen wir wissen, ob die *Buckingham* eine einmalige Angelegenheit bleiben oder das erste Schiff der Palace-Flotte werden soll. Offen gestanden wird es nicht der Vorstand sein, der diese Entscheidung trifft, ja nicht einmal die Aktionäre, sondern, wie in allen Wirtschaftsunternehmen, unsere Kunden. Sie allein werden über die Zukunft der Palace Line entscheiden.

Und damit komme ich zu meiner nächsten Ankündigung. Ab heute Mittag wird Thomas Cook die zweite Buchungsphase für die Jungfernfahrt der *Buckingham* eröffnen.« Emma hielt kurz inne und musterte ihre Zuhörer. »Aber nicht für die allgemeine Öffentlichkeit. Während der letzten drei Jahre haben Sie, die Aktionäre, keine Dividenden erhalten, mit denen Sie doch, nach den Erfahrungen in der Vergangenheit, eigentlich hätten rechnen dürfen. Ich habe mich deshalb entschlossen, die Gelegenheit wahrzunehmen, um mich bei Ihnen für Ihre unverbrüchliche Loyalität und Ihre Unterstützung zu bedanken. Jeder, der sich länger als ein Jahr im Besitz von Aktien unseres Unternehmens befindet, wird bei einer Buchung für die Jungfernfahrt nicht nur bevorzugt – was viele von Ihnen bereits genutzt haben –, er erhält auch einen zehnprozentigen Nachlass für jede Reise, die er in Zukunft mit einem Barrington-Schiff machen wird.«

Der lang anhaltende Applaus, der auf diese Ankündigung folgte, gestattete es Emma, noch einmal ihre Notizen durchzusehen.

»Bei Thomas Cook haben sie mich gewarnt, meine Begeisterung über die große Anzahl von Passagieren, die bereits Plätze für die Jungfernfahrt gebucht haben, ein wenig im Zaum zu halten. Man hat mir mitgeteilt, dass jede Kabine schon lange, bevor das Schiff in See sticht, ausgebucht sein wird. Doch genauso wie jede Premiere im Old Vic ausgebucht ist, werden wir wie das Theater davon abhängig sein, dass unsere Stammgäste über einen langen Zeitraum hinweg immer wieder einen Platz bei uns buchen. Die Fakten sind simpel. Wir können es uns nicht leisten, unter eine Belegung von sechzig Prozent zu fallen, und selbst diese Zahl bedeutet nur, dass wir die laufenden Kosten decken können. Siebzig Prozent Belegung bedeuten einen kleinen Gewinn für uns, doch wir brauchen achtzig Prozent, wenn wir, genau wie Ross Buchanan das immer geplant hatte, das aufgenommene Kapital innerhalb von zehn Jahren zurückzahlen wollen. Und zu jenem Zeitpunkt, so vermute ich, werden die Schiffe aller unserer Konkurrenten über ein modernes Sonnendeck verfügen, und wir werden neue, innovative Ideen für immer anspruchsvollere und kultiviertere Reisende entwickeln müssen.

Aus diesem Grund werden die nächsten zwölf Monate über das Schicksal von Barrington's entscheiden. Werden wir Geschichte schreiben, oder werden wir nur noch Geschichte sein? Ich darf Ihnen versichern, dass unsere Direktoren unermüdlich und ganz im Sinne der Aktionäre, die uns ihr Vertrauen geschenkt haben, daran arbeiten, unseren Kunden einen Service zu bieten, der in der Welt der Luxusschifffahrt Maßstäbe setzen wird. Lassen Sie mich schließen, wie ich angefangen habe. Genau wie mein Urgroßvater habe auch ich die Absicht, im nächsten Jahr ein besseres Ergebnis vorweisen zu können. Und im Jahr darauf. Und im Jahr darauf.«

Emma nahm Platz, und die Zuhörer erhoben sich, als handle es sich um eine Premiere. Sie schloss die Augen und dachte an ihren Großvater. *Wenn du gut genug bist, um den Vorstandsvorsitz zu führen, spielt es keine Rolle mehr, dass du eine Frau bist.* Admiral Summers beugte sich zu ihr und flüsterte: »Meinen Glückwunsch.« Dann fügte er hinzu: »Fragen?«

Emma sprang auf und sagte: »Bitte entschuldigen Sie. Das habe ich gerade vergessen. Natürlich bin ich gerne bereit, Ihre Fragen zu beantworten.«

Ein elegant gekleideter Mann in der zweiten Reihe stand sogleich auf. »Sie haben erwähnt, dass der Aktienpreis kürzlich ein Allzeithoch erreicht hat. Aber können Sie auch erklären, warum der Kurs in den letzten Wochen einer solchen Achterbahnfahrt geglichen hat, was auf einen Laien wie mich vollkommen unverständlich, um nicht zu sagen besorgniserregend wirken muss?«

»Die Gründe dafür sind mir selbst nicht ganz klar«, gab Emma zu. »Was ich Ihnen aber sagen kann, ist, dass ein früherer Aktionär zweiundzwanzigeinhalb Prozent der gesamten Unternehmenspapiere abgestoßen hat, ohne dass er den Anstand besessen hätte, mich zuvor darüber zu informieren, obwohl dieser Aktionär einen Repräsentanten im Vorstand sitzen hatte. Zum Glück für unser Unternehmen war der Börsenmakler, der den Verkauf abgewickelt hat, aufgeweckt genug, die auf den Markt gebrachten Aktien einem unserer früheren Direktoren, nämlich Mr. Cedric Hardcastle, anzubieten, welcher selbst Bankier ist. Mr. Hardcastle war in der Lage, das gesamte Aktienpaket an einen führenden Geschäftsmann aus Nordengland zu verkaufen, der schon seit einiger Zeit an einer größeren Aktienmenge unseres Unternehmens interessiert war. Dadurch waren die Papiere nur wenige Minuten auf dem Markt, sodass größere Turbulenzen gar nicht erst entstehen konnten. Tatsächlich hat der Kurs dann ja auch innerhalb weniger Tage wieder seinen alten Wert erreicht.«

Emma sah, wie *sie* sich in der Mitte der vierten Reihe von ihrem Platz erhob. Sie trug einen gelben Hut mit breiter Krempe, der besser nach Ascot gepasst hätte. Emma ignorierte sie und deutete stattdessen auf einen Mann, der einige Reihen hinter der Dame aufgestanden war.

»Wird die *Buckingham* nur die Transatlantik-Route befahren, oder plant das Unternehmen, in Zukunft auch andere Ziele anzulaufen?«

»Eine gute Frage«, erwiderte Emma. Giles hatte ihr diese Antwort beigebracht, die sich besonders dann als hilfreich erwies, wenn die Frage alles andere als gut war. »Die *Buckingham* könnte keinen Gewinn abwerfen, wenn wir uns auf die Häfen an der Ostküste der Vereinigten Staaten beschränken würden, nicht zuletzt deshalb, weil unsere Konkurrenten, besonders die Amerikaner, diese Route seit fast einem Jahrhundert dominieren. Nein, wir müssen uns an eine neue Generation von Passagieren wenden, die nicht einfach nur von A nach B reisen möchten. Die *Buckingham* muss vielmehr ein schwimmendes Luxushotel sein, in dem unsere Gäste nachts schlafen, während sie tagsüber Länder zu sehen bekommen, mit deren Besuch sie zuvor nie hätten rechnen können. Deshalb wird die *Buckingham* regelmäßige Fahrten in die Karibik und zu den Bahamas unternehmen, und während des Sommers wird sie im Mittelmeer und vor der italienischen Küste kreuzen. Und wer kann heute schon sagen, welche anderen Teile der Welt uns in zwanzig Jahren offenstehen werden?«

Wieder war die Frau aufgestanden, und wieder ignorierte Emma sie und deutete auf einen Mann in einer der weiter vorn gelegenen Reihen.

»Sind Sie nicht besorgt über die zahlreichen Passagiere, die es vorziehen, mit dem Flugzeug anstatt mit dem Schiff zu reisen? BOAC wirbt zum Beispiel damit, dass sie ihre Kunden in weniger als acht Stunden nach New York bringen kann, während die *Buckingham* mindestens vier Tage benötigt.«

»Sie haben durchaus recht, Sir«, erwiderte Emma. »Genau das ist auch der Grund, warum sich *unsere* Werbung auf eine ganz andere Art von Reisenden konzentriert. Wir wollen unseren Gästen eine Erfahrung bieten, auf die sie in einem Flugzeug niemals hoffen können. Welches Flugzeug bietet einem ein Theater, verschiedene Läden, ein Kino, eine Bibliothek und mehrere Spitzenrestaurants, ganz zu schweigen von einem Sonnendeck und einem Swimmingpool? Die Wahrheit ist, dass niemand, der es eilig hat, eine Kabine auf der *Buckingham* buchen wird, denn unser Schiff ist ein schwimmender Palast, in den man immer wieder gerne zurückkommen möchte. Und ich kann Ihnen noch etwas versprechen: Wenn Sie wieder zu Hause sind, werden Sie nicht unter dem Jetlag zu leiden haben.«

Wieder war die Frau in der vierten Reihe aufgestanden. Jetzt winkte sie hektisch. »Versuchen Sie, mich zu ignorieren, Chairman?«

Giles schien es, als habe er die Stimme erkannt. Er drehte sich um und fand seine schlimmsten Befürchtungen bestätigt.

»Keineswegs, Madam, aber da Sie weder eine Aktionärin noch eine Journalistin sind, schien es mir nicht angebracht, Sie den anderen vorzuziehen. Aber bitte, stellen Sie Ihre Frage.«

»Stimmt es, dass einer Ihrer Direktoren im Laufe eines einzigen Wochenendes seinen beträchtlichen Aktienbestand verkauft hat, um das Unternehmen in den Ruin zu treiben?«

»Nein, Lady Virginia, das ist nicht der Fall. Sie denken dabei wahrscheinlich an die zweiundzwanzigeinhalb Prozent, die Don Pedro Martinez auf den Markt geworfen hat, ohne den Vorstand darüber zu informieren, doch glücklicherweise haben wir das, um einen modernen Ausdruck zu benutzen, kommen sehen.«

Überall im Saal brach Gelächter aus, doch Virginia zeigte sich unbeeindruckt. »Wenn einer Ihrer Direktoren in eine solche Angelegenheit verwickelt ist, sollte er sich dann nicht aus dem Vorstand zurückziehen?«

»Wenn Sie von Major Fisher sprechen – nun, ich habe ihn am Freitag gebeten, seinen Vorstandsvorsitz zur Verfügung zu stellen, wie Sie zweifellos schon wissen, Lady Virginia.«

»Was wollen Sie damit andeuten?«

»Dass Sie bei zwei verschiedenen Gelegenheiten, als Major Fisher *Sie* im Vorstand vertrat, ihm gestattet haben, alle Ihre Aktien im Laufe eines einzigen Wochenendes zu verkaufen, welche Sie dann, nachdem Sie einen beträchtlichen Profit gemacht hatten, wieder innerhalb der dreiwöchigen Handelsperiode zurückgekauft haben. Als der Aktienkurs sich erholt und einen neuen Höchststand erreicht hatte, haben Sie dieselbe Aktion ein weiteres Mal wiederholt, wobei Sie einen noch größeren Profit für sich herausschlagen konnten. Wenn es Ihre Absicht war, das Unternehmen in den Ruin zu treiben, Lady

Virginia, dann sind Sie damit ebenso gescheitert wie Mr. Martinez, und zwar auf klägliche Weise, denn Sie wurden von ganz gewöhnlichen, anständigen Menschen besiegt, die wollen, dass dieses Unternehmen Erfolg hat.«

Erneut brach überall im Saal spontaner Beifall aus, während Lady Virginia sich durch die voll besetzte Sitzreihe schob, ohne darauf zu achten, wem sie auf die Füße trat. Als sie den Mittelgang erreicht hatte, drehte sie sich zur Bühne um und schrie: »Sie werden von meinem Anwalt hören!«

»Das hoffe ich doch«, sagte Emma, »denn dann wird Major Fisher die Gelegenheit bekommen, den Geschworenen zu berichten, wen er repräsentierte, als er Ihre Aktien verkauft und wieder zurückgekauft hat.«

Dieser K.o.-Schlag sorgte für die lautesten Ovationen des Tages. Emma hatte sogar genügend Zeit, hinunter in die erste Reihe zu blicken und Cedric Hardcastle zuzuzwinkern.

Die nächste Stunde verbrachte sie damit, zahllose Fragen der Aktionäre sowie von Reportern und Finanzanalysten zu beantworten, wobei sie ein Maß an Zuversicht und Kompetenz erkennen ließ, das Harry an ihr bisher nur selten hatte beobachten können. Nachdem sie die letzte Frage beantwortet hatte, schloss sie die Versammlung mit den Worten: »Ich hoffe, dass viele von Ihnen in ein paar Monaten mit mir gemeinsam die Jungfernfahrt nach New York antreten, denn ich bin davon überzeugt, dass es sich um eine Erfahrung handelt, die Sie nie wieder vergessen werden.«

»Ich glaube, das können wir garantieren«, flüsterte ein Mann mit einem kultivierten irischen Tonfall, der ganz hinten im Saal saß. Unauffällig verließ er das Gebäude, während Emma die Ovationen ihrer Zuhörer genoss, die sich allesamt von ihren Stühlen erhoben hatten.

42

»Guten Morgen. Thomas Cook & Son. Wie kann ich Ihnen helfen?«

»Hier ist Lord Glenarthur. Ich hatte gehofft, Sie könnten mir bei einer persönlichen Angelegenheit behilflich sein.«

»Ich werde mein Bestes tun, Sir.«

»Ich bin ein Freund der Familien Barrington und Clifton, und ich habe Harry Clifton gesagt, dass ich aufgrund geschäftlicher Verpflichtungen unglücklicherweise nicht in der Lage sein würde, an der Jungfernfahrt der *Buckingham* nach New York teilzunehmen. Diese Verpflichtungen haben sich nun erledigt, und ich dachte mir, es wäre doch sicher amüsant, meine Freunde nicht wissen zu lassen, dass ich an Bord bin. Im Sinne einer Überraschung, wenn Sie verstehen, was ich meine.«

»Das verstehe ich gewiss, Mylord.«

»Ich rufe an, weil ich Sie fragen möchte, ob es möglich wäre, eine Kabine irgendwo in der Nähe meiner Freunde zu buchen.«

»Ich werde sehen, was ich tun kann. Wenn Sie freundlicherweise einen Augenblick am Apparat bleiben wollen.« Der Mann am anderen Ende der Leitung nahm einen Schluck Jameson's und wartete. »Mylord, auf dem Oberdeck sind immer noch zwei Erster-Klasse-Kabinen verfügbar, und zwar die Nummern drei und fünf.«

»Ich wäre der Familie gerne so nahe wie möglich.«

»Nun, Sir Giles Barrington hat Kabine Nummer zwei.«

»Und Emma?«

»Emma?«

»Pardon, Mrs. Clifton.«

»Sie hat Kabine Nummer eins.«

»Dann nehme ich Kabine Nummer drei. Ich bin Ihnen für Ihre Hilfe überaus dankbar.«

»Es war mir ein Vergnügen, Sir. Ich wünsche Ihnen eine angenehme Reise. Darf ich Sie fragen, wohin ich die Bordkarten senden soll?«

»Machen Sie sich keine Mühe. Ich werde meinen Chauffeur schicken und sie abholen lassen.«

Don Pedro öffnete den Safe in seinem Arbeitszimmer und entnahm ihm alles Geld, das er noch besaß. Er schichtete die Fünf-Pfund-Noten zu ordentlichen Stapeln von jeweils zehntausend Pfund, sodass sie am Ende jeden Quadratzentimeter seines Schreibtisches bedeckten. 23 645 Pfund legte er zurück in den Safe und verschloss ihn wieder. Die übrigen zweihundertfünfzigtausend Pfund zählte er zwei Mal nach, bevor er das Geld in den Rucksack packte, der ihm zur Verfügung gestellt worden war. Dann setzte er sich an seinen Schreibtisch, griff nach der Morgenzeitung und wartete.

Zehn Tage hatte es gedauert, bis der Chauffeur seinen Anruf erwidert hatte. Der Mann teilte Don Pedro mit, dass die Operation genehmigt worden war, sofern er bereit war, fünfhunderttausend Pfund zu bezahlen. Als er versucht hatte, über den Preis zu verhandeln, gab man ihm zu verstehen, dass mit dieser Aktion beträchtliche Risiken verbunden waren, denn sollte einer der Jungs geschnappt werden, würde er den Rest seiner Tage in der Crumlin Road verbringen – wenn nicht Schlimmeres.

Don Pedro machte sich nicht die Mühe weiterzuverhandeln, denn er hatte ohnehin nicht die Absicht, die zweite Rate zu bezahlen. Und er bezweifelte, dass es in Buenos Aires viele IRA-Sympathisanten gab.

»Guten Morgen. Thomas Cook & Son.«

»Ich würde gerne eine Erster-Klasse-Kabine für die Jungfernfahrt der *Buckingham* nach New York buchen.«

»Gewiss, Madam. Ich stelle Sie durch.«

»Reservierungen für die erste Klasse. Wie kann ich Ihnen helfen?«

»Hier ist Lady Virginia Fenwick. Ich würde gerne eine Kabine für die Jungfernfahrt buchen.«

»Könnten Sie bitte Ihren Namen wiederholen?«

»Lady Virginia Fenwick«, sagte sie langsam, als spreche sie mit einem Ausländer.

Ein langes Schweigen folgte, was, wie Virginia annahm, nur bedeuten konnte, dass der Angestellte gerade nachsah, welche Plätze noch frei waren.

»Es tut mir leid, Lady Virginia, aber unglücklicherweise ist die erste Klasse vollständig ausgebucht. Soll ich Sie mit den Buchungen für die zweite Klasse weiterverbinden?«

»Definitiv nicht. Wissen Sie überhaupt, wer ich bin?«

Der Angestellte des Reisebüros hätte gerne geantwortet: Ja, ich weiß genau, wer Sie sind, denn Ihr Name wurde bereits vor einem Monat in einem Rundschreiben aufgeführt, verbunden mit der unmissverständlichen Anweisung für die Mitarbeiter, was zu tun ist, sollte diese spezielle Dame anrufen, um eine Kabine zu buchen. Stattdessen hielt er sich genau an die Vorschriften und sagte: »Es tut mir leid, Mylady, aber dann gibt es nichts, was ich für Sie tun kann.«

»Aber ich bin eine enge Freundin der Vorstandsvorsitzenden

von Barrington Shipping«, sagte Virginia. »Das ändert doch gewiss alles?«

»Durchaus«, erwiderte der für die Buchungen zuständige Mitarbeiter. »In der Tat ist eine einzelne Erster-Klasse-Kabine noch verfügbar, doch diese dürfen wir nur auf ausdrückliche Anweisung der Vorstandsvorsitzenden freigeben. Wenn Sie also so freundlich sein könnten, Mrs. Clifton anzurufen, würde ich die Kabine vorerst auf Ihren Namen reservieren und sie Ihnen sofort zuteilen, sobald ich eine Bestätigung von Mrs. Clifton erhalte.«

Das Reisebüro sollte nie wieder von Virginia hören.

Als Don Pedro das Hupen hörte, faltete er seine Zeitung zusammen, legte sie auf den Tisch, nahm den Rucksack und verließ das Haus.

Der Chauffeur tippte an seine Mütze und sagte: »Guten Morgen, Sir.« Dann legte er den Rucksack in den Kofferraum des Mercedes.

Don Pedro nahm auf der Rückbank Platz, schloss die Tür und wartete. Als der Chauffeur sich hinter das Steuer gesetzt hatte, fragte er nicht, wohin Don Pedro fahren wollte, denn er hatte die Route bereits selbst festgelegt. Sie verließen Eaton Square und fuhren in Richtung Hyde Park Corner.

»Ich nehme an, der vereinbarte Betrag befindet sich im Rucksack«, sagte der Chauffeur, als sie an der Klinik Ecke Hyde Park vorbeifuhren.

»Zweihundertfünfzigtausend Pfund in bar«, erwiderte Don Pedro.

»Und wir erwarten, dass die andere Hälfte innerhalb von vierundzwanzig Stunden, nachdem wir unseren Teil der Abmachung erfüllt haben, vollständig bezahlt wird.«

»Genau das haben wir vereinbart«, sagte Don Pedro, während er an die 23 645 Pfund dachte, die sich im Safe in seinem Arbeitszimmer befanden. Es war all das Geld, das er noch besaß. Sogar das Haus gehörte ihm nicht mehr.

»Sind Sie sich darüber im Klaren, welche Konsequenzen es haben wird, wenn Sie die zweite Rate nicht bezahlen?«

»Darauf haben Sie mich oft genug hingewiesen«, sagte Don Pedro, während der Wagen der Park Lane folgte und sich dabei streng an die vorgeschriebene Höchstgeschwindigkeit von vierzig Meilen pro Stunde hielt.

»Unter normalen Umständen hätten wir einen Ihrer Söhne umgebracht, sollten Sie es versäumen, uns pünktlich zu bezahlen, doch da die beiden inzwischen in Buenos Aires in Sicherheit sind und Herr Lunsdorf nicht mehr unter uns weilt, bleiben nur noch Sie übrig«, sagte der Chauffeur, während er Marble Arch umrundete.

Don Pedro schwieg zunächst, während sie der Park Lane in die andere Richtung folgten und dann an einer Ampel hielten. »Aber was ist, wenn Sie Ihre Seite der Abmachung nicht erfüllen?«, fragte er schließlich.

»Dann brauchen Sie die anderen zweihundertfünfzigtausend nicht zu bezahlen, nicht wahr?«, antwortete der Chauffeur und fuhr vor das Dorchester.

Ein Portier in einem langen grünen Mantel eilte zum Fahrzeug und öffnete die Hintertür, damit Don Pedro aussteigen konnte.

»Ich brauche ein Taxi«, sagte Don Pedro, als der Chauffeur davonfuhr und sich in den morgendlichen Verkehr auf der Park Lane einfädelte.

»Ja, Sir«, erwiderte der Portier, hob einen Arm und stieß einen durchdringenden Pfiff aus.

Als Don Pedro in den Fond des Taxis stieg und »Eaton Square Nummer 44«, sagte, war der Portier verwirrt. Warum benötigte ein Gentleman ein Taxi, wenn er bereits einen Chauffeur hatte?

»Thomas Cook & Son, wie kann ich Ihnen helfen?«

»Ich würde gerne vier Kabinen auf der *Buckingham* für die Jungfernfahrt nach New York buchen.«

»Erste oder zweite Klasse, Sir?«

»Zweite Klasse.«

»Ich stelle Sie durch.«

»Guten Morgen. Reservierungen für die zweite Klasse der *Buckingham*.«

»Ich würde gerne vier Einzelkabinen für die Reise nach New York am 29. Oktober buchen.«

»Könnten Sie mir bitte die Namen der Passagiere geben?«

Colonel Scott-Hopkins nannte seinen eigenen Namen und die Namen seiner drei Kollegen. »Das macht dann jeweils zweiunddreißig Pfund. Wohin soll ich die Rechnung schicken, Sir?«

An das SAS-Hauptquartier, Chelsea Barracks, King's Road, London, hätte er gerne geantwortet, denn in der Tat würde der SAS für die Kosten aufkommen. Doch stattdessen gab er dem für die Buchungen zuständigen Mitarbeiter seine Privatadresse.

43

»Ich möchte unsere heutige Sitzung damit beginnen, Mr. Bob Bingham als neues Mitglied unseres Vorstands zu begrüßen«, sagte Emma. »Bob ist der Vorstandsvorsitzende von Bingham's Fischpastete und hat kürzlich zweiundzwanzigeinhalb Prozent der Barrington-Aktien erworben, weshalb er niemanden davon überzeugen muss, dass er an die Zukunft unseres Unternehmens glaubt. Zwei andere Direktoren haben sich hingegen aus dem Vorstand zurückgezogen, nämlich Mr. Cedric Hardcastle, auf dessen klugen und wohl abgewogenen Rat wir in Zukunft bedauerlicherweise werden verzichten müssen, sowie Major Fisher, bei dem unser Bedauern über seinen Verlust nicht ganz so groß ist.«

Admiral Summers gestattete sich ein schiefes Lächeln.

»Da die Taufe der *Buckingham* bereits in zehn Tagen stattfinden wird, sollte ich vielleicht damit anfangen, Sie bezüglich der Vorbereitungen für diese Zeremonie auf den neuesten Stand zu bringen.« Emma schlug den roten Aktenordner auf, der vor ihr lag, und musterte den Ablaufplan sorgfältig. »Die Königinmutter wird am Morgen des 21. September um 9:35 Uhr mit dem Zug der Krone in Temple Meads ankommen. Auf dem Bahnsteig wird sie vom Lord Lieutenant der Grafschaft und der Stadt Bristol sowie vom Oberbürgermeister von Bristol begrüßt werden. Danach wird man Ihre Majestät zur Bristol Grammar School fahren, wo sie den Rektor in die neu eingerichteten naturwissenschaftlichen Labore der Schule begleiten wird. Diese werden um 10:10 Uhr von ihr eingeweiht. Sie wird eine Gruppe von Schülern und Lehrern treffen und die Schule um Punkt elf Uhr wieder verlassen. Dann wird man sie nach Avonmouth fahren, wo sie um 11:17 Uhr im Hafen eintreffen wird.« Emma sah auf. »Mein Leben wäre so viel einfacher, wenn ich immer wüsste, zu welcher Minute genau ich irgendwo bin. Ich werde Ihre Majestät erwarten, wenn sie in Avonmouth eintrifft«, fuhr Emma fort und warf erneut einen Blick auf den Ablaufplan, »und sie im Namen unseres Unternehmens begrüßen, bevor ich sie dem Vorstand vorstellen werde. Um 11:29 Uhr werde ich sie zum Norddock begleiten, wo sie den Schiffsarchitekten, unseren Marineingenieur und den Vorstandsvorsitzenden von Harland & Wolff kennenlernen wird.

Drei Minuten vor zwölf werde ich unseren Ehrengast offiziell willkommen heißen. Meine Rede wird genau drei Minuten dauern, und mit dem Glockenschlag um zwölf wird Ihre Majestät die *Buckingham* auf traditionelle Art taufen, indem sie eine Magnumflasche Champagner am Schiffsrumpf zertrümmert.«

»Und was ist, wenn die Flasche nicht kaputtgeht?«, fragte Clive Anscott lachend.

Niemand sonst lachte.

»Darüber steht nichts in meinen Unterlagen«, erwiderte Emma. »Um halb eins wird Ihre Majestät zur Royal West of England Academy aufbrechen, wo sie gemeinsam mit den dortigen Lehrkräften ihren Lunch einnehmen und um drei die neue Kunstgalerie der Akademie eröffnen wird. Um vier wird man sie in Begleitung des Lord Lieutenant nach Temple Meads zurückfahren, wo sie erneut den Zug des Königshauses besteigen wird. Der Zug wird sich zehn Minuten nach ihrer Ankunft auf den Weg nach Paddington machen.«

Emma schloss die Akte und stieß einen Seufzer aus, während die Direktoren sie mit nicht ganz ernst gemeintem Applaus bedachten. »Als kleines Kind«, fügte sie hinzu, »wollte ich immer eine Prinzessin sein. Doch ich muss Ihnen gestehen, dass ich angesichts eines solchen Pensums meine Meinung geändert habe.« Jetzt war der Applaus echt.

»Wie werden wir wissen, wo wir uns in jedem einzelnen Augenblick aufzuhalten haben?«, fragte Andy Dobbs.

»Jedes Vorstandsmitglied wird eine Kopie des offiziellen Zeitplans erhalten, und gnade Gott demjenigen, der nicht zur rechten Zeit am rechten Ort ist. Doch nun möchte ich zu einer Angelegenheit kommen, die gleichermaßen wichtig ist, nämlich zur Jungfernfahrt der *Buckingham*, die, wie Sie alle wissen, am 29. Oktober beginnen soll. Der Vorstand darf mit Freuden zur Kenntnis nehmen, dass alle Plätze ausgebucht sind und dies auch für die Rückfahrt gilt, was sogar noch erfreulicher ist.«

»*Ausgebucht* ist ein interessantes Wort«, sagte Bob Bingham. »Wie viele unserer Reisenden sind zahlende Passagiere, und wie viele davon sind Gäste?«

»Gäste?«, wiederholte der Admiral in fragendem Ton.

»Passagiere, die für ihren Aufenthalt auf dem Schiff nichts bezahlen müssen.«

»Nun, es gibt einige Personen, die berechtigt sind …«

»Umsonst zu reisen. Mein Rat wäre, Sie sollten darauf achten, dass diese Damen und Herren sich nicht an diesen Zustand gewöhnen.«

»Würden Sie auch die Vorstandsmitglieder und ihre Familien dieser Kategorie zuordnen, Mr. Bingham?«, fragte Emma.

»Nein, bei der Jungfernfahrt nicht, aber zweifellos in Zukunft, schon aus Prinzip. Ein schwimmender Palast ist sehr attraktiv, wenn man nichts für die Kabine bezahlen muss, von Speisen und Getränken ganz zu schweigen.«

»Sagen Sie mir, Mr. Bingham, bezahlen Sie für jede Ihrer Fischpasteten, die Sie privat verzehren?«

»Immer, Admiral. So entsteht bei meinen Mitarbeitern gar nicht erst der Eindruck, sie hätten das Recht, ihre Familien und ihre Freunde kostenlos zu versorgen.«

»Dann werde ich bei allen zukünftigen Gelegenheiten«, sagte Emma, »meine Kabine stets bezahlen und, solange ich Vorstandsvorsitzende dieses Unternehmens bin, niemals kostenlos reisen.«

Das eine oder andere Vorstandsmitglied rutschte unruhig auf seinem Stuhl hin und her.

»Ich hoffe doch«, sagte David Dixon, »dass die Mitglieder der Familien Barrington und Clifton trotzdem in großer Zahl auf dieser historischen Reise vertreten sein werden.«

»Die meisten Mitglieder meiner Familie werden sich mir auf dieser ersten Fahrt anschließen«, sagte Emma, »mit Ausnahme meiner Schwester Grace, die nur an der Taufzeremonie teilnehmen kann, da die Jungfernfahrt in die erste Woche des neuen Semesters fällt und Grace sofort wieder nach Cambridge zurückkehren muss.«

»Und Sir Giles?«, fragte Anscott.

»Es kommt darauf an, welchen Termin der Premierminister für die Parlamentswahl ansetzt. Mein Sohn Sebastian wird jedoch definitiv mitkommen, und zwar zusammen mit seiner Freundin Samantha. Die beiden reisen zweiter Klasse, und bevor Sie fragen, Mr. Bingham, ich habe ihre Tickets bezahlt.«

»Wenn das derselbe Junge ist, der vor ein paar Wochen zu mir in die Fabrik gekommen ist, würde ich ihn im Auge behalten, Chairman, denn ich habe so das Gefühl, dass er auf Ihre Stelle aus ist.«

»Aber er ist doch erst vierundzwanzig«, sagte Emma.

»Das dürfte ihm wohl kaum Kopfzerbrechen bereiten. Ich war siebenundzwanzig, als ich Chef von Bingham's wurde. Also hüten Sie sich.«

»Dann habe ich ja noch drei Jahre.«

»Sie und Cedric«, erwiderte Bob Bingham. »Je nachdem, wessen Posten er zu übernehmen gedenkt.«

»Ich glaube nicht, dass Bingham Witze macht, Chairman«, sagte der Admiral. »Ich kann es gar nicht erwarten, den Jungen kennenzulernen.«

»Wurden auch ehemalige Direktoren zur Jungfernfahrt nach New York eingeladen?«, fragte Andy Dobbs. »Ich denke da an Ross Buchanan.«

»Ja«, antwortete Emma. »Ich muss gestehen, dass ich die Absicht habe, Ross und Jean als Gäste des Unternehmens einzuladen. Vorausgesetzt, dass Mr. Bingham einverstanden ist.«

»Ohne Ross Buchanan würde ich diesem Vorstand nicht angehören, und nach allem, was er, wie Cedric Hardcastle mir zu berichten wusste, im *Night Scotsman* für diese Firma geleistet hat, würde ich sagen, dass er sich seine Überfahrt mehr als verdient hat.«

»Dem könnte ich gar nicht nachdrücklicher zustimmen«, sagte Jim Knowles. »Aber es führt uns zur Frage, was mit Fisher und Hardcastle geschehen soll.«

»Ich hatte und habe nicht die Absicht, Major Fisher einzuladen«, erwiderte Emma, »und Cedric Hardcastle hat mir bereits mitgeteilt, dass er es nicht für klug hält, nach Lady Virginias verstecktem Angriff auf ihn bei der Aktionärsversammlung die Taufzeremonie zu besuchen.«

»War diese Frau etwa dumm genug, wie angedroht Anzeige zu erstatten?«, fragte Dobbs.

»Ja«, antwortete Emma. »Sie wirft uns Diffamierung und Verleumdung vor.«

»Verleumdung verstehe ich«, sagte Dobbs, »aber warum auch noch Diffamierung?«

»Weil ich darauf bestanden habe, dass jedes Wort unserer kleinen Unterhaltung im Protokoll der Aktionärsversammlung erscheint.«

»Dann hoffen wir mal, dass sie dumm genug ist, um die Sache bis zum High Court weiterzutreiben.«

»Dumm ist sie nicht«, sagte Bingham, »aber arrogant genug dazu wäre sie. Trotzdem habe ich den Eindruck, dass sie es nicht riskieren wird, solange Fisher in dieser Sache noch aussagen könnte.«

»Können wir bitte zu näherliegenden Dingen zurückkehren?«, fragte der Admiral. »Gut möglich, dass ich längst tot bin, wenn diese Angelegenheit vor Gericht kommt.«

Emma lachte. »Gibt es irgendetwas Besonderes, worüber Sie sprechen möchten, Admiral?«

»Wie lange wird die Reise nach New York dauern, wenn alles planmäßig abläuft?«

»Etwas mehr als vier Tage, wobei wir im Vergleich zu unseren Konkurrenten ganz gut dastehen.«

»Aber da die *Buckingham* das erste Schiff mit einem doppelten Dieselmotor ist, besteht doch sicher die Möglichkeit, das Blaue Band für die schnellste Überfahrt zu erringen?«

»Wenn die Wetterbedingungen perfekt sind – und um diese Jahreszeit sind sie in der Regel ziemlich gut –, haben wir tatsächlich eine kleine Chance darauf, aber wenn Sie die Worte *Blaues Band* auch nur erwähnen, denken die meisten Menschen sofort an die *Titanic*. Deshalb sollten wir diese Möglichkeit nicht einmal andeuten, bevor die Freiheitsstatue in Sichtweite ist.«

»Chairman, wie viele Menschen erwarten wir bei der Schiffstaufe?«

»Der Chief Constable hat mir gesagt, dass es drei- oder vielleicht sogar viertausend Besucher werden könnten.«

»Und wer ist für die Sicherheit zuständig?«

»Die Polizei ist für die Steuerung der Menge und die öffentliche Sicherheit verantwortlich.«

»Und wir bezahlen die Rechnung.«

»Genau wie bei einem Fußballspiel«, sagte Knowles.

»Hoffentlich nicht«, erwiderte Emma. »Wenn es keine weiteren Fragen mehr gibt, möchte ich vorschlagen, dass wir unsere nächste Vorstandssitzung an Bord der *Buckingham* auf der Rückreise von New York abhalten. Zuvor aber freue ich mich darauf, Sie alle am 21. um Punkt zehn Uhr hier wiederzusehen.«

»Aber das ist mehr als eine Stunde, bevor die gute Dame eintreffen soll«, sagte Bob Bingham.

»Sie werden erleben, dass wir im West Country allesamt Frühaufsteher sind, Mr. Bingham. So fangen wir Vögel den Wurm.«

44

»Eure Majestät, darf ich Ihnen Mrs. Clifton vorstellen, die Vorstandsvorsitzende von Barrington Shipping«, sagte der Lord Lieutenant.

Emma machte einen Knicks und wartete darauf, dass die Königinmutter etwas sagen würde, denn ihr war unmissverständlich mitgeteilt worden, dass sie erst sprechen durfte, wenn sie angesprochen wurde, und dass man niemals eine Frage stellen sollte.

»Sir Walter wäre sicher stolz gewesen auf diesen Tag, Mrs. Clifton.«

Emma war sprachlos, denn sie wusste, dass ihr Großvater der Königinmutter nur einmal begegnet war, und obwohl er dieses Ereignis oft erwähnt und in seinem Büro sogar ein Foto davon besessen hatte, konnte Emma kaum damit rechnen, dass sich auch die Königinmutter noch daran erinnern würde.

»Darf ich Ihnen Admiral Summers vorstellen«, sagte Emma schließlich, indem sie vom Lord Lieutenant die Führung übernahm. »Er gehört seit über zwanzig Jahren dem Vorstand von Barrington's an.«

»Als wir uns das letzte Mal begegnet sind, Admiral, haben Sie mir freundlicherweise Ihren Zerstörer, die HMS *Chevron*, gezeigt.«

»Ich glaube, es war wohl eher der Zerstörer des Königs, Ma'am. Ich hatte nur vorübergehend das Kommando.«

»Eine hübsche Unterscheidung«, sagte die Königinmutter, während Emma fortfuhr, ihr die übrigen Vorstandsmitglieder vorzustellen, und sich fragte, wie Ihre Majestät wohl auf den jüngsten Neuzugang in diesem Kreis reagieren würde.

»Mr. Bingham, man hat Sie aus dem Palast verbannt.« Bob Bingham öffnete den Mund, doch kein Wort kam heraus. »Aber um fair zu sein, nicht Sie persönlich, sondern Ihre Fischpastete.«

»Aber warum nur, Ma'am?«, fragte Bob Bingham, womit er alle Anweisungen ignorierte.

»Weil mein Enkel, Prinz Andrew, seinen Finger in jedes Glas steckt, um den kleinen Jungen auf dem Etikett nachzumachen.«

Bob sagte nichts mehr, als die Königinmutter zum Schiffsarchitekten weiterging.

»Als wir uns das letzte Mal begegnet sind …«

Emma warf einen Blick auf die Uhr, während die Königinmutter mit dem Vorsitzenden von Harland & Wolff plauderte.

»Und was ist Ihr nächstes Projekt, Mr. Baillie?«

»Das ist alles noch ganz furchtbar geheim, Ma'am. Ich kann Ihnen nur sagen, dass die Buchstaben HMS vor dem Namen an der Seite des Schiffs stehen werden und es sehr viel Zeit unter Wasser verbringen wird.«

Die Königinmutter lächelte, als der Lord Lieutenant sie zu ihrem bequemen Stuhl unmittelbar hinter dem Rednerpult führte.

Emma wartete, bis die Königinmutter Platz genommen hatte, bevor sie selbst ans Rednerpult trat, um eine Ansprache zu halten, für die sie keine Notizen brauchte, denn sie konnte sie auswendig. Sie umfasste die Seiten des Pults mit beiden Händen, holte, wie Giles ihr geraten hatte, tief Luft und warf einen Blick auf die gewaltige Besuchermenge, die weit mehr als jene viertausend Gäste umfasste, die die Polizei vorhergesagt hatte, und die erwartungsvoll verstummt war.

»Eure Majestät, dies ist Ihr dritter Besuch in der Werft von Barrington's. Das erste Mal kamen Sie im Jahr 1939 als unsere Königin hierher zur Hundertjahrfeier unseres Unternehmens, als mein Großvater die Leitung der Firma innehatte. Dann besuchten Sie uns ein zweites Mal im Jahr 1942, um mit eigenen Augen die Schäden zu sehen, die die Bombenangriffe während des Krieges verursacht hatten, und heute beehren Sie uns mit Ihrem höchst willkommenen Besuch, um ein Schiff zu taufen, das nach jenem Ort benannt ist, an dem Sie die letzten sechzehn Jahre gelebt haben. Übrigens, Ma'am, sollten Sie jemals ein Zimmer für eine Nacht benötigen« – Emmas Worte wurden mit warmherzigem Gelächter aufgenommen –, »wir haben zweihundertzweiundneunzig Stück davon, obwohl ich Sie vielleicht darauf hinweisen sollte, dass Sie die Gelegenheit verpasst haben, mit uns gemeinsam die Jungfernfahrt anzutreten, denn wir sind ausgebucht.«

Das Gelächter und der Applaus der Menge halfen Emma, sich zu entspannen und den Rest der Rede zuversichtlich anzugehen.

»Und ich darf hinzufügen, Ma'am, dass Ihre Gegenwart den heutigen Tag zu einem hysterischen Ereignis gemacht hat …«

Zahlreiche Besucher schnappten hörbar nach Luft, und ein verlegenes Schweigen folgte. Emma wäre am liebsten im Boden versunken, bis die Königinmutter in ein lautes Lachen ausbrach und die Menge zu jubeln und ihre Mützen in die Luft zu werfen begann. Emma fühlte, wie ihre Wangen brannten, und es dauerte eine Weile, bis sie sich so weit erholt hatte, dass sie fortfahren konnte. »Ich empfinde es als ein Privileg, Ma'am, Sie bitten zu dürfen, die MV *Buckingham* zu taufen.«

Emma trat einen Schritt beiseite, damit die Königinmutter ihren Platz einnehmen konnte. Das war der Moment, vor dem sie sich schon die ganze Zeit über am meisten fürchtete. Ross Buchanan hatte ihr einmal von einem berüchtigten Vorfall erzählt, bei dem das Schiff nicht nur eine öffentliche Demütigung erlitten, sondern überdies Besatzung und Reisende sich gleichermaßen geweigert hatten, das Schiff zu betreten, weil sie überzeugt davon waren, dass ein Fluch auf ihm lag.

Wieder verstummte die Menge und wartete nervös. Dieselbe Angst erfüllte jeden Arbeiter in der Werft, als er zur königlichen Besucherin aufsah. Viele der Anwesenden, die besonders abergläubisch waren – unter ihnen auch Emma –, drückten heftig die Daumen, als von der Hafenuhr her der erste der zwölf Glockenschläge erklang und der Lord Lieutenant der Königinmutter die Champagnerflasche reichte.

»Ich taufe dieses Schiff auf den Namen *Buckingham*«, erklärte sie. »Möge es allen, die mit ihm reisen, Freude und Glück bringen, und möge ihm selbst ein langes und blühendes Leben auf den Weltmeeren geschenkt sein.«

Die Königinmutter hob die Magnumflasche Champagner, hielt einen kurzen Augenblick inne und ließ dann los. Emma hätte am liebsten die Augen geschlossen, als die Flasche in einem weiten Bogen auf das Schiff zuflog. Als sie gegen den Rumpf schlug, platzte die Flasche in tausend Stücke, Champagnerbläschen rannen an der Bordwand herab, und die Menge brach in die lautesten Jubelrufe des Tages aus.

»Ich wüsste nichts, was noch besser hätte laufen können«, sagte Giles, als der Wagen der Königinmutter aus dem Hafen fuhr und verschwand.

»Ich wäre ganz gut ohne das hysterische Ereignis ausgekommen«, sagte Emma.

»Finde ich nicht«, sagte Harry. »Es war offensichtlich, dass der Königinmutter dein kleiner Fauxpas gefallen hat, die Arbeiter werden noch ihren Enkeln davon erzählen, und du hast wenigstens dieses eine Mal eine menschliche Schwäche gezeigt.«

»Wie freundlich von dir«, erwiderte Emma. »aber bevor wir die Jungfernfahrt antreten können, liegt immer noch jede Menge Arbeit vor uns, und ich kann es mir nicht leisten, auch nur einen einzigen weiteren hysterischen Moment zu haben«, fügte sie hinzu, als ihre Schwester zu ihnen herüberkam.

»Ich bin so froh, dass ich das nicht verpasst habe«, sagte Grace. »Aber könntest du dir vielleicht eine vorlesungsfreie Zeit aussuchen, wenn du dein nächstes Schiff taufen lässt? Und wenn ich meiner großen Schwester einen weiteren Rat geben darf: Du solltest die Jungfernfahrt als Fest oder Urlaub betrachten und nicht als eine weitere Woche im Büro.« Sie küsste ihren Bruder und ihre Schwester auf beide Wangen. »Übrigens, mir hat der hysterische Moment gefallen.«

»Sie hat recht«, sagte Giles, während sie Grace nachsahen, die zur nächsten Bushaltestelle ging. »Du solltest jeden Augenblick genießen. Ich kann dir nur sagen, dass *ich* genau das tun werde.«

»Es könnte sein, dass du nicht dazu kommst.«

»Warum nicht?«

»Bis dahin könntest du Minister sein.«

»Zunächst einmal muss ich meinen Sitz als Abgeordneter behaupten, und dann muss die Partei die Wahl gewinnen, bevor ich Minister werden kann.«

»Und wann wird die Wahl deiner Meinung nach stattfinden?«

»Wenn ich raten müsste, würde ich sagen, irgendwann im Oktober, kurz nach den Parteitagen. Weswegen du mich auch während der nächsten Wochen oft in Bristol zu sehen bekommen wirst.«

»Und Gwyneth ebenfalls, hoffe ich.«

»Darauf kannst du dich verlassen, obwohl es mir eigentlich am liebsten wäre, wenn das Baby im Wahlkampf auf die Welt kommt. Das bringt eintausend Stimmen, behauptet Griff.«

»Du bist ein Scharlatan, Giles Barrington.«

»Nein, ich bin nur ein Politiker, der um einen unbedeutenden Sitz kämpft, und wenn ich ihn wieder gewinne, könnte es durchaus sein, dass ich es ins Kabinett schaffe.«

»Sei vorsichtig mit dem, was du dir wünschst.«

45

Giles war angenehm überrascht, wie zivilisiert die Parlamentswahl ablief, was nicht zuletzt daran lag, dass Jeremy Fordyce, sein Gegenkandidat aufseiten der Konservativen, ein kultivierter junger Mann aus der Parteizentrale war, der nie den Eindruck machte, als glaube er ernsthaft daran, den Sitz zu erringen, und sich ganz sicher nicht auf jene Art von falschem Spiel einließ, wie dies Major Fisher getan hatte, als er noch Kandidat war.

Reginald Ellsworthy, der ewige Kandidat der Liberalen, hatte nur ein einziges Ziel, nämlich mehr Stimmen zu erhalten als bei der letzten Wahl. Und sogar Lady Virginia gelang es nicht, einen Treffer zu landen – weder über noch unter der Gürtellinie –, denn sie brauchte immer noch Zeit, um sich von dem K.o.-Schlag zu erholen, den Emma ihr bei der Aktionärsversammlung von Barrington's versetzt hatte. Deshalb war auch niemand überrascht, als der Stadtdirektor verkündete: »Ich, der oberste Leiter des Wahlkreises Bristol Docklands, gebe hiermit bekannt, dass sich die Gesamtzahl der abgegebenen gültigen Stimmen folgendermaßen auf die einzelnen Kandidaten verteilt:

Sir Giles Barrington	21 114
Mr. Reginald Ellsworthy	4 109
Mr. Jeremy Fordyce	17 346

Damit erkläre ich Sir Giles Barrington zum rechtmäßig gewählten Abgeordneten für den Wahlkreis Bristol Docklands.«

Obwohl also in diesem Wahlkreis das Ergebnis nicht knapp ausfiel, sah es so aus, als würde sich die Frage, wer das Land regieren sollte, nur »mit Hängen und Würgen« klären lassen – um Robin Day, den Großinquisitor der BBC, zu zitieren. Erst als einen Tag nach der Wahl um 15:34 Uhr das offizielle Endergebnis in Mulgelrie bekannt gegeben wurde, begann sich die Nation auf die erste Labour-Regierung seit Clement Attlees Kabinett vorzubereiten, das inzwischen bereits dreizehn Jahre zurücklag.

Giles reiste am folgenden Tag nach London, aber erst nachdem er zusammen mit Gwyneth und dem fünf Wochen alten Walter Barrington den Wahlkreis bereist hatte, um den Parteimitgliedern dafür zu danken, dass er sich mit ihrer Hilfe mehr Stimmen als je zuvor hatte sichern können.

»Viel Glück am Montag« war ein Satz, der auf seiner Rundreise immer wieder fiel, denn jeder wusste, dass das der Tag war, an dem der neue Premierminister darüber entschied, wer mit ihm am Kabinettstisch sitzen würde.

Giles verbrachte das Wochenende damit, sich die Kommentare seiner Parteikollegen zu diesem Thema anzuhören und die Überlegungen der führenden politischen Leitartikler zu lesen. Doch in Wahrheit gab es nur einen Menschen, der wusste, wem er bestätigend zunicken würde, und der Rest war reine Spekulation.

Am Montagmorgen sah Giles, wie Harold Wilson zum Palast gefahren wurde, wo die Königin ihn fragen würde, ob er in der Lage war, eine Regierung zu bilden. Vierzig Minuten später erschien Wilson erneut, und jetzt war er Premierminister. Er wurde in die Downing Street gefahren, wo er zweiundzwanzig seiner Kollegen auffordern würde, mit ihm zusammen das Kabinett zu bilden.

Giles saß am Frühstückstisch und tat so, als lese er die Morgenzeitungen, sofern er nicht das Telefon anstarrte und versuchte, es mit bloßer Willenskraft zum Läuten zu bringen. Das Telefon läutete in der Tat fast ständig, doch jedes Mal war ein anderes Mitglied oder einer seiner Freunde am Apparat, um ihm zur Tatsache zu gratulieren, dass er diesmal noch mehr Stimmen geholt hatte als zuvor, oder ihm für die bevorstehende Auswahl der Minister Glück zu wünschen. Geh aus der Leitung, wollte er jedes Mal sagen. Wie kann der PM mich erreichen, wenn andauernd besetzt ist? Und dann kam der Anruf.

»Hier ist die Telefonvermittlung von Downing Street Nummer 10, Sir Giles. Der Premierminister lässt anfragen, ob es Ihnen vielleicht möglich wäre, ihn heute Nachmittag um halb vier aufzusuchen.«

Irgendwie kann ich ihn noch dazwischenschieben, hätte Giles am liebsten geantwortet. Stattdessen sagte er nur: »Ja, natürlich«, und legte wieder auf. Was bedeutete halb vier Uhr nachmittags im Hinblick auf die Hackordnung?

Zehn Uhr vormittags hieß, dass man Finanz-, Außen-, oder Innenminister wurde. Diese drei Posten waren jedoch schon an Jim Callaghan, Patrick Gordon Walker und Frank Soskice vergeben worden. Die Mittagszeit: Erziehung und Arbeit, Michael Stewart und Barbara Castle. Halb vier Uhr nachmittags bedeutete, dass alles auf der Kippe stand. War er im Kabinett, oder würde man von ihm erwarten, dass er zunächst eine Probezeit als Staatssekretär hinter sich brachte?

Giles hätte gerne etwas zu Mittag gegessen, wenn das Telefon wenigstens ein paar Minuten lang verstummt wäre. Doch inzwischen riefen Kollegen ihn an, um ihm zu sagen, welche

Posten sie bekommen hatten oder dass der PM sich noch nicht bei ihnen gemeldet hatte, und wieder andere Kollegen wollten wissen, wann der PM ihn sprechen wollte. Keiner schien sicher zu sein, was halb vier Uhr nachmittags bedeutete.

Da die Sonne den Sieg von Labour beschien, beschloss Giles, zu Fuß zur Downing Street Nummer 10 zu gehen. Kurz nach drei verließ er seine Wohnung am Smith Square, schlenderte hinüber zum Embankment und am Unter- und Oberhaus vorbei in Richtung Whitehall. Er überquerte die Straße, als Big Ben gerade Viertel nach drei schlug, ging weiter am Außenministerium und am Commonwealth Office vorbei, bevor er in die Downing Street einbog. Ein lautstarkes Rudel aus menschlichen Pitbull-Terriern empfing ihn, das sich nur unwillig hinter den behelfsmäßig errichteten Absperrungen hielt.

»Mit welchem Posten rechnen Sie?«, schrie einer von ihnen.

Wenn ich das nur wüsste, hätte Giles gerne geantwortet, während er wegen der endlosen Blitzlichter fast überhaupt nichts mehr sah.

»Hoffen Sie, dem Kabinett anzugehören, Sir Giles?«, fragte ein anderer.

Natürlich hoffe ich das, du Idiot. Aber seine Lippen bewegten sich nicht.

»Wie lange wird die Regierung bei einer so knappen Mehrheit Ihrer Ansicht nach durchhalten?«

Nicht sehr lange. Aber das würde er nie zugeben.

Die Fragen rissen nicht ab, während Giles der Downing Street folgte, obwohl jeder Journalist wusste, dass er beim Hinweg auf keine Antwort hoffen durfte und auf dem Rückweg bestenfalls mit einem Winken und vielleicht noch einem Lächeln zu rechnen hatte.

Giles wollte gerade die drei Stufen zum Eingang hinaufgehen, als sich die Tür öffnete, und gleich darauf betrat er zum ersten Mal in seinem Leben Downing Street Nummer 10.

»Guten Morgen, Sir Giles«, begrüßte ihn der Kabinettssekretär, als seien sie sich noch nie zuvor begegnet. »Der Premierminister spricht gerade noch mit einem Ihrer Kollegen, deshalb möchte ich Sie bitten, im Vorzimmer zu warten, bis er frei ist.«

Giles begriff, dass Sir Alan bereits wusste, welchen Posten man ihm anbieten würde, doch nicht einmal mit einem Wimpernzucken ließ der undurchschaubare Mandarin erkennen, welcher das sein würde, bevor er wieder davonging.

Giles setzte sich in das kleine Vorzimmer, wo Wellington und Nelson angeblich darauf gewartet hatten, William Pitt den Jüngeren zu sprechen, ohne dass der eine wusste, wer der andere war. Er rieb seine Hände an den Seiten seiner Hose ab, obwohl er wusste, dass er dem PM nicht die Hand geben würde, da Parlamentskollegen das traditionellerweise nicht taten. Nur die Uhr auf dem Kaminsims schlug lauter als sein Herz. Endlich öffnete sich die Tür, und Sir Alan erschien erneut. Alles, was er sagte, war: »Der Premierminister wird Sie jetzt empfangen.«

Giles stand auf, um jene Strecke hinter sich zu bringen, die allgemein als »der lange Weg zum Galgen« bezeichnet wurde.

Als er den Kabinettssaal betrat, saß Harold Wilson umgeben von zweiundzwanzig leeren Stühlen auf halber Höhe eines langen ovalen Tisches. Als er Giles sah, erhob er sich von seinem Stuhl unter dem Porträt von Robert Peel und sagte: »Ein großartiges Ergebnis für die Bristol Docklands, Giles. Gut gemacht.«

»Danke, Premierminister«, erwiderte Giles, womit er der üblichen Gepflogenheit folgte, den Mann in diesem Amt nicht mehr bei seinem Vornamen zu nennen.

»Kommen Sie rein und setzen Sie sich«, sagte Wilson, während er seine Pfeife stopfte.

Giles wollte sich neben den PM setzen, als dieser hinzufügte: »Nein, nicht da. Da sitzt George; möglicherweise wird es ja eines Tages dieser Stuhl, aber heute nicht. Vielleicht nehmen Sie einfach dort drüben Platz«, sagte er und deutete auf einen Stuhl mit grüner, ledergepolsterter Rückenlehne auf der gegenüberliegenden Seite des Tisches. »Schließlich sitzt dort jeden Donnerstag, wenn das Kabinett zusammentritt, der Minister für Europäische Angelegenheiten.«

46

»Stell dir nur mal vor, wie viele Dinge schiefgehen könnten«, sagte Emma, während sie im Schlafzimmer auf und ab ging.

»Warum denkst du nicht an die vielen Dinge, die klappen werden?«, erwiderte Harry. »Du solltest dir wirklich den Rat von Grace zu Herzen nehmen und diese Erfahrung als eine Art Urlaub betrachten.«

»Es tut mir so leid, dass sie diese Reise nicht mit uns machen kann.«

»Grace würde während eines achtwöchigen Semesters nie zwei Wochen freinehmen.«

»Giles scheint das ja zu schaffen.«

»Nur für eine Woche«, betonte Harry. »Außerdem hat er das ziemlich geschickt angestellt, denn er hat vor, die UN zu besuchen, während er in New York ist, und dann nach Washington zu gehen, um sein amerikanisches Pendant zu treffen.«

»Und dabei lässt er Gwyneth und das Baby zu Hause.«

»Eine kluge Entscheidung unter den gegebenen Umständen. Es wäre für keinen von ihnen ein richtiger Urlaub geworden, wenn der kleine Walter Tag und Nacht durchgeschrien hätte.«

»Bist du fertig mit dem Packen?«, fragte Emma.

»Ja, Chairman, das bin ich. Schon seit einiger Zeit.«

Emma lachte und umarmte ihn. »Manchmal vergesse ich, dir für alles zu danken.«

»Werd mir gegenüber bloß nicht sentimental. Du hast immer noch genügend Aufgaben zu erledigen, also sollten wir uns vielleicht auf den Weg machen.«

Emma schien unbedingt aufbrechen zu wollen, obwohl das bedeutete, dass sie schon einige Stunden an Bord wären, bevor der Kapitän den Befehl zum Auslaufen nach New York geben würde. Doch Harry hatte sich damit abgefunden, denn es wäre schlimmer, wenn sie noch länger zu Hause blieben.

»Sieh sie dir an«, sagte Emma voller Stolz, als der Wagen in Richtung Kaimauer rollte und die *Buckingham* vor ihnen auftauchte.

»Ja, es ist wirklich ein hysterischer Anblick.«

»Himmel, hilf!«, sagte Emma. »Werde ich das jemals hinter mir lassen?«

»Hoffentlich nicht«, sagte Harry.

»Es ist so aufregend«, sagte Samantha, als Sebastian von der A4 abfuhr und den Schildern in Richtung Hafen folgte. »Ich war bisher noch nie auf einem Ozeandampfer.«

»Und es ist nicht einmal ein gewöhnlicher Ozeandampfer«, sagte Sebastian. »Er hat ein Sonnendeck, ein Kino, zwei Restaurants und einen Swimmingpool. Er ist eher eine schwimmende Stadt.«

»Ein Swimmingpool wirkt irgendwie seltsam, wenn man überall von Wasser umgeben ist.«

»*Wasser, Wasser überall.*«

»Schon wieder einer deiner weniger bedeutenden englischen Dichter?«, fragte Samantha.

»Habt ihr in Amerika denn irgendwelche bedeutenden?«

»Es gibt jedenfalls einen, der ein Gedicht geschrieben hat, aus dem du etwas lernen könntest: *Nur jene stiegen in die Höhe auf und hielten dort sich lang, die nicht in vollem Lauf, sondern voll Mühe ihre Schritte taten, als ihre Kameraden noch in tiefem Schlafe lagen.«*

»Wer hat das geschrieben?«, fragte Sebastian.

»Wie viele unserer Leute sind bereits an Bord?«, fragte Lord Glenarthur, wobei er versuchte, einigermaßen in seiner Rolle zu bleiben, während der Wagen Bristol verließ und in Richtung Hafen fuhr.

»Drei Kofferträger und zwei Kellner, einer im Grill Room, einer in der zweiten Klasse sowie ein Botenjunge.«

»Können wir uns darauf verlassen, dass sie in einem strengen Verhör dichthalten?«

»Zwei der Träger und einer der Kellner sind handverlesen. Der Botenjunge wird nur wenige Minuten lang an Bord sein, und sobald er die Blumen abgegeben hat, wird er sich auf schnellstem Weg nach Belfast machen.«

»Nachdem wir eingecheckt haben, kommst du am besten um neun in meine Kabine, Brendan. Dann sitzen die meisten Passagiere beim Dinner, und du hast mehr als genug Zeit, deine Ausrüstung vorzubereiten.«

»Sie vorzubereiten ist nicht das Problem«, erwiderte Brendan. »Ich mache mir mehr Sorgen darüber, wie ich den großen Koffer an Bord schaffen kann, ohne dass jemand Verdacht schöpft.«

»Zwei Träger kennen das Nummernschild dieses Wagens«, sagte der Chauffeur, »Sie werden nach uns Ausschau halten.«

»Wie macht sich mein Akzent?«, fragte Glenarthur.

»Mich zu täuschen, hast du geschafft, aber ich bin kein englischer Gentleman. Und wir müssen darauf hoffen, dass niemand an Bord ist, der Lord Glenarthur wirklich kennt.«

»Unwahrscheinlich. Er ist über achtzig, und seit seine Frau vor zehn Jahren gestorben ist, hat man ihn nicht mehr in der Öffentlichkeit gesehen.«

»Ist er nicht ein entfernter Verwandter der Barringtons?«, fragte Brendan.

»Deshalb habe ich mich ja auch für ihn entschieden. Wenn der SAS jemanden an Bord hat, werden sie im *Who's Who* nachsehen und annehmen, dass ich zur Familie gehöre.«

»Aber was ist, wenn du zufällig ein Mitglied der Familie triffst?«

»Mit dem, was wir vorhaben, werden wir kein einziges Mitglied dieser Familie *zufällig* treffen.« Der Chauffeur kicherte. »Und jetzt sag mir, wie ich in meine andere Kabine komme, nachdem ich den Knopf gedrückt habe.«

»Ich werde dir um neun den Schlüssel geben. Weißt du noch, wo sich die öffentliche Toilette auf Deck sechs befindet? Denn dort wirst du dich umziehen müssen, nachdem du deine Kabine zum letzten Mal verlassen hast.«

»Sie liegt gegenüber der Erster-Klasse-Lounge. Und es handelt sich übrigens um einen Waschraum, nicht um eine Toilette, alter Junge«, sagte Lord Glenarthur. »Kleine Fehler wie dieser können dafür sorgen, dass man herausfindet, wer ich wirklich bin. Vergiss nicht, dieses Schiff ist ein perfektes Abbild der englischen Gesellschaft. Die Oberklasse pflegt keinen Kontakt zur zweiten Klasse, und niemand aus der zweiten Klasse käme auf die Idee, sich mit jemandem aus der Touristenklasse zu unterhalten. Weshalb es für uns beide möglicherweise nicht ganz einfach werden wird, zueinander Kontakt aufzunehmen.«

»Aber ich habe gelesen, dass dies das erste Schiff dieser Art mit einem Telefon in jeder Kabine ist«, sagte Brendan. »Wenn es also irgendwelche Probleme gibt, kannst du einfach die 712 wählen. Wenn ich nicht abnehme, haben wir immer noch unseren Kellner im Grill Room. Er heißt Jimmy, und er …«

Colonel Scott-Hopkins sah nicht in Richtung der *Buckingham*. Er und seine Kollegen musterten die Menge am Kai und hielten Ausschau nach ganz bestimmten Iren. Bisher hatte Scott-Hopkins noch niemanden entdeckt, den er kannte. Captain Hartley und Sergeant Roberts, die beide im Dienst des SAS in Nordirland gewesen waren, zogen ebenfalls nur Nieten. Doch Corporal Crann entdeckte ihn.

»Vier Uhr. Er steht alleine am hinteren Ende der Menge. Er sieht sich nicht das Schiff an, sondern die Passagiere.«

»Was zum Teufel macht er da?«

»Vielleicht sucht er jemanden, genau wie wir. Aber wen?«

»Ich weiß es nicht«, sagte Scott-Hopkins. »Aber lassen Sie ihn nicht aus den Augen, Crann. Und wenn er mit jemandem spricht oder versucht, an Bord zu gehen, will ich das sofort wissen.«

»Ja, Sir«, antwortete Crann und begann, sich langsam durch die Menge auf sein Ziel zuzuschieben.

»Sechs Uhr«, sagte Captain Hartley.

Der Colonel sah in die entsprechende Richtung. »Oh mein Gott, das hat uns gerade noch gefehlt.«

»Sobald ich aus dem Wagen gestiegen bin, verschwindest du, Brendan, denn ich nehme an, dass es in dieser Menge einige Leute gibt, die nach dir suchen«, sagte Lord Glenarthur. »Ich erwarte dich dann um neun in meiner Kabine.«

»Ich habe gerade Cormac und Declan entdeckt«, sagte der Chauffeur. Er ließ die Scheinwerfer ein Mal aufblenden, und sofort eilten die beiden Träger zu ihnen, wobei sie mehrere andere Reisende ignorierten, die ebenfalls Hilfe gebraucht hätten.

»Nicht aussteigen«, sagte Glenarthur zu seinem Chauffeur. Nur gemeinsam schafften es die beiden Träger, den schweren Koffer aus dem Kofferraum zu hieven. Dann stellten sie ihn so sanft auf einen Handkarren, als handle es sich um ein Neugeborenes. Nachdem einer von ihnen den Kofferraum wieder geschlossen hatte, sagte Glenarthur: »Wenn du wieder in London bist, solltest du Eaton Square Nummer 44 im Auge behalten. Nachdem Martinez seinen Rolls-Royce verkauft hat, habe ich so das Gefühl, dass er versuchen wird, sich aus dem Staub zu machen.« Er wandte sich wieder an Brendan. »Wir sehen uns um neun«, fügte er hinzu, stieg aus dem Wagen und schob sich mitten hinein in die Menge.

»Wann soll ich die Lilien abliefern?‹«, flüsterte ein junger Mann, der plötzlich neben Lord Glenarthur erschien.

»Etwa dreißig Minuten bevor das Schiff die Anker lichten wird. Und dann solltest du dafür sorgen, dass wir uns nie wiedersehen, es sei denn in Belfast.«

Don Pedro stand am Rand der Menge und sah, wie ein Fahrzeug, das er kannte, in einiger Entfernung vom Schiff anhielt.

Er war nicht überrascht, dass dieser besondere Chauffeur nicht ausstieg, als wie aus dem Nichts zwei Träger erschienen, den Kofferraum öffneten und einen großen Reisekoffer auf einen Handkarren luden, den sie danach langsam in Richtung Schiff zu schieben begannen. Zwei Männer – der eine deutlich älter, der andere Mitte dreißig – stiegen aus dem Fond des Wagens. Der Ältere, den Don Pedro noch nie zuvor gesehen hatte, überwachte das Verladen des Gepäcks, während er mit den Trägern plauderte. Don Pedro sah sich nach dem anderen

Mann um, doch dieser war bereits in der Menge verschwunden.

Wenige Augenblicke später wendete der Wagen und fuhr davon. Üblicherweise öffneten Chauffeure demjenigen, den sie fuhren, die Tür, halfen beim Entladen des Gepäcks und warteten dann auf weitere Anweisungen. Dieser Chauffeur nicht. Es war offensichtlich, dass er nicht so lange in der Nähe bleiben wollte, bis ihn jemand erkannte, besonders nicht, da am Kai eine so große Polizeipräsenz herrschte.

Don Pedro war sicher, dass das, was die IRA geplant hatte, viel eher während der Reise stattfinden würde und nicht, wenn die *Buckingham* noch vor Anker lag. Nachdem der Wagen verschwunden war, reihte sich Don Pedro in eine lange Schlange ein, um auf ein Taxi zu warten. Inzwischen hatte er keinen Fahrer und kein Auto mehr. Er ärgerte sich immer noch über den schlechten Preis, den er für den Rolls-Royce bekommen hatte, weil er auf Barzahlung bestand.

Nach einer Weile erreichte er den vordersten Platz in der Schlange und bat den Taxifahrer, ihn zum Bahnhof Temple Meads zu bringen. Im Zug nach Paddington dachte er darüber nach, was er für den folgenden Tag geplant hatte. Er hatte nicht die Absicht, die zweite Rate in Höhe von zweihundertfünfzigtausend Pfund zu bezahlen, was nicht zuletzt daran lag, dass er das Geld nicht besaß. In seinem Safe lagen noch knapp über dreiundzwanzigtausend Pfund, und weitere viertausend hatte ihm der Verkauf des Rolls-Royce eingebracht. Wenn es ihm gelang, London zu verlassen, bevor die IRA ihren Teil der Abmachung erfüllt hatte, würde man ihn, so dachte er, wohl kaum bis nach Buenos Aires verfolgen.

»War er es?«, fragte der Colonel.

»Möglicherweise, aber ich bin mir nicht sicher«, erwiderte Hartley. »Heute sind hier jede Menge Chauffeure mit Schirmmützen und dunklen Brillen unterwegs, und als ich nahe genug an ihn herangekommen war, um ihn mir genauer anzusehen, war er schon wieder auf dem Weg zurück zum Tor.«

»Hast du gesehen, wen er abgesetzt hat?«

»Sehen Sie sich um, Sir. Es könnte jeder der vielen Hundert Passagiere sein, die gerade an Bord gehen«, sagte Harley, als jemand den Colonel streifte.

»Pardon«, sagte Lord Glenarthur, hob seinen Hut, lächelte dem Colonel zu, begab sich zur Rampe für die Passagiere und betrat das Schiff.

»Eine großartige Kabine«, sagte Samantha, als sie, in ein Handtuch gewickelt, aus der Dusche kam. »Sie haben an alles gedacht, was ein Mädchen so brauchen kann.«

»Das liegt daran, dass meine Mutter jedes Zimmer inspiziert hat.«

»Jedes einzelne?«, fragte Samantha ungläubig.

»Du solltest lieber mal davon ausgehen. Es ist nur schade, dass sie nicht an alles gedacht hat, was ein Junge so brauchen kann.«

»Was könnte dir denn noch fehlen?«

»Für den Anfang vielleicht ein Doppelbett. Findest du nicht, dass es ein wenig früh in unserer Beziehung ist, schon in getrennten Betten zu schlafen?«

»Spiel hier nicht den Schwächling, Seb. Schieb sie einfach zusammen.«

»Ich wollte, das wäre so einfach, aber die Betten sind im Boden verschraubt.«

»Dann nimm die Matratzen raus«, sagte sie, wobei sie sehr

langsam sprach, »und leg sie nebeneinander. So können wir einfach auf dem Boden schlafen.«

»Das habe ich bereits versucht. Aber hier ist kaum genügend Platz, um eine Matratze auf den Boden zu legen, ganz zu schweigen von zwei.«

»Wenn du nur genug verdienen würdest, damit wir uns eine Erster-Klasse-Kabine leisten könnten, dann wäre das überhaupt kein Problem«, sagte sie mit einem übertriebenen Seufzer.

»Wenn ich so weit bin, um mir das zu leisten, schlafen wir beide wahrscheinlich ohnehin in getrennten Betten.«

»Kommt nicht infrage«, sagte Samantha und ließ ihr Handtuch zu Boden fallen.

»Guten Abend, Mylord. Mein Name ist Braithwaite. Ich bin der Senior Steward auf diesem Deck. Ich möchte Ihnen sagen, welche Freude es für uns ist, Sie an Bord zu haben. Wenn Sie irgendetwas benötigen, sei es bei Tag oder bei Nacht, nehmen Sie bitte einfach nur den Hörer ab, wählen Sie die 100, und sofort wird Ihnen jemand zur Verfügung stehen.«

»Vielen Dank, Braithwaite.«

»Möchten Sie, dass ich Ihre Koffer auspacke, während Sie sich zum Dinner begeben, Mylord?«

»Nein, das ist sehr freundlich von Ihnen, aber die Fahrt von Schottland hierher war recht anstrengend, weshalb ich mich wohl ausruhen und auf das Dinner verzichten werde.«

»Wie Sie wünschen, Mylord.«

»Ehrlich gesagt«, fuhr Lord Glenarthur fort und nahm eine Fünf-Pfund-Note aus seiner Brieftasche, »möchte ich Sie sogar darum bitten, dafür zu sorgen, dass ich vor sieben Uhr morgen früh nicht gestört werde, wenn ich gedenke, eine Tasse Tee und etwas Toast mit Orangenmarmelade zu mir zu nehmen.«

»Braun oder weiß, Mylord?«

»Braun wäre ganz vorzüglich, Braithwaite.«

»Ich werde das *Bitte nicht stören*-Schild an Ihre Tür hängen, sodass Sie sich nun zur Ruhe begeben können. Gute Nacht, Mylord.«

Kurz nachdem sie ihre Kabinen bezogen hatten, trafen sich die vier Männer in der Schiffskapelle.

»Ich kann mir nicht vorstellen, dass wir während der nächsten Tage besonders viel Schlaf bekommen werden«, sagte Scott-Hopkins. »Nachdem wir diesen Wagen gesehen haben, müssen wir davon ausgehen, dass sich eine IRA-Zelle an Bord befindet.«

»Warum sollte die IRA an der *Buckingham* interessiert sein, wo sie doch zu Hause schon genügend Probleme hat?«, fragte Corporal Crann.

»Weil niemand mehr an diese Probleme zu Hause denken würde, wenn es der IRA gelänge, ein Schiff wie die *Buckingham* zu versenken.«

»Aber Sie glauben doch nicht …«, begann Hartley.

»Es empfiehlt sich immer, mit dem Schlimmsten zu rechnen und davon auszugehen, dass der Gegner genau das im Sinn hat.«

»Aber wo sollten die das Geld für eine solche Operation herbekommen?«

»Von dem Mann, den Sie an der Kaimauer gesehen haben.«

»Aber er ist doch gar nicht an Bord gegangen, sondern hat den nächsten Zug zurück nach London genommen«, sagte Roberts.

»Würden Sie an Bord gehen, wenn Sie wüssten, was geplant ist?«

»Wenn er nur an den Familien Barrington und Clifton interessiert ist, schränkt das wenigstens die Zahl der möglichen Ziele ein, denn diese befinden sich alle auf demselben Deck.«

»Nicht ganz«, sagte Roberts. »Sebastian Clifton und seine Freundin haben Kabine 728. Sie könnten genauso gut eines der Ziele sein.«

»Ich glaube nicht«, sagte der Colonel. »Wenn die IRA die Tochter eines amerikanischen Diplomaten umbringen würde, kann man davon ausgehen, dass die Geldquellen in den Vereinigten Staaten über Nacht versiegen würden. Ich denke, wir sollten uns auf die Erster-Klasse-Kabinen auf Deck eins konzentrieren, denn wenn es der IRA gelingen würde, Mrs. Clifton und zusätzlich das eine oder andere Mitglied ihrer Familie umzubringen, wäre die Jungfernfahrt zugleich die allerletzte Fahrt der *Buckingham*. Deshalb werden wir«, fuhr der Colonel fort, »für den Rest der Reise in Vier-Stunden-Schichten arbeiten. Hartley, Sie übernehmen die Kabinen in der ersten Klasse bis zwei Uhr nachts. Dann übernehme ich und wecke Sie wieder kurz vor sechs. Crann und Roberts werden in der zweiten Klasse genauso vorgehen, denn ich glaube, dass die Zelle sich dort versteckt hält.«

»Nach wie vielen Personen suchen wir?«, fragte Crann.

»Für eine solche Operation befinden sich mindestens drei bis vier Mann an Bord, getarnt als Reisende oder Besatzungsmitglieder. Wenn Ihnen also irgendjemand auffällt, den Sie schon einmal in den Straßen Nordirlands gesehen haben, dann dürfte das kein Zufall sein. Denken Sie unbedingt daran, mich unverzüglich zu informieren. Und wo wir schon dabei sind: Konnten Sie die Namen der Passagiere feststellen, die die letzten beiden Kabinen auf Deck eins gebucht haben?«

»Ja, Sir«, sagte Hartley. »Mr. und Mrs. Asprey, Kabine fünf.«

»Ich habe meiner Frau verboten, ihr Geschäft zu betreten, es sei denn mit einem anderen Mann.«

»Und Lord Glenarthur in Kabine drei. Ich habe ihn im *Who's Who* nachgeschlagen. Er ist vierundachtzig und war mit der Schwester von Lord Harvey verheiratet, also muss er der Großonkel von Mrs. Clifton sein.«

»Und warum hängt ein *Bitte nicht stören*-Schild an seiner Tür?«, fragte der Colonel.

»Er hat dem Steward gesagt, dass ihn die lange Reise von Schottland hierher erschöpft hat.«

»Tatsächlich?«, erwiderte der Colonel. »Trotzdem sollten wir ihn besser im Auge behalten, auch wenn ich mir nicht vorstellen kann, wie ein Vierundachtzigjähriger der IRA von Nutzen sein könnte.«

Plötzlich wurde die Tür geöffnet. Alle drehten sich um und sahen, wie der Kaplan hereinkam. Er lächelte den vier Männern warmherzig zu, die mit Gebetbüchern in den Händen vor dem Altar knieten.

»Kann ich Ihnen helfen?«, fragte er, während er durch den Mittelgang auf sie zukam.

»Nein, danke, Vater«, sagte der Colonel. »Wir wollten gerade gehen.«

47

»Wird heute Abend von mir erwartet, dass ich einen Smoking trage?«, fragte Harry, nachdem er seinen Koffer ausgepackt hatte.

»Nein. In der ersten und der letzten Nacht auf dem Schiff sind die Kleidervorschriften weniger streng.«

»Und was besagt das? Die Bedeutung einer solchen Vorschrift scheint sich nämlich mit jeder Generation zu ändern.«

»Für dich bedeutet das Anzug und Krawatte.«

»Wird uns jemand beim Dinner Gesellschaft leisten?«, fragte Harry, als er seinen einzigen Anzug aus dem Schrank nahm.

»Giles, Seb und Sam. Die Familie bleibt also unter sich.«

»Ach, Sam gehört zur Familie?«

»Seb scheint davon auszugehen.«

»Dann hat der Junge wirklich Glück. Obwohl ich gestehen muss, dass *ich* mich besonders darauf freue, Bob Bingham näher kennenzulernen. Ich hoffe, wir werden einmal mit ihm und seiner Frau zu Abend essen. Wie heißt sie eigentlich?«

»Priscilla. Aber ich muss dich warnen. Die beiden könnten nicht unterschiedlicher sein.«

»Was soll das heißen?«

»Ich werde kein Wort sagen, bis du ihr begegnet bist, und dann kannst du dir ohnehin selbst ein Urteil bilden.«

»Klingt interessant. Auch wenn dieses *ich muss dich warnen* schon in eine ganz bestimmte Richtung deutet. Aber sei's drum. Ich habe bereits entschieden, dass Bob mehrere Seiten in meinem nächsten Buch einnehmen wird.«

»Als Held oder als Schurke?«

»Das weiß ich noch nicht.«

»Worum wird es gehen?«, fragte Emma und öffnete ihren Schrank.

»William Warwick und seine Frau machen Urlaub auf einem Luxusliner.«

»Und wer ermordet wen?«

»Der arme, unterdrückte Ehemann der Vorstandsvorsitzenden der Reederei bringt seine Frau um und brennt mit der Schiffsköchin durch.«

»Aber William Warwick wird den Fall längst gelöst haben, bevor das Schiff den Hafen erreicht, und der hinterhältige Ehemann wird den Rest seines Lebens im Gefängnis verbringen.«

»Nein, das wird er nicht«, erwiderte Harry und entschied, welche seiner beiden Krawatten er zum Dinner tragen würde. »Auf dem Schiff ist Warwick nicht befugt, eine Festnahme durchzuführen, und der Ehemann kommt mit seiner Tat durch.«

»Aber wenn es ein englisches Schiff ist, würde der Ehemann der englischen Gerichtsbarkeit unterstehen.«

»Ah, genau das ist der entscheidende Punkt. Aus Steuergründen fährt das Schiff unter einer Billigflagge, in diesem Fall unter der Flagge Liberias, weshalb er nur den örtlichen Polizeichef bestechen muss, damit die Sache nie vor Gericht kommt.«

»Brillant«, sagte Emma. »Warum habe ich nicht daran gedacht? Es würde alle meine Probleme lösen.«

»Wenn ich dich umbringe, würde das alle deine Probleme lösen?«

»Nein, du Dummkopf. Aber wenn ich keine Steuern mehr

zahlen müsste. Ich denke, ich sollte dich in den Vorstand berufen.«

»Solltest du so etwas tun, würde ich dich umbringen«, sagte Harry und nahm sie in die Arme.

»Eine Billigflagge«, wiederholte Emma. »Ich frage mich, wie der Vorstand auf eine solche Idee reagieren würde.« Sie nahm zwei Kleider aus dem Schrank und hielt sie hoch. »Welches von beiden, das rote oder das schwarze?«

»Hast du nicht gesagt, dass die Kleidervorschriften heute weniger streng sind?«

»Für die Vorstandsvorsitzende sind sie immer gleich streng«, sagte Emma gerade, als beide ein Klopfen hörten.

»Aber gewiss doch«, sagte Harry. Er öffnete die Tür und sah sich dem Senior Steward gegenüber.

»Guten Abend, Sir. Ihre Majestät, die Königinmutter, hat der Vorstandsvorsitzenden Blumen geschickt«, sagte Braithwaite in einem Ton, als käme so etwas jeden Tag vor.

»Zweifellos Lilien«, sagte Harry.

»Woher hast du das gewusst?«, fragte Emma, als ein kräftiger junger Mann, der eine große Vase voller Lilien in den Händen hielt, ins Zimmer kam.

»Das waren die ersten Blumen, die der Duke of York ihr geschenkt hat, lange bevor sie Königin wurde.«

»Würden Sie sie bitte auf den Tisch in der Mitte der Kabine stellen?«, bat Emma den jungen Mann und sah sich die Karte an, die in den Blumen steckte. Sie wollte sich bei dem Mann bedanken, doch er war gleich wieder verschwunden.

»Was steht auf der Karte?«, fragte Harry.

»›Ich danke Ihnen für einen unvergesslichen Tag in Bristol. Ich hoffe, mein zweites Zuhause erlebt eine erfolgreiche Jungfernfahrt.‹«

»Sie weiß wirklich, wie man solche Dinge macht«, sagte Harry.

»Wie aufmerksam von ihr«, sagte Emma. »Ich glaube zwar nicht, dass die Blumen noch lange halten werden, nachdem wir New York erreicht haben, Braithwaite, aber die Vase würde ich gerne behalten. Als eine Art Erinnerung.«

»Ich könnte die Lilien ersetzen, während Sie in New York an Land sind, Chairman.«

»Das ist überaus aufmerksam von Ihnen, Braithwaite. Vielen Dank.«

»Emma hat mir gesagt, dass du der nächste Vorstandsvorsitzende werden willst«, sagte Giles und setzte sich an die Bar.

»An welchen Vorstand hat sie denn dabei gedacht?«, fragte Sebastian.

»An den von Barrington's, würde ich vermuten.«

»Nein. Ich glaube, Mutter hat noch jede Menge Benzin im Tank. Aber sollte sie mich fragen, würde ich darüber nachdenken, ob ich dem Vorstand angehören möchte.«

»Wie überaus großzügig von dir«, sagte Giles, als der Barkeeper einen Whiskey-Soda vor ihn stellte.

»Eigentlich bin ich eher an Farthings interessiert.«

»Findest du nicht, dass du mit vierundzwanzig noch ein wenig zu jung dafür bist, um der Vorstandsvorsitzende einer Bank zu werden?«

»Wahrscheinlich hast du recht. Aus diesem Grund versuche ich auch, Mr. Hardcastle davon zu überzeugen, dass er erst in Pension geht, wenn er siebzig ist.«

»Aber selbst dann bist du erst neunundzwanzig.«

»Als du zum ersten Mal ins Parlament gewählt wurdest, warst du vier Jahre jünger.«

»Stimmt. Aber Minister wurde ich erst mit vierundvierzig.«

»Nur weil du der falschen Partei angehörst.«

Giles lachte. »Vielleicht endest du ja auch eines Tages im Unterhaus, Seb.«

»Wenn das geschehen sollte, Onkel Giles, wirst du quer durch den ganzen Saal blicken müssen, wenn du mich sehen willst, denn ich werde auf einer der gegenüberliegenden Bänke sitzen. Davon abgesehen habe ich ohnehin die Absicht, zunächst einmal ein Vermögen zu machen, bevor ich versuchen werde, diesen besonders rutschigen Pfahl hinaufzuklettern.«

»Und wer ist dieses schöne Wesen?«, fragte Giles und glitt von seinem Hocker, als Samantha sich zu ihnen gesellte.

»Das ist meine Freundin Sam«, sagte Sebastian, dem es nicht gelang, seinen Stolz zu verbergen.

»Da hätten Sie aber etwas Besseres abbekommen können«, sagte Giles, indem er sie anlächelte.

»Ich weiß«, erwiderte Samantha. »Aber eine arme Immigrantin wie ich kann es sich nicht erlauben, allzu wählerisch zu sein.«

»Sie sind Amerikanerin«, sagte Giles.

»Ja. Ich glaube, Sie kennen meinen Vater, Patrick Sullivan.«

»Ich kenne Pat tatsächlich und habe die allergrößte Hochachtung vor ihm. Ehrlich gesagt hatte ich immer den Eindruck, dass London nur eine Zwischenstation in seiner schon jetzt beeindruckenden Laufbahn ist.«

»Genauso empfinde ich gegenüber Sebastian«, sagte Samantha und nahm Sebastians Hand. Giles lachte, als Emma und Harry in den Grill Room kamen.

»Was gibt es denn so Witziges?«, fragte Emma.

»Sam hat deinem Sohn gerade klargemacht, wo sein Platz

ist. *Ich könnte die Dirn' für diesen Anschlag zur Frau nehmen*«, sagte Giles und verbeugte sich vor Samantha.

»Oh, ich glaube nicht, dass Sebastian irgendetwas mit Junker Tobias gemeinsam hat«, sagte Samantha. »Wenn ich so darüber nachdenke, ist er wohl eher wie Sebastian.«

»*Das könnte auch ich*«, sagte Emma.

»Nein«, sagte Harry. »*Das könnte ich auch. Und wollte keine andere Aussteuer von ihr verlangen als noch einen solchen Schwank.*«

»Ich verstehe gar nichts mehr«, sagte Sebastian.

»Wie ich schon sagte, Sam, Sie hätten etwas Besseres abbekommen können. Aber ich bin sicher, Sie werden es Seb später erklären. Übrigens, Emma«, sagte Giles, »umwerfendes Kleid. Rot steht dir.«

»Danke, Giles. Morgen trage ich Blau. Dann wirst du dir ein neues Kompliment ausdenken müssen.«

»Kann ich Ihnen einen Drink bringen, Chairman«, neckte Harry, der sich selbst nach einem Gin Tonic sehnte, seine Frau.

»Nein, danke, Liebling. Ich bin halb verhungert. Vielleicht sollten wir uns also einfach zu Tisch begeben.«

Giles blinzelte Harry zu. »Schon als wir zwölf Jahre alt waren, habe ich dich vor dieser Frau gewarnt, aber du hast es vorgezogen, meinen Rat zu ignorieren.«

Auf dem Weg zu einem Tisch in der Mitte des Saals blieb Emma stehen, um kurz mit Ross und Jean Buchanan zu plaudern. »Wie ich sehe, haben Sie Ihre Frau zurückbekommen, Ross, aber was ist mit Ihrem Wagen?«

»Als ich ein paar Tage später wieder nach Edinburgh gefahren bin«, antwortete Ross und erhob sich, »stand er abgeschlossen auf einem Polizeigelände. Die Rückgabe hat mich ein Vermögen gekostet.«

»Nicht so viel wie die hier«, sagte Jean und legte eine Hand auf ihre Perlenkette.

»Ein Vom-Haken-lassen-Geschenk«, erklärte Ross.

»Und gleichzeitig haben Sie dafür gesorgt, dass unsere Firma vom Haken gelassen wurde«, sagte Emma, »wofür wir Ihnen ewig dankbar sein werden.«

»Danken Sie nicht mir«, widersprach Ross. »Danken Sie Cedric.«

»Ich hätte mich sehr gefreut, wenn er es für angebracht gehalten hätte, diese Reise mit uns zu machen«, sagte Emma.

»Wollten Sie lieber einen Jungen oder ein Mädchen?«, fragte Samantha, als der Oberkellner ihren Stuhl vom Tisch rückte, damit sie sich setzen konnte.

»Ich habe Gwyneth keine Wahl gelassen«, antwortete Giles. »Ich habe ihr gesagt, dass es ein Junge werden muss.«

»Warum?«

»Aus rein praktischen Gründen. Ein Mädchen kann den Familientitel nicht erben. In England läuft alles über die männliche Linie.«

»Wie archaisch«, erwiderte Samantha. »Und ich dachte immer, dass die Briten zivilisierte Menschen seien.«

»Nicht, wenn es um die Erbfolge geht.« Die drei Männer standen auf, als Emma an den Tisch trat.

»Aber Mrs. Clifton ist die Vorstandsvorsitzende von Barrington's.«

»Und wir haben eine Königin auf dem Thron. Aber machen Sie sich keine Sorgen, Sam. Irgendwann werden wir diese alten Reaktionäre besiegen.«

»Nicht, wenn meine Partei wieder an die Macht kommt«, sagte Sebastian.

»Dazu wird es erst kommen, wenn die Dinosaurier wieder durchs Land streifen«, sagte Giles und sah ihn an.

»Wer hat das gesagt?«, fragte Samantha.

»Der Mann, der mich besiegt hat.«

Brendan klopfte nicht an, sondern drehte nur den Türknauf und trat ein, wobei er gleichzeitig einen Blick zurück warf, um sicher zu sein, dass ihm niemand gefolgt war. Er wollte niemandem erklären müssen, was ein junger Mann aus der zweiten Klasse um diese Zeit in der Nacht in der Kabine eines Peers zu suchen hatte. Obwohl natürlich niemand einen solchen Vorfall kommentiert hätte.

»Müssen wir mit irgendwelchen Störungen rechnen?«, fragte Brendan, nachdem er die Tür geschlossen hatte.

»Niemand wird uns vor sieben Uhr morgen früh behelligen, und dann wird nicht mehr viel übrig sein, das man noch irgendwie stören könnte.«

»Gut«, sagte Brendan. Er ließ sich auf die Knie sinken, schloss den großen Koffer auf, klappte den Deckel zurück und musterte die komplexe Maschinerie, deren Konstruktion ihn über einen Monat gekostet hatte. Während der nächsten halben Stunde stellte er sicher, dass es nirgendwo lose Drähte gab, jedes Zifferblatt sich an der vorgesehenen Stelle befand und die Uhr sich mit dem einfachen Umlegen eines Schalters starten ließ. Erst nachdem er sich davon überzeugt hatte, dass alles perfekt funktionieren würde, erhob er sich wieder.

»Wann soll das Gerät aktiviert werden?«, fragte er.

»Um drei Uhr nachts. Ich brauche dreißig Minuten, um das alles hier loszuwerden«, sagte Glenarthur und berührte sein Doppelkinn. »Und dann muss ich immer noch genügend Zeit haben, um in meine andere Kabine zu gelangen.«

Brendan wandte sich erneut dem großen Koffer zu und stellte den Timer auf drei Uhr ein. »Kurz bevor du gehst, musst du nichts weiter tun, als diesen Schalter umzulegen und dich zu versichern, dass sich der Sekundenzeiger bewegt.«

»Was kann schiefgehen?«

»Nichts, wenn sich die Lilien noch immer in ihrer Kabine befinden. Niemand auf diesem Flur wird überleben, wahrscheinlich sogar niemand auf dem Deck darunter. In der Erde unter den Blumen befinden sich sechs Pfund Dynamit, viel mehr, als wir eigentlich bräuchten, aber so kann niemand irgendwelche Zweifel daran hegen, dass wir unser Geld bekommen werden.«

»Hast du meinen Schlüssel?«

»Ja«, sagte Brendan. »Kabine 706. Dein neuer Pass und deine Bordkarte liegen unter dem Kopfkissen.«

»Gibt es sonst noch etwas, worüber ich mir Gedanken machen müsste?«

»Nein. Du musst dich nur davon überzeugen, dass sich der Sekundenzeiger bewegt, bevor du gehst.«

Glenarthur lächelte. »Wir sehen uns zu Hause in Belfast. Und sollten wir im selben Rettungsboot landen, ignorier mich.«

Brendan nickte, ging zur Tür und öffnete sie vorsichtig. Er spähte hinaus in den Flur. Noch kam niemand vom Dinner in seine Kabine zurück. Rasch ging er ans andere Ende des Korridors und öffnete eine Tür mit der Aufschrift *Nur im Notfall zu benutzen*. Leise zog er die Tür hinter sich zu und ging eine laut hallende Metalltreppe hinab. Niemand begegnete ihm. In etwa fünf Stunden würden sich auf dieser Treppe zahlreiche von Panik erfüllte Menschen drängen und sich fragen, ob das Schiff einen Eisberg gerammt hatte.

Als er Deck sieben erreichte, schob er die dortige Notausgangstür auf und spähte erneut nach draußen. Immer noch war niemand zu sehen. Er folgte dem schmalen Korridor zu seiner Kabine. Unterdessen kehrten einige wenige Menschen vom Dinner in ihre Zimmer zurück, doch niemand zeigte auch nur das geringste Interesse an ihm. Über die Jahre hatte Brendan es zu einer regelrechten Kunstform erhoben, sich unerkannt fortzubewegen. Er schloss die Kabinentür auf und ließ sich, kaum dass er sein Zimmer betreten hatte, aufs Bett fallen. Seine Aufgabe war erledigt. Er warf einen Blick auf die Uhr. 21:50 Uhr. Er würde noch lange warten müssen.

»Jemand ist um kurz nach neun in Lord Glenarthurs Kabine verschwunden«, sagte Hartley, »aber ich habe ihn noch nicht wieder herauskommen sehen.«

»Es könnte der Steward gewesen sein.«

»Unwahrscheinlich, Colonel, denn das *Bitte nicht stören*-Schild hing noch an seiner Tür, und derjenige, der da gekommen ist, hat nicht angeklopft. Genau genommen ist er hineingegangen, als handle es sich um seine eigene Kabine.«

»Dann wäre es wohl besser, wenn Sie die Tür im Auge behalten, und wenn irgendjemand herauskommt, sollten Sie ihn keinesfalls aus den Augen verlieren. Ich werde in die zweite Klasse zu Crann gehen und hören, ob er etwas zu berichten hat. Wenn nicht, werde ich versuchen, mich ein paar Stunden aufs Ohr zu hauen. Um zwei übernehme ich dann Ihre Wache. Sollte irgendetwas passieren, das Ihnen dubios erscheint, dann zögern Sie nicht, mich unverzüglich zu wecken.«

»Was hast du für uns geplant, wenn wir nach New York kommen?«, fragte Sebastian.

»Da wir nur sechsunddreißig Stunden im Big Apple sein werden«, sagte Samantha, »können wir es uns nicht erlauben, Zeit zu verschwenden. Am Vormittag werden wir das Metropolitan Museum besuchen, gefolgt von einem kurzen Spaziergang durch den Central Park und einem Mittagessen bei Sardi's. Am Nachmittag gehen wir in die Frick, und für den Abend hat uns Dad Karten für *Hello, Dolly!* mit Carol Channing besorgt.«

»Dann bleibt uns also gar keine Zeit, shoppen zu gehen?«

»Ich werde dir erlauben, dass du kurz über die Fifth Avenue schlenderst, aber nur zu einem Schaufensterbummel. Du könntest dir nicht einmal eine kleine Schachtel von Tiffany's leisten, ganz zu schweigen von dem, was darin sein sollte. Aber wenn du ein Andenken an unseren Aufenthalt möchtest, werden wir bei Macy's an der West Thirty-fourth Street vorbeischauen, wo du zwischen eintausend Angeboten zu weniger als einem Dollar wählen kannst.«

»Hört sich ganz so an, als könnte ich das gerade noch ausgeben. Übrigens, was ist die Frick?«

»Die Lieblingsgalerie deiner Schwester.«

»Aber Jessica war nie in New York.«

»Das hat sie nicht daran gehindert, jedes Gemälde in jedem einzelnen Saal zu kennen. Dort wirst du auch ihr Lieblingsbild sehen.«

»*Die unterbrochene Musikstunde* von Vermeer.«

»Nicht schlecht«, sagte Samantha.

»Nur noch eine Frage, bevor ich das Licht ausschalte. Wer ist Sebastian?«

»Er ist nicht Viola.«

»Sam ist ziemlich beeindruckend, findest du nicht auch?«, sagte Emma, als sie und Harry den Grill Room verließen und die große Treppe zu ihrer Kabine auf Deck eins hinaufgingen.

»Dafür kann Seb sich bei Jessica bedanken«, sagte Harry und nahm ihre Hand.

»Ich wünschte mir so sehr, sie könnte diese Reise mit uns machen. Schon jetzt hätte sie jeden gezeichnet, den Kapitän auf der Brücke, Braithwaite, der den Nachmittagstee serviert, und sogar Perseus.«

Harry runzelte die Stirn, als sie schweigend den Flur entlanggingen. Es verging kein Tag, an dem er sich keine Vorwürfe machte, weil er Jessica nicht gesagt hatte, wer in Wahrheit ihr Vater war.

»Bist du dem Gentleman in Kabine drei schon begegnet?«, fragte Emma, womit sie ihn in seinen Gedanken unterbrach.

»Lord Glenarthur? Nein, aber ich habe seinen Namen auf der Passagierliste gesehen.«

»Könnte das derselbe Lord Glenarthur sein, der mit meiner Großtante Isobel verheiratet war?«

»Vielleicht. Wir sind ihm einmal begegnet, als wir deinen Großvater in seinem Schloss in Schottland besucht haben. Ein so sanftmütiger Mann. Er muss jetzt über achtzig sein.«

»Ich frage mich, warum er diese Jungfernfahrt mitmacht, ohne uns zuvor auch nur ein Wort zu sagen.«

»Wahrscheinlich wollte er dich nicht stören. Wir sollten ihn zum Dinner morgen Abend einladen. Schließlich ist er für uns die letzte Verbindung zu seiner Generation.«

»Nette Idee, Liebling«, sagte Emma. »Ich werde ihm eine Karte schreiben und sie ihm gleich morgen früh unter der Tür hindurchschieben.« Harry schloss die Kabinentür auf und trat beiseite, um seiner Frau den Vortritt zu lassen.

»Ich bin völlig erschöpft«, sagte Emma, beugte sich über die Lilien und roch an ihnen. »Ich weiß nicht, wie die Königinmutter das tagein, tagaus schafft.«

»Genau das ist ihre Aufgabe, solange sie auf dieser Erde weilt, und sie ist wirklich gut darin. Aber ich wette, sie wäre völlig erledigt, wenn sie versuchen würde, ein paar Tage lang die Vorstandsvorsitzende von Barrington's zu sein.«

Ein weiteres Mal las Harry die Karte Ihrer königlichen Hoheit, der Königinmutter. Eine so persönliche Botschaft. Emma hatte bereits beschlossen, die Vase in ihrem Büro zu platzieren, wenn sie wieder in Bristol wären, und jeden Montagmorgen Lilien hineinzustellen. Harry lächelte. Warum auch nicht?

Als Emma aus dem Bad kam, tauschte Harry den Platz mit ihr und zog die Tür hinter sich zu. Sie streifte ihren Morgenmantel ab und ging zu Bett. Sie war viel zu müde, um auch nur darüber nachzudenken, ob sie noch ein paar Seiten in *Der Spion, der aus der Kälte kam* lesen könnte, obwohl das Buch von einem neuen Autor stammte, den Harry ihr empfohlen hatte. Sie schaltete das Licht auf ihrer Seite des Bettes aus und sagte: »Gute Nacht, Liebling«, obwohl sie wusste, dass Harry sie nicht hören konnte.

Als Harry aus dem Bad kam, schlief sie bereits tief und fest. Er wickelte sie in ihre Decke, als sei sie ein Kind, küsste sie auf die Stirn und flüsterte: »Gute Nacht, mein Liebling.« Dann ging er ebenfalls zu Bett und lauschte amüsiert auf ihr sanftes Schnurren. Er hätte nie anzudeuten gewagt, dass sie schnarchen könnte.

Er war so stolz auf sie, als er wach im Bett lag. Der Beginn der Reise hätte nicht besser gelingen können. Er drehte sich auf seine Seite und nahm an, dass der Schlaf innerhalb weniger Minuten kommen würde, doch obwohl seine Lider bleischwer waren und er sich völlig erschöpft fühlte, konnte er nicht einschlafen. Etwas stimmte nicht.

48

Es war kurz nach zwei, als Don Pedro aufstand, und das lag nicht daran, dass er nicht schlafen konnte.

Nachdem er sich angezogen und einen kleinen Koffer gepackt hatte, ging er hinunter in sein Arbeitszimmer. Er schloss den Safe auf, entnahm ihm die letzten 23 645 Pfund und legte sie in die Tasche. Das Haus und alles, was sich darin befand, einschließlich der Armaturen, der eingebauten Bäder und der Küche, gehörte inzwischen der Bank. Wenn die Bank darauf hoffte, dass er den Rest der Überziehungssumme zurückzahlen würde, stand es Mr. Ledbury frei, nach Buenos Aires zu kommen, wo ihm Don Pedro eine nur aus zwei Worten bestehende Antwort geben würde.

Er hörte sich die Nachrichten im Radio an, doch die *Buckingham* wurde in der kurzen Zusammenfassung vorab nicht erwähnt. Er war sicher, das Land verlassen zu können, lange bevor die IRA überhaupt begriffen hätte, dass er verschwunden war. Er warf einen Blick aus dem Fenster und fluchte, als er sah, dass der Regen ununterbrochen vom Bürgersteig hochspritzte. Es dürfte wohl einige Zeit dauern, so fürchtete er, bis er ein Taxi finden konnte.

Er schaltete das Licht aus, trat ins Freie und schloss zum letzten Mal die Tür zu Eaton Square Nummer 44. Ohne allzu viel Hoffnung suchte er die Straße ab und entdeckte erfreut ein Taxi, das gerade sein beleuchtetes Freizeichen einschaltete.

Don Pedro hob einen Arm, rannte hinaus in den Regen und warf sich auf die Rückbank des Taxis. Als er die Tür zuzog, hörte er ein Klicken.

»London Airport«, sagte Don Pedro und ließ sich tiefer in den Sitz sinken.

»Ich glaube nicht«, sagte der Chauffeur.

Ein anderer Mann, der zwei Kabinen von Harry entfernt reiste, war ebenfalls hellwach, doch dieser Mann hatte gar nicht die Absicht zu schlafen. Vielmehr würde er sich gerade jetzt an die Arbeit machen.

Es war genau 2:59 Uhr, als er vollkommen ausgeruht und munter aus seinem Bett aufstand, zum großen Koffer in der Mitte der Kabine ging und dessen Deckel öffnete. Er zögerte nur einen kurzen Augenblick, und dann legte er, wie man es ihm beschrieben hatte, den entscheidenden Schalter um, welcher einen Ablauf in Gang setzte, der sich nicht mehr umkehren ließ. Nachdem er sich davon überzeugt hatte, dass sich der große schwarze Sekundenzeiger bewegte – 29:59, 29:58 –, drückte er einen kleinen Knopf an der Seite seiner Uhr und senkte den Deckel des Koffers wieder. Dann zog er eine kleine Reisetasche unter seinem Bett hervor, die alles enthielt, was er benötigte, schaltete das Licht aus, öffnete langsam die Kabinentür und sah vorsichtig hinaus auf den spärlich beleuchteten Flur. Er wartete, bis sich seine Augen an das Halbdunkel gewöhnt hatten, und als er sicher sein konnte, dass niemand in der Nähe war, trat er hinaus in den Flur und schloss leise die Tür hinter sich.

Vorsichtig setzte er einen Fuß auf den dicken königsblauen Teppichboden und ging leise den Flur entlang, wobei er aufmerksam auf jedes ungewöhnliche Geräusch lauschte. Doch er hörte nichts außer dem sanften Rhythmus der Motoren, während sich das Schiff durch die ruhige See schob. Als er das obere Ende der Treppe erreicht hatte, blieb er stehen. Das Licht auf der Treppe war ein wenig heller, doch immer noch war niemand zu sehen. Er wusste, dass sich die Lounge der ersten Klasse auf dem Deck darunter befand und eine halb verborgene Tür am gegenüberliegenden Ende der Lounge die diskrete Aufschrift *Gentlemen* trug.

Niemand kam ihm entgegen, als er die große Treppe hinabstieg, doch als er die Lounge betrat, sah er sofort den kräftig gebauten Mann, der es sich mit angewinkelten Beinen in einem Sessel bequem gemacht hatte und so wirkte, als habe er reichlich von den alkoholischen Getränken Gebrauch gemacht, die den Passagieren der ersten Klasse am ersten Abend der Jungfernfahrt kostenlos angeboten wurden.

Er schlich an dem schlafenden Gast vorbei, der ohne eine Regung zufrieden vor sich hin schnarchte, und bewegte sich auf das Zeichen am anderen Ende der Lounge zu. Als er den Waschraum betrat – er dachte schon so wie seine Gegner –, ging automatisch das Licht an, womit er nicht gerechnet hatte. Er zögerte einen Augenblick, doch dann erinnerte er sich daran, dass es sich dabei nur um eine weitere der stolzen Innovationen auf dem Schiff handelte, von denen er in der Hochglanzbroschüre gelesen hatte. Er ging zu den Waschbecken, legte seine kleine Reisetasche auf die marmorne Ablage, öffnete den Reißverschluss und entnahm ihr mehrere Lotionen, Wässerchen und sonstige Utensilien, die ihm helfen würden, sich von seinem Alter Ego zu befreien: Ein Ölfläschchen, ein besonders scharfes Rasiermesser, eine Schere und ein Tiegel Pond's Gesichtcreme würden allesamt dazu beitragen, dass nach seiner Premierenvorstellung der Vorhang fiel.

Er sah auf die Uhr. Noch immer blieben ihm siebenundzwanzig Minuten und drei Sekunden, bevor ein ganz anderer Vorhang sich heben und eine neue Vorstellung beginnen würde, in der er nichts weiter als ein Teil der von Panik erfüllten Menge wäre. Er schraubte das Ölfläschchen auf und tupfte die Flüssigkeit auf seine Wangen, seinen Hals und seine Stirn. Es dauerte nicht lange, dann setzte das Brennen ein, vor dem der Mann, von dem das Make-up stammte, ihn gewarnt hatte. Langsam löste er das schüttere graue Haarteil und legte es neben das Waschbecken. Dann hielt er inne, um im Spiegel für einen Augenblick zufrieden sein dichtes rotes, gewelltes Haar zu betrachten. Als Nächstes zog er die scheinbar von zu viel Weingenuss geröteten Wangen ab, als löse er das Pflaster über einer eben erst verheilten Wunde, und schließlich schnitt er mit der Schere das Doppelkinn weg, auf das der Mann, der das Make-up geschaffen hatte, so stolz gewesen war.

Er ließ warmes Wasser in das Waschbecken laufen und spülte sich das Gesicht ab, um die letzten Reste an Klebstoff, Farbe und künstlichem Hautgewebe zu entfernen, die sich hartnäckig an Ort und Stelle hielten. Nachdem er sich das Gesicht abgetrocknet hatte, fühlte sich seine Haut an einigen Stellen noch immer ein wenig rau an, weshalb er sie mit Pond's Cold Cream einrieb, um seine Verwandlung vollkommen zu machen.

Liam Doherty betrachtete sich erneut im Spiegel und sah, dass er innerhalb von nicht einmal zwanzig Minuten fünfzig Jahre abgeschüttelt hatte: der Traum jeder Frau. Rasch griff er nach seinem Kamm, schob sich die rote Stirnlocke zurecht und beförderte schließlich das, was von Lord Glenarthurs Gesicht übrig war, in die kleine Reisetasche. Dann beschäftigte er sich mit der Kleidung Seiner Lordschaft.

Zunächst löste er den Zierverschluss des steifen weißen Van-Heusen-Kragens, der eine dünne rote Linie auf seinem Hals hinterlassen hatte, riss die Eton-Krawatte herab und ließ beides in die Tasche fallen. Er tauschte das gestärkte weiße Hemd gegen ein einfaches graues aus Baumwolle und zog eine jener schmalen Krawatten an, wie sie alle Jungs in der Falls Road heutzutage trugen. Er schlüpfte aus den gelben Hosenträgern, sodass seine weit geschnittene graue Hose als schlaffer Stoffhaufen auf den Boden sackte, wobei sie von seinem Bauch – einem Kissen – begleitet wurde. Dann beugte er sich nach vorn und löste die Schnürsenkel von Glenarthurs schwarzen Lederhalbschuhen, streifte sie von den Füßen und legte sie ebenfalls in die Tasche. *Aus* der Tasche zog er eine eng sitzende Röhrenhose, und er konnte ein Lächeln nicht unterdrücken, als er sie anzog: keine Hosenträger, nur ein dünner Ledergürtel, den er sich in der Carnaby Street besorgt hatte, als er für eine andere Aktion nach London gekommen war. Schließlich schlüpfte er in zwei einfache braune Lederslipper, in denen niemand über einen Teppich in der ersten Klasse schreiten würde. Er warf einen Blick in den Spiegel; jetzt erkannte er sich selbst wieder.

Doherty sah auf die Uhr. Ihm blieben noch elf Minuten und einundvierzig Sekunden, um den sicheren Hafen seiner neuen Kabine zu erreichen. Es galt, keine Zeit zu verlieren, denn wenn die Bombe hochging, solange er noch in der ersten Klasse war, gäbe es nur einen Menschen, den man verdächtigen würde.

Er schob alle Lotionen und Wässerchen in seine Tasche, zog den Reißverschluss zu und eilte zur Tür. Vorsichtig öffnete er sie und spähte hinaus. Niemand war zu sehen, weder rechts noch links. Sogar der Betrunkene war verschwunden. Rasch ging er am leeren Sessel des Mannes vorbei, in dem nur noch der tiefe Abdruck eines Körpers verriet, dass jemand hier noch bis vor Kurzem gesessen hatte.

Doherty, ein Passagier der zweiten Klasse, der sich in der ersten aufhielt, eilte durch die Lounge zur großen Treppe. Er hielt erst inne, als er den Treppenabsatz auf Deck drei erreicht hatte, der eine Art Demarkationszone bildete. Als er über die rote Kette stieg, die, metaphorisch gesprochen, die Offiziere von den einfachen Soldaten trennte, gelang es ihm zum ersten Mal, sich zu entspannen: Er war zwar noch nicht in Sicherheit, aber die unmittelbare Kampfzone lag hinter ihm. Er betrat den grünen Cordteppichboden und lief vier weitere, schmalere Treppen hinab, bis er das Deck erreicht hatte, auf dem sich seine neue Unterkunft befand.

Sofort hielt er Ausschau nach Kabine 706. Er war gerade an 726 und 724 vorbeigekommen, als er einen Mann sah, der anscheinend ausgiebig gefeiert hatte und jetzt, zu dieser frühen Stunde am Morgen, erfolglos versuchte, den Schlüssel ins Schloss seiner Kabinentür zu stecken. War es überhaupt seine eigene Kabine? Doherty wandte sich ab, als er an ihm vorbeiging, obwohl der Betrunkene wahrscheinlich weder ihn noch irgendjemand sonst würde identifizieren können, nachdem der Alarm erst einmal losgegangen wäre.

Als er Kabine 706 erreicht hatte, schloss er die Tür auf, trat ein und warf einen Blick auf seine Uhr: Noch sieben Minuten und dreiundvierzig Sekunden, bevor jeder an Bord geweckt würde, gleichgültig wie tief er zuvor geschlafen haben mochte. Er ging zu seiner Koje, hob das Kissen und fand den bisher noch nie verwendeten Pass und eine neue Bordkarte, die aus Lord Glenarthur David Roscoe mit der Adresse Napier Drive 47 in Watford machte, Beruf: Maler und Dekorateur.

Er ließ sich in die Koje fallen und sah auf die Uhr: noch

sechs Minuten und neunzehn, achtzehn, siebzehn Sekunden; mehr als genug Zeit. Auch drei seiner Kameraden waren jetzt hellwach und warteten, doch sie alle würden erst wieder im Volunteer in der Falls Road miteinander sprechen, wenn sie sich auf ein paar Guinness trafen. In der Öffentlichkeit würden sie sich nie über die heutige Nacht unterhalten, denn jedem musste ihre Abwesenheit in ihren bevorzugten Pubs in Westbelfast aufgefallen sein, was sie über Monate und vielleicht sogar über Jahre hinweg zu Verdächtigen machte. Er hörte einen dumpfen Schlag einige Türen weiter und nahm an, dass der Mann, der anscheinend von einer ausgiebigen Feier gekommen war, schließlich aufgegeben hatte.

Fünf Minuten und einundzwanzig Sekunden …

Immer hatte man dieselben Befürchtungen, wenn man warten musste. Hatte man irgendwelche Spuren hinterlassen, die direkt zu einem führen würden? Waren einem Fehler unterlaufen, die die ganze Operation zum Scheitern brachten und einen daheim zur lächerlichen Figur machen würden? Er würde sich erst entspannen, wenn er in einem Rettungsboot saß, oder besser noch in einem anderen Schiff, das einen anderen Hafen anlief.

Fünf Minuten und vierzehn Sekunden …

Er wusste, dass seine Landsleute, die als Soldaten für dieselbe Sache kämpften, genauso nervös waren wie er. Das Warten war immer der schlimmste Teil einer Aktion. Man hatte keine Kontrolle mehr, und es gab nichts, das man noch hätte tun können.

Vier Minuten und elf Sekunden …

Schlimmer als ein Fußballspiel, bei dem es 1:0 steht und man weiß, dass die andere Seite stärker ist und es schaffen könnte, noch in der Nachspielzeit ein Tor zu machen. Er rief sich die Anweisungen seines Gebietskommandeurs ins Gedächtnis: *Achtet darauf, dass ihr zu den Ersten an Deck gehört, wenn Alarm gegeben wird, und dass ihr unter den Ersten seid, die in einem der Rettungsboote sitzen, denn morgen um diese Zeit werden sie nach jedem suchen, der jünger als fünfunddreißig ist und einen irischen Akzent hat. Also immer schön die Klappe halten, Jungs.*

Drei Minuten und vierzig Sekunden … neununddreißig …

Er starrte die Kabinentür an und stellte sich das Schlimmste vor, was passieren konnte. Die Bombe würde nicht hochgehen, man würde die Tür aufbrechen, und ein Dutzend Polizeischläger, möglicherweise sogar noch mehr, würden in die Kabine stürmen, ihre Schlagstöcke würden in alle Richtungen wirbeln, und niemand würde sich darum kümmern, wie oft er getroffen wurde. Doch er hörte nur das rhythmische Stampfen der Motoren, während die *Buckingham* auf ihrem Weg nach New York weiter durch die ruhige See glitt. Auf eine Stadt zu, die sie nie erreichen würde.

Zwei Minuten und vierunddreißig Sekunden … dreiunddreißig …

Er stellte sich vor, wie es sich anfühlen musste, wieder in der Falls Road zu sein. Kleine Jungen in kurzen Hosen würden voller Ehrfurcht zu ihm aufblicken, wenn er auf der Straße an ihnen vorbeikam, und ihr einziges Ziel würde darin bestehen, so zu sein wie er, wenn sie älter wären. Der Held, der die *Buckingham* nur wenige Wochen nach ihrer Taufe durch die Königinmutter in die Luft gejagt hatte. Dass dabei Unschuldige ihr Leben verloren, zählte nicht. Es gab keine Unschuldigen, wenn man an die Sache glaubte. Genau genommen hatte er keinen einzigen Passagier aus den Kabinen auf den oberen Decks getroffen. Morgen würde er alles über sie in der Zeitung lesen, und wenn er die Operation korrekt durchgeführt hatte, würde sein Name in den Berichten nicht erwähnt werden.

Eine Minute und zweiundzwanzig Sekunden … einundzwanzig …

Was konnte jetzt noch schiefgehen? Konnte der Apparat, der in einem der oberen Schlafzimmer des Guts von Dungannon konstruiert worden war, ihn im letzten Augenblick im Stich lassen? Würde er die Stille ertragen müssen, die ein Versagen bedeutete?

Sechzig Sekunden …

Er begann, jede Zahl zu flüstern.

»Neunundfünfzig, achtundfünfzig, siebenundfünfzig, sechsundfünfzig …«

Hatte der Betrunkene im Sessel in der Lounge in Wahrheit die ganze Zeit über auf ihn gewartet? Waren sie bereits auf dem Weg zu seiner Kabine?

»Neunundvierzig, achtundvierzig, siebenundvierzig, sechsundvierzig …«

Waren die Lilien aus der Vase genommen und ersetzt oder einfach weggeworfen worden? Vielleicht war Mrs. Clifton ja allergisch gegen die Pollen?

Hatten sie Lord Glenarthurs Kabine geöffnet und den unverschlossenen Koffer gefunden?

»Neunundzwanzig, achtundzwanzig, siebenundzwanzig, sechsundzwanzig …«

Durchsuchten sie das Schiff bereits nach dem Mann, der verstohlen die Toilette in der Lounge der ersten Klasse verlassen hatte?

»Neunzehn, achtzehn, siebzehn, sechzehn …«

Hatten sie … er hielt sich am Rand der Koje fest, schloss die Augen und begann, laut zu zählen.

»Neun, acht, sieben, sechs, fünf, vier, drei, zwei, eins …«

Er hörte auf zu zählen und öffnete die Augen. Nichts. Nur die unheimliche Stille, die auf das Versagen folgt. Er senkte den Kopf und betete zu einem Gott, an den er nicht glaubte, und genau in diesem Augenblick gab es eine Explosion von so ungeheurer Wucht, dass er wie ein Blatt im Sturm gegen die Kabinenwand geschleudert wurde. Stolpernd erhob er sich und lächelte, als er die Schreie hörte. Blieb nur noch die Frage, wie viele Passagiere auf dem Oberdeck so etwas überlebt haben konnten.

Mein Dank gilt folgenden Menschen und Einrichtungen für ihre außerordentlich hilfreichen Ratschläge und Recherchen:

Simon Bainbridge, Eleanor Dryden, Professor Ken Howard RA, Cormack Kinsella, dem National Railway Museum, Bryan Organ, Alison Prince, Mari Roberts, Dr. Nick Robins, Shu Ueyama, Susan Watt und Peter Watt.

Jan-Philipp Sendker

»Ein schönes Buch über Liebe und Vertrauen, zugleich ein äußerst spannender Kriminalroman.« ***STERN***

»Jan-Philipp Sendker versteht es, die einzelnen Erzählstränge mit viel Intensität und sehr gefühlvoll zu entwickeln.« ***Deutschlandradio Kultur***

978-3-453-42146-2

978-3-453-42147-9